세상이 변해도,
배움의 즐거움은
변함없도록.

시대는 빠르게 변해도
배움의 즐거움은
변함 없어야 하기에

어제의 비상은
남다른 교재부터
결이 다른 콘텐츠
전에 없던 교육 플랫폼까지

변함 없는 혁신으로
교육 문화 환경의 새로운 전형을
실현해왔습니다.

비상은 오늘, 다시 한번
새로운 교육 문화 환경을 실현하기 위한
또 하나의 혁신을 실현합니다.

오늘의 내가 어제의 나를 초월하고
오늘의 교육이 어제의 교육을 초월하여
배움의 즐거움을 지속하는 혁신,

바로, 메타인지학습을.

상상을 실현하는 교육 문화 기업 비상

메타인지학습

초월을 뜻하는 meta와 생각을 뜻하는 인지가 결합된 메타인지는 자신이
알고 모르는 것을 스스로 구분하고 학습계획을 세우도록 하는 궁극의 학습
능력입니다. 비상의 메타인지학습은 메타인지를 키워주어 공부를 100%
내 것으로 만들도록 합니다.

MIDDLE
SCHOOL
ENGLISH 2·2

이 책의 구성과 특징

공부 코스 A 교과서 Master
교과서 내용을 꼼꼼하게 살펴볼 수 있어요.

Words & Phrases / Words & Phrases Test

교과서에 실린 주요 단어와 숙어를 확인하고 관련 예문까지 학습합니다. 또, Words & Phrases Test를 통해 필수 어휘를 정확히 알고 있는지 확인합니다.

Functions / Functions Test, 듣기 · 말하기 Script

교과서에 제시된 의사소통 기능문과 유사 표현을 학습합니다. Functions Test로 학습한 내용을 점검하고, 교과서의 듣기 대본 내용을 확인하고 복습합니다.

Grammar / 단계별 Grammar Test

교과서에 제시된 문법 사항들을 이해하기 쉬운 도표와 예문을 통해 학습합니다. 단계별 Grammar Test를 통해 학습한 내용을 점검하고 문법 실력을 키웁니다.

Reading / 단계별 Reading Test

교과서에 제시된 읽기 지문을 확인하고 복습합니다. 또한, 단계별 Reading Test를 통해 본문 내용을 완벽히 이해하고, 독해력을 키웁니다.

Review Test

해당 단원에서 익힌 내용을 학교 내신 문제 형태로 종합 평가하고, 다양한 서술형 문제로 서술형 평가 및 수행평가에 대비합니다.

진짜 학교 시험이라고 생각하고 풀면서 실제 시험에 대비해요.

중간 · 기말고사

학교 시험 문제와 유사한 형태의 문제를 풀면서 학교 시험에 대비합니다.

듣기 실전 모의고사

전국 시·도 교육청 영어 듣기능력평가와 같은 난이도와 유형으로 구성된
문제를 통해 실제 듣기 평가에 철저히 대비합니다.

시간이 없다고요? 이 코스로 시험에 꼭 나올 내용을 빠르게 살펴보세요.

Words & Phrases / Functions / Vocabulary & Grammar / Reading

학교 중간·기말고사 직전에 영역별로 꼼꼼하게 정리된 요점을 보면서 핵심
내용을 한눈에 정리하고, 내용을 잘 이해했는지를 바로바로 확인합니다.

이 책의 차례

Study Planner

자신의 공부 계획을 세우고, 계획대로 시행했는지를 확인해 보세요.

중간고사 시험일 _____ ✎   기말고사 시험일 _____ ✎

공부 코스 A 교과서 Master

	중간고사		기말고사	
	Lesson 05	Lesson 06	Lesson 07	Lesson 08
Words & Phrases	☐ 공부할 날	☐	☐ 공부할 날	☐
Words & Phrases Test	☐	☐	☐	☐
Functions	☐	☐	☐	☐
Functions Test	☐	☐	☐	☐
듣기 • 말하기 Script	☐	☐	☐	☐
Grammar	☐	☐	☐	☐
Grammar Test Basic	☐	☐	☐	☐
Grammar Test Advanced	☐	☐	☐	☐
Reading	☐	☐	☐	☐
Reading Test Basic	☐	☐	☐	☐
Reading Test Advanced	☐	☐	☐	☐
Review Test 1회	☐	☐	☐	☐
Review Test 2회	☐	☐	☐	☐

공부 코스 B 학교 시험 Preview

중간고사 대비 1회	☐		기말고사 대비 1회	☐
중간고사 대비 2회	☐		기말고사 대비 2회	☐
중간고사 대비 3회	☐		기말고사 대비 3회	☐
듣기 실전 1회	☐		듣기 실전 2회	☐

공부 코스 C 교과서 Key Note

	Lesson 05	Lesson 06	Lesson 07	Lesson 08
Words & Phrases	☐ 공부할 날	☐	☐ 공부할 날	☐
Functions	☐	☐	☐	☐
Vocabulary & Grammar	☐	☐	☐	☐
Reading	☐	☐	☐	☐

각 표의 빈칸에 공부할 날을 적고, ☐에 실제로 공부했는지 √표 하세요.

공부코스

A

교과서 Master

05

Explore Your Feelings!

● 좋지 않은 감정을 느끼게 된 원인 묻기

A You look down today. **What's the matter?**

B I got a haircut but it's too short.

● 고민을 해결할 방법 제안하기

A I've gained weight lately.

B **I think you should** exercise regularly.

● 현재완료

• They **have been** best friends since childhood.

• How long **has it been** since you started playing the guitar?

● 목적격 관계대명사

• I'm sure there is a reason **that** we don't know about.

• I'm afraid of talking with people **whom** I don't know well.

Words & Phrases

• 아는 단어에 ☑ 표시한 후 외워 봅시다.

□ **advice** [ədváis] 명 조언, 충고
Don't forget my **advice**. ❶

□ **alone** [əlóun] 부 홀로, 혼자
I don't like to eat **alone** at a restaurant. ❷

□ **avoid** [əvɔ́id] 동 피하다
Max **avoided** using his smartphone when other people were in the room. ❸

□ **contact** [kántækt] 명 접촉, 닿음, 동 접촉하다
There are a lot of physical **contact** in American football games. ❹

□ **difficult** [dífikʌlt] 형 어려운 (↔ easy)
Learning a new language is **difficult** for me. ❺

□ **elementary** [èləméntəri] 형 초보의, 초급의
I had a lot of friends in **elementary** school. ❻

□ **fear** [fiər] 명 두려움, 공포
I have a terrible **fear** of dogs. ❼

□ **forgive** [fərgív] 동 용서하다
Please **forgive** me for losing your new umbrella. ❽

□ **haircut** [héərkʌt] 명 이발, 머리 깎기
How often do you go to the hair salon to get a **haircut**? ❾

□ **hate** [heit] 동 싫어하다 (↔ like)
I **hate** Julia because she is lazy. ❿

□ **hurt** [həːrt] 동 다치게 하다, 아프게 하다
I think you should not **hurt** your friend's feelings. ⓫

□ **limit** [límit] 명 한계, 제한
Please keep to the speed **limit** when you're driving. ⓬

□ **line** [lain] 명 (연극, 영화의) 대사
Yuri has to memorize many **lines** for her school play. ⓭

□ **matter** [mǽtər] 명 문제, 동 중요하다
Harper is listening to them to solve the **matter**. ⓮
The quality of their sleep **matters** for athletes. ⓯

□ **mean** [miːn] 동 의도하다, 작정하다
Sam didn't **mean** to break Jack's glasses. ⓰

□ **raise** [reiz] 동 기르다
My grandfather **raises** many kinds of animals. ⓱

□ **reason** [ríːzən] 명 이유, 까닭
I don't know the **reason** that Tom is angry with me. ⓲

□ **regularly** [régjulərli] 부 규칙적으로, 정기적으로
Bob just watches TV and doesn't exercise **regularly**. ⓳

□ **since** [sins] 전 ~부터, ~ 이후
Dave has not eaten fast food **since** last year. ⓴

□ **stand** [stænd] 동 참다, 견디다
I couldn't **stand** the waiter's rudeness. ㉑

□ **stuff** [stʌf] 명 물건, 재료
Would you bring me the **stuff** on my desk? ㉒

□ **suggestion** [səgdʒéstʃən] 명 제안 (동 suggest)
What does Alan say about her **suggestion**? ㉓

□ **upset** [ʌpsét] 형 속상한, 마음이 상한
Why is Cindy so **upset**? ㉔

□ **wise** [waiz] 형 현명한 (↔ foolish)
Once upon a time, there was a **wise** king. ㉕

□ **worry** [wə́ːri] 명 걱정, 동 걱정하다
My biggest **worry** is my weight. ㉖

□ **yell** [jel] 동 소리치다, 소리 지르다
Should I **yell** her name all over the place? ㉗

□ **yet** [jet] 부 (부정문에서) 아직
Jessy hasn't finished her homework **yet**. ㉘

□ **face a problem** 문제에 직면하다

□ **focus on** ~에 집중하다

□ **grow up** 성장하다

□ **in the end** 결국, 마침내 (= finally)

□ **let it go** 그쯤 해 두다, 내버려 두다

□ **lunch break** 점심시간

□ **make a mistake** 실수하다

□ **on purpose** 고의로, 일부러

□ **point out** 지적하다

□ **put ~ down** ~을 깎아내리다

□ **set an alarm** 자명종을 맞추다

□ **up and down** 좋다가 나쁘다가 하는

□ **wake up** 잠에서 깨다

□ **work out** 해결하다

01 다음 빈칸에 알맞은 단어를 〈보기〉에서 골라 쓰시오.

〈보기〉

avoid   forgive   mean

(1) I won't _____ Dave for breaking his promise.
(2) I didn't _____ to tell a lie to my teacher.
(3) Jessy should _____ eating too much chocolate.

02 다음 중 의미상 나머지 네 단어를 모두 포함하는 것은?

① fear   ② anger
③ joy   ④ sadness
⑤ feeling

03 다음 영영풀이가 설명하는 단어를 〈보기〉에서 골라 쓰시오.

〈보기〉

contact   hurt   yell   hate

(1) _____ : to cause someone pain or injury
(2) _____ : to shout in a loud, sharp way

04 다음 빈칸에 공통으로 알맞은 단어를 주어진 철자로 시작하여 쓰시오.

• There is a m_____ I'd like to discuss with you.
• It doesn't m_____ if you're late — we'll wait for you.

05 다음 밑줄 친 부분과 바꿔 쓸 수 있는 것은?

In the end, many animals and plants will die out if global warming continues.

① Finally
② Mainly
③ Normally
④ Regularly
⑤ Surprisingly

06 다음 밑줄 친 표현에 주의하면서 문장을 우리말로 해석하시오.

(1) I hope you do not make a mistake.
→ _____
(2) Matt broke my glasses on purpose.
→ _____
(3) I'd like to be a singer when I grow up.
→ _____

07 다음 중 밑줄 친 부분의 의미가 알맞지 않은 것은?

① I take music lessons regularly. (정기적으로)
② I cannot stand his rude attitude. (참다)
③ Ms. Cook likes to go shopping alone. (혼자)
④ That was the biggest reason for moving. (충고)
⑤ Miran has changed a lot since last year. (~ 이후로)

Functions

1 좋지 않은 감정을 느끼게 된 원인 묻기

A You look down today. **What's the matter?**
너 오늘따라 침울해 보여. 무슨 일이야?

B I got a haircut but it's too short. 머리를 잘랐는데 너무 짧아.

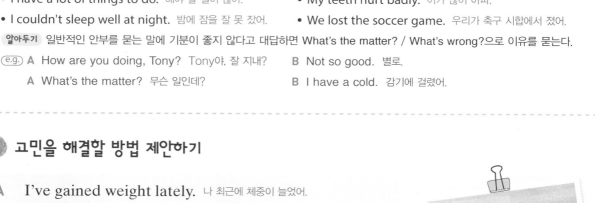

● 좋지 않은 감정을 느끼게 된 원인 묻기

- What's the matter (with you)?* / What's wrong (with you)?* 무슨 일이야?
- What's up? 무슨 일이야? / What happened (to you)? 무슨 일 있었어?
- What's the problem? 문제가 뭐야? / Is there anything wrong? 뭐 잘못된 거 있어?
- Why do you look sad [disappointed]? 너 왜 슬퍼[실망한 것처럼] 보이니?

● 좋지 않은 감정을 느끼게 된 원인 대답하기

- I have a lot of things to do. 해야 할 일이 많아.
- I couldn't sleep well at night. 밤에 잠을 잘 못 잤어.
- My teeth hurt badly. 이가 많이 아파.
- We lost the soccer game. 우리가 축구 시합에서 졌어.

알아두기 일반적인 안부를 묻는 말에 기분이 좋지 않다고 대답하면 What's the matter? / What's wrong?으로 이유를 묻는다.

e.g. A How are you doing, Tony? Tony야, 잘 지내?　B Not so good. 별로.
A What's the matter? 무슨 일인데?　B I have a cold. 감기에 걸렸어.

---

2 고민을 해결할 방법 제안하기

A I've gained weight lately. 나 최근에 체중이 늘었어.

B **I think you should** exercise regularly.
내 생각엔 네가 규칙적으로 운동해야 할 것 같아.

● 고민을 해결할 방법 제안하기

- I think you should* talk to her first. 내 생각엔 네가 먼저 그 애에게 말을 해야 할 것 같아.
- You'd better go see a doctor. 너 병원에 가는 게 좋겠어.
- I suggest that you get some sleep. 난 너에게 잠을 좀 자라고 제안해.
- Why don't you take a break? 쉬는 게 어때? / How [What] about working out? 운동을 하는 게 어때?
- I advise you to hurry. 나는 네가 서두르기를 권해.

● 고민을 해결할 방법 묻기

- What should [can] I do? 내가 무엇을 해야 하지[할 수 있지]?
- What do you suggest? 너는 무엇을 제안하니?
- What would you advise me to do? 너는 나에게 무엇을 하라고 조언할 거니?

알아두기 '내가 ~을 해야 한다고 생각하니?'라는 뜻으로 상대방에게 조언을 구할 때는 Do you think I should ~?로 하고, 긍정의 대답은 I think you should.로, 부정의 대답은 No, you don't have to.로 한다.

01 다음 대화의 빈칸에 알맞은 것은? (2개)

> A You look down today. _____
> B I got a haircut but it's too short.

① What's wrong?
② How about you?
③ How do you do?
④ What's the matter?
⑤ How's everything?

02 다음 대화의 빈칸에 알맞은 말을 (조건)에 맞게 쓰시오.

> (조건)
> should를 사용하여 4단어로 쓸 것

> A I get angry too easily. _____
> B I think you should close your eyes and count to ten.
> A That's a good idea. I'll try that. Thanks.

03 다음 대화의 빈칸에 알맞지 <u>않은</u> 것은?

> A My room is always messy. What should I do?
> B _____
> A That's a good idea. I'll try that. Thanks.

① Why don't you put things back after using them?
② You may put things back after using them.
③ How about putting things back after using them?
④ I think you should put things back after using them.
⑤ I advise you to put things back after using them.

04 다음 대화의 괄호 안의 말을 바르게 배열하여 문장을 완성하시오.

> A I've gained weight lately.
> B _____ regularly.
>   (I / you / should / think / exercise)

[05~06] 다음 대화를 읽고, 물음에 답하시오.

> A You look tired. (A) _____
> B I didn't have breakfast this morning. I'm so hungry.
> A (B) _____ We still have two more hours until lunch break.
> B Our school should have a snack bar. Then, we could have a quick breakfast or snacks.
> A (C) _____ How can we make that suggestion?
> B We can post it on the suggestion board.

고난도
05 위 대화의 빈칸 (A), (B), (C)에 알맞은 말을 (보기)에서 골라 쓰시오.

> (보기)
> · I think so, too.   · Oh, that's too bad.
> · What's the matter?   · What did you do?

(A) _____
(B) _____
(C) _____

06 위 대화 후 두 학생이 건의 게시판에 올릴 내용으로 알맞지 <u>않은</u> 것은?

①Let's Make a Better School!	
Title	②Many Students Are Hungry!
Name	Mike, Jamie
Suggestion	Some students don't have ③lunch and they ④get hungry in the morning. We should have a ⑤snack bar in our school.

07 다음 대화를 순서대로 바르게 배열하시오.

> (A) Do you set an alarm?
> (B) Yeah, but I turn it off and go back to sleep.
> (C) I was late for class again. I just can't wake up in the morning.
> (D) I think you should put it far from your bed. That way, you'll have to get out of bed.

08 다음 대화의 빈칸에 알맞지 <u>않은</u> 것은?

> A What's the matter?
> B ＿＿＿＿＿＿＿＿＿＿＿＿＿

① I'm not feeling well.
② I made new friends.
③ I fought with my brother.
④ I missed the bus, so I had to run to school.
⑤ I dropped my mom's new glasses and broke them.

고난도
09 다음 그림을 보고 친구의 고민에 대한 조언의 말을 〈조건〉에 맞게 쓰시오.

I can't sleep well at night.

〈조건〉
think, take a bath before you sleep을 사용할 것

→ ＿＿＿＿＿＿＿＿＿＿＿＿＿＿＿＿＿

10 다음 대화의 밑줄 친 부분과 바꿔 쓸 수 있는 것은?

> A I forget things too often. What should I do?
> B <u>I think you should write things down.</u>
> A That's a good idea. I'll try that. Thanks.

① You wrote things down.
② You're writing things down.
③ You can write things down.
④ You'd better write things down.
⑤ You're going to write things down.

[11~12] 다음 대화를 읽고, 물음에 답하시오.

> A Hello, you're on the air.
> B Hi, Solomon. I'm Amy.
> A Hi, Amy. (1) 무슨 일이죠?
> B I hate sharing my room with my little sister. She uses my stuff without asking me first. (2) 제가 어떻게 해야 하죠?
> A Hmm…. I think you should tell her your feelings. And you should also make some rules with your sister.
> B Oh, I'll try that. Thanks for the advice.

11 위 대화의 밑줄 친 우리말과 뜻이 같도록 빈칸에 알맞은 말을 쓰시오.

→ (1) What's the ＿＿＿＿＿＿?
→ (2) ＿＿＿＿＿＿ should I ＿＿＿＿＿＿?

12 위 대화에서 Solomon의 조언으로 알맞은 것은? (2개)

① to tell her sister her feelings
② to clean the room with her sister
③ to tell her mom about the problem
④ to keep the rules with her sister
⑤ to make some rules with her sister

Listen & Talk 1~2

1-A

1. **M** You don't look so happy today. ❶_____ _____?
   (무슨 일이야?)

   W I wore my sister's ❷_____ T-shirt. But I got
   (가장 좋아하는)
   grape juice on it.

   M Oh, no. Did you tell your sister?

   W No, not ❸_____. I don't know ❹_____
   ((부정문에서) 아직)   (무엇을 해야 할지)
   _____.

2. **W** David, you ❺_____ today. What's
   (침울해 보이다)
   the matter?

   M I got a ❻_____ but it's too short. I look funny.
   (이발, 머리 깎기)
   W ❼_____ your hat and let me see.
   (~을 벗다)
   (*pause*) Oh, it looks fine.

   M Really? I guess I'm just not ❽_____
   (~에 익숙한)
   it yet.

1-B

W You look tired. What's the matter?

M I didn't ❶_____ this morning. I'm so
   (아침을 먹다)
   ❷_____.
   (배고픈)

W Oh, ❸_____. We still have
   (그거 안됐다)
   two more hours until ❹_____.
   (점심시간)

M Our school should have a ❺_____.
   (매점)
   Then, we could have a quick breakfast or snacks.

W ❻_____, _____. How
   (나도 그렇게 생각해)
   can we make that suggestion?

M We can post it on the ❼_____.
   (건의 게시판)

2-A

1. **W** I don't know ❶_____
   (더 잘하는 방법)
   _____ in math. Can you give me some
   ❷_____?
   (조언)

   M How do you study for tests?

   W I just ❸_____ a lot of problems.
   (〔문제를〕 풀다)
   M Well, don't solve everything. ❹_____
   (나는 네가 ~해야 한다고 생각한다)
   _____ _____ the
   (~에 집중하다)
   ones you got wrong.

2. **W** I was late for class again. I just can't ❻_____
   (잠에서 깨다)
   _____ in the morning.

   M Do you ❼_____ an _____?
   (자명종을 맞추다)
   W Yeah, but I ❽_____ it _____ and go back
   (~을 끄다)
   to sleep.

   M I think you should put it ❾_____
   (~에서 멀리)
   your bed. ❿_____, you'll have to
   (그런 식으로)
   ⓫_____ bed.
   (~에서 나오다)

2-B

M Ms. Morris, I just can't stop playing computer games.
❶_____?
   (내가 어떻게 해야 할까?)
W Well, ❷_____ use a special
   (~하는 게 어때?)
   program? When you set a time ❸_____, the
   (제한, 한계)
   computer ❹_____ at that time.
   (〔기계가〕 멈추다, 정지하다)
M Oh, ❺_____ a _____.
   (그거 좋은 생각이다)
W And I think you should ❻_____ the computer
   (옮기다)
   out of your room and into the ❼_____.
   (거실)
M ❽_____ I _____. Thank you for
   (나도 내가 그래야 한다고 생각한다)
   the advice, Ms. Morris.

Communication

M Hello, you're ❶_____ the _____.
   (방송 중인)
W Hi, Solomon. I'm Amy.

M Hi, Amy. ❷_____ _____?
   (무슨 일이야?)
W I hate ❸_____ my room _____ my little
   (~을 …와 함께 쓰는 것〔나누는 것〕)
   sister. She uses my _____ without asking me
   (물건)
   first. What should I do?

M Hmm.... ❺_____
   (나는 네가 ~해야 한다고 생각한다)
   tell her your ❻_____. And you should also make
   (감정들)
   some ❼_____ with your sister.
   (규칙들)
W Oh, I'll try that. Thanks for the advice.

Grammar

① 현재완료

- They **have been** best friends since childhood. 그들은 어린 시절부터 가장 친한 친구였다.
- How long **has** it **been** since you started playing the guitar? 네가 기타를 치기 시작한 지 얼마나 되었니?

1 쓰임: 현재완료는 과거에 일어난 일이 현재까지 영향을 미칠 때 쓰며, 「have [has]＋과거 분사」로 나타낸다. 특정 과거 시점을 나타내는 부사(구)나 when이 이끄는 부사절과는 함께 쓸 수 없다.

	현재완료	과거
형태	have [has]＋과거 분사	규칙, 불규칙 동사의 과거형
의미	경험, 계속, 완료, 결과	과거에 있었던 사건이나 행동

2 의미

① **경험**: '~한 적이 있다'라는 뜻으로 과거에 한 번 이상 되풀이된 행동을 나타낼 때 쓰며, 주로 ever, never, before, 횟수를 나타내는 부사(구)(once, twice, three times ...)와 함께 쓴다.

e.g. Ann **has spent** a night at a friend's house before. Ann은 전에 친구의 집에서 하룻밤을 보낸 적이 있다.

② **계속**: '(지금까지 계속) ~해 오고 있다'라는 뜻으로 과거에 시작된 일이나 상태가 지금까지 이어지고 있음을 나타내며, 「for＋시간의 길이(~ 동안)」, 「since＋시작한 시점(~ 이후로)」 등과 함께 쓴다.

e.g. The Dutch people **have enjoyed** ice skating **for** a long time. 〈for＋시간의 길이〉
네덜란드 사람들은 오랫동안 아이스 스케이팅을 즐겨 오고 있다.

③ **완료**: '(최근에, 지금 막) ~해 버렸다'라는 뜻으로 과거에 시작한 일이 현재는 끝난 경우에 쓰며, already, yet, just 등의 부사와 함께 쓴다.

e.g. I **have** already **sent** a Christmas card to Isabell. 나는 이미 Isabell에게 크리스마스 카드를 보냈다.

④ **결과**: '(과거에) ~해서 (현재) …하다'라는 뜻으로 과거에 일어난 일로 인해 현재의 결과가 남은 경우에 쓴다.

e.g. Maria **has lost** her new silver necklace. (So, she doesn't have it now.)
Maria는 그녀의 새 은 목걸이를 잃어버렸다. (그래서 지금 가지고 있지 않다.)

② 목적격 관계대명사

- I'm sure there is a reason **that** we don't know about. 나는 우리가 모르는 이유가 있다고 확신한다.
- I'm afraid of talking with people **who(m)** [**that**] I don't know well.
나는 내가 잘 모르는 사람들과 이야기하는 것이 두렵다.

1 목적격 관계대명사 who(m), which, that: 관계대명사가 관계대명사절에서 목적어 역할을 할 때 목적격 관계대명사라고 한다. 선행사가 사람인 경우는 목적격 관계대명사 whom 또는 who를, 사물이나 동물인 경우는 which를 사용한다. who(m), which는 that으로 바꿔 쓸 수 있다.

2 목적격 관계대명사의 생략: 목적격 관계대명사는 생략이 가능하다.

e.g. Did you like the meal (**which** [**that**]) you had in the restaurant? 너는 네가 그 식당에서 먹었던 음식이 마음에 들었니?

알아두기 관계대명사가 전치사의 목적어일 경우 전치사를 관계대명사 앞에 쓸 수도 있지만, 이때는 관계대명사를 생략할 수 없다.

e.g. Edinburgh is the town in (which) Alexander Graham Bell was born. (×)
Edinburgh는 Alexander Graham Bell이 태어난 마을이다.

01 다음 괄호 안에서 알맞은 것을 고르시오.

(1) · Mr. Martin (worked / has worked) for this company since 2000.
  · Mr. Martin (worked / has worked) for this company last year.
(2) · They (visited / have visited) the Eiffel Tower twice.
  · They (visited / have visited) the Eiffel Tower two years ago.

과거와 현재완료 비교
company 회사
twice 두 번

02 다음 두 문장을 한 문장으로 연결할 때 빈칸에 알맞은 말을 쓰시오.

(1) The boy was very funny. We met him at the park.
  → The boy _____ we met at the park was very funny.
(2) Sam bought the bike. He wanted to buy it.
  → Sam bought the bike _____ he wanted to buy.
(3) The last song was "Good bye." They sang it.
  → The last song _____ they sang was "Good bye."

목적격 관계대명사의 역할
funny 웃기는, 재미있는

03 다음 밑줄 친 부분을 어법상 바르게 고치시오. (단, 고칠 필요가 없는 경우 ○표 할 것)

(1) We has used this oven for ten years.
(2) Harry has eaten sushi yesterday.
(3) They have lived in Boston for 2004.
(4) Sori has climbed that mountain before.

현재완료의 쓰임
use 사용하다
live in ~에 살다
climb ~에 오르다, 등산하다

04 다음 주어진 말을 바르게 배열하여 문장을 완성하시오.

(1) we / can / whom / a man / trust
  → He is _____.
(2) I / that / a song / don't know
  → They are singing _____.
(3) girl / likes / everybody
  → Fay is the cheerful _____.

선행사와 목적격 관계대명사의 쓰임
trust 믿다
cheerful 명랑한

05 다음 우리말과 뜻이 같도록 괄호 안의 말을 이용하여 문장을 완성하시오.

(1) 우리는 그 사진들을 여러 번 본 적이 있다. (see)
  → We _____ the pictures many times.
(2) Karl은 학급 친구들 앞에서 드럼을 연주한 적이 있니? (play the drums)
  → _____ Karl _____ in front of his classmates?
(3) Hill 부인은 평생 이 마을에서 살아오고 있다. (live)
  → Ms. Hill _____ in this town all her life.
(4) 우리는 작년 이후로 휴가를 가지 못하고 있다. (take a vacation)
  → We _____ since last year.

현재완료의 의미
many times 여러 번
all one's life 평생
take a vacation 휴가를 보내다

01 다음 빈칸에 알맞은 것은? (2개)

> Green music is the music _____ plants like to hear.

① who   ② whom
③ which   ④ that
⑤ what

02 Which is the right form of the underlined word?

> Susie meet the famous writer many times.

① meets   ② was met
③ has met   ④ is meeting
⑤ was meeting

03 다음 두 문장을 한 문장으로 쓸 때 빈칸에 알맞은 것은?

> Dad began to make *gimbap* three hours ago. He still makes it.
> → Dad _____ *gimbap* for three hours.

① makes   ② is making
③ was making   ④ made
⑤ has made

04 다음 주어진 문장을 이용하여 〈조건〉에 맞게 빈칸에 알맞은 말을 쓰시오.

> She lost it in the street.

─〈조건〉─
(1) 관계대명사를 사용할 것
(2) 관계대명사를 사용하지 말 것

(1) Judy is looking for her dog _____
    _____.

(2) Judy is looking for her dog _____
    _____.

05 다음 우리말과 뜻이 같도록 괄호 안의 말을 바르게 배열할 때 세 번째 올 단어로 알맞은 것은?

> 이것은 Mary가 기차역 주변에서 찾은 그 갈색 고양이이다. (Mary / cat / that / found / brown)
> → This is the _____
>   near the train station.

① Mary   ② cat   ③ that
④ found   ⑤ brown

06 다음 빈칸에 알맞지 않은 것은?

> Dean has played the guitar _____.

① last year   ② before
③ three times   ④ for a long time
⑤ since last month

07 다음 대화에서 어법상 어색한 부분을 찾아 바르게 고치시오.

> A Who is the woman in the picture?
> B She is the singer which I like the most.

_____ → _____

08 고난도
다음 중 밑줄 친 부분의 쓰임이 같은 것끼리 묶어 기호를 쓰시오.

> (A) Sally has drunk iced tea before.
> (B) We have played basketball for two hours.
> (C) He has worked in a bank since last year.
> (D) Peter has seen fashion shows twice.
> (E) I have known Jake for a long time.

_____ / _____

[09~10] 다음 빈칸에 들어갈 말이 알맞게 짝 지어진 것을 고르시오.

09

- Eddy is a movie star _____ everybody likes.
- I want to buy the shoes _____ the famous singer wore.

① who – whom   ② whom – which

③ that – whose   ④ whose – which

⑤ which – that

10

- Ann and her sister have cleaned the streets _____ two hours.
- Jill has been interested in space _____ elementary school.

① for – since   ② since – during

③ during – for   ④ for – during

⑤ since – for

11 고난도

다음 두 문장을 한 문장으로 연결할 때 빈칸에 알맞은 말을 쓰고, 생략할 수 있는 부분을 괄호로 표시하시오.

I'd like to buy a magazine.

I will read it in my free time.

→ I'd like to buy a magazine _____

_____.

12 다음 그림을 보고 괄호 안의 말을 이용하여 질문에 알맞은 대답을 완성하시오.

Q   How long has Becky played the piano?

A   She _____.

(play it / five years)

13 다음 ①~⑤ 중 괄호 안의 말이 들어갈 곳으로 알맞은 것은?

A raincoat (①) is (②) a coat (③) we (④) wear (⑤) in the rain. (which)

14 Fill in the blanks with the right form of the given words.

- They _____ (live) on King Street in 2009.
- They _____ (live) on King Street since 2009.

15 고난도

다음 중 밑줄 친 부분을 생략할 수 있는 것끼리 짝 지어진 것은?

(A) A man whom my uncle knows has just bought the house next door.

(B) A dentist is a person who looks after your teeth.

(C) The robot that Harry bought was very nice.

(D) The hotel at which we stayed was cheap but comfortable.

① (A), (C)   ② (A), (B), (D)

③ (B), (C)   ④ (C), (D)

⑤ (A), (C), (D)

16 고난도

다음 중 어법상 어색한 것은? (2개)

① Have you ever gone to Spain?

② Emma has seen this movie many times.

③ Meg hasn't changed her hairstyle for ten years.

④ I feel very tired today because I didn't sleep well last night.

⑤ When have people started giving chocolate on Valentine's Day?

• 다음 글을 끊어 읽고, 주어진 우리말에 알맞은 표현을 빈칸에 써 봅시다.

Bella is 15 years old this year / and these days / her feelings are going ❶ _____
올해   요즈음   좋다가 나쁘다가 하는
_____ _____. Today, / she looks down. Let's listen to Bella's feelings / and find
                        우울해 보이다   Let's＋동사원형: ~하자   알아보다, 발견하다
out why.
why she looks down today의 의미

Reading Test　　Basic

01 본문의 내용과 일치하면 T, 일치하지 않으면 F를 고르시오.

(1) Bella forgot her song on stage. (T / F)

(2) Jenny pointed out Bella's mistake in front of everyone. (T / F)

(3) Bella and Jenny became best friends in middle school. (T / F)

02 본문을 읽고 질문에 대한 알맞은 대답을 완성하시오.

(1) How old is Bella this year?
→ She is _____.

(2) How are Bella's feelings these days?
→ Her feelings are _____.

(3) Why did Jenny yell at Bella?
→ Because she _____.

• 다음 글을 끊어 읽고, 주어진 우리말에 알맞은 표현을 빈칸에 써 봅시다.

Day 1

Anger What a day! I can't believe / Jenny ❷_____ _____ Bella / after the
정말 끔찍한 하루야!   접속사 that 생략   ~에게 소리쳤다
school play.
연극
└ = Jenny yelled at Bella after the school play

Sadness Well, / ❸_____ _____ Bella forgot her ❹_____ / on stage.
그것은 ~이기 때문이다   forget – forgot   (연극의) 대사   무대에서

Anger Jenny ❺_____ _____ the ❻_____ / _____ Bella made. How
지적했다   Bella가 저지른 실수 (선행사+목적격 관계대명사)
could she do that / in front of everyone?
Jenny가 Bella의 실수를 지적한 것   ~의 앞에서

Joy But I'm sure / Jenny did not ❼_____ to ❽_____ Bella. They ❾_____
I'm sure (that) ~: 나는 ~라고 확신한다 (= It's certain (that) ~)   ~하려고 의도하다   (마음을) 상하게 하다   (계속) ~였다 (현재완료 계속)
관계대명사절 (보어 역할)   ~ 이후로
_____ best friends / ❿_____ elementary school. Remember?

Anger That's what I'm saying. A true friend would never ⓫_____ Bella /
동의하는 표현   진정한 친구라면 (가정법의 조건절 역할을 하는 명사구)   └ ~을 깎아내리다 ┘
= If she were a true friend, she would never ~
like that.

Fear I'm worried / that they are not going to be friends ⓬_____.
~을 걱정하다   └ 더 이상 ~ 않는 ┘

Joy Come on, Fear. Don't go too far. We'll see.
에이, 설마 (부정, 반대의 의미)   극단적으로 하다, 도를 넘다

Q What mistake did Bella make?

A She forgot her lines on stage.

---

03 본문의 내용과 일치하도록 빈칸에 알맞은 말을 〈보기〉에서 골라 쓰시오.

〈보기〉
| Fear | Anger | Joy | Sadness |

(1) _____ is sure Jenny did not mean to hurt Bella.

(2) _____ is worried that Bella and Jenny are not going to be friends anymore.

04 본문의 내용과 일치하지 않는 부분을 찾아 바르게 고치시오.

(1) Jenny's feelings are going up and down these days. _____ → _____

(2) Jenny yelled at Bella after the school festival. _____ → _____

(3) Anger says a true teacher would never put Bella down like that.
_____ → _____

Reading

• 다음 글을 끊어 읽고, 주어진 우리말에 알맞은 표현을 빈칸에 써 봅시다.

Day 2

Anger I can't ⑬_____ Jenny. She didn't say a word / to Bella.
용서하다   = Jenny

Fear Jenny didn't even look at her. Jenny ⑭_____ _____ _____ this cold /
심지어, ~조차도 ~을 보다   결코 ~한 적이 없다 (현재완료 경험)
before.

Sadness Bella ate ⑮_____ / during lunch today. Poor Bella!
홀로, 혼자서   during+기간을 나타내는 말: ~ 동안에

Joy Jenny is Bella's best friend. I'm sure / there is a ⑯_____ / _____ we don't
I'm sure (that) ~: 나는 ~라고 확신한다   우리가 모르는 이유 (선행사+목적격 관계대명사)
know about.

Anger I can't ⑰_____ this any longer. Bella should just go and tell her / about her
┌───── 더 이상 ~ 않는 (= no longer) ─────┐
참다, 견디다   Jenny가 차갑게 행동해서 Bella가 상처 받고 있는 지금의 이 상황
feelings.

Fear I don't want Bella to be hurt / again.
be동사+과거 분사 (수동태)
want+목적어+to부정사: ~가 …하기를 원하다
She should ⑱_____
= Bella   그쯤 해 두다, 내버려 두다
_____ .

Joy They are good friends. They will
⑲_____ it _____ .
┌───── 해결하다 ─────┐
동사+대명사 목적어+부사

Q What does Anger want Bella to do about her problem?
A Anger wants Bella to go and tell Jenny about her feelings.

Reading Test   *Basic*

05 본문의 내용과 일치하지 <u>않는</u> 부분을 찾아 바르게 고치
시오.

(1) Jenny has never been this friendly to
Bella before. _____ → _____

(2) Anger wants Bella to go and tell Jenny
about her dreams.
_____ → _____

(3) Sadness says Bella and Jenny will work
out their problem.
_____ → _____

06 본문을 읽고 질문에 대한 알맞은 대답을 완성하시오.

(1) Why can't Anger forgive Jenny?
→ Because she didn't _____ .

(2) Who did Bella eat lunch with today?
→ She _____ .

(3) What does Fear want for Bella?
→ Fear doesn't want her _____
_____ .

• 다음 글을 끊어 읽고, 주어진 우리말에 알맞은 표현을 빈칸에 써 봅시다.

Day 3

Joy　Whew! I'm so happy / that they are talking again.
　　　　<u>I'm (so) happy (that) ~</u>: ~하니 (참) 기쁘다　　　Bella와 Jenny가 화해했다는 의미

Anger　Yeah, Bella went to Jenny / and talked to her first.

Joy　Jenny didn't ❷⓪ _____ Bella / ❷① _____.
　　　　　　　　　　피하다　　　　　　　　　　　　　고의로

Sadness　Yeah, / Jenny didn't know a way / to say sorry.
　　　　　　　　　　　　　　　　　　　to부정사의 형용사적 용법

Fear　I hope / Bella doesn't have any more problems / like this.
　　　　　┗더 이상 ~ 아닌┛　　　　　　　　　　　　　　Bella의 실수를 Jenny가 다른 사람들 앞에서 큰
　　　명사절 접속사 that 생략　　　　　　　　　　　　　소리로 지적해서 두 사람 사이에 오해가 생겼던 일

Joy　Me, too. But problems are part of ❷② _____ _____. Just like this time, / Bella
　　　　나도 그래. (동의하는 말)　　　　~의 부분, 일환　자라는 것, 성장 (동명사구: 전치사 of의 목적어)

will ❷③ _____

_____ , / solve them, / and
　　문제에 직면하다　　　　　　= the problems

become wiser / ❷④
　　wise의 비교급

_____ .
　　결국, 마침내 (= at last, finally)

Q　How did Bella make up with Jenny?

A　She went to Jenny and talked to her first. (So they cleared up the misunderstanding.)

---

07 본문의 내용에 맞게 괄호 안에서 알맞은 말을 고르시오.

(1) Joy is so (happy / surprised) that Bella and Jenny are talking again.

(2) Jenny didn't know a way to say (sorry / thank you).

(3) (Bella / Jenny) will face the problems, solve them, and become wiser in the end.

08 본문을 읽고 질문에 대한 알맞은 대답을 완성하시오.

(1) Did Bella go to Jenny and talk to her first?
　→ _____

(2) What does Fear hope for?
　→ Fear hopes Bella _____

_____ .

(3) What are part of growing up according to Joy?
　→ _____ are part of growing up.

[01~04] 다음 글을 읽고, 물음에 답하시오.

Anger   What a day! I can't believe Jenny yelled at Bella after the school play.

Sadness   Well, that's because Bella forgot her lines on stage.

Anger   Jenny pointed out the mistake ⓐ<u>what Bella made</u>. How could she do that in front of everyone?

Joy   But I'm sure Jenny did not mean to hurt Bella. They have been best friends since elementary school. Remember?

Anger   That's what I'm saying. A true friend would never ⓑ<u>put Bella down</u> like that.

Fear   I'm _____ that they are not going to be friends anymore.

Joy   Come on, Fear. Don't go too far. We'll see.

01 윗글의 밑줄 친 ⓐ를 어법상 알맞게 고친 것이 <u>아닌</u> 것은? (2개)

① Bella made
② that Bella made
③ who Bella made
④ which Bella made
⑤ that Bella made it

02 윗글의 밑줄 친 ⓑ의 우리말 뜻으로 알맞은 것은?

① Bella를 꾸짖다
② Bella를 용서하다
③ Bella를 도와주다
④ Bella를 깎아내리다
⑤ Bella를 친구로 여기다

03 윗글의 빈칸에 알맞은 것은?

① happy   ② thankful
③ sorry   ④ worried
⑤ surprised

04 윗글의 내용과 일치하지 <u>않는</u> 것은? (2개)

① Bella forgot her lines on stage.
② Bella made a mistake in the class.
③ Jenny pointed out Bella's mistake.
④ Jenny yelled at Bella after the school picnic.
⑤ Bella and Jenny have been best friends since elementary school.

[05~06] 다음 글을 읽고, 물음에 답하시오.

Bella is 15 years old this year and these days <u>그녀의 기분은 좋다가 안 좋다가 한다</u>. Today, she looks down. Let's listen to Bella's feelings and find out why.

05 윗글의 밑줄 친 우리말과 뜻이 같도록 빈칸에 알맞은 말을 쓰시오.

→ her feelings are going _____

06 윗글 다음에 이어질 내용으로 알맞은 것은?

① Bella's daily life
② Bella's school friends
③ what makes Bella happy
④ why Bella looks down today
⑤ Bella's activities in the school play club

[07~09] 다음 글을 읽고, 물음에 답하시오.

Anger   I can't forgive Jenny. She didn't say a word to Bella.

Fear   Jenny didn't even look at her. Jenny ⓐisn't this cold before.

Sadness   Bella ate alone ⓑfor lunch today. Poor Bella!

Joy   Jenny is Bella's best friend. I'm sure there is a reason ⓒwhom we don't know about.

Anger   I can't stand this ⓓany long. Bella should just go and tell her about her feelings.

Fear   I don't want Bella ⓔbe hurt again. She should _____ it go.

Joy   They are good friends. They will _____ it out.

고난도
07 윗글의 밑줄 친 ⓐ~ⓔ 중 어법상 알맞게 고친 것이 <u>아닌</u> 것은?

① ⓐ → wasn't   ② ⓑ → during
③ ⓒ → that   ④ ⓓ → any longer
⑤ ⓔ → to be

08 Which pair of words is appropriate for the blanks?

① let – take   ② let – work
③ put – work   ④ take – let
⑤ work – let

09 윗글의 내용을 다음과 같이 정리할 때, 일치하지 <u>않는</u> 부분을 찾아 바르게 고치시오.

> Bella ate dinner alone. Jenny didn't even look at Bella and didn't say a word to her. Poor Bella!

_____ → _____

[10~12] 다음 글을 읽고, 물음에 답하시오.

_____   Whew! I'm so happy that they are talking again.

Anger   Yeah, Bella went to Jenny and talked to her first.

Joy   Jenny didn't avoid Bella ⓐon purpose.

Sadness   Yeah, Jenny didn't know a way to say sorry.

Fear   I hope Bella does ⓑnot have any more problems like this.

Joy   Me, too. But problems are part of ⓒgrowing up. Just like this time, Bella will ⓓface the problems, solve them, and become wiser ⓔin the end.

10 윗글의 네모 안에 들어갈 감정을 나타내는 단어를 〈보기〉에서 골라 쓰시오.

〈보기〉
Anger   Joy   Sadness   Fear

11 윗글의 밑줄 친 ⓐ~ⓔ의 의미가 알맞지 <u>않은</u> 것은?

① ⓐ: 고의로
② ⓑ: 더 이상 ~ 아닌
③ ⓒ: 성장
④ ⓓ: 문제에 직면하다
⑤ ⓔ: 마지막으로

고난도
12 윗글의 내용과 일치하도록 할 때 빈칸에 Bella가 들어갈 수 <u>없는</u> 것은?

① _____ made up with her friend.
② _____ went to her friend and talked to her first.
③ _____ didn't avoid her friend on purpose.
④ Fear hopes _____ doesn't have any more problems like this.
⑤ _____ will become wiser after she solves more problems in the future.

01 다음 우리말과 뜻이 같도록 빈칸에 알맞은 말을 쓰시오.

(1) Big 씨는 즉시 그 문제를 해결해야 한다.
→ Mr. Big should _____ the _____ at once.

(2) Mike는 더 이상 그 문제에 집중하지 않을 것이다.
→ Mike won't _____ _____ the _____ any longer.

02 다음 빈칸에 알맞은 말을 각각 쓰시오.

- Patrick hid my student card behind the curtain _____ purpose.
- I looked for my keys for hours and _____ the end I found them in the car.

03 다음 대화의 밑줄 친 부분이 의도하는 바로 알맞은 것은?

A I fight with my brother all the time. What should I do?
B I think you should open up to each other more.
A That's a good idea. I'll try that. Thanks.

① 소망   ② 격려   ③ 명령
④ 동의   ⑤ 조언

✐ 시험에 잘 나오는 문제

04 다음 대화의 빈칸에 알맞지 <u>않은</u> 것은?

A You look tired, Philip. _____
B I lost my key, so I couldn't get into my house.
A Oh, that's too bad.

① What's up?   ② What happened?
③ What did you do?   ④ What's the matter?
⑤ What's wrong?

신경향
05 다음 물음에 바르게 대답한 사람이 <u>아닌</u> 것은?

What's the matter?

① Yuri: I have lost my bag.
② Sam: I don't have class tomorrow.
③ Jessy: My best friend is angry with me.
④ Minho: I got a haircut but it's too short.
⑤ Eric: I didn't have breakfast this morning. I'm so hungry.

[06~07] 다음 대화를 읽고, 물음에 답하시오.

A Daisy, you're late again.
B I'm really sorry, Mr. Jones. I stayed up late again last night.
A Well, <u>you'd better try to go to bed earlier.</u> You should also pack your bag the night before, so you can save time in the morning.
B Okay, Mr. Jones. I'll try your advice.

06 위 대화의 밑줄 친 부분과 의미가 같도록 빈칸에 알맞은 말을 쓰시오.

→ I _____ you _____ try to go to bed earlier.

07 위 대화의 Jones 선생님의 조언으로 알맞은 것은? (2개)

① to get up early
② to try to go to bed earlier
③ to arrive at school on time
④ to save time in the morning
⑤ to pack your bag the night before

08 고난도
다음 중 고민과 그에 대한 조언의 말이 알맞지 <u>않은</u> 것은?

① **A** I'm stressed out about my low grades.
  B I advise you to ask your teacher for help.
② **A** I forget things too often.
  B I suggest that you write things down.
③ **A** I don't want to wake up late for the picnic.
  B You'd better go to bed early.
④ **A** I want a backpack, but I don't have enough money.
  B You should wait for a sale.
⑤ **A** I get angry too easily.
  B I think you should take up some hobbies.

09 다음 밑줄 친 말을 알맞은 형태로 고치시오.

> Ms. Baker <u>bake</u> cookies since 2010.

→ _____

10 다음 우리말을 영어로 옮길 때, 괄호 안의 말이 들어갈 곳으로 알맞은 것은?

> 나이아가라 폭포는 매년 많은 사람들이 방문하는 아름다운 곳이다. (which)
> → Niagara Falls (①) is (②) a beautiful place (③) many people (④) visit (⑤) every year.

◆ 시험에 잘 나오는 문제

11 다음 두 문장을 한 문장으로 연결할 때 빈칸에 알맞은 것은? (2개)

> I really like the T-shirt.
> You're wearing the T-shirt.
> → I really like the T-shirt _____.

① which you're wearing
② that you're wearing it
③ whom you're wearing
④ you're wearing
⑤ you're wearing it

12 다음 그림을 보고 대화의 빈칸에 알맞은 말을 쓰시오.

> **A** _____ Brian ever been to Paris?
> **B** Yes, he _____. He _____ _____ to Paris twice.

13 고난도
다음 밑줄 친 부분의 쓰임이 같은 것끼리 묶어 기호를 쓰시오.

> (A) <u>Have</u> you ever <u>eaten</u> African food?
> (B) Logan <u>has had</u> a hamster for two months.
> (C) You <u>have changed</u> a lot since I last saw you.
> (D) Tony and his brother <u>have</u> never <u>been</u> on a plane.
> (E) People <u>have enjoyed</u> puppet shows for a long time.

_____ / _____

14 다음 중 어법상 <u>어색한</u> 것은? (2개)

① Minji has run this website for three years.
② When have you visited the Folk Village?
③ This is a tree which my grandfather planted.
④ Do you remember Jack whom you met in London?
⑤ The man I saw him yesterday is an American.

15 다음 글의 ①~⑤ 중 주어진 문장이 들어갈 곳으로 알맞은 것은?

> I'm worried about my terrible math grades.

> I want to tell you a problem that I have. (①) I have had this problem since last year. I want to do better in math. (②) But when I try to study math, I just can't focus on it. (③) I don't know what to do. (④) I have not had a good night's sleep because of this worry. (⑤) Can you take my worries away?

[16~17] 다음 글을 읽고, 물음에 답하시오.

Anger I can't forgive Jenny. She didn't say a word to Bella.

Fear Jenny didn't even look at her. Jenny (A) wasn't / has never been this cold before.

Sadness Bella ate alone during lunch today. Poor Bella!

Joy Jenny is Bella's best friend. I'm sure there is a reason (B) that we don't know about / whom we don't know about .

Anger I can't stand this any longer. Bella should just go and tell her about her feelings.

Fear I don't want Bella to be hurt again. She should let it go.

16 윗글의 (A), (B)의 각 네모 안에서 어법상 알맞은 것을 고르시오.

17 윗글의 내용과 일치하지 않는 것은? (2개)

① Bella는 Jenny에게 한마디 말도 하지 않았다.
② Bella는 점심을 혼자 먹었다.
③ Bella는 Jenny를 쳐다보지도 않았다.
④ Anger는 Bella가 Jenny에게 자신의 감정을 말해야 한다고 말한다.
⑤ Fear는 Bella가 그냥 내버려 두어야 한다고 말한다.

[18~20] 다음 글을 읽고, 물음에 답하시오.

Anger What a day! I can't believe Jenny ⓐyelled at Bella after the school play.

Sadness Well, that's because Bella forgot her lines on stage.

Anger Jenny ⓑpointed out the mistake that Bella made. How could she do that ⓒin front of everyone?

Joy But I'm sure Jenny did not mean to ⓓhurt Bella. They have been best friends since elementary school. Remember?

Anger That's what I'm saying. A true friend would never ⓔput Bella down like that.

Fear 나는 그들이 더 이상 친구로 지내지 않을까 봐 걱정돼.

Joy Come on, Fear. Don't go too far. We'll see.

18 윗글의 밑줄 친 ⓐ~ⓔ의 의미가 알맞지 않은 것은?

① ⓐ: ~에게 소리쳤다
② ⓑ: 인정했다
③ ⓒ: ~의 앞에서
④ ⓓ: 상처 주다
⑤ ⓔ: 깎아내리다

19 윗글의 밑줄 친 우리말과 뜻이 같도록 빈칸에 알맞은 말을 쓰시오.

→ I'm worried that they are not going to be friends _____.

20 윗글을 읽고 답할 수 있는 질문이 아닌 것은?

① What mistake did Bella make?
② What did Jenny do to Bella after the school play?
③ Did Jenny point out the mistake that Bella made?
④ How often does Jenny fight with Bella?
⑤ Since when have they been best friends?

[21~22] 다음 글을 읽고, 물음에 답하시오.

Joy Whew! I'm so happy that they are talking again.

Anger Yeah, Bella went to Jenny and talked to her first.

Joy Jenny didn't avoid Bella on purpose.

Sadness Yeah, Jenny didn't know a way to say sorry.

Fear I hope Bella doesn't have any more problems like this.

Joy Me, too. But problems are part of growing up. Just like this time, Bella will _____ the problems, solve them, and become wiser in the end.

21 According to the underlined part, which one best describes Bella's character?

① 용기 있다. ② 성급하다.
③ 배려심이 있다. ④ 소극적이다.
⑤ 수줍음이 많다.

🔖 시험에 잘 나오는 문제

22 윗글의 빈칸에 알맞은 것은?

① make ② face ③ miss
④ win ⑤ take

서술형 문제

Writing

23 다음 괄호 안의 문장을 이용하여 〈조건〉에 맞게 대화를 완성하시오.

A What are gloves?
B They are pieces of clothing _____ _____. (We wear them to keep our hands warm or safe.)

〈조건〉
10단어로 쓰고, 생략 가능한 것은 괄호를 할 것

→ _____

Speaking

24 다음 대화의 빈칸에 알맞은 말을 〈조건〉에 맞게 각각 쓰시오.

〈조건〉
(1) what's를 사용하여 3단어로 쓸 것
(2) what's를 사용하여 2단어로 쓸 것

A You look tired, Alan. _____
B I had to do my homework during break.
A Oh, that's too bad.

(1) _____
(2) _____

Reading

25 다음 글을 읽고, 밑줄 친 이유에 대한 답을 우리말로 쓰시오.

Bella is 15 years old this year and these days her feelings are going up and down. Today, she looks down. Let's listen to Bella's feelings and find out why.

Anger What a day! I can't believe Jenny yelled at Bella after the school play.

Sadness Well, that's because Bella forgot her lines on stage.

Anger Jenny pointed out the mistake that Bella made. How could she do that in front of everyone?

Joy But I'm sure Jenny did not mean to hurt Bella.

→ _____

01 다음 빈칸에 알맞지 <u>않은</u> 것은?

> _____ a mistake

① make　　② repeat　　③ admit
④ have　　⑤ point out

02 다음 영영풀이가 설명하는 단어로 알맞게 짝 지어진 것은?

> ⓐ to prevent something bad from happening
> ⓑ why someone does something
> ⓒ without any friends or people you know

	ⓐ		ⓑ		ⓒ
①	avoid	—	purpose	—	limit
②	avoid	—	reason	—	limit
③	yell	—	reason	—	alone
④	yell	—	purpose	—	alone
⑤	avoid	—	reason	—	alone

✎ 시험에 잘 나오는 문제

03 다음 대화의 빈칸에 알맞지 <u>않은</u> 것은?

> A I have a bad cold.
> B _____

① You'd better drink some hot tea.
② I'd like to drink some hot tea.
③ I advise you to drink some hot tea.
④ I suggest that you drink some hot tea.
⑤ I think you should drink some hot tea.

04 다음 대화의 빈칸에 알맞은 말을 〈보기〉에서 골라 쓰시오.

> ─〈보기〉─
> · That's too bad.　　· That's surprising!
> · What about you?　　· What's the matter?

> A You look tired, Philip. (1) _____
> B I walked home in the rain without an umbrella.
> A (2) _____

05 다음 대화의 밑줄 친 ①~⑤ 중 흐름상 어색한 것은?

> A Kevin, ①you look so nervous. ②What's the matter?
> B I dropped my mom's new glasses and broke them.
> A Oh, ③that's terrible. So, your mom also knows about it?
> B ④Not yet. I can't tell her about it. ⑤What should you do?
> A Just tell her first before she finds out about it.

[06~07] 다음 대화를 읽고, 물음에 답하시오.

> A Hello, Solomon. I'm Peter. I have a problem.
> B Hi, Peter. What's wrong?
> A My face turns red when I'm near the girl I like.
> B I think you should take a deep breath and think about something serious.
> A That's a good idea. I'll try that.

06 위 대화의 밑줄 친 부분과 바꿔 쓸 수 있는 것은?

① What's the matter?
② What about you?
③ How's everything?
④ What did you do?
⑤ Why do you think so?

07 What is Peter's problem according to the dialog?

① 얼굴이 빨갛다.
② 심호흡이 잘 안 된다.
③ 여자 친구와 자주 싸운다.
④ 진지한 생각을 하는 것을 싫어한다.
⑤ 좋아하는 여학생 가까이 가면 얼굴이 빨개진다.

08 다음 대화를 순서대로 바르게 배열하시오.

> (A) How do you study for tests?
> (B) I just solve a lot of problems.
> (C) I don't know how to do better in math. Can you give me some advice?
> (D) Well, don't solve everything. I think you should focus on the ones you got wrong.

09 다음 빈칸에 알맞은 것은? (2개)

> **A** What is it in the box?
> **B** It is a doll _____ my friend gave to me.

① who
② whom
③ which
④ that
⑤ what

시험에 잘 나오는 문제

10 다음 두 문장을 한 문장으로 쓸 때 빈칸에 들어갈 말이 알맞게 짝 지어진 것은?

> Daniel began to take care of his little sister two hours ago. He still takes care of her.
> → Daniel _____ care of his little sister _____ two hours.

① is taking – for
② was taking – for
③ was taking – since
④ has taken – since
⑤ has taken – for

11 다음 괄호 안의 말을 이용하여 빈칸에 알맞은 말을 쓰시오.

> • John _____ (go) on a trip through Alaska last month.
> • John _____ (be) on a trip through Alaska before.

12 신경향 다음 그림을 보고 주어진 문장에 생략된 말을 넣어 다시 쓰시오.

> **HELP WANTED**
> We're looking for volunteers. We will clean up the park with them.
> *The Green Friends*

> The Green Friends are looking for volunteers they will clean up the park with.

→ _____

13 다음 중 밑줄 친 부분을 생략할 수 있는 것은? (2개)

① The boy that is next to the tree is Tommy.
② This is the friend that I always play with.
③ The package that arrived this morning is on the desk.
④ I lost the storybook that I borrowed from Jessica.
⑤ We stayed at a hotel that is on the hill.

14 고난도 다음 밑줄 친 부분을 어법상 알맞게 고쳐 쓰지 <u>않은</u> 것은?

① Kitty has loved flowers for she was a little girl. (→ since)
② This is the umbrella who my aunt bought for me. (→ which)
③ We sell all the items at the bazaar last weekend. (→ have sold)
④ The weather didn't be cold since Wednesday. (→ hasn't been)
⑤ Yuri is the girl that I like her the best in my school. (→ like)

15 다음 글의 내용과 일치하도록 빈칸에 알맞은 말을 쓰시오.

> **Anger**   I can't stand this any longer. Bella should just go and tell her about her feelings.
> **Fear**   I don't want Bella to be hurt again. She should let it go.
> **Joy**   They are good friends. They will work it out.

↓

> Joy thinks Bella and Jenny will work out their problem because _____.

[16~17] 다음 글을 읽고, 물음에 답하시오.

I want to tell you a problem that I have. I'm worried about my terrible math grades. I have had this problem ⓐ_____ last year. I want to do better in math. But when I try to study math, I just can't focus on it. I don't know what to do. I have not had a good night's sleep ⓑ_____ this worry. Can you take my worries away?

16 윗글의 빈칸 ⓐ, ⓑ에 알맞은 말을 〈보기〉에서 골라 쓰시오.

> ─〈보기〉─
> for   since   because   because of

17 윗글의 I에 대한 설명으로 알맞지 <u>않은</u> 것은?

① 형편없는 수학 점수가 걱정이다.
② 작년부터 이 고민거리를 가지고 있었다.
③ 수학을 더 잘하고 싶어 한다.
④ 수학을 공부할 시간이 없다.
⑤ 걱정 때문에 잠을 잘 잘 수가 없다.

[18~20] 다음 글을 읽고, 물음에 답하시오.

> **Anger**   What a day! I can't believe Jenny yelled at Bella after the school play.
> **Sadness**   Well, ⓐ<u>that's because</u> Bella forgot her <u>lines</u> on stage.
> **Anger**   Jenny pointed out the mistake ⓑ<u>that Bella made</u>. How could she do that in front of everyone?
> **Joy**   But ⓒ<u>I'm sure</u> Jenny did not mean to hurt Bella. They ⓓ<u>were</u> best friends since elementary school. Remember?
> **Anger**   That's what I'm saying. A true friend would never put Bella down like that.
> **Fear**   I'm worried that they are not going to be friends ⓔ<u>anymore</u>.
> **Joy**   Come on, Fear. Don't go too far. We'll see.

18 윗글의 밑줄 친 ⓐ~ⓔ 중 어법상 <u>어색한</u> 것은?

① ⓐ   ② ⓑ   ③ ⓒ   ④ ⓓ   ⑤ ⓔ

^{고난도}
19 In which sentence does 'line' have the same meaning as the underlined part of the passage?

① Wait in <u>line</u> for tickets.
② Draw a horizontal <u>line</u> on the paper.
③ Daisy should memorize her <u>lines</u> after lunch.
④ Children came down the stairs in a <u>line</u>.
⑤ Visitors can use different subway <u>lines</u> to get their destination.

20 윗글의 내용과 일치하도록 할 때 다음 물음에 대한 대답으로 알맞은 것은?

> **Q** How do you think Bella felt today?

① happy   ② bored
③ hopeful   ④ embarrassed
⑤ scared

[21~22] 다음 글을 읽고, 물음에 답하시오.

Joy Whew! I'm so happy that they are talking again.

Anger Yeah, Bella went to Jenny and talked to her first.

Joy Jenny didn't avoid Bella on purpose.

Sadness Yeah, Jenny didn't know a way to say _____.

Fear I hope Bella doesn't have any more problems like this.

Joy Me, too. But problems are part of growing up. Just like this time, Bella will face the problems, solve them, and become wiser in the end.

21 윗글의 빈칸에 알맞은 것은?

① thanks ② sorry ③ hello
④ goodbye ⑤ I love you

시험에 잘 나오는 문제

22 윗글을 읽고 답할 수 있는 질문이 <u>아닌</u> 것은?

① Why did Jenny avoid Bella?
② How did Bella make up with Jenny?
③ When did Bella talk to Jenny first?
④ What does Fear hope for?
⑤ According to Joy, what will Bella do when she has problems again?

서술형 문제

Speaking

23 자신의 남동생과 자주 싸우는 친구에게 주어진 말을 사용하여 〈조건〉에 맞게 제안하는 말을 쓰시오.

> open up to each other more

〈조건〉
(1) think를 사용할 것
(2) advise를 사용할 것

(1) _____
(2) _____

Reading

24 다음 대화를 글로 재구성할 때 빈칸에 알맞은 말을 쓰시오.

Anger I can't forgive Jenny. She didn't say a word to Bella.

Fear Jenny didn't even look at her. Jenny has never been this cold before.

Sadness Bella ate alone during lunch today. Poor Bella!

Joy Jenny is Bella's best friend. I'm sure there is a reason that we don't know about.

Anger I can't stand this any longer. Bella should just go and tell her about her feelings.

↓

Jenny didn't (1) _____ to Bella and she didn't even look at her. Sadness said "Poor Bella!" because Bella (2) _____. Anger wants Bella to (3) _____ Jenny about her (4) _____.

Writing

25 다음 친구들의 주말 활동 표를 보고 빈칸에 알맞은 말을 쓰시오.

	3 hours ago	2 hours ago	1 hour ago	now
Jack				
Sam				
Miso				

(1) Jack _____ for three hours.
(cook for his family)

(2) Sam _____ for two hours.
(watch a baseball game on TV)

(3) Miso _____ for an hour.
(play badminton with her brother)

걱정과 불운을 없애고 행운과 복을 불러오는 것들

• 러이끄라통 (태국)

태국의 러이끄라통 축제에서는 행운을 뜻하는 상징물인 '러이끄라통'이 등장해요. 보통 바나나 줄기와 잎으로 연꽃 모양을 만들어 그 안에 머리카락, 돈, 손톱, 향, 촛불을 넣고 물에 띄워요.

• 터키석 (터키)

터키인들은 터키석을 직접 구입하는 것보다 남에게 선물하면 더욱 강한 힘을 발휘한다고 믿어요. 몸에 지니고 다니면, 그 사람을 보호할 뿐만 아니라 성공, 용기, 행운, 돈, 사랑, 우정을 얻게 된다고 해요.

• 붉은색 (중국)

중국에서 붉은색은 축복, 권력을 얻고 악귀를 쫓는다는 의미를 담고 있어서 중국 국기인 오성홍기도 붉은색이에요. 중국인들은 설날에 거리에 붉은 등을 내걸며, 그 해의 띠를 가진 사람들이 일 년 내내 홍색 내의나 허리띠를 걸칠 경우 무병장수하며 행운이 따른다고 믿어요. 또 선물을 포장할 때에도 붉은색으로 하는 경우가 많아요.

• 흰 코끼리 (미얀마)

미얀마의 행운의 상징은 흰 코끼리예요. 미얀마의 유명한 관광지 쉐지곤 파고다(Shwezigon Pagoda)를 짓기 전, 건물을 지을 땅을 정하기 위해 부처의 치아를 보석 상자에 넣고 미얀마인들이 신성시 여기는 흰 코끼리의 등에 얹어 배회케 한 다음 그 코끼리가 휴식을 취한 곳으로 정했다고 해요. 이때 코끼리가 휴식을 취한 이곳이 황금벌 모래 언덕이었기 때문에 '황금모래 언덕'이란 의미의 쉐지곤으로 불리게 되었어요.

Doors to the Wild

Functions

● 궁금한 일 표현하기

A This flower is bigger than a person.
B Yeah. **I'm curious about** the flower.

● 비교해 표현하기

A We got a new puppy yesterday.
B Oh, he's so small!
A Yeah. He's **as small as** my hand.

Grammar

● 가주어(it) ~ 진주어(to부정사)

- **It** is dangerous **to stay** alone in such a wild area.
- **It** is surprising **to see** you reading books.

● 원급 비교

- Stella's eyes were **as bright as** stars.
- Dogs can't see **as well as** humans.

• 아는 단어에 ☑ 표시한 후 외워 봅시다.

□ **adventurous** [ədvéntʃərəs] 형 모험심이 강한, 모험적인
You are **adventurous** to explore the jungle. ❶

□ **allow** [əláu] 동 허락하다
Please **allow** me to stay one more hour. ❷

□ **appear** [əpíər] 동 나타나다 (↔ disappear)
After the rain, the rainbow **appeared** in the sky. ❸

□ **approach** [əpróutʃ] 동 다가가다, 다가오다
When you **approach** the village, you'll see a big tree on your right. ❹

□ **attack** [ətǽk] 동 공격하다, 습격하다
The old man was **attacked** and his money was stolen. ❺

□ **blind** [blaind] 형 눈먼, 시각 장애인인
This watch is good for the **blind** people. ❻

□ **careless** [kɛ́ərlis] 형 부주의한 (↔ careful)
Careless driving is very dangerous. ❼

□ **curious** [kjúəriəs] 형 궁금한, 호기심이 많은
Ryan is **curious** about Korean folk culture. ❽

□ **dangerous** [déindʒərəs] 형 위험한 (↔ safe)
It's **dangerous** to walk alone at late night. ❾

□ **dead** [ded] 형 죽은 (↔ alive)
Throw away all those **dead** flowers. ❿

□ **feed** [fi:d] 동 우유를 먹이다, 먹이를 주다
The children are **feeding** the ducks in the pond. ⓫

□ **female** [fí:meil] 형 암컷의
The zookeeper called the **female** panda "Rara." ⓬

□ **giant** [dʒáiənt] 형 거대한, 명 거인
The robots will build a **giant** spaceship for us. ⓭
Goliath was a **giant**. ⓮

□ **hole** [houl] 명 구덩이, 구멍
A dog was digging a **hole** in the ground. ⓯

□ **humorous** [hjú:mərəs] 형 재미있는, 유머러스한
Mark Twain wrote **humorous** adventure stories. ⓰

□ **language** [lǽŋgwidʒ] 명 언어
We often use body **language** to communicate with each other. ⓱

□ **lifeless** [láiflis] 형 죽은, 생명이 없는
We saw a lot of **lifeless** fish floating in the river. ⓲

□ **rescue** [réskju:] 명 구조
The soldiers were sent to a **rescue** center. ⓳

□ **restless** [réstlis] 형 가만히 못 있는
Children always get **restless** on long journeys. ⓴

□ **seem** [si:m] 동 ~처럼 보이다
David **seems** to concentrate on his work. ㉑

□ **sense** [sens] 명 감각
Dogs have a good **sense** of smell. ㉒

□ **shelter** [ʃéltər] 명 보호소
The homeless need food and **shelter**. ㉓

□ **strength** [streŋθ] 명 힘
I don't know where Ted gets his **strength** from. ㉔

□ **tail** [teil] 명 꼬리
Look at the fox which is wagging his **tail** quickly. ㉕

□ **thick** [θik] 형 두꺼운, 굵은 (↔ thin)
The ice was **thick** enough to walk on. ㉖

□ **throughout** [θru:áut] 전 ~ 동안 쭉, 내내
Kate and Jenny stayed home **throughout** the weekend. ㉗

□ **tongue** [tʌŋ] 명 혀
The doctor asked me to put out my **tongue**. ㉘

□ **trunk** [trʌŋk] 명 (코끼리의) 코
The elephant uses its **trunk** to pick up food. ㉙

□ **unbelievably** [ʌnbilívəbli] 부 믿을 수 없을 정도로
Unbelievably, Nayun can speak five foreign languages. ㉚

□ **wild** [waild] 형 야생의, 명 야생
Nicole studies **wild** flowers. ㉛

□ **become part of** ~의 일원[일부]이 되다

□ **care for** ~을 돌보다 (= look after, take care of)

□ **keep one's eyes on** ~에서 눈을 떼지 않다

□ **next to** ~의 바로 옆에

□ **take a picture of** ~의 사진을 찍다

□ **thanks to** ~ 덕분에

01 다음 빈칸에 알맞은 단어를 〈보기〉에서 골라 쓰시오.

〈보기〉

attack   feed   allow

(1) It's your turn to _____ the dog.
(2) The teacher doesn't _____ looking up words in a dictionary during a test.
(3) In these waters there are some sharks which _____ fishers.

02 다음 〈보기〉의 짝 지어진 관계와 일치하도록 빈칸에 알맞은 단어를 쓰시오.

〈보기〉

thick : thin

(1) safe : _____
(2) dead : _____

03 다음 영영풀이가 설명하는 단어로 알맞은 것은?

a building which is designed to give protection from bad weather, danger, or attack

① hospital   ② shelter
③ department store ④ nursing home
⑤ police station

04 다음 우리말과 뜻이 같도록 빈칸에 알맞은 말을 각각 쓰시오.

Max는 돌보아야 할 개 세 마리가 있다.

→ (1) Max has three dogs to _____ for.
→ (2) Max has three dogs to _____ after.
→ (3) Max has three dogs to _____ care of.

05 다음 문장에서 의미상 어색한 단어를 찾아 바르게 고치시오.

(1) A horse's tale is long.
_____ ➞ _____
(2) Look at the whole in the garden.
_____ ➞ _____
(3) Hannah sees to like singing in front of lots of people.
_____ ➞ _____

06 다음 빈칸에 공통으로 알맞은 단어를 괄호 안의 우리말을 참고하여 쓰시오.

(1) • In Africa, we saw many elephants and lions in the _____. (야생)
    • Some _____ mushrooms are poisonous. (야생의)
(2) • Children saw a _____ in the woods. (거인)
    • The cake looked like a _____ ship. (거대한)

07 다음 중 밑줄 친 부분의 쓰임이 어색한 것은?

① Keep your eyes to the road.
② The bookstore is next to the bakery.
③ The Internet has become part of everyday life.
④ Mark likes to take pictures of nature.
⑤ Jessy could finish her report thanks to Harry's help.

Functions

① 궁금한 일 표현하기

A This flower is bigger than a person. 이 꽃은 사람보다 더 커.
B Yeah. **I'm curious about** the flower. 그래. 나는 그 꽃이 궁금해.

● **궁금한 일 표현하기**

- I'm curious about*schools in the future. 나는 미래의 학교가 궁금해.
- I wonder what is in the food you are eating. 나는 네가 먹고 있는 음식에 무엇이 들어 있는지 궁금해.
- I want to know more about the robot. 나는 그 로봇에 대해 더 알고 싶어.
- I'd be interested to know about that surprising gorilla that can communicate with humans.
  나는 인간과 의사소통할 수 있는 놀라운 고릴라에 대해 알고 싶어.

● **궁금한 일 묻기**

- Can someone tell me about the 3D printer? 누가 나에게 3D 프린터에 대해 말해 줄 수 있니?
- Are you curious about space? 너는 우주에 대해 궁금하니?

---

② 비교해 표현하기

A We got a new puppy yesterday. 우리는 어제 새 강아지를 데려왔어.
B Oh, he's so small! 오, 그 애는 정말 작구나!
A Yeah. He's **as small as** my hand. 응. 그 애는 내 손만큼 작아.

● **비교해 표현하기**

- Her wedding dress is as white as*snow. 그녀의 웨딩드레스는 눈처럼 하얘.
- Cats aren't as intelligent as dolphins. 고양이는 돌고래만큼 똑똑하지 않아.
- Andrew is the same age as Cathy is. Andrew는 Cathy와 나이가 같아.
- Sally's backpack and mine are the same. Sally의 배낭과 나의 배낭은 같은 것이야.
- My sister and I look alike. 나와 언니는 닮았어.
- Your watch is similar to mine in shape and color. 네 시계는 모양과 색깔이 내 시계와 비슷해.

● **비교해 묻기**

- Who is faster, Superman or Batman? 슈퍼맨과 배트맨 중 누가 더 빠르니?
- Which is bigger, this box or that one? 이 상자와 저 상자 중 어느 것이 더 크니?
- Which do you like better, music or science? 너는 음악과 과학 중 어느 것을 더 좋아하니?

  알아두기 '둘 중에서 어느 하나가 더 ~하다'라는 비교를 나타낼 때는 「비교급+than」의 형태를 사용한다.
  e.g. A Jessy runs faster than Ann. Jessy가 Ann보다 빨리 달려.
          B You're right. 네 말이 맞아.

01 다음 대화의 빈칸에 알맞은 것은?

> A Look at this. This bird laughs like a person.
> B Oh, _____.
> A Me, too. Let's read more about it.

① I'm looking for the bird
② I'm looking forward to the bird
③ I'm curious about the bird
④ I'm worried about the bird
⑤ I can help the bird laugh like a person

02 다음 그림과 일치하도록 할 때 질문에 대한 대답으로 알맞은 것은?

> Q How old is the tree?

① It's old.
② The house is old.
③ It's older than the house.
④ It's as old as the house.
⑤ It isn't so old as the house.

03 다음 대화의 밑줄 친 우리말과 뜻이 같도록 괄호 안의 말을 이용하여 영어로 쓰시오.

> A This flower is bigger than a person.
> B Yeah. 나는 그 꽃이 궁금해. (curious)

→ _____

04 고난도
다음 말에 이어질 대화를 순서대로 바르게 배열한 것은?

> Look! Isn't that a sea horse?
> (A) Actually, no. It's a sea dragon.
> (B) Oh, I can tell the difference now!
> (C) Oh, really? I'm curious about the difference between them.
> (D) Look at the tail carefully. A sea dragon has a straight one, but a sea horse does not.

① (A) − (B) − (D) − (C)
② (A) − (C) − (D) − (B)
③ (B) − (C) − (D) − (A)
④ (C) − (D) − (A) − (B)
⑤ (D) − (C) − (B) − (A)

[05~06] 다음 글을 읽고, 물음에 답하시오.

> Hi, I'm Toby. I'm going to give a presentation about the blue whale. It's the biggest sea animal in the world. How big is it? Well, it's about 30 m long. That means it's longer than a basketball court. Another interesting thing is that its tongue is _____!
> Surprising, isn't it?

05 윗글의 빈칸에 다음에 주어진 말을 바르게 배열하여 문장을 완성하시오.

> as / as / heavy / an elephant

06 윗글의 blue whale에 대한 설명으로 알맞지 <u>않은</u> 것은?

① 세상에서 가장 큰 바다 동물이다.
② 길이가 약 30미터이다.
③ 농구장보다 더 길다.
④ 무게가 약 30킬로그램이다.
⑤ 혀가 코끼리만큼 무겁다.

07 다음 대화의 밑줄 친 부분을 같은 의미로 바꿔 쓸 때 빈 칸에 알맞은 말을 쓰시오.

> A Look at this. This dog dances to music.
> B Oh, I'm curious about the dog.
> A Me, too.

→ _____, too.

08 다음 대화의 밑줄 친 ①~⑤ 중 흐름상 어색한 것은?

> A ①Let's play a guessing game. It's a vegetable.
> B How big is it?
> A ②It is as heavy as a lemon.
> B ③What color is it?
> A ④It is as brown as a cello.
> B It's ginger.
> A ⑤You're wrong. It's a potato.

고난도
09 다음 그림을 보고 「as ~ as ...」를 이용하여 빈칸에 알맞은 비교 표현을 쓰시오.

> A We got a new puppy yesterday. He's only two weeks old.
> B Oh, Dylan, he's so small!
> A Yeah. He is _____ now, but he'll get much bigger in a few months.

10 다음 주어진 우리말을 영어로 알맞게 옮긴 것은?

> 상어는 배만큼 빨리 헤엄칠 수 있다.

① A shark can swim as fast as a boat.
② A shark can't swim as fast as a boat.
③ A boat can't swim so fast as a shark.
④ A shark can swim faster than a boat.
⑤ A boat can swim faster than a shark.

[11~12] 다음 대화를 읽고, 물음에 답하시오.

> A Hello, Dr. Watson. Can you tell us about your study?
> B I study animals that lived millions of years ago.
> A Oh, I'm curious about those animals. Were there any interesting ones?
> B Yes, there were many. This is the giant snake. It lived in South America. It was as long as a bus and it had two legs.
> A That's amazing!

11 위 대화의 밑줄 친 부분이 의도하는 바로 알맞은 것은?

① 계획 말하기   ② 취미 말하기
③ 궁금한 일 말하기   ④ 원하는 것 말하기
⑤ 좋아하는 것 말하기

12 위 대화를 읽고 답할 수 있는 질문이 아닌 것은?

① What does Dr. Watson study?
② Where did the giant snake live?
③ How long was the giant snake?
④ How long did the giant snake live?
⑤ How many legs did the giant snake have?

듣기·말하기 Script

주어진 우리말을 참고하여 빈칸에 알맞은 말을 써 봅시다.

Listen & Talk 1~2

1-Ⓐ

1. **M** Judy, did you ❶_____(선택하다, 고르다) a topic for your science project?

   W Not yet. ❷_____ _____(너는 어때), Ryan?

   M ❸_____(나는 ~가 궁금하다) ❹_____(날씨 변화) _____. So I'm ❺_____(~에 대해 생각 중인) doing the project on that.

   W That's an interesting ❻_____(주제)!

2. **W** Look at this picture of a ❼_____(커다란, 거대한) flower.

   M Wow, it is ❽_____(~보다 더 큰) a person.

   W Yeah. I'm really curious about this flower. It also says here that the flower ❾_____(냄새가 나다) very bad, but ❿_____ love the smell.

   M Hmm, I ⓫_____(이유가 궁금하다)(벌레들, 곤충들)

1-Ⓑ

W Do you think we can be friends with lions, Todd?

M No, Clare. I ❶_____(그렇게 생각하지 않는다).

W Well, I watched a video clip about friendship ❷_____ two men _____(~와 … 사이에) a lion.

M Really? I'm curious about the story. Can you tell me ❸_____(더 많이)?

W The two men ❹_____(길렀다) a baby lion and sent her back into the ❺_____(야생). When the men and the lion met a year ❻_____(나중에, 후에), she ❼_____(기억했다) them.

M Wow, that's so ❽_____(감동적인).

2-Ⓐ

1. **M** Look at this picture, Mina. We got a new ❶_____(강아지) yesterday. He's ❷_____(겨우, 단지) two weeks old.

   W Oh, Dylan, he's so small!

   M Yeah. He's ❸_____(~만큼 작은) my hand now, but he'll get ❹_____ in ❺_____(훨씬 더 큰) months.

   W Wow, puppies ❻_____(몇몇의) very quickly.(자라다)

2. **W** George, that red house ❼_____(저쪽에) is my grandparents' house.

   M Wow, the tree by the house is really big.

   W Actually, that tree is ❽_____(~만큼 나이가 많은) me, thirteen years old.

   M How do you know that, Kelly?

   W My grandfather ❾_____(심었다) the tree in 2004 when I ❿_____(태어났다).

2-Ⓑ

M Hi, I'm Toby. I'm going to give a ❶_____(발표) about the blue whale. It's ❷_____(가장 큰) sea animal in the world. ❸_____(얼마나 큰) is it? Well, it's ❹_____(약, 대략) 30 m long. That means it's ❺_____ a ❻_____(~보다 더 긴)(농구장). Another interesting thing is that its ❼_____(혀) is ❽_____(~만큼 무거운) an elephant! Surprising, isn't it?

Communication

W Hello, Dr. Watson. Can you tell us about your study?

M I study animals that lived ❶_____(수백만의 ~) years ❷_____(~ 전에).

W Oh, ❸_____(나는 ~가 궁금하다) those animals. Were there any interesting ones?

M Yes, there were many. This is the giant kangaroo. It ❹_____(~에 살았다) Australia. It was ❺_____(~만큼 무거운) three men and it couldn't jump well.

W ❻_____(그거 놀라운데)!

Grammar

① 가주어(it) ~ 진주어(to부정사)

- **It** is dangerous **to stay** alone in such a wild area. 그러한 야생 지역에서 혼자 있는 것은 위험하다.
- **It** is surprising **to see** you reading books. 네가 책을 읽는 것을 보는 것은 놀랍다.

1 **to부정사의 명사적 용법**: 「to + 동사원형」의 형태로 쓰이는 to부정사는 문장에서 <u>명사처럼 쓰여, 주어, 목적어, 보어 역할</u>*을 한다.

> (e.g.) **To peel** an orange is easy. 〈주어 역할: ~하는 것은〉 오렌지 껍질을 벗기는 것은 쉽다.
>
> My favorite thing is **to read** detective stories. 〈보어 역할: ~하는 것(이다)〉
> 내가 가장 좋아하는 일은 탐정 소설을 읽는 것이다.
>
> The police started **to chase** the bank robber. 〈목적어 역할: ~하기를〉
> 경찰은 은행 강도를 추적하기 시작했다.

2 **It(가주어) ~ to부정사(진주어)**: to부정사가 명사적 용법 중 주어로 쓰인 경우 It을 사용하여 「It ~ to부정사」 형태로 바꿔 쓸 수*있는데, 이때 It을 '가주어', to부정사를 '진주어'라고 한다.

> (e.g.) **To follow** the safety rules is important. 안전 규칙을 따르는 것이 중요하다.
>
> → **It** is important **to follow** the safety rules.
>   가주어   진주어
>
> It's not difficult **to recycle** such things as cans and old clothes. 깡통이나 낡은 옷 같은 것을 재활용하는 것은 어렵지 않다.

> **알아두기** 1. 문장의 주어와 to부정사의 주어가 일치하지 않을 경우: to부정사 앞에 「for + 목적격」 형태로 의미상 주어를 쓴다.

> (e.g.) **It** was easy **for him to answer** the questions. 그가 그 질문들에 대답하는 것은 쉬웠다.

> 2. it의 여러 가지 쓰임: (a) 대명사: 앞에 나온 명사를 가리킨다. (b) 비인칭 주어: 거리, 시간, 날씨 등을 의미한다.
>   (c) that절 대신 쓰이는 가주어

> (e.g.) **It** is true **that** my mother likes fancy clothes. 〈that절 대신 쓰인 가주어〉 나의 엄마가 화려한 옷을 좋아하는 것은 사실이다.

② 원급 비교

- **Stella's** eyes were **as bright as** stars. Stella의 눈은 별처럼 밝았다.
- **Dogs** can't see **as well as** humans. 개들은 사람만큼 잘 볼 수 없다.

1 **원급 비교**: <u>두 개의 대상을 서로 비교하여 정도가 같을 때 사용하는 표현</u>*이다.

긍정문	as + 형용사[부사]의 원급 + as ~	~만큼 …한[하게]
부정문	not as [so] + 형용사[부사]의 원급 + as ~	~만큼 …하지 않은[않게]

> (e.g.) The dog is **as blind as** a bat. 그 개는 박쥐만큼 눈이 안 보인다.
>
> A football stadium is **not as [so] clean as** a library. 축구 경기장은 도서관만큼 깨끗하지 않다.

2 **A not as [so] + 원급 + as B = B + 비교급 + than A**

> (e.g.) My hair is**n't as long as** my mother's. 내 머리카락은 엄마 머리카락만큼 길지 않다.
>
> = My mother's hair is **longer than** mine. 엄마 머리카락은 내 머리카락보다 길다.

> **알아두기** 비교되는 대상은 항상 같은 형태여야 한다.

> (e.g.) **Riding** a horse is not so easy as **riding** a bike for me. 나에게 말을 타는 것은 자전거를 타는 것만큼 쉽지 않다.

Grammar Test *Basic*

01 다음 문장의 밑줄 친 부분이 문장에서 어떤 역할을 하는지 고르시오.

to부정사의 명사적 용법의 역할
join 가입하다
express 표현하다

(1) To play with my dog is interesting.　　□ 주어 □ 보어 □ 목적어

(2) Helen's plan is to join the magic club.　　□ 주어 □ 보어 □ 목적어

(3) I want to eat a steak at that restaurant.　　□ 주어 □ 보어 □ 목적어

(4) It is important to express your feelings.　　□ 주어 □ 보어 □ 목적어

02 다음 우리말과 뜻이 같도록 괄호 안의 말을 이용하여 문장을 완성하시오.

원급 비교의 의미
skinny 마른
get up 일어나다
sweet 달콤한, 단맛이 나는

(1) Samuel은 그의 사촌 Jack만큼 말랐다. (skinny)

　→ Samuel is ＿＿＿＿＿＿＿ his cousin, Jack.

(2) 유진이는 그녀의 언니만큼 일찍 일어난다. (early)

　→ Yujin gets up ＿＿＿＿＿＿＿ her sister.

(3) 과일은 초콜릿만큼 달지 않다. (sweet)

　→ Fruit is ＿＿＿＿＿＿＿ chocolate.

03 다음 문장을 바꿔 쓸 때 빈칸에 알맞은 말을 쓰시오.

It(가주어) ~ to부정사(진주어)의 쓰임
foolish 어리석은
be good for ~에 좋다

(1) To get angry at your little brother was foolish.

　→ ＿＿＿＿＿ was foolish ＿＿＿＿＿＿＿＿＿＿.

(2) To learn how to cook French food is exciting.

　→ ＿＿＿＿＿ is exciting ＿＿＿＿＿＿＿＿＿＿.

(3) To eat slow food is good for your health.

　→ ＿＿＿＿＿ is good for your health ＿＿＿＿＿＿＿＿.

04 다음 문장에서 밑줄 친 부분이 가리키는 것을 찾아 쓰시오.

It(가주어) ~ to부정사(진주어)의 관계
rule 규칙
pleasant 즐거운, 유쾌한

(1) It is difficult to work in the rain.

　→ ＿＿＿＿＿＿＿＿＿＿＿

(2) It is important to keep the school rules.

　→ ＿＿＿＿＿＿＿＿＿＿＿

(3) It is very pleasant to take a walk in the morning.

　→ ＿＿＿＿＿＿＿＿＿＿＿

05 다음 두 문장을 한 문장으로 쓸 때 괄호 안의 말을 이용하여 문장을 완성하시오.

원급 비교의 쓰임
carrot 당근
expensive (값이) 비싼

(1) Cheesecake is $15. Carrot cake is $15, too.

　→ Cheesecake is ＿＿＿＿＿ ＿＿＿＿＿ ＿＿＿＿＿ carrot cake. (expensive)

(2) This bridge was built in 2001. That bridge was built in 1990.

　→ This bridge is ＿＿＿＿＿ ＿＿＿＿＿ ＿＿＿＿＿ that one. (old)

[01~02] 다음 빈칸에 알맞은 것을 고르시오.

01

> It is exciting _____ rollerblading.

① go ② goes
③ to go ④ to going
⑤ have gone

02

> A blue pencil is as _____ as a red pencil.

① cheap ② cheaply
③ cheaper ④ cheapest
⑤ the cheapest

03 Which is the correct translation of the following?

> 이 식물들을 기르는 것은 재미있다.

① Grow these plants is fun.
② To growing these plants is fun.
③ It is fun to grow these plants.
④ It is fun to growing these plants.
⑤ That is fun to grow these plants.

04 다음 그림의 상황을 바르게 표현한 것은?

① The cat jumps high.
② The cat can't jump high.
③ The cat jumps as high as the kangaroo.
④ The cat can't jump as high as the kangaroo.
⑤ The cat jumps higher than the kangaroo.

05 다음 문장을 바꿔 쓸 때 빈칸에 알맞은 말을 쓰시오.

> To keep your pet's food cool in summer is helpful for his health.
> → _____ is helpful for his health _____ your pet's food cool in summer.

[06~07] 다음 우리말과 뜻이 같도록 괄호 안의 말을 바르게 배열하여 문장을 완성하시오.

06

> 수의사가 되는 것은 어렵다.
> → _____ an animal doctor.
> (is / to / hard / it / become)

07

> 개들은 두 살짜리 아이만큼 똑똑하다.
> → Dogs are _____.
> (as / as / smart / a two-year-old child)

08 다음 두 문장을 한 문장으로 알맞게 연결한 것은?

> Ann has dinner at 5 p.m.
> Dave has dinner at 5 p.m., too.

① Dave has dinner as early as Ann.
② Dave doesn't have dinner as early as Ann.
③ Ann doesn't have dinner as early as Dave.
④ Ann has dinner earlier than Dave.
⑤ Dave has dinner earlier than Ann.

09 다음 빈칸에 공통으로 들어갈 알맞은 말을 쓰시오.

> • Bread is as expensive _____ cookies at this supermarket.
> • My computer isn't _____ fast as yours.

10 다음 주어진 밑줄 친 It과 쓰임이 같지 <u>않은</u> 것은? (2개)

> It is interesting to play table tennis.

① It's my mother's new skirt.
② It's wrong to feed the animals in the zoo.
③ It's necessary to learn Chinese these days.
④ It's two kilometers from here to the park.
⑤ It's very fun to talk with my grandma.

11 다음 주어진 문장과 의미가 같은 것은?

> Megan is taller than Jason.

① Jason is taller than Megan.
② Jason is as tall as Megan.
③ Megan is as tall as Jason.
④ Jason isn't as tall as Megan.
⑤ Megan isn't so tall as Jason.

^{고난도}
12 다음 그림을 보고 〈보기〉에서 알맞은 말을 골라 문장을 완성하시오.

> ─〈보기〉─
> it   that   is   does   unsafe
>   to take pets   to taking pets

→ _____ to the zoo.

13 다음 빈칸에 들어갈 말이 알맞게 짝 지어진 것은?

> _____ is important _____ well at night before an exam.

① It – sleep
② It – to sleep
③ It – to sleeping
④ What – to sleep
⑤ That – to sleeping

14 다음 빈칸에 괄호 안의 말을 알맞은 형태로 고치시오.

> • This pizza is as _____(cold) as ice. I have to heat it.
> • I think *gimbap* isn't so _____(good) as sandwiches for lunch.

15 다음 중 어법상 알맞은 것끼리 짝 지어진 것은?

> (A) Sam spoke as quietly as Bob.
> (B) Rome is not as old so Athens.
> (C) Keep pets such as iguanas is interesting.
> (D) It is difficult to understand other people.

① (A), (C)
② (A), (D)
③ (A), (C), (D)
④ (B), (D)
⑤ (B), (C), (D)

^{고난도}
16 다음 중 어법상 <u>어색한</u> 것은?

① This movie is as violent as that one.
② It is always fun to surf the Internet.
③ An hour is sixty times as long as a minute.
④ To leave your bag in the library is dangerous.
⑤ Spending money well is as important as to save money.

Reading

• 다음 글을 끊어 읽고, 주어진 우리말에 알맞은 표현을 빈칸에 써 봅시다.

The Footprints of a Baby Elephant
발자국

Date/Time: July 8th / 2:35 p.m.

Notes: Today was my first day / in Africa. I ❶_____ lots of _____
많은 (= a lot of)
in+넓은 장소   ~의 사진을 찍었다
elephants. This morning, / I found an elephant group / by a small water ❷_____ . I
오늘 아침에 (과거 부사구)   과거형 동사 (find – found)   ~ 옆에   구덩이
saw a baby elephant drinking water / beside her mother. Her eyes were / ❸_____
지각동사(see)+목적어+목적격 보어(현재 분사)   동격
_____ stars. I gave her a name, Stella. Around noon, / I saw a group of
별처럼 밝은 (as+형용사의 원급+as ~: ~만큼 ···한)   ~에게 이름을 붙였다   정오 즈음에, 정오경에   지각동사(see)+목적어+목적격 보어(현재 분사)
lions ❹_____ Stella. The elephants stood around Stella / and made a ❺_____
다가가는 (전치사 ×)   ~ 주위에   두꺼운
wall. ❻_____ them, / Stella was safe.
~ 덕분에, ~ 덕택에   Stella를 둘러싼 코끼리들

Q How did the elephant group protect Stella from the lions?

A They stood around Stella and made a thick wall.

Reading Test *Basic*

01 본문의 내용과 일치하면 **T**, 일치하지 않으면 **F**를 고르시오.

(1) The writer gave a baby lion a name, Stella. (T / F)

(2) A group of lions approached Stella around noon. (T / F)

(3) The elephants made a thick wall to protect Stella. (T / F)

02 본문을 읽고 질문에 대한 알맞은 대답을 완성하시오.

(1) What did the writer take lots of pictures of?
→ He took lots of pictures of
_____.

(2) Where did the writer find an elephant group?
→ He found it _____.

(3) What was a baby elephant doing beside her mother?
→ She was _____.

• 다음 글을 끊어 읽고, 주어진 우리말에 알맞은 표현을 빈칸에 써 봅시다.

Date/Time: July 12th / 7:20 p.m.

Notes: Around sunset, / I heard a strange sound. I followed the sound / and found Stella
해 질 녘에   lie(눕다)의 현재 분사형   find+목적어+목적격 보어(현재 분사)

crying / next to her mom. She was lying dead / and Stella was alone. **❼**_____ is
    ~ 옆에 (= beside)   과거진행형   주격 보어   such(그러한)+a [an]+형용사+명사   가주어

❽_____ / **❾**_____ _____ alone / in such a **❿**_____ area. **⓫**
  위험한   비인칭 주어   진주어: 혼자 있는 것은   야생의

_____, / it was going to be dark soon. Elephants can't see well / at night. So / Stella
게다가, 더욱이 (= In addition, Furthermore)   일반적 사실 (현재시제로 나타냄)   밤에

could easily **⓬**_____. I called the elephant **⓭**_____ / and **⓮**_____
      공격 받다 (수동태: be+과거 분사)   보호소, 피난처   도움을 청했다

_____ _____. I decided to stay by her / until the **⓯**_____ team came.
      decide+to부정사: ~하기로 결정하다   ~할 때까지   구조
                       (시간의 계속 접속사)

03 본문의 내용에 맞게 괄호 안에서 알맞은 말을 고르시오.

(1) Around sunset, the writer followed the strange (sound / light).

(2) Stella was (playing / crying) next to her mom.

(3) Stella could be (helped / attacked) easily because she was alone in the wild area at night.

04 본문의 내용과 일치하지 <u>않는</u> 부분을 찾아 바르게 고치시오.

(1) Stella's dad was lying dead and Stella was alone.

_____ ➡ _____

(2) Elephants can't eat well at night.

_____ ➡ _____

(3) The writer visited the elephant shelter and asked for help.

_____ ➡ _____

• 다음 글을 끊어 읽고, 주어진 우리말에 알맞은 표현을 빈칸에 써 봅시다.

Date/Time: July 12th / 10:40 p.m.

Notes: The night was dark and quiet. I ⑯_____ _____ _____
~에서 내 눈을 떼지 않았다
Stella / with my night camera. Stella was still ⑰_____
~로, ~을 가지고 (수단, 도구)   여전히, 아직도   ~ 옆에
_____ her mom. She was touching her mom's ⑱___
죽은 (= dead), 생명이 없는
body / with her nose. ⑲_____ was sad /
가주어   진주어: 보는 것은
_____ Stella staying / close to her mom. I hope / Stella stays
~ 가까이에   접속사 that 생략
safe / ⑳_____ the night.
~동안 쭉, 내내

Q **Why could Stella be attacked easily at night?**

A She was alone and she can't see well at night.

Reading **Test**   *Basic*

05 본문의 내용과 일치하면 **T**, 일치하지 <u>않으면</u> **F**를 고르시오.

(1) It was dark and quiet on the night of
July 12th. (T / F)
(2) It was good to see Stella staying beside
her dead mom. (T / F)
(3) The writer hopes Stella's mom stays
safe throughout the night. (T / F)

06 본문을 읽고 질문에 알맞은 대답을 완성하시오.

(1) What did the writer keep his eyes on
Stella with?
→ He did that with his _____.
(2) What was Stella touching her mom's
dead body with?
→ She was doing that with her _____.

• 다음 글을 끊어 읽고, 주어진 우리말에 알맞은 표현을 빈칸에 써 봅시다.

Date/Time: July 13th / 6:00 a.m.

Notes: A new elephant group ㉑_____ / and Stella approached them. At first, / I
_{= the new elephant group}
(나타났다) (~로 다가갔다 (전치사 ✕)) (처음에)

thought / that they would not let Stella in their group. But I was wrong. An elephant, /
(명사절 접속사) (허용하다 (= allow))

㉒_____ the oldest ㉓_____, / ㉔_____ Stella to ㉕_____
(아마 (= maybe)) (가장 나이 많은 (최상급)) (암컷) (~가 …하는 것을 허락했다) (~의 일원이 되다)

_____ the group. The other elephants also ㉖_____ welcome Stella.
(~인 것처럼 보였다)

㉗_____, / one of the female elephants ㉘_____ Stella. She ㉙_____
(믿을 수 없게도) (주어) (동사: 젖을 먹였다) (= One of the female elephants) (~을 돌보았다 (= took care of, looked after))

_____ Stella / ㉚_____ Stella's mom did. This was such
(~만큼 따뜻하게 (원급 비교)) (= cared for Stella (대동사))

an amazing moment!
너무나 놀라운 순간 (「such+a (an)+형용사+명사」의 어순)

Q Which elephant allowed Stella to become part of the group?

A The oldest female elephant allowed Stella to become part of the group.

---

07 본문의 내용에 맞게 괄호 안에서 알맞은 말을 고르시오.

(1) Stella (attacked / approached) the new elephant group.

(2) At first, the writer thought the new elephant group (would / would not) let Stella in their group.

(3) A female elephant cared for Stella as (warmly / coldly) as Stella's mom did.

08 본문의 내용과 일치하지 <u>않는</u> 부분을 찾아 바르게 고치시오.

(1) The youngest female allowed Stella to become part of the group.
_____ → _____

(2) The other elephants seemed to avoid Stella.
_____ → _____

(3) One of the female elephants rescued Stella.
_____ → _____

[01~03] 다음 글을 읽고, 물음에 답하시오.

Date/Time: July 8th / 2:35 p.m.

Notes: Today was my first day in Africa. I took lots of pictures of elephants. This morning, I found an elephant group by a small water hole. I saw a baby elephant drinking water beside her mother. 그 코끼리의 눈이 별처럼 밝았다. I gave her a name, Stella. Around noon, I saw a group of lions approaching Stella. The elephants stood around Stella and made a thick wall. Thanks to them, Stella was _____.

01 윗글의 밑줄 친 우리말과 뜻이 같도록 괄호 안의 말을 이용하여 문장을 완성하시오.

> → Her eyes were _____ _____
> _____ stars. (bright)

02 윗글의 빈칸에 알맞은 것은?

① small   ② happy   ③ safe
④ sleepy   ⑤ hungry

고난도
03 윗글을 읽고 답할 수 있는 질문이 아닌 것은?

① Where did the writer write this diary?
② When did the writer find an elephant group?
③ What did the writer see in the elephant group?
④ Why did the writer give a baby elephant a name?
⑤ When did the writer see a group of lions approaching Stella?

[04~06] 다음 글을 읽고, 물음에 답하시오.

Date/Time: July 12th / 7:20 p.m.

Notes: Around sunset, I heard a strange sound. I followed the sound and found Stella crying next to ⓐher mom. ⓑShe was lying dead and ⓒshe was alone. It is dangerous to stay alone in such a wild area. What's more, it was going to be dark soon. Elephants can't see well at night. So ⓓshe could easily be attacked. I called the elephant shelter and asked for help. I decided to stay by ⓔher until the rescue team came.

04 윗글의 밑줄 친 ⓐ~ⓔ 중 가리키는 것이 나머지와 다른 것은?

① ⓐ   ② ⓑ   ③ ⓒ   ④ ⓓ   ⑤ ⓔ

05 윗글의 밑줄 친 **It**과 쓰임이 같지 않은 것은?

① It is not far from here to there.
② It is important to save Earth.
③ It is harmful to watch too much TV.
④ It is expensive to shop in department stores.
⑤ It is very rude to speak so loudly in a library.

06 윗글에서 **Stella**가 처한 상황으로 알맞은 것은?

① 난처하다.   ② 다급하다.
③ 긍정적이다.   ④ 불리하다.
⑤ 위험하다.

[07~09] 다음 글을 읽고, 물음에 답하시오.

Date/Time: July 12th / 10:40 p.m.

Notes: The night was dark and quiet. (ⓐ) I kept my eyes on Stella with my night camera. (ⓑ) Stella was still next to her mom. (ⓒ) She was touching her mom's lifeless body with her nose. (ⓓ) I hope Stella stays safe throughout the night. (ⓔ)

07 Which is the best place for the following sentence among ⓐ~ⓔ?

> It was sad to see Stella staying close to her mom.

① ⓐ   ② ⓑ   ③ ⓒ
④ ⓓ   ⑤ ⓔ

08 윗글에서 다음 단어와 같은 의미로 쓰인 것을 찾아 쓰시오.

> dead

→ _____

09 윗글의 내용과 일치하지 <u>않는</u> 것은?

① 7월 12일 관찰 일지이다.
② 글쓴이는 카메라로 Stella를 지켜보았다.
③ Stella는 엄마 곁에 있었다.
④ Stella는 엄마의 코를 어루만지고 있었다.
⑤ 글쓴이는 Stella를 보는 것이 슬펐다.

[10~12] 다음 글을 읽고, 물음에 답하시오.

Date/Time: July 13th / 6:00 a.m.

Notes: A new elephant group appeared and Stella approached them. At first, I thought that they would not let Stella in their group. But I was wrong. An elephant, probably the oldest female, allowed Stella to become part _____ the group. The other elephants also seemed to welcome Stella. Unbelievably, one of the female elephants fed Stella. She cared _____ Stella as warmly as Stella's mom did. <u>This</u> was such an amazing moment!

10 윗글의 빈칸에 들어갈 말이 알맞게 짝 지어진 것은?

① of – after   ② for – of
③ of – for   ④ after – for
⑤ for – after

고난도
11 윗글의 밑줄 친 **This**가 의미하는 것을 우리말로 쓰시오.

→ _____

12 윗글의 내용과 일치하도록 할 때 다음 질문에 대한 대답의 빈칸에 알맞은 것은?

> **Q** What did the writer think at first?
> **A** He thought that _____.

① Stella would welcome the new elephant group
② the new elephant group would care for Stella
③ Stella would not approach the new elephant group
④ the oldest female elephant would feed Stella
⑤ the new elephant group would not let Stella in their group

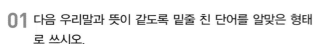

01 다음 우리말과 뜻이 같도록 밑줄 친 단어를 알맞은 형태로 쓰시오.

(1) 부주의한 운전자들은 사고를 일으킬 수 있다.
→ <u>Care</u> drivers can cause accidents.
(2) 이 가방은 내 책을 옮기는 데 유용하지 않다.
→ This bag is <u>use</u> for carrying my books.

02 다음 영영풀이가 설명하는 단어로 알맞은 것은?

> to let someone do or have something, or let something happen

① seem　② allow　③ feed
④ attack　⑤ approach

[시험에 잘 나오는 문제]

03 다음 대화의 밑줄 친 부분과 바꿔 쓸 수 있는 것은?

> A Look at this. This horse guides the blind.
> B Oh, <u>I'd be interested to know about the horse.</u>

① I've heard about the horse
② I'm worried about the horse
③ I'm curious about the horse
④ I want to read a book about the horse
⑤ I'd like you to tell me about the horse

04 다음 대화의 밑줄 친 부분과 의미가 같도록 빈칸에 알맞은 말을 쓰시오.

> A George, that red house over there is my grandparents' house.
> B Wow, the tree by the house is really big.
> A Actually, <u>that tree is thirteen years old and I'm thirteen years old, too.</u>

→ that tree is ＿＿＿＿＿＿ me, thirteen years old

05 다음 대화를 순서대로 바르게 배열한 것은?

> (A) That's an interesting topic!
> (B) Judy, did you choose a topic for your science project?
> (C) Not yet. How about you, Ryan?
> (D) I'm curious about weather change. So I'm thinking about doing the project on that.

① (B) − (A) − (C) − (D)
② (B) − (C) − (D) − (A)
③ (C) − (A) − (D) − (B)
④ (C) − (D) − (B) − (A)
⑤ (D) − (B) − (C) − (A)

[06~07] 다음 대화를 읽고, 물음에 답하시오.

A Do you think we can be friends with lions, Todd?
B No, Clare. I don't think so.
A Well, I watched a video clip about friendship between two men and a lion.
B Really? 나는 그 이야기가 궁금해. Can you tell me more?
A The two men raised a baby lion and sent her back into the wild. When the men and the lion met a year later, she remembered them.
B Wow, that's so touching.

06 위 대화의 밑줄 친 우리말과 뜻이 같도록 빈칸에 알맞은 말을 쓰시오.

→ I'm ＿＿＿＿＿＿ ＿＿＿＿＿＿ the story.

07 What is this dialog mainly about?

① Can we be friends with lions?
② Do lions want to live with people?
③ How can we raise a baby lion?
④ How did a baby lion remember the men?
⑤ When should we send lions back into the wild?

신경향

08 다음 대화의 빈칸에 들어갈 말이 <u>아닌</u> 것은?

> A (1) _____ It's a vegetable.
> B How big is it?
> A (2) _____
> B (3) _____
> A It is as brown as a cello.
> B It's ginger.
> A (4) _____ It's a potato.

① You're wrong.
② What color is it?
③ It's as old as a school.
④ It is as big as a lemon.
⑤ Let's play a guessing game.

09 Which is the right form of the underlined part?

> It is exciting <u>have</u> friends from foreign countries.

① have   ② to have
③ to having   ④ had
⑤ have had

🔖 시험에 <u>잘</u> 나오는 문제

10 다음 두 문장을 한 문장으로 바르게 바꿔 쓴 것은?

> Alan's backpack weighs 5 kg.
> Eric's backpack weighs 5 kg, too.

① Alan's backpack is as heavy as Eric's.
② Alan's backpack isn't as heavy as Eric's.
③ Eric's backpack isn't as heavy as Alan's.
④ Alan's backpack is heavier than Eric's.
⑤ Eric's backpack is heavier than Alan's.

11 다음 주어진 문장을 바꿔 쓸 때 빈칸에 알맞은 말을 쓰시오.

> To take a zoo tour is fun.
> → _____ is fun _____ a zoo tour.

12 다음 그림을 바르게 표현한 것은?

① The apple is big, but the pear isn't.
② The pear is big, but the apple isn't.
③ The apple is as big as the pear.
④ The apple isn't as big as the pear.
⑤ The pear is bigger than the apple.

신경향

13 다음 〈보기〉의 밑줄 친 It과 쓰임이 같은 것의 개수는?

〈보기〉
> <u>It</u> is good to water the plant once a week.

> (A) <u>It</u> is dangerous to enter the cage.
> (B) <u>It</u> is fun to run with my dog.
> (C) <u>It</u> is about the origin of the universe.
> (D) <u>It</u> is getting colder.
> (E) <u>It</u> is impossible to live without water.

① 1개   ② 2개   ③ 3개
④ 4개   ⑤ 5개

고난도

14 다음 중 어법상 <u>어색한</u> 것은? (2개)

① It's as round as a dish.
② Silver isn't as valuable so gold.
③ It's not easy get a perfect score in English.
④ To learn many different things is important.
⑤ Walking upstairs is not so easy as walking downstairs.

15 다음 글을 읽고 표에서 내용을 잘못 정리한 것은?

> Today, I saw a plant. It is called a pitcher plant. It is bright green and red. It looks like a pitcher. As for its size, it is about 15 cm long. It is as long as my hand. It is interesting that the plant attracts insects and eats them.

↓

color	① bright green and red
shape	② looks like a pitcher
size	③ about 15 cm long ④ as long as my leg
interesting fact	⑤ attracts insects and eats them

[16~17] 다음 글을 읽고, 물음에 답하시오.

Date/Time: July 12th / 7:20 p.m.

Notes: Around sunset, I heard a strange sound. I followed the sound and found Stella crying next to her mom. She was lying dead and Stella was alone. It is dangerous to stay alone in such a wild area. What's more, it was going to be dark soon. Elephants can't see well at night. So Stella could easily be attacked. I called the elephant shelter and asked for help.

16 윗글의 밑줄 친 **next to**와 바꿔 쓸 수 있는 말을 쓰시오.

→ _____

🖊️시험에 잘 나오는 문제

17 윗글의 내용과 일치하도록 할 때 다음 질문에 대한 대답으로 알맞은 것은?

> **Q** What did the writer do when he found Stella's mom lying dead?

① He shouted for help.
② He buried Stella's mom.
③ He called the elephant shelter.
④ He ran to the elephant shelter.
⑤ He took Stella to the other elephants.

[18~20] 다음 글을 읽고, 물음에 답하시오.

Date/Time: July 8th / 2:35 p.m.
Notes: Today was my first day ⓐat Africa. I took lots of pictures of elephants. This morning, I ⓑfind an elephant group by a small water hole. I saw a baby elephant ⓒto drink water beside her mother. Her eyes were ⓓas brighter as stars. I gave her a name, Stella. Around noon, I saw a group of lions ⓔapproaching to Stella. The elephants stood around Stella and made a thick wall. Thanks to them, Stella was safe.

고난도
18 윗글의 밑줄 친 ⓐ~ⓔ 중 어법상 알맞게 고친 것이 아닌 것은?

① ⓐ → in
② ⓑ → found
③ ⓒ → drinking
④ ⓓ → as brightly as
⑤ ⓔ → approaching

서술형
19 윗글의 밑줄 친 **Thanks to them**의 의미를 우리말로 쓰시오. (단, **them**이 가리키는 것을 밝힐 것)

→ _____

신경향
20 윗글의 내용을 바르게 이해한 사람이 아닌 것은?

① Amy: The writer took lots of pictures of elephants.
② Harper: A baby elephant was drinking water beside her mother.
③ Luke: The writer gave the baby elephant a name, Stella.
④ Clara: A group of lions tried to protect Stella.
⑤ Brian: The elephants made a thick wall around Stella.

[21~22] 다음 글을 읽고, 물음에 답하시오.

Date/Time: July 13th / 6:00 a.m.

Notes: A new elephant group appeared and Stella approached them. (ⓐ) At first, I thought that they would not let Stella in their group. (ⓑ) But I was wrong. (ⓒ) The other elephants also seemed to welcome Stella. (ⓓ) Unbelievably, one of the female elephants fed Stella. (ⓔ) She cared for Stella as warmly as Stella's mom did. This was such an amazing moment!

21 윗글의 ⓐ~ⓔ 중 다음 문장이 들어갈 곳으로 알맞은 것은?

> An elephant, probably the oldest female, allowed Stella to become part of the group.

① ⓐ ② ⓑ ③ ⓒ
④ ⓓ ⑤ ⓔ

22 윗글의 밑줄 친 **She**가 가리키는 것을 본문에서 찾아 쓰시오.

→ _____

서술형 문제

Speaking

23 다음 그림을 보고 비교하는 표현이 되도록 대화를 완성하시오.

(1)
Jack

(2) Pam's cat   Harry's dog
two years old   two years old

(1) **A** How tall is the tree?
　　B It's _____ Jack.
(2) **A** How old is Pam's cat?
　　B It's _____ Harry's dog.

Reading

24 다음 글을 대화로 재구성할 때 빈칸에 알맞은 말을 쓰시오.

> **Date/Time**: July 12th / 10:40 p.m.
>
> **Notes**: The night was dark and quiet. I kept my eyes on Stella with my night camera. Stella was still next to her mom. She was touching her mom's lifeless body with her nose. It was sad to see Stella staying close to her mom. I hope Stella stays safe throughout the night.

↓

A What did you do with your night camera?
B I (1) _____ with it.
A Where was Stella during the night?
B She was (2) _____.
A What was she doing?
B She (3) _____.
A What do you hope for?
B I hope Stella (4) _____.

Writing

25 다음 〈보기〉는 동물을 느린 것에서 빠른 것의 순서로 나타낸 것이다. 〈보기〉를 잘못 설명한 두 개의 문장을 찾아 바르게 고치시오.

〈보기〉

snail < rabbit / squirrel < tiger / zebra < cheetah

> One day six animals in the forest ran a race.
> (1) The snail ran as fast as the rabbit.
> (2) The rabbit ran as fast as the squirrel.
> (3) The tiger ran faster than the rabbit.
> (4) The zebra ran faster than the tiger.
> (5) The cheetah ran faster than the zebra.

01 다음 짝 지어진 관계가 같도록 빈칸에 알맞은 말을 쓰시오.

(1) health : healthy = humor : _____
(2) fantasy : fantastic = adventure : _____

02 신경향
다음 빈칸에 들어갈 말이 <u>아닌</u> 것은?

ⓐ Peter took the homeless dogs to an animal _____.
ⓑ I'm going to dig a _____ in the garden.
ⓒ Diana wears a _____ woolen coat in winter.
ⓓ The _____ driver didn't see the light turn red.

① thick   ② shelter
③ careless   ④ wild
⑤ hole

03 Write two words that can replace the underlined part.

A Look at this. This pig plays soccer.
B Oh, I'm curious about the pig.
A <u>I'm curious about the pig, too.</u> Let's read more about it.

04 다음 주어진 우리말을 영어로 알맞게 옮긴 것은?

바나나가 테니스공만큼 노랗다.

① A banana is yellow, but a tennis ball isn't.
② A tennis ball is yellow, but a banana isn't.
③ A banana is as yellow as a tennis ball.
④ A banana isn't as yellow as a tennis ball.
⑤ A tennis ball isn't as yellow as a banana.

05 다음 말에 이어질 대화를 순서대로 바르게 배열한 것은?

Look, I found this interesting blog with facts about bees.
(A) Oh, are there any interesting ones?
(B) Me, too. Let's watch this video and find out.
(C) Yeah, bees communicate with each other by dancing.
(D) Really? How do they do it? I'm curious about the way.

① (A) − (B) − (D) − (C)
② (A) − (C) − (D) − (B)
③ (B) − (A) − (C) − (D)
④ (C) − (A) − (D) − (B)
⑤ (D) − (C) − (B) − (A)

[06~07] 다음 글을 읽고, 물음에 답하시오.

   Hi, I'm Jane. I'm going to give a presentation about ants. They have special abilities. First, they have a good sense of smell. They can smell things _____. They also have amazing strength. They can carry 50 times their body weight. Aren't they surprising?

06 서술형
윗글의 빈칸에 다음에 주어진 말을 바르게 배열하여 문장을 완성하시오.

as / as / dogs / well

✏ 시험에 잘 나오는 문제

07 윗글의 개미에 대한 설명으로 알맞지 <u>않은</u> 것은?

① 특별한 능력이 있다.
② 좋은 후각을 가졌다.
③ 개만큼 냄새를 잘 맡을 수 있다.
④ 놀라운 힘을 가졌다.
⑤ 자기 무게의 50배를 먹을 수 있다.

08 다음 대화의 밑줄 친 ①~⑤ 중 흐름상 어색한 것은?

> A ①Look at this picture of a huge flower.
> B Wow, ②it is bigger than a person.
> A Yeah. ③I'm really curious about this person. It also says here that the flower smells very bad, but ④insects love the smell.
> B Hmm, ⑤I wonder why.

09 다음 빈칸에 들어갈 말이 알맞게 짝 지어진 것은?

> _____ is safer _____ long sleeves in the jungle.

① It – wear
② It – to wear
③ It – to wearing
④ That – to wear
⑤ That – to wearing

서술형
10 다음 주어진 문장을 바꿔 쓸 때 빈칸에 알맞은 말을 쓰시오.

> The U.S. is bigger than the U.K.
> → The U.K. isn't _____ the U.S.

시험에 잘 나오는 문제
11 다음 표의 내용과 일치하지 <u>않는</u> 것은?

	A-box	B-box	C-box
Price	$3	$2	$2
Size	20×10×2 cm	20×10×2 cm	15×13×2 cm
Weight	70 g	50 g	70 g

① A-box is as big as B-box.
② A-box is not as cheap as B-box.
③ B-box is not so heavy as C-box.
④ C-box is as expensive as A-box.
⑤ C-box is not so big as B-box.

서술형
12 다음 그림을 보고 괄호 안의 말을 바르게 배열하여 문장을 완성하시오.

> Tom _____ books.
> (is / to / it / read / good)
> Cat That's surprising!

13 다음 괄호 안에서 알맞은 것끼리 짝 지어진 것은?

> (A) The theater is as (big / bigger) as the church.
> (B) Pam isn't so strong (as / than) Jessica.
> (C) It's hard (to find / to finding) water in the desert.

	(A)	(B)	(C)
①	big	— as	— to find
②	big	— than	— to find
③	big	— as	— to finding
④	bigger	— as	— to find
⑤	bigger	— than	— to finding

고난도
14 다음 밑줄 친 부분을 어법상 알맞게 고친 것이 <u>아닌</u> 것은?

① It is polite <u>say</u> please. (→ to say)
② To <u>walking</u> in this area at night is dangerous. (→ To walk)
③ The box is <u>so</u> light as a feather. (→ as)
④ The violin is not so <u>lower</u> as the cello. (→ low)
⑤ Eating in a restaurant is not as cheap as <u>eat</u> at home. (→ to eat)

15 다음 글의 분위기로 알맞은 것은?

The night was dark and quiet. I kept my eyes on Stella with my night camera. Stella was still next to her mom. She was touching her mom's lifeless body with her nose. It was sad to see Stella staying close to her mom. I hope Stella stays safe throughout the night.

① lively   ② gloomy   ③ dangerous
④ peaceful   ⑤ noisy

[16~17] 다음 글을 읽고, 물음에 답하시오.

Date/Time: July 12th / 7:20 p.m.
Notes: Around sunset, I heard a strange sound. I followed the sound and found Stella crying next to her mom. She was lying dead and Stella was alone. It is ⓐdangerous to stay alone in such a ⓑwild area. What's more, it was going to be dark soon. Elephants can't see well at night. So Stella could easily be ⓒattacked. I called the elephant ⓓshelter and asked for help. I decided to stay by her until the ⓔrescue team came.

16 윗글의 밑줄 친 ⓐ~ⓔ의 의미가 알맞지 않은 것은?

① ⓐ: 위험한   ② ⓑ: 야생의
③ ⓒ: 공격하다   ④ ⓓ: 보호소
⑤ ⓔ: 치료

17 Which is NOT true according to the passage?

① The writer followed the strange sound.
② Stella was crying next to her mom.
③ Stella could easily be attacked at night.
④ The writer called the elephant shelter to ask for help.
⑤ Stella decided to stay by her mom until the rescue team came.

[18~20] 다음 글을 읽고, 물음에 답하시오.

Date/Time: July 13th / 6:00 a.m.
Notes: A new elephant group appeared and Stella ⓐapproached them. At first, I thought that ⓑthey would not let Stella in their group. But I was wrong. An elephant, probably the oldest female, allowed Stella to become part of the group. The other elephants also ⓒseemed to welcome Stella. Unbelievably, one of the female elephants fed Stella. She cared for Stella ⓓas warmly as Stella's mom ⓔdid. This was such an amazing moment!

신경향
18 윗글의 밑줄 친 ⓐ~ⓔ에 대한 설명이 알맞지 않은 것은?

① ⓐ: 타동사로 전치사 없이 목적어를 취한다.
② ⓑ: they는 the new elephant group을 의미한다.
③ ⓒ: 「seem+to부정사」는 '~처럼 보이다'라는 뜻이다.
④ ⓓ: 「as+형용사의 원급+as」의 원급 비교 표현이다.
⑤ ⓔ: cared for Stella를 대신하는 말이다.

고난도
19 윗글의 글쓴이가 But I was wrong.이라고 쓴 이유를 우리말로 쓰시오.

→ _____

20 윗글의 내용과 일치하는 것은? (2개)

① Stella는 새로운 코끼리 무리에 다가갔다.
② 아마도 가장 나이가 많은 수컷 코끼리가 Stella를 무리의 일원이 되도록 허락했다.
③ 다른 코끼리들도 Stella를 환영했다.
④ 가장 나이가 많은 암컷 코끼리가 Stella에게 젖을 먹였다.
⑤ 암컷 코끼리 중의 한 마리가 Stella의 엄마를 따뜻하게 보살폈다.

[21~22] 다음 글을 읽고, 물음에 답하시오.

Date: June 15th, 2019

Today, I saw a plant. It is called a pitcher plant. ⓐIt is bright green and red. ⓑIt looks like a pitcher. As for its size, ⓒit is about 15 cm long. ⓓIt is as long as my hand. ⓔIt is interesting that the plant attracts insects and eats them.

21 윗글의 밑줄 친 ⓐ~ⓔ 중 가리키는 대상이 나머지와 다른 것은?

① ⓐ 　② ⓑ 　③ ⓒ 　④ ⓓ 　⑤ ⓔ

🖊️ 시험에 잘 나오는 문제

22 윗글을 읽고 답할 수 있는 질문이 아닌 것은?

① What is the plant called?
② What color is the plant?
③ What does the plant look like?
④ What size is the plant?
⑤ How does the plant attract insects?

🍊 서술형 문제

Speaking

23 다음 대화의 빈칸에 알맞은 말을 〈보기〉에서 골라 쓰시오.

〈보기〉
• amazing　　　　　• as big as a pigeon
• I'm curious about

A　I study animals that lived millions of years ago.
B　Oh, (1) _____ those animals.
A　This is the giant dragonfly. It lived in England. It was (2) _____ _____ and it ate rats.
B　That's (3) _____!

Reading

24 다음 글을 아래와 같이 요약할 때, 틀린 부분을 세 군데 찾아 바르게 고치시오.

Today was my first day in Africa. I took lots of pictures of elephants. This morning, I found an elephant group by a small water hole. I saw a baby elephant drinking water beside her mother. Her eyes were as bright as stars. I gave her a name, Stella. Around noon, I saw a group of lions approaching Stella. The elephants stood around Stella and made a thick wall. Thanks to them, Stella was safe.

↓

The writer found an elephant group by a small water hole. He saw a baby elephant and gave her a flower, Stella. Some tigers tried to attack her around noon. The elephant group made a thick tree to protect her.

---

(1) _____ → _____
(2) _____ → _____
(3) _____ → _____

Writing

25 다음 개를 기르는 방법을 보고 대화를 완성하시오.

Brush your dog's teeth regularly.　Don't give your dog chocolate.

A　Can you tell me how to take care of my dog?
B　(1) _____ is good _____ _____.
　　(2) _____ isn't good _____ _____.

이색적인 식물

• 키스 입술 식물 (Kissing Lips Plant)

남아프리카 정글에서 발견된 꽃으로, 여성의 아름다운 입술을 연상시키는 모습이에요. 이 식물은 나비나 벌새를 끌어들이기 위해 진화한 것으로 알려져 있어요.

• 파리지옥 (Dionaea Muscipula)

잎 끝에 조개가 붙어 있는 것처럼 벌리고 있다가 곤충이 날아와 앉으면 순식간에 잎을 오므려서 곤충을 포획해요. 식충 식물을 이야기할 때 대부분이 이 파리지옥을 떠올릴 정도로 잘 알려져 있어요. 일반적으로 녹색을 띠는 '파리지옥'부터 '붉은파리지옥', '큰잎파리지옥', '톱니파리지옥', '이빨 없는 파리지옥' 등 많은 종류가 있어요.

• 무지개 나무 (Rainbow Trees)

가장 아름다운 색깔을 가진 나무로 알려져 있으며 정식 명칭은 '유칼립투스 디글럽타'예요. 이 나무는 매년 나무껍질 갈이를 하며 색깔이 변화되어 화려한 색상을 보여요.

Art around Us

Functions

- 구체적인 종류나 장르 묻기

  A **What kind of** music are you going to play?

  B I'm going to play rock music.

- 둘 중에 더 좋아하는 것 말하기

  A There are two kinds of *Mona Lisas*. Which do you prefer?

  B I **prefer** Botero's *Mona Lisa* **to** da Vinci's.

Grammar

- 사역동사

  - It will **make** you **wonder** about the painting more.
  - The woman **lets** the man **drink** water.

- 간접의문문

  - Do you know **where Icarus is**?
  - The man wants to know **how much that poster is**.

Words & Phrases

● 아는 단어에 ☑ 표시한 후 외워 봅시다.

☐ **artwork** [ɑ́ːrtwəːrk] 명 예술 작품
Over seventy **artworks** are exhibited here. ❶

☐ **classical** [klǽsikəl] 형 클래식의
In the morning, I listen to **classical** music first. ❷

☐ **comedy** [kámədi] 명 희극, 코미디
I like romantic **comedy** movies best. ❸

☐ **despite** [dispáit] 전 ~에도 불구하고
Despite my warning, Kara walked onto the frozen river. ❹

☐ **detail** [diːtéil] 명 세부 사항
I want to hear all the **details** of the accident. ❺

☐ **direction** [dirékʃən] 명 방향 (동 direct)
This sign points in the **direction** to the museum. ❻

☐ **exhibit** [igzíbit] 동 전시하다
The gallery **exhibits** mainly modern sculptures. ❼

☐ **exhibition** [èksibíʃən] 명 전시회
I have two tickets for his photo **exhibition**. ❽

☐ **feather** [féðər] 명 깃털
Seagulls have gray-white **feathers**. ❾

☐ **flat** [flæt] 형 납작한
The fish have very **flat** bodies. ❿

☐ **landscape** [lǽndskèip] 명 풍경
The man is the most famous **landscape** artist in Korea. ⓫

☐ **maid** [meid] 명 시녀, 하녀
The **maid** cleans the rooms and changes bed sheets every day. ⓬

☐ **melt** [melt] 동 녹다
Melt some chocolate in a pan. ⓭

☐ **modern** [mádərn] 형 현대의
Their school was in a **modern** building. ⓮

☐ **myth** [miθ] 명 신화
Most people thought that the story was a **myth**. ⓯

☐ **novel** [návəl] 명 소설
The **novel** is about a man with magical powers. ⓰

☐ **prefer** [prifə́ːr] 동 더 좋아하다
I **prefer** classical music to jazz music. ⓱

☐ **prince** [prins] 명 왕자
The **prince** is wearing a hunting costume. ⓲

☐ **produce** [prədjúːs] 동 생산하다 (명 production)
The factory **produces** 1,000 cars a week. ⓳

☐ **promise** [práːmis] 동 약속하다, 명 약속
When Joshua borrowed my baseball, he **promised** to return it the next day. ⓴

☐ **queen** [kwiːn] 명 왕비
The **queen** waved to the people as she rode in the carriage. ㉑

☐ **real** [ríːəl] 형 진짜의
It is not a **real** bug. It is made of plastic. ㉒

☐ **seaside** [síːsàid] 명 해변, 바닷가
Many people were relaxing at the **seaside**. ㉓

☐ **since** [sins] 접 ~ 때문에, ~이므로
Since it's Sunday, you don't have to go to school. ㉔

☐ **stick** [stik] 동 (몸의 일부를) 내밀다
Isaac kept **sticking** his tongue out at me. ㉕

☐ **teen** [tiːn] 명 십 대, 형 십 대의
I spent my **teens** living in a fishing village. ㉖

☐ **tragedy** [trǽdʒədi] 명 비극
The story has many elements of a **tragedy**. ㉗

☐ **version** [və́ːrʒən] 명 (어떤 것의) 변형, ~판
A movie **version** of this book will open this year in Korea. ㉓

☐ **wing** [wiŋ] 명 날개
The tiny bird flapped its **wings**. ㉓

☐ **wonder** [wʌ́ndər] 동 궁금해하다
I **wonder** what you will be when you grow up. ㉚

☐ **glance at** ~을 힐끗 보다
☐ **right away** 즉시, 바로
☐ **soap bubble** 비눗방울

☐ **stay away from** ~을 가까이하지 않다
☐ **take a look** 보다

Words & Phrases Test

01 다음 빈칸에 알맞은 단어를 〈보기〉에서 골라 쓰시오.

〈보기〉
produce   stick   melt

(1) The snow usually starts to _____ in March.
(2) The company doesn't _____ instant film any more.
(3) Don't _____ your tongue out at people.

02 다음 짝 지어진 관계가 일치하도록 빈칸에 알맞은 단어를 쓰시오.

dead : alive = comedy : _____

03 다음 영영풀이가 설명하는 단어로 알맞은 것은?

a long written story about imaginary people and events

① novel
② detail
③ feather
④ artwork
⑤ landscape

04 다음 빈칸에 들어갈 말이 알맞게 짝 지어진 것은?

· I only have time to glance _____ my emails.
· Stay _____ from back streets in foreign countries.

① at – off
② to – off
③ to – away
④ up – away
⑤ at – away

05 다음 우리말과 뜻이 같도록 빈칸에 알맞은 말을 쓰시오.

(1) 시청에서 피카소의 작품 전시회가 열리고 있다.
→ There's an _____ of Picasso's works in the town hall.
(2) 나는 Owen이 왜 내 문자 메시지에 답장을 안 하는지 궁금하다.
→ I _____ why Owen doesn't reply to my texts.
(3) 그 만화 캐릭터의 얼굴은 좀 납작한 편이다.
→ The cartoon character's face is slightly _____.
(4) 자동차는 우리 현대 생활양식의 중요한 부분이다.
→ Cars are an important part of our _____ lifestyle.

06 다음 대화의 빈칸에 알맞은 것은?

A Is this your name?
B No, it's my nickname.
   My _____ name is Tom Wilson.

① pop
② real
③ teen
④ wise
⑤ classical

07 다음 밑줄 친 표현에 주의하면서 문장을 우리말로 해석하시오.

(1) Take a look at the cute baby monkey in the cage.
→ _____
(2) I will come to your office right away.
→ _____

Functions

① 구체적인 종류나 장르 묻기

A **What kind of** music are you going to play?
너는 어떤 종류의 음악을 연주할 거니?

B I'm going to play rock music.
나는 록 음악을 연주할 거야.

● 구체적인 종류나 장르 묻기

- What kind of*sandwich do you want? 너는 어떤 종류의 샌드위치를 원하니?
- What sort of TV program do you like? 너는 어떤 종류의 TV 프로그램을 좋아하니?
- What type of person is your new friend? 새로 사귄 네 친구는 어떤 유형의 사람이니?
- To which category does the company belong? 그 회사는 어떤 범주에 속하니?

<u>알아두기</u> What 뒤에 단수형 kind가 오든 복수형 kinds가 오든 문법에 어긋나지 않으며, 의미도 큰 차이가 없다. 하지만 일반적으로 복수형 kinds를 쓰는 경우는 말하는 사람이 of 뒤에 나오는 명사의 종류가 여러 개가 존재한다는 것을 가정하거나 기대하는 경우이다.

<u>e.g.</u> **What kinds of** movies will there be at the film festival? 〈영화가 여러 개라고 가정하는 것〉
그 영화제에서 어떤 종류의 영화들이 상영될 거니?

---

② 둘 중에 더 좋아하는 것 말하기

A There are two kinds of *Mona Lisas*. Which do you prefer?
두 가지 종류의 「모나리자」가 있어. 너는 어느 것이 더 좋니?

B **I prefer** Botero's *Mona Lisa* **to** da Vinci's.
나는 다빈치의 그림보다 보테로의 「모나리자」가 더 좋아.

● 둘 중에 더 좋아하는 것 말하기

- I prefer movies to books.* 나는 책보다 영화가 더 좋아.
- I like playing music better than listening to music.
  나는 음악을 듣는 것보다 음악을 연주하는 것을 더 좋아해.
- I'd prefer leaving tomorrow if possible. 가능하다면 나는 내일 떠나고 싶어.
- I think playing sports is better than watching sports. 나는 스포츠 관람보다 스포츠를 하는 것이 더 낫다고 생각해.

● 둘 중에 더 좋아하는 것 묻기

- Which do you prefer, plays or musicals?* 너는 연극과 뮤지컬 중 어느 것이 더 좋니?
- Which do you like better, a chicken or a pizza? 너는 치킨과 피자 중 어느 것이 더 좋니?

<u>알아두기</u> prefer는 '~을 더 좋아하다'라는 의미로 뒤에 비교 대상을 쓸 때 than이 아니라 to를 써서 '~을 …보다 좋아하다'라는 뜻을 나타낸다. 구어체나 비격식체에서는 to 대신 over를 사용하기도 한다.

<u>e.g.</u> **I prefer** winter **over** summer. 나는 여름보다 겨울이 더 좋아.

01 다음 대화의 밑줄 친 부분과 바꿔 쓸 수 있는 것은?

> A What kind of food are you going to eat?
> B I'm going to eat Italian food.

① sort
② country
③ thought
④ meaning
⑤ tradition

02 다음 대화의 빈칸에 알맞은 것은?

> A _____
> B It's a fantasy movie called *The Space War*.

① What movie is your favorite?
② Do you like watching fantasy movies?
③ What do you think of this movie?
④ Have you ever watched this movie?
⑤ What kind of movie is it?

03 다음 대화의 빈칸에 알맞지 <u>않은</u> 것은?

> A Which do you prefer, text messaging or calling?
> B _____
> How about you?
> A Me, too.

① I like calling better of the two.
② I prefer calling to text messaging.
③ I like text messaging the most.
④ I like text messaging better than calling.
⑤ I think text messaging is better than calling.

04 다음 괄호 안의 정보를 이용하여 대화를 완성하시오.

> A Which do you prefer, taking photos or drawing pictures?
> B _____
> (taking photos < drawing pictures)

[05~06] 다음 대화를 읽고, 물음에 답하시오.

> Steve Hi, Anna. We're meeting at the arts festival tomorrow at 1:30, right?
> Anna Right. _____ to watch first?
> Steve I want to watch the hip-hop dance performance first.
> Anna Sounds good. It's at 2 p.m. at the gym, right?
> Steve Yeah, and how about watching the play, *Romeo and Juliet*, at 4 p.m.?
> Anna Oh, the one at the Main Hall near the gym? Sure!

05 위 대화의 빈칸에 알맞은 말을 다음에 주어진 단어를 바르게 배열하여 쓰시오.

> kind / do / what / want / performance / you / of

06 위 대화의 내용과 일치하는 것은?

① There is an arts festival today.
② Anna and Steve are going to meet at 2 p.m.
③ Steve wants to watch the play first.
④ The hip-hop dance performance is at 2 p.m. at the Main Hall.
⑤ Steve and Anna will watch the play, *Romeo and Juliet*.

07 다음 괄호 안의 말을 이용하여 대화를 완성하시오.

> A _____
> (prefer / which)
> B I prefer meat to fish. How about you?
> A I prefer fish to meat.

고난도
08 다음 대화를 읽고 질문에 대한 알맞은 대답을 쓰시오.

> A Brian, is your band going to play at the Teen Music Festival?
> B Yes, we're practicing almost every day.
> A What kind of music are you going to play this year?
> B Rock music. We'll play songs from the nineties.

> Q What type of music is Brian's band going to play at the Teen Music Festival?
> A They will play (1) _____ from (2) _____.

고난도
09 다음 중 대화가 <u>어색한</u> 것은?

① A What kind of event is it?
　 B It's a hero movie event called The Costume Play.
② A What are you reading, Sally?
　 B I'm reading *The Maze Runner*.
③ A Why do you like the movie better than the novel?
　 B Because the scenes are very beautiful.
④ A Who's your favorite musician?
　 B My favorite musician is TJ.
⑤ A Which do you prefer, rock or hip-hop?
　 B I prefer watching music videos.

10 다음 말에 이어질 대화의 순서를 바르게 배열한 것은?

> Can you help me? I don't know how to paint clean lines.
> (A) This round brush.
> (B) Okay, thank you.
> (C) What kind of brush were you using?
> (D) When you paint lines, a flat brush is better. Try this one.

① (A) – (B) – (C) – (D)
② (A) – (C) – (D) – (B)
③ (B) – (A) – (C) – (D)
④ (C) – (A) – (B) – (D)
⑤ (C) – (A) – (D) – (B)

[11~12] 다음 대화를 읽고, 물음에 답하시오.

> A Have you listened to Jane's new song, *Girl Friend*?
> B Yeah, it's really cool. The guitar part is great.
> A There is also a dance version of the song on the album.
> B I've listened to it, but <u>I like the guitar version better than the dance version</u>. It matches her voice better.

11 위 대화의 밑줄 친 부분과 의미가 같도록 주어진 말의 빈칸에 알맞은 말을 쓰시오.

> = I _____ the guitar version to the dance version.

12 According to the dialog, why does B like the guitar version better than the dance version?

① Because B has listened to *Girl Friend*.
② Because *Girl Friend* is Jane's new song.
③ Because the guitar part is great.
④ Because there is a guitar version on the album.
⑤ Because the guitar version matches Jane's voice better.

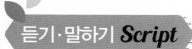

Listen & Talk 1~2

1- A

1. W   Brian, is your band going to play at the Teen Music Festival?

   M   Yes, we're **❶**_____ almost every day.
   연습하고 있는

   W   **❷**_____ _____ _____ are
   어떤 종류의 음악
   you going to play this year?

   M   Rock music. We'll play songs from **❸**_____
   _____.
   90년대

2. W   Can you help me? I don't know **❹**_____
   ~하는 방법
   _____ paint clean lines.

   M   **❺**_____ _____ _____ were
   어떤 종류의 붓
   you using?

   W   This round brush.

   M   When you paint lines, a **❻**_____ brush is
   납작한
   better. **❼**_____ this one.
   써 보다

   W   Okay, thank you.

1- B

W   (*ringing*) Hello, Steve.

M   Hi, Anna. We're meeting at the arts festival tomorrow at 1:30, right?

W   Right. **❶**_____ _____ _____
   어떤 종류의 공연
   do you want to watch first?

M   I want to watch the hip-hop dance performance first.

W   Sounds good. It's at 2 p.m. at the **❷**_____, right?
   체육관

M   Yeah, and **❸**_____ _____ the
   보는 게 어때?
   ❹_____, *Romeo and Juliet*, at 4 p.m.?
   연극

W   Oh, the one at the Main Hall near the gym? Sure!

2- A

1. M   What are you reading, Jina?

   W   The **❶**_____, *Life of Pi*. It's a story of a boy
   소설
   and a tiger.

   M   It's a great book. I've seen the movie of it, too. I
   ❷_____ the movie _____ the novel.
   ~보다 …을 더 좋아하다

   W   Why do you like it better?

M   The **❸**_____ are very beautiful. And the tiger
   장면들
   looks so **❹**_____.
   진짜의

2. W   Have you listened to Jane's new song, *Girl Friend*?

   M   Yeah, it's really cool. The guitar part is great.

   W   **❺**_____ also a dance **❻**_____
   ~이 있다   ~판, 버전
   of the song on the album.

   M   I've listened to it, but I prefer the guitar version
   ❼_____ _____ _____. It
   댄스 버전보다
   ❽_____ her voice better.
   어울리다

2- B

W   I saw an interesting painting in an **❶**_____
   미술책
   _____. Look at this.

M   Wow, it **❷**_____ da Vinci's *Mona Lisa*.
   ~처럼 보이다

W   Actually, it's *Mona Lisa* by Fernando Botero.
   ❸_____ do you prefer?
   어느 것

M   I prefer da Vinci's to Botero's. Da Vinci's *Mona Lisa* has an interesting smile. **❹**_____
   너는 어때?
   _____?

W   Well, I prefer Botero's to da Vinci's. His *Mona Lisa* is cute, and it looks **❺**_____.
   현대적인

Communication

M   Hi, we are planning a school **❶**_____, so we want
   축제
   to **❷**_____ students' favorite types of
   알아보다
   performances. May I ask you a few questions?

W   Sure.

M   What kind of performance do you like best?

W   I like music performances best.

M   Okay. Then, **❸**_____ do you prefer, rock or hip-hop?
   어느 것

W   **❹**_____ _____ _____ _____.
   = I like rock better than hip-hop.

M   Who's your favorite musician?

W   My favorite **❺**_____ is TJ.
   음악가

M   Great. Thank you for your answers.

Grammar

① 사역동사

- It will **make** you **wonder** about the painting more. 그것은 네가 그 그림에 대해 더 궁금하게 할 것이다.
- The woman **lets** the man **drink** water. 그 여자는 남자가 물을 마시게 한다.

1 쓰임: 「사역동사＋목적어＋목적격 보어」의 형태로 쓰여 '～가 …하게 하다[시키다]'의 의미*를 나타내며, 이때 목적격 보어로 동사원형을 쓴다.

(e.g.) The teacher **makes** the students **write** it out five times. 선생님은 학생들에게 그것을 다섯 번 쓰게 한다.

알아두기 사역동사란 문장의 주어가 직접 행동하는 것이 아니라 다른 사람이나 사물인 목적어가 행동하게 하는 동사를 말한다.

2 종류

① **make**: (억지로 무엇을 하게) 만들다, 시키다

(e.g.) They **made** Cinderella **work** all day. 그들은 신데렐라가 하루 종일 일하게 했다.

② **have**: (누구에게 무엇을 하도록) 하다, 시키다

(e.g.) Judy **had** her husband **clean** the room. Judy는 남편에게 방 청소를 하게 했다.

③ **let**: (누가 무엇을 하도록) 허락하다

(e.g.) Will your father **let** you **go** to the party? 너의 아버지는 네가 파티에 가도록 허락하실까?

알아두기 준사역동사 help는 「help＋목적어＋목적격 보어[동사원형 / to부정사]」 형태로 쓰여 목적격 보어로 동사원형과 to부정사를 모두 취할 수 있다.

(e.g.) I'll **help** you **(to) make** chicken soup. 네가 치킨 수프를 만드는 것을 내가 도와줄게.

② 간접의문문

- Do you know **where Icarus is**? 너는 이카로스가 어디에 있는지 아니?
- The man wants to know **how much that poster is**. 남자는 저 포스터가 얼마인지 알기를 원한다.

1 정의 및 형태: 의문문이 다른 문장의 일부가 되었을 때 그 의문문을 간접의문문이라고 하며 「의문사＋주어＋동사」의 어순*으로 쓴다.

(e.g.) Do you know? + Where is William?

→ Do you know **where William is**? William이 어디에 있는지 아니?

알아두기 의문사가 주어인 경우 「의문사＋동사」 어순으로 쓴다.

(e.g.) I don't know **who found** my bag. 누가 내 가방을 찾아주었는지 나는 모른다.

2 역할: 문장 내에서 주어, 목적어, 보어 역할을 한다.

(e.g.) **Where you are from** is not important. 〈주어〉 당신이 어디 출신인지는 중요하지 않다.

I wonder **when you started riding a mountain bike**. 〈목적어〉 네가 언제 산악자전거를 타기 시작했는지 궁금하다.

The important thing is **what you can do**. 〈보어〉 중요한 것은 네가 무엇을 할 수 있는가이다.

3 주의할 간접의문문: 생각이나 추측을 나타내는 동사 think, believe, guess, imagine, suppose 등이 쓰인 의문문에 의문사가 있는 간접의문문이 목적어로 오면 간접의문문의 의문사가 문장 맨 앞으로* 간다.

(e.g.) **Why** do you think **K-pop is popular in other countries**?

너는 왜 한국 대중음악이 다른 나라들에서 인기 있다고 생각하니?

01 다음 괄호 안에서 알맞은 것을 고르시오.

(1) I had my dog (stay / staying) at the dog house.
(2) Please let me (to go / go) to the movies tonight.
(3) The boss makes them (work / to work) late every day.
(4) Dad made my brother (stopped / stop) playing mobile games.

> 사역동사 문장의 형태
> boss 사장, 상사

02 다음 괄호 안의 말을 바르게 배열하여 문장을 완성하시오.

(1) I wonder ＿＿＿＿＿＿＿＿＿＿＿ Jake Kitty.
(why / calls / she)
(2) ＿＿＿＿＿＿＿＿＿＿ is a mystery.
(took / this picture / who)
(3) The important thing for us is ＿＿＿＿＿＿＿＿＿.
(this building / how much / is)
(4) Do you know ＿＿＿＿＿＿＿＿＿ using smartphones?
(people / when / started)

> 간접의문문의 어순
> wonder 궁금해하다
> mystery 미스터리, 수수께끼
> use 사용하다

03 다음 문장에서 어법상 어색한 부분을 찾아 바르게 고치시오.

(1) She had her grandson bought some apples.
＿＿＿＿＿ → ＿＿＿＿＿
(2) My girlfriend makes me to call her every night.
＿＿＿＿＿ → ＿＿＿＿＿
(3) They don't let us talking during meals.
＿＿＿＿＿ → ＿＿＿＿＿

> 사역동사의 쓰임
> grandson 손자
> meal 식사

04 다음 두 문장을 한 문장으로 쓸 때 빈칸에 알맞은 말을 쓰시오.

(1) Can you tell me? + Who is this in the picture?
→ Can you tell me ＿＿＿＿＿＿ in the picture?
(2) I'm curious about. + What does Nick do for a living?
→ I'm curious about ＿＿＿＿＿＿ for a living.
(3) Do you think? + How old am I?
→ ＿＿＿＿＿＿＿＿＿＿＿?

> 간접의문문의 형태
> curious 호기심이 있는
> for a living 생계를 위해

05 다음 우리말과 뜻이 같도록 괄호 안의 말을 이용하여 문장을 완성하시오.

(1) 그 코미디 프로는 나를 웃게 만들었다. (make / laugh)
→ The comedy show ＿＿＿＿＿＿.
(2) 내 룸메이트는 내가 밤에 불을 켜지 못하게 한다. (let / turn on)
→ My roommate ＿＿＿＿＿＿＿＿ the light at night.

> 사역동사의 의미
> laugh 웃다
> turn on (불을) 켜다

[01~02] 다음 빈칸에 알맞은 것을 고르시오.

01

She let me _____ at her house for a week.

① stay ② to stay
③ stayed ④ staying
⑤ to staying

02

I'd like to know _____.

① she lives where
② where she lives
③ where she does live
④ where does she live
⑤ does she live where

[03~04] 다음 빈칸에 알맞지 <u>않은</u> 것을 고르시오.

03

The police officer _____ me pick up the trash.

① had ② let
③ got ④ made
⑤ helped

04

What do you _____ they will do next?

① know ② guess
③ think ④ believe
⑤ suppose

05 다음 중 어법상 <u>어색한</u> 것은?

① Anna helped us prepare for dinner.
② My puppy makes me feel happy.
③ I will have my husband repair the computer.
④ My school doesn't let students use their smartphones in class.
⑤ Mr. Park made us to solve the questions on the board.

06 다음 두 문장을 한 문장으로 연결할 때 빈칸에 알맞은 말을 쓰시오.

Please tell me. + What time is it now?

→ Please tell me _____.

[07~08] 다음 그림을 보고 괄호 안의 말을 바르게 배열하여 문장을 완성하시오.

07

Ms. Gang had _____.
(keep / quiet / the students)

08

I wonder _____.
(is / what / in / this box)

09 ^{고난도} 다음 중 밑줄 친 부분이 어법상 어색한 것은?

① I helped John to learn Korean.
② Can you tell me why you rented a car?
③ The teacher makes us read the textbook aloud.
④ I wonder how long does it take to your school.
⑤ Mr. Jang doesn't let his kids have a smartphone.

10 다음 주어진 말을 바르게 배열하여 문장을 완성하시오.

> paint / Sean / the wall / to / help

I plan to _____.

11 다음 주어진 우리말을 영어로 알맞게 옮긴 것은?

> 네가 그것을 어떻게 풀었는지 말해 줄래?

① How could you tell me you solved it?
② Could you tell me how you solved it?
③ How could you tell me did you solve it?
④ Could you tell me how do you solve it?
⑤ Could you tell me how did you solve it?

12 다음 우리말과 뜻이 같도록 할 때 빈칸에 알맞은 것은?

> Miller 부인은 Jane에게 빵을 좀 사오게 했다.
> → Ms. Miller had Jane _____ some bread.

① buy   ② buys
③ buying   ④ bought
⑤ to buy

13 다음 괄호 안의 문장을 이용하여 대화를 완성하시오.

> **A** What did your daughter say to you?
> **B** She asked me _____.
>   (Why did Mom leave early?)

14 Which underlined part has the different usage with the rest?

① The rain <u>made</u> the grass wet.
② Don't <u>make</u> me do hard exercises.
③ The teacher <u>made</u> Jack apologize to Mark.
④ Many parents <u>make</u> their children go to bed early.
⑤ The police officer <u>made</u> him drop the weapon.

15 다음 괄호 안의 단어를 배열하여 문장을 완성할 때 네 번째 올 단어로 알맞은 것은?

> _____ from Italy?
> (you / is / guess / why / do / she)

① you   ② is
③ guess   ④ why
⑤ she

16 ^{고난도} 다음 중 어법상 알맞은 문장의 개수는?

> (A) Who made you change your mind?
> (B) I'm curious about why you sent Jiwoo a text message.
> (C) His mother doesn't let him drives her car.
> (D) Whose pen do you think is this?

① 1개   ② 2개
③ 3개   ④ 4개
⑤ 없음

Grammar   **69**

Reading

• 다음 글을 끊어 읽고, 주어진 우리말에 알맞은 표현을 빈칸에 써 봅시다.

THE MORE YOU SEE, THE MORE YOU KNOW
the+비교급 ~, the+비교급 ...: ~하면 할수록 더욱 더 …하다

Welcome / to the World Art Museum tour. When you go to an art museum, / how much
~에 오신 것을 환영합니다   ~할 때 (시간 접속사)   미술관
time do you ❶_____ / looking at each painting? Many visitors ❷_____
└─ spend+시간+(in) -ing: ~하면서 시간을 보내다 ─┘   each+단수 명사: 각각의 ~   = many visitors   ~을 힐끗 보다
_____ one painting / for only a few seconds / before they move on. But / you might
~ 동안   a few+셀 수 있는 명사: 약간의 ~   ~하기 전에 (시간 접속사)   ~할지도 모른다 (추측)
❸_____ the important details / of paintings / since ❹_____ is hard /
놓치다   = the important details of paintings   ~하기 때문에 (이유 접속사)   가주어
❺_____ them ❻_____. Today, / we'll look at two
진주어: 알아채는 것은   즉시, 바로
paintings closely / and I'll help you see interesting details.
자세히   help+목적어+(to)+동사원형: ~가 …하는 것을 돕다

Reading Test   *Basic*

01 본문의 내용과 일치하면 T, 일치하지 <u>않으면</u> F를 고르시오.

(1) The name of the tour in this reading is the World Art Museum tour. (T / F)

(2) People usually look at each painting in an art museum for a few minutes. (T / F)

(3) It is easy to notice the important details of paintings right away. (T / F)

02 본문을 읽고 질문에 대한 알맞은 대답을 완성하시오.

(1) What is the problem with glancing at a painting for only a few seconds?
→ We might miss _____.

(2) How many paintings will we look closely at in this reading?
→ We will _____ closely.

(3) What will the writer help us do?
→ She will help us _____ of the two paintings.

• 다음 글을 끊어 읽고, 주어진 우리말에 알맞은 표현을 빈칸에 써 봅시다.

Look at this painting first. The seaside
명령문 (동사원형으로 시작)
⑦ _____ is so peaceful and beautiful, /
       풍경   매우
⑧ _____ _____? The title of this
       부가의문문   주어
painting is *Landscape with the Fall of Icarus*.
                동사
So, / can you see / ⑨ _____ _____
                        이카로스가 어디에 있는지 (간접의문문(의문사+주어+동사))
_____? Do you see two legs / that are
                          ~의 밖으로   선행사   주격 관계대명사
⑩ _____ out of the water / ⑪ _____
       내밀고 있는   ~의 근처에
the ship? This is Icarus / in the famous myth in Greece. In the myth, / Icarus' father
made wings for him / with feathers and wax / and ⑫ _____ him _____ _____
make+목적어+for+사람: ~을 위해 …을 만들다   ~으로 (재료 전치사)   tell+목적어+to부정사 (~에게 가까이 하지 말라고 말했다)
away from the sun. However, / Icarus didn't listen. He ⑬ _____ too close to the sun.
                                                              날았다 (fly의 과거형)   너무
So, / the wax ⑭ _____ / and he fell into the water. Now, / look at the entire painting
                   녹았다   = Icarus
again. ⑮ _____ the tragedy of Icarus, / people are ⑯ _____ _____ /
             ~에도 불구하고   ~을 계속하고 있는
_____ their everyday activities. Does the painting still ⑰ _____ _____?
                                                      여전히   평화로워 보이다
⑱ _____ / do you think / _____ _____ _____ to tell us?
간접의문문: Do you think?+What is the artist trying to tell us?

Q Where is Icarus in the painting?

A He is near the ship. We can see two legs that are sticking out of the water near the ship.

03 본문의 내용과 일치하지 <u>않는</u> 부분을 찾아 바르게 고치시오.

(1) The title of the painting that the writer introduces first in this reading is *Landscape with the Flying of Icarus.*

_____ → _____

(2) In the myth, Icarus' legs were made with feathers and wax.

_____ → _____

(3) In the myth, Icarus' father told Icarus to fly to the sun. _____ → _____

04 본문을 읽고 질문에 알맞은 대답을 완성하시오.

(1) How is the seaside landscape when you glance at this painting?

→ It is so _____.

(2) Why did Icarus fall into the water?

→ Because he flew too close to the sun and _____.

(3) What were people doing when Icarus fell into the water in this painting?

→ They were just doing _____.

• 다음 글을 끊어 읽고, 주어진 우리말에 알맞은 표현을 빈칸에 써 봅시다.

Now, / let's move on to the next painting. Do you see the artist / ⑲_____
_{let's+동사원형: ~하자 (청유문)}   ~ 앞에

_____ the large canvas? / He is Diego Velázquez, / and he actually painted this picture.

⑳_____ / do you think / _____ _____ _____? ㉑_____
                    _{간접의문문: Do you think?+Who is he painting?}   └──────────────┘ ~보다

quick _____. The young princess ㉒_____ _____ be the main person /
                                                                      _{~인 것처럼 보이다}

because she is ㉓_____ _____ _____ _____ the painting.
_{~하기 때문에 (이유 접속사)}   _{~의 중앙에}

Reading Test   **Basic**

05 본문의 내용과 일치하면 T, 일치하지 않으면 F를 고르시오.

(1) We can see Diego Velázquez in the mirror in this painting. (T / F)
(2) The young princess is in the middle of this painting. (T / F)
(3) The two maids are behind the young princess. (T / F)

06 본문의 내용과 일치하지 않는 부분을 찾아 바르게 고치시오.

(1) The title of this painting is *The Young Princess.*

_____ → _____

(2) The king and the queen are in the mirror in the front of this painting.

_____ → _____

• 다음 글을 끊어 읽고, 주어진 우리말에 알맞은 표현을 빈칸에 써 봅시다.

But / the title of the painting is *The Maids of Honour*. Then, / is the artist drawing the two women / ㉔_____ the princess? Take a close look. It will ㉕_____ you _____ / about the painting more. ㉖_____ _____ see / which direction the artist is looking at. Can you see the king and the queen / in the mirror in the background of the painting? ㉗_____ / do you think / _____ _____ _____ now?

(자세히 보는 것 / 현재진행형)
(~ 옆에)
(네가 궁금하게 하다 (make+목적어+목적격 보어))
(~하려고 노력하다 / 간접의문문 (Try to see.+Which direction is the artist looking at?))
(간접의문문 (Do you think?+Who is he painting now?))

Q Who are the people in the mirror in the background of the painting?
A They are the king and the queen.

07 본문의 내용과 일치하도록 빈칸에 알맞은 말을 쓰시오.

(1) The artist, Diego Velázquez is _____ _____ _____ the large canvas in this painting.

(2) The king and the queen are in the _____ in the background of the painting.

08 본문을 읽고 질문에 대한 알맞은 대답을 완성하시오.

(1) What is the title of this painting?
→ It is _____.

(2) Why does the princess seem to be the main person in this painting?
→ Because she is _____.

(3) Where are two maids?
→ They are _____.

[01~03] 다음 글을 읽고, 물음에 답하시오.

Welcome to the World Art Museum tour. When you go to an art museum, how much time do you ⓐspend looking at ⓑeach painting? Many visitors glance at one painting ⓒfor only a few seconds before they move on. _____ you might miss the important details of paintings since ⓓthat is hard to notice them right away. Today, we'll look at two paintings closely and I'll ⓔhelp you see interesting details.

01 윗글의 밑줄 친 ⓐ~ⓔ 중 어법상 어색한 것은?

① ⓐ   ② ⓑ
③ ⓒ   ④ ⓓ
⑤ ⓔ

02 윗글의 빈칸에 알맞은 것은?

① So   ② But
③ And   ④ Though
⑤ Because

03 윗글의 내용과 일치하도록 다음 글을 완성하시오.

> If we look at one painting for a short time, we might _____ the important details of the painting. So the writer will help us to see _____ _____ in two paintings.

[04~07] 다음 글을 읽고, 물음에 답하시오.

Look at this painting first. The seaside landscape is so peaceful and beautiful, ⓐ_____? The title of this painting is *Landscape with the Fall of Icarus*. So, 이카로스가 어디에 있는지 보이나요? Do you see two legs that are sticking out of the water near the ship? This is Icarus in the famous myth in Greece. In the myth, Icarus' father made wings for him with feathers and wax and told him to stay away from the sun. However, Icarus didn't listen. He flew too close to the sun. So, the wax melted and he fell into the water. Now, look at the entire painting again. ⓑ_____, people are going on with their everyday activities. Does the painting still look peaceful? What do you think the artist is trying to tell us?

04 윗글의 빈칸 ⓐ에 알맞은 부가의문문을 쓰시오.

→ _____

05 윗글의 밑줄 친 우리말을 영어로 알맞게 옮긴 것은?

① can you see where Icarus is
② can you see where is Icarus
③ where can you see is Icarus
④ where you can see is Icarus
⑤ where can you see Icarus is

06 고난도
윗글의 빈칸 ⓑ에 알맞은 것은?

① Despite the tragedy of Icarus
② Thanks to the tragedy of Icarus
③ Because of the tragedy of Icarus
④ In spite of the flying of Icarus
⑤ Although Icarus flew to the sun

07 윗글의 내용과 일치하지 <u>않는</u> 것은?

① 그림에서 이카로스의 두 다리가 배 근처의 물 밖으로 나와 있다.
② 이카로스는 그리스 신화에 나오는 인물이다.
③ 이카로스의 아버지가 이카로스에게 날개를 만들어 주었다.
④ 이카로스의 아버지는 이카로스에게 태양을 향해 날아가라고 말했다.
⑤ 이카로스는 날개의 왁스가 녹아서 물에 빠졌다.

[08~10] 다음 글을 읽고, 물음에 답하시오.

Now, let's move on to the ⓐnext painting. Do you see the artist in front of the ⓑlarge canvas? He is Diego Velázquez, and he actually painted this picture. ＿＿＿＿＿＿＿＿＿ he is painting? Take a ⓒquick look. The young princess seems to be the ⓓmain person because she is in the center of the painting. But the title of the painting is *The Maids of Honour*. Then, is the artist drawing the two women ⓔbeside the princess?

08 윗글의 밑줄 친 ⓐ~ⓔ 중 다음 영영풀이가 설명하는 단어로 알맞은 것은?

the most important of several similar things

① ⓐ　②ⓑ　③ⓒ　④ⓓ　⑤ⓔ

09 윗글의 빈칸에 다음에 주어진 말을 바르게 배열하여 쓰시오.

think / who / do / you

10 윗글의 내용과 일치하도록 할 때 빈칸에 들어갈 말이 알맞게 짝 지어진 것은?

In this painting, the artist is ＿＿＿＿＿ the large canvas and the two women are ＿＿＿＿＿ the princess.

① behind – beside
② behind – in front of
③ next to – beside
④ in front of – next to
⑤ in front of – behind

[11~12] 다음 글을 읽고, 물음에 답하시오.

The young princess seems to be the main person because she is in the center of the painting. But the title of the painting is *The Maids of Honou*r. Then, is the artist drawing the two women beside the princess? Take a close look. It will make you wonder about the painting more. Try to see which direction the artist is looking at. Can you see the king and the queen in the mirror in the background of the painting? Who do you think he is painting now?

11 ^{고난도} 윗글의 밑줄 친 **It**이 가리키는 것을 우리말로 쓰시오.

→ ＿＿＿＿＿＿＿＿＿＿＿＿＿

12 Which one can **NOT** be answered from the passage?

① Who seems to be the main person in this painting?
② Where is the young princess in this painting?
③ What is the title of this painting?
④ Why should we wonder about the painting?
⑤ Where are the king and the queen in this painting?

01 다음 중 두 단어의 관계가 나머지와 <u>다른</u> 것은?

① art : artist
② tour : tourist
③ novel : novelist
④ heavy : heaviest
⑤ science : scientist

02 신경향
다음 빈칸에 들어갈 말이 <u>아닌</u> 것은?

ⓐ We walked in the _____ of the bus stop.
ⓑ From the hill, John looked down on the desert _____.
ⓒ Which is stronger, an eagle's _____ or an airplane's.
ⓓ Seagulls have gray-white _____s.

① wing   ② maid
③ feather   ④ direction
⑤ landscape

03 다음 중 두 문장의 의미가 <u>다른</u> 것은?

① Who's your favorite musician?
  = Which musician do you like most?
② Can you help me?
  = Can you give me a hand?
③ I prefer skiing to skating.
  = I like skating better than skiing.
④ What kinds of sports do you like?
  = What types of sports do you like?
⑤ How about watching the play first?
  = Why don't we watch the play first?

04 다음 대화의 빈칸에 알맞은 것은?

A _____
B I prefer listening to music to reading books. How about you?
A Me, too.

① What do you prefer, listening to music and reading books?
② Which do you prefer, listening to music and reading books?
③ What do you prefer, listening to music or reading books?
④ Which do you prefer, listening to music or reading books?
⑤ What do you like better, listening to music or reading books?

05 다음 대화의 밑줄 친 ①~⑤ 중 흐름상 <u>어색한</u> 것은?

A Can you help me? ①<u>I want to buy a guitar.</u>
B ②<u>There are various kinds of guitars.</u> ③<u>What kind of guitar do you want to play?</u>
A I want to play pop songs.
B ④<u>Then you should get a classical guitar.</u>
A ⑤<u>Okay, I will take a classical guitar.</u>

시험에 잘 나오는 문제

06 다음 그림을 보고 질문에 알맞은 대답을 쓰시오.

A Which do you prefer, cats or dogs?
B _____

[07~08] 다음 대화를 읽고, 물음에 답하시오.

Brian What are you reading, Sally?
Sally I'm reading *The Maze Runner*. (ⓐ) It's about boys who are put in a maze.
Brian (ⓑ) It's a great story. I've seen the movie of it, too. (ⓒ) I prefer the novel to the movie.
Sally Why do you like it better?
Brian (ⓓ) But the movie didn't show some important parts of the story. (ⓔ)

07 Which is the best place for the given sentence among ⓐ~ⓔ?

The novel has various stories.

① ⓐ   ② ⓑ   ③ ⓒ   ④ ⓓ   ⑤ ⓔ

08 위 대화의 「The Maze Runner」에 대한 내용과 일치하는 것은?

① Brian이 읽고 있는 책이다.
② 미로 경주를 하는 소년들에 관한 이야기이다.
③ Brian은 그것을 영화로도 보았다.
④ Sally는 영화보다 소설을 더 좋아한다.
⑤ Brian은 영화가 이야기의 중요한 부분을 잘 보여준다고 생각한다.

09 다음 밑줄 친 ①~⑤ 중 어법상 <u>어색한</u> 것은?

Jake said, "①My mom ②doesn't let ③me ④to read ⑤comic books."

🖉 시험에 잘 나오는 문제

10 다음 빈칸에 알맞은 것은?

Can you tell me _____ your dog?

① when and where you lose
② when and where you lost
③ when and where do you lost
④ when and where did you lose
⑤ when and where did you lost

11 다음 그림을 보고 괄호 안의 말을 바르게 배열하여 문장을 완성하시오.

→ The movie _____.
  (me / scared / made / feel)

12 다음 주어진 우리말을 영어로 알맞게 옮긴 것은?

시험을 어떻게 본 거 같니?

① Do you think how you did on the test?
② Do you think how did you do on the test?
③ How do you think you did on the test?
④ How did you think you did on the test?
⑤ How do you think did you do on the test?

13 다음은 시험 문제와 경수의 답안지이다. 경수가 바르게 답한 것의 개수는?

• 다음 문장이 맞으면 T, 틀리면 F를 쓰시오.
(1) The teacher let the sick student go home.
(2) The coach made them to exercise every day.
(3) The old lady had her servant cleaning the house by himself.
(4) The firefighters helped the people to leave the building.
(5) Sam won't let you use his digital camera.
→ (1) __T__   (2) __F__   (3) __T__
  (4) __F__   (5) __F__

① 1개   ② 2개   ③ 3개
④ 4개   ⑤ 5개

Welcome to the World Art Museum tour. When you go to an art museum, how much time do you spend ⓐlook at each painting? Many visitors glance at one painting for only a few seconds before they move on. But you might miss the important details of paintings since it is hard ⓑnotice them right away. Today, we'll look at two paintings closely and I'll help you see interesting _____.

고난도

14 윗글의 밑줄 친 ⓐ, ⓑ를 어법상 알맞은 형태로 고치시오.

ⓐ _____, ⓑ _____

15 윗글의 빈칸에 알맞은 것은?

① details ② artists
③ people ④ paintings
⑤ art museums

시험에 잘 나오는 문제

16 윗글의 내용과 일치하지 <u>않는</u> 것은?

① 세계 미술관 관람을 안내하는 글이다.
② 대부분의 사람들은 그림 한 점을 몇 초간만 힐끗 본다.
③ 그림을 짧은 시간 동안만 보면 중요한 세부 사항을 놓치기 쉽다.
④ 그림의 중요한 세부 사항을 즉시 알아채는 쉬운 방법이 있다.
⑤ 글쓴이는 두 점의 그림에 대해 설명할 것이다.

[17~18] 다음 글을 읽고, 물음에 답하시오.

Look at this painting first. The seaside landscape is so peaceful and beautiful, isn't it? The title of this painting is *Landscape with the Fall of Icarus*. So, can you see where Icarus is? Do you see two legs <u>that</u> are sticking out of the water near the ship? This is Icarus in the famous myth in Greece.

17 윗글의 밑줄 친 <u>that</u>과 쓰임이 <u>다른</u> 것은?

① I gave chocolate to the kids that were next to me.
② The doctor told me that I had to take some rest.
③ A microwave is a machine that heats up food.
④ Can you see the people that are running through the field?
⑤ This book is about a man that dreams of being an actor.

18 윗글의 내용과 일치하도록 빈칸에 알맞은 말을 쓰시오.

When we glance at this painting, the landscape looks _____ and _____. But if we look closely, we can see that Icarus is in the water and his legs are _____ _____ of the water.

[19~20] 다음 글을 읽고, 물음에 답하시오.

Today, I went to the Amazing Art exhibition. At the exhibition, I saw many interesting pieces of art. Among them, I liked the piece called *Moon Tree*. It was made by French artist, David Myriam. Interestingly, sand was used in this painting. I like it because 달 속의 나무가 나를 고요하게 느끼게 만든다. Now I know that anything can be used to make art. Anything is _____!

19 윗글의 밑줄 친 우리말과 뜻이 같도록 괄호 안의 말을 이용하여 문장을 완성하시오.

→ a tree in the moon _____
(make / calm)

20 윗글의 빈칸에 알맞은 것은?

① wise ② close
③ enough ④ possible
⑤ comfortable

[21~22] 다음 글을 읽고, 물음에 답하시오.

(A) ⓐ<u>Who do you think</u> he is painting? Take a quick look. The young princess ⓑ<u>seems be</u> the main person because she is in the center of the painting.

(B) Do you see the artist ⓒ<u>behind the large canvas</u>? He is Diego Velázquez, and he actually painted this picture.

(C) But ⓓ<u>the title of the painting is *The Maids of Honour*</u>. Then, ⓔ<u>is the artist drawing</u> the two women beside the princess?

21 윗글의 (A)~(C)를 순서대로 바르게 배열한 것은?

① (A) − (B) − (C)
② (A) − (C) − (B)
③ (B) − (A) − (C)
④ (B) − (C) − (A)
⑤ (C) − (A) − (B)

22 윗글의 밑줄 친 ⓐ~ⓔ 중 어법상 어색한 것을 골라 바르게 고치시오.

( ), _____

서술형 문제

23 다음과 같은 상황에서 마지막 질문에 대한 응답을 〈조건〉에 맞게 완성하시오.

Anna and Steve are going to the arts festival tomorrow. They haven't decided what performance they will watch first yet. Steve wants to know Anna's opinion. What can Steve say to Anna?

〈조건〉
kind, want를 포함하여 7단어로

→ _____
to watch first?

24 다음 글의 밑줄 친 부분이 의미하는 것을 **10자 이내**의 우리말로 쓰시오.

In the myth, Icarus' father made wings for him with feathers and wax and told him to stay away from the sun. However, Icarus didn't listen. He flew too close to the sun. So, the wax melted and he fell into the water. Now, look at the entire painting again. Despite <u>the tragedy of Icarus</u>, people are going on with their everyday activities. Does the painting still look peaceful? What do you think the artist is trying to tell us?

→ _____

25 다음 표를 보고 **let**을 이용하여 문장을 완성하시오. (단, 현재시제로 쓸 것)

DO	DON'T
(1) watch TV after dinner	(3) bring my friends home
(2) take a nap on weekends	(4) eat much fast food

(1) Mom _____ me _____
_____.

(2) Dad _____ me _____
_____.

(3) Mom _____ me _____
_____.

(4) Dad _____ me _____
_____.

01 다음 중 (보기)와 같이 -(t)ion을 붙여 명사를 만드는 단어가 <u>아닌</u> 것은?

(보기)

direct ➡ direction

① differ   ② exhibit
③ act   ④ create
⑤ produce

02 다음 중 영영풀이가 알맞지 <u>않은</u> 것은?

① artist: someone who makes beautiful or interesting things, such as paintings
② maid: a female servant or worker in a hotel, big house, etc.
③ myth: a traditional story, especially one with gods and heroes
④ prince: the son of the king or the queen of a country
⑤ feather: one of the two body parts that a bird uses to fly

🔖 시험에 잘 나오는 문제

03 다음과 같은 상황에서 할 말로 알맞은 것은?

You will have lunch with your friend. There are a sandwich restaurant and a hamburger restaurant near you. You want to know which kind of the food your friend likes better? What would you say to your friend?

① What kind of food do you like?
② What do you want to eat for lunch?
③ Which have you eaten, sandwiches or hamburgers?
④ Which do you prefer, sandwiches or hamburgers?
⑤ What do you think about eating sandwiches or hamburgers?

고난도
04 다음 문장을 순서대로 배열하여 대화를 만들 때 가장 마지막에 올 문장으로 알맞은 것은?

① Why do you like it better?
② The novel, *Life of Pi*. It's a story of a boy and a tiger.
③ The scenes are very beautiful. And the tiger looks so real.
④ What are you reading, Jina?
⑤ It's a great book. I've seen the movie of it, too. I prefer the movie to the novel.

🔖 시험에 잘 나오는 문제

05 다음 중 의도하는 바가 나머지와 <u>다른</u> 것은?

① I prefer orange juice to grape juice.
② I like orange juice better than grape juice.
③ I'd prefer orange juice to grape juice if possible.
④ I think orange juice is better than grape juice.
⑤ Orange juice is my favorite drink and grape juice is second.

06 다음 대화의 ①~⑤ 중 주어진 문장이 들어갈 곳으로 알맞은 것은?

Try this one.

A Can you help me? I don't know how to paint clean lines. (①)
B What kind of brush were you using? (②)
A This round brush. (③)
B When you paint lines, a flat brush is better. (④)
A Okay, thank you. (⑤)

[07~08] 다음 대화를 읽고, 물음에 답하시오.

Sam	Hi, we are planning a school festival, so we want to find out students' favorite types of performances. May I ask you a few questions?
Judy	Sure.
Sam	(1) _____
Judy	I like music performances best.
Sam	Okay. (2) _____
Judy	I prefer rock to hip-hop.
Sam	(3) _____
Judy	My favorite musician is TJ.
Sam	Great. Thank you for your answers.

신경향

07 위 대화의 빈칸에 알맞은 말을 〈보기〉에서 골라 기호를 쓰시오.

〈보기〉
ⓐ Who's your favorite musician?
ⓑ What kind of performance do you like best?
ⓒ Then, which do you prefer, rock or hip-hop?

08 위 대화의 내용과 일치하도록 질문에 알맞은 대답을 완성하시오.

Q Why does Sam's team want to find out students' favorite types of performances?
A Because they _____.

09 Find a grammatical error and correct it.

Let me to tell you what my nickname means.

_____ → _____

고난도

10 다음 괄호 안의 단어를 바르게 배열하여 문장을 완성하시오. (단, 필요한 단어만 쓸 것)

I'm curious about _____.
(ate / the dog / eat / his food / when)

11 다음 우리말을 영어로 옮겼을 때 어법상 어색한 것은?

① 영어 선생님은 우리에게 팝송을 듣게 했다.
  → My English teacher had us listen to pop songs.
② 네가 그 셔츠를 어디에서 샀는지 말해 줄래?
  → Where can you tell me you bought the shirt?
③ 남동생은 내가 그의 물건을 만지는 것을 허락하지 않는다.
  → My brother doesn't let me touch his things.
④ 너는 그가 왜 사실을 말했다고 추측하니?
  → Why do you guess he spoke the truth?
⑤ 엄마는 매일 우리가 우리 방을 청소하게 하신다.
  → Mom makes us clean our rooms every day.

12 다음 빈칸에 들어갈 말이 알맞게 짝 지어진 것은? (2개)

· Julia made her children _____ to bed early.
· Emily helped an old lady _____ the heavy bag.

① go – carry
② go – carried
③ to go – carry
④ go – to carry
⑤ to go – to carry

신경향

13 다음 중 어법상 어색한 것끼리 짝 지어진 것은?

(A) The shoes make me look tall.
(B) I want to know who he made this pie.
(C) We have to have him to keep the secret.
(D) Why do you think people believe in ghosts?
(E) Jim doesn't help his wife taking care of the baby.

① (A), (B)
② (B), (C)
③ (A), (B), (C)
④ (B), (C), (D)
⑤ (B), (C), (E)

[14~16] 다음 글을 읽고, 물음에 답하시오.

Welcome to the World Art Museum tour. When you go to an art museum, how much time do you spend looking at each (A) painting / paintings ? Many visitors glance at one painting for only (B) a little / a few seconds before they move on. But you might miss the important details of paintings <u>since</u> it is hard to notice them right away. Today, we'll look at two paintings closely and I'll help you (C) to see / seeing interesting details.

14 윗글의 (A)~(C)의 각 네모 안에서 어법상 알맞은 말이 바르게 짝 지어진 것은?

	(A)	(B)	(C)
①	painting	a little	to see
②	painting	a few	to see
③	painting	a few	seeing
④	paintings	a little	seeing
⑤	paintings	a little	to see

15 윗글의 밑줄 친 <u>since</u>와 의미가 <u>다른</u> 것은?

① Since you asked about it, I will answer you.
② I can't buy that since I have no money.
③ I'll do the dishes tonight since you cooked.
④ It has been years since we have met.
⑤ I'm worried since I have heard nothing from Tony for a long time.

시험에 잘 나오는 문제
16 윗글의 다음에 이어질 내용으로 알맞은 것은?

① 미술관의 작품들 관람 순서 소개
② 그림 한 점을 보는 데 적절한 시간 설명
③ 그림에서 세부 사항이 중요한 이유
④ 그림의 세부 사항을 즉시 알아채는 방법
⑤ 두 점의 그림에 나타난 중요한 세부 사항에 대한 설명

[17~20] 다음 글을 읽고, 물음에 답하시오.

Look at this painting first. The seaside landscape is so peaceful and beautiful, isn't it? The title of this painting is *Landscape with the Fall of Icarus*. So, can you see where Icarus is? Do you see two legs that (A) is / are sticking out of the water near the ship? (ⓐ) This is Icarus in the famous myth in Greece. (ⓑ) In the myth, Icarus' father made wings for him with feathers and wax and told him (B) stay / to stay away from the sun. (ⓒ) He flew too close to the sun. (ⓓ) So, the wax melted and he fell into the water. (ⓔ) Now, look at the entire painting again. Despite the tragedy of Icarus, people are going on with their everyday activities. Does the painting still look peaceful?

17 윗글의 (A), (B)의 각 네모 안에서 알맞은 것을 고르시오.

18 윗글의 ⓐ~ⓔ 중 다음 문장이 들어갈 곳으로 알맞은 것은?

However, Icarus didn't listen.

① ⓐ   ② ⓑ   ③ ⓒ   ④ ⓓ   ⑤ ⓔ

고난도
19 윗글의 내용과 일치하도록 다음 질문에 알맞은 대답을 우리말로 쓰시오.

Q Why did Icarus fall into the water?

→ _____

20 윗글의 내용과 일치하지 <u>않는</u> 것은?

① 그림 속의 풍경은 평화롭고 아름다워 보인다.
② 그림은 그리스 신화의 인물인 이카로스에 관한 그림이다.
③ 그림에서 이카로스는 하늘로 날아가고 있다.
④ 이카로스의 아버지는 이카로스에게 날개를 만들어 주었다.
⑤ 그림에서 사람들은 일상의 활동을 하고 있다.

[21~22] 다음 대화를 읽고, 물음에 답하시오.

Frog Princess, please let me in.
King Who are you?
Frog The princess promised me, "ⓐIf you help me, I'll let you enter the palace and ⓑbeing my friend."
King Come here. I'll ⓒhave people serve you some cookies and tea.
Princess No! ⓓNever let him in. I don't like him.
King Don't worry, Frog. I'll ⓔmake the princess keep her promise.

21 위 대화의 밑줄 친 ⓐ~ⓔ 중 어법상 어색한 것은?

① ⓐ   ② ⓑ   ③ ⓒ   ④ ⓓ   ⑤ ⓔ

22 위 대화의 내용과 일치하도록 다음 글을 완성하시오.

The princess didn't ＿＿＿＿＿ ＿＿＿＿＿ ＿＿＿＿＿ with the frog, so the frog went to the palace. The king ＿＿＿＿＿ ＿＿＿＿＿ ＿＿＿＿＿ ＿＿＿＿＿ the palace and served him some food. And he told the frog that he would force the princess to keep her promise.

🍎 서술형 문제

Writing

23 다음 그림을 보고 문장을 완성하시오.

What kind of music does Lucy like best?

John

Lucy

→ John wonders ＿＿＿＿＿＿＿＿＿＿＿.

Speaking

24 다음 괄호 안의 우리말에 맞게 대화의 빈칸에 알맞은 말을 쓰시오.

A Do you want to go to a concert together this Saturday?
B (1) ＿＿＿＿＿＿＿＿＿＿＿＿＿
　　(그것은 어떤 종류의 콘서트니?)
A It's a rock concert. There will be rock bands from all over the world.
B Sounds cool. Okay, I'll go with you.
A Great. Let's meet at 5 p.m. at the bus stop.
B No problem. (2) ＿＿＿＿＿＿＿＿＿
　　(나는 그것이 기대돼). See you then.

Reading

25 다음 글을 읽고, 질문에 알맞은 답을 완성하시오.

The young princess seems to be the main person because she is in the center of the painting. But the title of the painting is *The Maids of Honour*. Then, is the artist drawing the two women beside the princess? Take a close look. It will make you wonder about the painting more. Try to see which direction the artist is looking at. Can you see the king and the queen in the mirror in the background of the painting? Who do you think he is painting now?

(1) **Q** Why might the young princess not be the main person in this painting?
　　A Because ＿＿＿＿＿＿＿＿＿＿＿.
(2) **Q** When will you wonder about the painting more according to this passage?
　　A ＿＿＿＿＿＿＿＿＿＿＿＿＿ at it, you will wonder about the painting more.

그리스·로마 신화의 신

· 제우스 (주피터)

그리스·로마 신화의 최고 신이에요. 헤라와 결혼했지만 많은 여신, 요정, 인간 사이에서 자식을 많이 낳았기 때문에 '신들과 인간들의 아버지'로 불려요. 제우스는 벼락을 손에 든 모습으로 독수리와 함께 표현된답니다.

· 포세이돈 (넵튠)

바다의 신이며 동시에 말의 신이에요. 제우스의 형제이고, 그의 힘을 상징하는 삼지창으로 바다에 파도를 일으키거나 대지에 지진을 일으키고, 하천과 샘을 솟아나게 하기도 해요.

· 하데스 (플루토)

지하 세계, 즉 저승의 신이에요. 제우스, 포세이돈과 형제지간이며, 지하 세계에 살기 때문에 12신에서는 제외되지만 제우스가 다스리는 올림포스 시대의 주요 신에 속해요.

· 헤스티아 (베스타)

불과 화로의 여신으로, 화로는 고대 그리스에서 가정의 중심이었기 때문에 가정의 수호신으로 숭배되었어요.

· 헤라 (유노)

제우스의 부인으로, 결혼 생활의 수호신이에요. 올림포스의 여신 중 최고의 여신이며, 머리에 왕관을 쓰고 손에 왕홀(왕의 지팡이)을 든 여왕의 모습으로 공작새와 함께 주로 표현돼요.

· 아레스 (마르스)

전쟁과 파괴를 주관하는 신이에요. 제우스와 헤라의 아들로, 피와 살상을 즐기고 잔인하고 야만적이에요. 갑옷과 투구를 쓰고 칼이나 창과 방패를 든 모습으로 표현돼요.

08

Changes Ahead

Functions

- 상대방의 의견 묻기

  A **What do you think about** the present?

  B I think it's really touching.

- 상대방의 의견과 같거나 다름을 표현하기

  A I think it's great that many people see my posts.

  B **I'm (not) with you on that.**

Grammar

- 「so ~ that ... can't ...」

  - We were **so** tired **that** we **could not** go out.
  - He has **so** much work **that** he **can't** sleep.

- 현재[과거] 분사

  - The seafood **fried** rice was amazing.
  - Look at the **smiling** girl.

Words & Phrases

예문 해석 · 47쪽

• 아는 단어에 ☑ 표시한 후 외워 봅시다.

☐ **agree** [əgríː] 동 동의하다
We **agreed** to name our dog Tong. ❶

☐ **balance** [bǽləns] 동 균형을 잡다, 명 균형
The clown is **balancing** tin cans on his head. ❷

☐ **bottom** [bátəm] 명 맨 아래 (부분) (↔ top)
The rock is sinking to the **bottom** of the pool. ❸

☐ **creative** [kriéitiv] 형 창의적인
Jim tells students to use their **creative** abilities. ❹

☐ **debate** [dibéit] 명 토론, 논의
The students had a **debate** about taxes. ❺

☐ **deliver** [dilívər] 동 전달하다, 배달하다
Your new computer will be **delivered** next Monday. ❻

☐ **dependence** [dipéndəns] 명 의존, 의지 (형 dependent)
We're reducing our **dependence** on nuclear power. ❼

☐ **donate** [dóuneit] 동 기부하다
A businessman **donated** all his money to charity before he died. ❽

☐ **downtown** [dáuntáun] 형 시내의, 도심지의
We are going **downtown** Seoul for a meeting. ❾

☐ **effect** [ifékt] 명 효과
This medicine seems to have no **effect** on me. ❿

☐ **elderly** [éldərli] 형 나이가 지긋한
We live with my **elderly** aunt. ⓫

☐ **experience** [ikspíəriəns] 명 경험, 동 경험하다
Flying in a hot-air balloon was an amazing **experience** for me. ⓬

☐ **fry** [frai] 동 튀기다
I'll **fry** chicken for my family's supper. ⓭

☐ **importance** [impɔ́ːrtəns] 명 중요함 (형 important)
My parents knew the **importance** of a good education. ⓮

☐ **local** [lóukəl] 형 지역의, 현지의, 명 주민
The **local** hospital needs volunteers. ⓯

☐ **machine** [məʃíːn] 명 기계
Put your money in the **machine** and it will give you a ticket. ⓰

☐ **moment** [móumənt] 명 순간
I couldn't remember her name at that **moment**. ⓱

☐ **nearby** [níərbái] 부 근처에
I jump rope every morning in the park **nearby**. ⓲

☐ **opinion** [əpínjən] 명 의견
We should listen to other people's **opinions**. ⓳

☐ **post** [poust] 동 (웹 사이트에 정보, 사진을) 올리다
The scientists **posted** the results of their study on their web page. ⓴

☐ **presence** [prézəns] 명 존재 (형 present)
I often feel a **presence** behind me. ㉑

☐ **price** [prais] 명 가격
I'd like to buy this clock, but the **price** is too high. ㉒

☐ **remain** [riméin] 동 남아 있다, 남다
Hal **remained** at work, but the others went home. ㉓

☐ **side** [said] 명 (사물, 성격의) 측면
Sue always looks on the sunny **side** of things. ㉔

☐ **suggest** [səgdʒést] 동 제안하다
I **suggested** that Becky see a doctor. ㉕

☐ **surprise** [sərpráiz] 동 놀라게 하다
Luke **surprised** me by buying me flowers. ㉖

☐ **technology** [teknálədʒi] 명 (과학) 기술
They introduced modern **technology** into schools. ㉗

☐ **thought** [θɔːt] 명 생각
The **thought** of eating made me hungry. ㉘

☐ **trendy** [tréndi] 형 최신 유행의
Rachel has a fancy and **trendy** hairstyle. ㉙

☐ **wisely** [wáizli] 부 현명하게
Let's plan well and use our time **wisely**. ㉚

☐ **be busy -ing** ~하느라 바쁘다

☐ **even though** 비록 ~할지라도

☐ **fall asleep** 잠들다

☐ **get attention** 주목을 받다

☐ **get lost** 길을 잃다

☐ **keep -ing** 계속해서 ~하다

☐ **pay for** ~에 대한 대금을 지불하다

☐ **rely on** ~에 의존하다

01 다음 빈칸에 알맞은 단어를 〈보기〉에서 골라 쓰시오.

〈보기〉
experience   price   machine

(1) My washing _____ is broken.
(2) Losing the game was a good _____ for them.
(3) What's the _____ of this bag after the discount?

02 다음 짝 지어진 관계가 일치하도록 빈칸에 알맞은 단어를 쓰시오.

dependent : dependence
= important : _____

03 다음 영영풀이가 설명하는 단어로 알맞게 짝 지어진 것은?

· to cook food in hot oil or fat
· to stay in a state or condition and not change

① fry – donate   ② post – suggest
③ fry – suggest   ④ post – remain
⑤ fry – remain

04 다음 대화의 빈칸에 알맞은 것은?

A Where is your name on this list?
B My name is at the _____ of the list.

① moment   ② thought
③ bottom   ④ balance
⑤ presence

05 다음 우리말과 뜻이 같도록 빈칸에 알맞은 말을 쓰시오.

(1) 우리에게 더 큰 집이 필요하다는 점에 나도 동의한다.
→ I _____ that we need a bigger house.
(2) 우리는 정보 기술의 시대에 살고 있다.
→ We're living in the age of information _____.
(3) 그 모델은 항상 최신 유행의 옷을 입는다.
→ The model always wears _____ clothes.

06 다음 빈칸에 들어갈 말이 알맞게 짝 지어진 것은?

· How much did you pay _____ your car?
· Many people rely _____ technology too much.

① to – of   ② of – on
③ for – on   ④ for – from
⑤ on – from

07 다음 밑줄 친 표현에 주의하면서 문장을 우리말로 해석하시오.

(1) Dad is busy preparing dinner in the kitchen.
→ _____

(2) Even though we have different cultures, we can all be friends.
→ _____

Functions

1 상대방의 의견 묻기

A **What do you think about** the present?
너는 그 선물에 대해서 어떻게 생각하니?

B I think it's really touching.
나는 그것이 정말 감동적이라고 생각해.

● 상대방의 의견 묻기

- What do you think about*his music? 너는 그의 음악에 대해 어떻게 생각하니?
- How do you feel about*that photo? 너는 저 사진에 대해 어떻게 생각하니?
- What do you think of homeschooling? 너는 홈스쿨링에 대해 어떻게 생각하니?
- What would you like to say about used cars? 너는 중고차에 대해 무슨 말을 하고 싶니?
- What is your opinion of the new music teacher? 새로 오신 음악 선생님에 대한 너의 의견은 무엇이니?

● 의견을 묻는 말에 답하기

- I think it makes life much easier. 나는 그것이 생활을 훨씬 더 쉽게 만들어 준다고 생각해.

> **알아두기** What do you think about ~?은 생각을 묻는 질문이고 How do you feel about ~?은 감정을 묻는 질문이다.

> **e.g.** **What do you think about** this person? — 이 사람이 게으른지, 친절한지, 정직한지 등의 생각을 묻는 표현
> **How do you feel about** this person? — 이 사람이 좋은지, 싫은지 등의 감정을 묻는 표현

---

2 상대방의 의견과 같거나 다름을 표현하기

A I think it's great that many people see my posts.
나는 많은 사람들이 내 SNS 글을 보는 게 좋다고 생각해.

B **I'm (not) with you on that.**
나도 그 말에 동의해. / 나는 그 말에 동의하지 않아.

● 상대방의 의견과 같음을 표현하기

- I'm with you on that.* 나도 그 말에 동의해.
- I agree (with you).* 나도 (너에게) 동의해.
- You can say that again. 네 말이 맞아.

- I think so, too.* 나도 그렇게 생각해.
- Same here. 나도 마찬가지야.

● 상대방의 의견과 다름을 표현하기

- I'm not with you on that.* 나는 그 말에 동의하지 않아.
- I don't think so.* 나는 그렇게 생각하지 않아.
- I don't agree (with you).* 나는 (너에게) 동의하지 않아.
- I disagree with you. 나는 너에게 동의하지 않아.

> **알아두기** I'm not with you on that.은 강하고 직접적인 어감의 표현이고, I don't think so.는 좀 더 부드러운 어감의 표현이다.

Functions Test

01 다음 대화의 빈칸에 알맞은 것은?

> **A** I think watching movies at home is better than watching them at a theater.
>
> **B** _____ I can watch the movie more comfortably.

① That's okay.
② Sounds good.
③ I have no idea.
④ I don't think so.
⑤ I'm with you on that.

02 다음 대화의 밑줄 친 부분이 의도하는 바로 알맞은 것은?

> **A** What do you think about the School Rooftop Farm?
>
> **B** I think it's cool. It can give us fresh vegetables and make our school greener.

① 제안하기
② 설명 요청하기
③ 관심 있는 것 묻기
④ 상대방의 의견 묻기
⑤ 상대방이 좋아하는 것 묻기

03 다음 대화의 밑줄 친 부분과 바꿔 쓸 수 없는 것은?

> **A** I think reading e-books is better than reading paper books.
>
> **B** I'm not with you on that. I can't read the books for a long time.

① I don't think so.
② I don't believe so.
③ I disagree with you.
④ I don't agree with you.
⑤ You can say that again.

04 다음 대화의 밑줄 친 우리말과 뜻이 같도록 괄호 안의 말을 이용하여 영어로 쓰시오.

> **A** <u>너는 에너지 음료에 대해서 어떻게 생각해?</u>
>
> **B** I think they are bad. They make us stay awake too long.

→ _____

(what / about / energy drinks)

05 다음 말에 이어질 대화를 순서대로 바르게 배열하시오.

> Excuse me. Can you help me order with this machine?
> (A) Touch the Done button at the bottom and pay for them.
> (B) Sure. First, press the Hot Dog button and choose your hot dog and drink.
> (C) Wow, it's so simple. This machine is much faster than ordering at the counter.
> (D) Okay. How do I pay for my order?
> I'm with you on that. It really saves a lot of time when there's a long line.

06 고난도
다음 중 대화가 <u>어색한</u> 것은?

① **A** What do you think about Buy 1 Give 1 Milk?
   B I think it's cool.
② **A** I think shopping online is better than shopping at the shops.
   B I'm with you on that.
③ **A** How do you feel about this new online comic?
   B I disagree with you.
④ **A** Which do you like better, taking online classes or taking offline classes?
   B I think taking online classes is better.
⑤ **A** I think we all look better than before.
   B I think so, too.

07 다음 대화의 빈칸에 알맞은 말을 쓰시오.

> **A** What do you think about the Donation Walk?
> **B** _____ _____ it's cool. It can help people in need and make us healthy, too.

[08~09] 다음 대화를 읽고, 물음에 답하시오.

Owen Hey, Julie! Have you heard about the *Quiz & Rice* game?

Julie Yeah, isn't it the one that donates rice when you get a right answer?

Owen Yeah, <u>what do you think about the game?</u>

Julie I think it's a creative game. You can have fun and help out hungry people. Have you played it yet?

Owen No, but I'm going to try it out this weekend.

08 위 대화의 밑줄 친 부분을 바꿔 쓸 때 빈칸에 알맞은 말을 쓰시오.

> → what is your _____ of the game?

고난도
09 위 대화의 *Quiz & Rice* game에 대한 내용과 일치하지 않는 것은?

① Julie has heard about it.
② It is the game that donates rice when you get a right answer.
③ Julie thinks it is creative.
④ It can help out hungry people.
⑤ Owen has played it already.

10 다음 대화의 ①~⑤ 중 주어진 문장이 들어갈 곳으로 알맞은 것은?

> I think it's better than an e-mail.

> **A** I want to send a special message to my grandmother in Australia. (①) What do you think about a handwritten letter?
> **B** (②) It's more personal.
> **A** (③) Yeah, I think so, too! I think I will write her a letter and decorate it.
> **B** (④) That sounds great. (⑤) I'm sure she'll like your letter.

[11~12] 다음 대화를 읽고, 물음에 답하시오.

Eva My little brother is always ⓐ_____. Last night, he was up all night playing with his phone.

Sam Oh, he should find a way to ⓑ_____.

Eva ⓒ_____ on that. What should he do?

Sam He should try the smartphone use control app. It can help him ⓓ_____.

Eva Oh, ⓔ_____. Thanks for the tip.

11 위 대화의 빈칸 ⓐ~ⓔ에 알맞지 <u>않은</u> 것은?

① ⓐ using his smartphone
② ⓑ control it
③ ⓒ I'm not with you
④ ⓓ plan his phone use
⑤ ⓔ that's a good idea

12 위 대화의 내용과 일치하도록 다음 물음에 알맞은 대답을 완성하시오.

> **Q** What did Sam suggest for Eva's little brother?
> **A** He suggested that her brother should
> _____.

듣기·말하기 Script

주어진 우리말을 참고하여 빈칸에 알맞은 말을 써 봅시다.

Listen & Talk 1~2

1-A

1. **W** Look, Dad. This is Mom's birthday gift.
   M Oh, you're giving her a ❶_____(메모리 스틱)?
   W Yeah, I've made a family ❷_____(동영상) for Mom and saved it on this stick. ❸_____ _____(~에 대해서 어떻게 생각해?) the present?
   M I think it's really ❹_____(감동적인). She'll love it.

2. **M** Jenny, what do you think about the new online comic *Scary Night*?
   W I didn't like it. I thought it had too many ❺_____(음향 효과).
   M Really? I thought they made the story more ❻_____(흥미로운).
   W Not me. I couldn't ❼_____(집중하다) because I was too scared.

1-B

M Hey, Julie! ❶_____ _____ _____(~에 대해 들어 본 적이 있니) the *Quiz & Rice* game?
W Yeah, isn't it the one that ❷_____(기부하다) rice when you get a right answer?
M Yeah, ❸_____ _____ _____ _____(~에 대해서 어떻게 생각해?) the game?
W I think it's a ❹_____(창의적인) game. You can have fun and help out hungry people. Have you played it yet?
M No, but I'm going to ❺_____ it _____(시도해 보다) this weekend.

2-A

1. **M** Sally, did you watch *Super Voice's* Top 10 ❶_____(결승전 진출자들) yesterday?
   W Yeah. They all sang much better than before.
   M Yeah, they did. I think this singing contest helps them get ❷_____(더 가까이) to their dreams.
   W ❸_____ _____(나도 그 말에 동의해). I can't wait to watch their next ❹_____(공연)s.

2. **M** Hey, Lisa. I've got over a hundred ❺_____(댓글) on my SNS posts.
   W Oh, I wouldn't feel ❻_____(편안한) to share my posts with so many people.
   M Really? I think it's great that a lot of people see my posts.
   W ❼_____ _____(나는 그 말에 동의하지 않아). I only want to ❽_____(공유하다) my posts with my close friends.

2-B

W Excuse me. Can you help me order with this ❶_____(기계)?
M Sure. First, press the Hot Dog button and choose your hot dog and drink.
W Okay. How do I ❷_____((대금을) 지불하다) my order?
M Touch the Done button at the bottom and pay for them.
W Wow, it's so simple. This machine is ❸_____ _____(~보다 훨씬 더 빠른) ordering at the ❹_____(계산대).
M I'm with you on that. It really ❺_____(절약해 주다) a lot of time when there's a long line.

Communication

W1 Now, we will start the three-minute ❶_____(토론). Today's first ❷_____(주제) is fast fashion. What do you think about it? Please, begin, James.
M I think fast fashion is good. We can wear ❸_____(최신 유행의) clothes at a ❹_____(더 싼 가격).
W2 I'm not with you on that. It makes us spend too much money and ❺_____(버리다) clothes too often.
W1 It looks like the two of you have different ❻_____(의견) on the first topic. Now, let's move on to the second topic.

Grammar

1 「so ~ that ... can't ...」

- We were **so** tired **that** we **could not** go out. 우리는 너무 피곤해서 밖에 나갈 수가 없었다.
- He has **so** much work **that** he **can't** sleep. 그는 일이 너무 많아서 잠을 잘 수 없다.

1 형태와 의미: 「so+형용사[부사]+that+주어+can't ...」의 형태로 쓰여 '너무 ~해서 …할 수 없다'라는 의미를 나타낸다. 이때 「so+형용사[부사]」는 어떤 일에 대한 원인이나 상태를, that절 이하는 그 일에 대한 결과를 나타낸다.

(e.g.) You are **so** young **that** you **can't** watch the movie. 너는 너무 어려서 그 영화를 볼 수 없다.

2 쓰임: 「too+형용사[부사]+to부정사」로 바꿔 쓸 수 있으며 '~하기에 너무 …하다'라는 의미를 나타낸다.

(e.g.) Mom was **so** sick **that** she **couldn't** go to work. 엄마는 너무 아파서 출근할 수 없었다.

= Mom was **too** sick **to go** to work.

알아두기 1. 주절과 that절의 주어가 서로 다른 경우 「too+형용사[부사]+for+목적격+to부정사」로 바꿔 쓴다.

(e.g.) The water is **so** dirty **that** they **can't** drink it. 물이 너무 더러워서 그들은 그것을 마실 수 없다.

→ The water is **too** dirty **for them to drink**.

2. '~할 만큼 충분히 …하다'의 의미를 나타낼 때는 「형용사[부사]+enough+to부정사」를 쓴다.

(e.g.) He is **old enough to travel** alone. 그는 혼자 여행할 정도로 충분히 나이가 들었다.

2 현재[과거] 분사

- The seafood **fried** rice was amazing. 그 해산물 볶음밥은 놀라웠다.
- Look at the **smiling** girl. 웃고 있는 소녀를 봐.

1 형태: 분사에는 현재 분사와 과거 분사 두 가지가 있으며, 명사와의 의미 관계에 따라 분사의 형태가 달라진다.

	현재 분사	과거 분사
형태	동사원형+-ing	동사원형+-ed
의미	능동(~하게 만드는), 진행(~하고 있는)	수동(~해진, ~당한), 완료(~되어 있는)

(e.g.) The pond is full of **swimming** fish. 연못은 헤엄치는 물고기들로 가득 차 있다.

They are selling shoes at a **discounted** price. 그들은 할인된 가격으로 신발을 팔고 있다.

알아두기 주요 동사의 과거 분사형

am, are, is	been	bear (낳다)	born	break (부수다)	broken	choose (선택하다)	chosen
draw (그리다)	drawn	drink (마시다)	drunk	do (하다)	done	fall (떨어지다)	fallen
fly (날다)	flown	forget (잊다)	forgotten	give (주다)	given	see (보다)	seen
sell (팔다)	sold	speak (말하다)	spoken	steal (훔치다)	stolen	write (쓰다)	written

2 역할

① **형용사 역할:** 명사의 앞이나 뒤에서 명사를 수식한다.

(e.g.) Don't you want to ride in a **flying** car? 하늘을 나는 자동차를 타 보고 싶지 않니?

② **보어 역할:** 주어나 목적어를 보충 설명한다.

(e.g.) The singer was **surprised** at the size of the crowd. 〈주격 보어〉 그 가수는 군중의 규모에 놀랐다.

They saw us **waving** our hands. 〈목적격 보어〉 그들은 우리가 손을 흔드는 것을 보았다.

01 다음 괄호 안에서 알맞은 것을 고르시오.

(1) Who is the main character of the (exciting / excited) movie?

(2) Jason opened the (locking / locked) door.

(3) The national team was waving to the (cheering / cheered) crowd.

(4) The most widely (speaking / spoken) language across Canada is English.

> 현재 분사와 과거 분사의 구별
> character 등장인물
> lock 잠그다
> national team 국가대표 팀
> widely 널리

02 다음 문장에서 어법상 <u>어색한</u> 부분을 찾아 바르게 고치시오.

(1) The boy is so weak to lift the heavy box.

_____ ➝ _____

(2) The white dress is too small that I can't wear it.

_____ ➝ _____

(3) We were so poor that couldn't buy a new car.

_____ ➝ _____

> 「so ~ that ... can't ...」와 「too ~ to부정사」의 형태
> weak 약한
> lift 들어 올리다

03 다음 우리말과 뜻이 같도록 괄호 안의 말을 이용하여 문장을 완성하시오.

(1) 유감스럽지만 나에게 실망스러운 소식이 있다. (disappoint)

➝ I'm afraid I have some _____ news.

(2) 겁에 질린 여자아이는 그녀의 엄마 뒤에 숨었다. (frighten)

➝ The _____ girl hid behind her mother.

(3) Robin은 화살로 날아가는 새를 쏠 수 있다. (fly)

➝ Robin can shoot the _____ bird with an arrow.

(4) 나는 스테이크와 함께 구운 감자를 주문했다. (bake)

➝ I ordered a _____ potato with my steak.

> 현재[과거] 분사의 의미
> hide 숨다
> shoot 쏘다
> arrow 화살

04 다음 주어진 문장과 뜻이 같도록 빈칸에 알맞은 말을 쓰시오.

(1) It is very warm. We can play outside.

= It is warm _____ outside.

(2) My sister is too sick to clean her room.

= My sister is _____ clean her room.

(3) The water was so cold that he couldn't take a shower.

= The water was _____ for him _____ a shower.

> 「so ~ that ... can't ...」의 쓰임
> outside 밖에서
> take a shower 샤워하다

05 다음 우리말과 뜻이 같도록 괄호 안의 말을 바르게 배열하시오.

(1) 그 방은 너무 어두워서 내가 아무것도 볼 수 없었다.

➝ The room was _____ anything.

(dark / for / see / me / to / too)

(2) 그 강은 너무 깊어서 우리가 수영할 수 없었다.

➝ The river was _____ in it.

(that / couldn't / swim / so / we / deep)

> 「so ~ that ... can't ...」의 의미
> dark 어두운
> deep 깊은

01 다음 중 동사의 원형과 과거 분사형이 잘못 짝 지어진 것은?

① break − broken ② give − given
③ do − done ④ forget − forgotten
⑤ fall − falled

[02~03] 다음 빈칸에 알맞은 것을 고르시오.

02

> This language is _____ that we can't learn it easily.

① so difficult ② too difficult
③ very difficult ④ difficult enough
⑤ enough difficult

03

> There is a _____ cat at my grandma's feet.

① sleep ② slept
③ sleeping ④ to sleep
⑤ sleeps

04 다음 주어진 우리말을 영어로 알맞게 옮긴 것은?

> 나는 너무 어려서 그것을 이해할 수 없었다.

① I was young enough to understand it.
② I was too young to understand it.
③ I was so young to understand it.
④ I was so young that I can't understand it.
⑤ I was so young that I could understand it.

05 ^{고난도} 다음 괄호 안의 단어의 형태가 알맞게 짝 지어진 것은?

> (A) Several (surprising / surprised) things happened in this town last night.
> (B) The lady was sitting on the white (painting / painted) bench.
> (C) I watched an (interesting / interested) documentary about an African tribe.

	(A)		(B)		(C)
①	surprising	—	painting	—	interesting
②	surprising	—	painting	—	interested
③	surprising	—	painted	—	interesting
④	surprised	—	painted	—	interesting
⑤	surprised	—	painted	—	interested

06 다음 두 문장의 의미가 같도록 빈칸에 알맞은 말을 쓰시오.

> The sofa is so large that two people can't carry it.
> = The sofa is _____.

[07~08] 다음 그림을 보고 괄호 안의 말을 이용하여 문장을 완성하시오.

07

He saw a _____ outside the window.
(fall / leaf)

08

The shelf is _____ she _____ the book.
(high / reach)

09 Which underlined part is <u>NOT</u> grammatically correct?

① I found my <u>losing</u> watch this morning.
② The comedian's death was <u>shocking</u> news.
③ This <u>boring</u> book made me fall asleep.
④ We ran out of the <u>shaking</u> building.
⑤ They couldn't sleep because of the <u>crying</u> baby on the plane.

10 다음 괄호 안의 말을 바르게 배열하여 문장을 완성하시오.

> The digital camera is _____
> _____ it.
> (I / expensive / buy / so / that / can't)

11 다음 중 밑줄 친 부분의 역할이 나머지와 <u>다른</u> 것은?

① I read an essay <u>written</u> by the professor.
② She was saved from a <u>burning</u> house.
③ There are many people <u>invited</u> to the party in the hall.
④ Trying the new foods was an <u>amazing</u> experience.
⑤ Did you hear your name <u>called</u>?

12 다음 그림의 상황을 바르게 표현한 것은?

① The stone is so heavy that I move it.
② The stone is so heavy that I can't move it.
③ The stone is heavy enough for me to move.
④ The stone is too heavy that I can't move it.
⑤ The stone is so heavy to move it.

13 다음 빈칸에 들어갈 말이 알맞게 짝 지어진 것은?

> · Wash one apple under _____ water and cut it into small pieces.
> · Cook the _____ apple pieces with brown sugar on low heat.

① run – cut　　　　② run – cutting
③ running – cut　　④ running – cutting
⑤ running – cutted

14 다음 문장을 「so ~ that ... can't ...」를 이용하여 바꿔 쓰시오.

> I was too excited to sleep well.
> → _____

15 다음 우리말과 뜻이 같도록 괄호 안의 말을 이용하여 문장을 완성하시오.

> 구르는 돌은 이끼가 끼지 않는다. (roll)

→ A _____ stone gathers no moss.

고난도
16 다음 중 어법상 알맞은 문장으로 짝 지어진 것은?

> (A) I burned my finger with boiling water.
> (B) I felt so sleepy that I can't focus during class.
> (C) The rise sun over the horizon was so beautiful.
> (D) Jina got up too late to catch the school bus.
> (E) Sam got satisfied result on the final exam.

① (A), (B)　② (A), (D)　③ (B), (D)
④ (B), (E)　⑤ (C), (E)

Reading

• 다음 글을 끊어 읽고, 주어진 우리말에 알맞은 표현을 빈칸에 써 봅시다.

My Tech-Free Trip Story

Last summer, / my father suggested a ❶＿＿＿＿＿＿ event: / a family trip ❷＿＿＿＿＿＿
지난여름   hate의 목적어 (명사적 용법의 to부정사)   놀랄 만한 (현재 분사)   a surprising event에 대한 부연 설명
                                                                                                              ～ 없이
smartphones! He said, / "I hate to see you sitting together / and only looking at your
                        = hate seeing ┗━━━━━ 지각동사+목적어+목적격 보어(현재 분사)━━━━━┛
smartphones." My sister and I explained the ❸＿＿＿＿＿＿ for smartphones, / but he
                                             필요(성)
❹＿＿＿＿＿＿ ＿＿＿＿＿＿ / that we could not fully enjoy the trip with them.
계속 말했다   saying의 목적어절을 이끄는 접속사   = smartphones
So / we started a ❺＿＿＿＿＿＿ trip / to a new city, Barcelona, Spain.
그래서   첨단 과학 기술 없는   ┗동격┛   도시+나라: 콤마(,)로 연결
(결과 접속사)

Q What surprising event did Dad suggest last summer?

A He suggested a family trip without smartphones.

Reading Test   *Basic*

01 본문의 내용과 일치하면 T, 일치하지 않으면 F를 고르시오.

(1) The writer's father suggested a technology-free trip. (T / F)

(2) A technology-free trip means a family trip with smartphones. (T / F)

(3) The writer's father said that they could enjoy the trip without smartphones.
(T / F)

02 본문을 읽고 질문에 대한 알맞은 대답을 완성하시오.

(1) Why did the writer's father suggest a technology-free trip? → He suggested that because he hated to see the family ＿＿＿＿＿＿＿＿＿＿.

(2) What did the writer and his sister explain to their father? → They explained the need for ＿＿＿＿＿＿.

(3) Where did the family go on the trip?
→ They went to ＿＿＿＿＿＿＿＿＿.

• 다음 글을 끊어 읽고, 주어진 우리말에 알맞은 표현을 빈칸에 써 봅시다.

Our first day was terrible.

❻ _____ _____ _____
　　　　　　　　　~로 가는 길에

_____ our guesthouse around
　　　　　　　　　~ 주변에, ~ 주위에

Plaza Reial, / we ❼ _____ / in
　　　　　　　　　　길을 잃었다

downtown Barcelona. Dad was busy looking at
　　　　　　　　　　　　be busy -ing: ~하느라 바쁘다 (= be busy with+명사)

the map / and ❽ _____
　　　　　　　　　　길을 묻느라 (바빴다)

with a few Spanish words / he got from a tour
　　a few+셀 수 있는 명사: 약간의 ~　　목적격 관계대명사 that [which] 생략

guidebook. ❾ _____ _____ our guesthouse
　　　　　　　비록 ~할지라도 (양보 접속사)　　　　대략

was right next to the Plaza, / it ❿ _____ us about two hours _____ _____
　　　　　~ 옆에　　　　　　　　　　　　　　　그곳에 도착하는 데 거의 두 시간이 걸렸다

there. We were ⓫ _____ tired / _____ we could not go out for dinner. I went to
= our guesthouse　　너무 ~해서 …할 수 없다 (= too+형용사(부사)+to부정사)

bed / but couldn't ⓬ _____ / because I was worried about / what would
　　　　　　　　　　　잠들다　　　　　　　~하기 때문에 (이유 접속사)　　about의 목적어절 (간접의문문:
　　　　　　　　　　　　　　　　　　　　　　　　　　　　　　　　「의문사 주어+동사」 어순)

happen the next day.

Q **How long did it take to get to the guesthouse?**

A It took about two hours to get there.

---

03 본문의 내용과 일치하지 않는 부분을 찾아 바르게 고치시오.

(1) The family's guesthouse was in front of Plaza Reial.
_____ → _____

(2) It took them about three hours to get to their guesthouse.
_____ → _____

(3) The writer couldn't fall asleep because he was tired.
_____ → _____

04 본문을 읽고 질문에 대한 알맞은 대답을 완성하시오.

(1) Where did they get lost?
→ They got lost in _____ Barcelona.

(2) From where did the father get some Spanish words?
→ He got them from a _____.

(3) What was the writer worried about?
→ He was worried about _____ the next day.

• 다음 글을 끊어 읽고, 주어진 우리말에 알맞은 표현을 빈칸에 써 봅시다.

After ⑬ _____ _____ Gaudi's Park Guell, / we decided to have seafood
　　　둘러본 후에　　　　　　　　　　　　　　　　　　　　　　　　to부정사의 명사적 용법 (decided의 목적어)
⑭ _____ _____ / for lunch. However, / we didn't know / which restaurant to go
　　볶음밥　　　　　　점심으로　　　　　　　　　　　　　　　　　　　의문사+to부정사: 어느 식당으로 가야 할지
to. We needed help, / so Mom ⑮ _____ _____ _____ an elderly lady / and
　　　　　　　　　　　　　　　　　　~에게 다가갔다　　　　　　　　　　　노부인
tried to ask for directions / to a popular seafood restaurant. Luckily, / she ⑯ _____
try+to부정사: ~하려고 애쓰다　　　　　~로 (방향 전치사)　　　　　　　　　　　　　　　~인 것 같았다
_____ understand Mom's few Spanish words. She ⑰ _____ us / _____ a
　　　　　　　　　　　　　　　　　　　　　　　　　　　우리를 ~로 데리고 갔다
small local restaurant nearby. The seafood fried rice was ⑱ _____. I really wanted to
　　　　　　　　근처에 있는　　　　　　　　　　　　　　　　놀라운　　to부정사의 명사적 용법 (wanted의 목적어)
⑲ _____ pictures of the food / and post them on my blog. But without my phone, / I
　(사진을) 찍다　　　　　　　　　　　　　　　　= pictures of the food　　　　~ 없이
just decided to enjoy the ⑳ _____.
　to부정사의 명사적 용법　　　　순간
　(decided의 목적어)

Q What did the writer want to do with a smartphone at the restaurant?

A He wanted to take pictures of the food and post them on his blog.

Reading **T**est　　*Basic*

05 본문의 내용에 맞게 괄호 안에서 알맞은 말을 고르시오.

(1) They had seafood fried rice (before / after) looking around Gaudi's Park Guell.

(2) They went to a (big / small) local restaurant to have lunch.

(3) The writer's mother spoke (English / Spanish) to ask for directions to a restaurant.

06 본문을 읽고 질문에 대한 알맞은 대답을 완성하시오.

(1) Who took them to a popular seafood restaurant?

→ _____ did.

(2) How was the seafood fried rice at the local restaurant?

→ It was _____.

(3) Why couldn't the writer take pictures of the food?

→ Because he didn't have his _____.

• 다음 글을 끊어 읽고, 주어진 우리말에 알맞은 표현을 빈칸에 써 봅시다.

During the ㉑_____ days, / we ㉒_____ more and more _____ the locals.
∼ 동안에   남아 있는   비교급+and+비교급: 점점 더 ∼한[하게]   ∼에 의존했다   현지인들
We were able to meet and talk with ㉓_____ people / on the streets, in the bakeries,
= could (∼할 수 있었다)   다양한   A, B, and C (병렬 구조)
and in the parks. They were always kind / enough to show us different ㉔_____ of
= The locals   빈도부사 (be동사 뒤)   형용사(부사)+enough+to부정사: ∼하기에 충분히 …한[하게]   show A B: A에게 B를 보여 주다   측면
Barcelona / with a smile. Also, / our family talked a lot / with ㉕_____.
많이   서로
We ㉖_____ much of our time together / on the Spanish train, on the bus, and at the
(시간을) 보냈다   A, B, and C (병렬 구조)
restaurants.

Q Where did the family meet and talk with the locals?
A They met and talked with various people on the streets, in the bakeries, and in the parks.

Our technology-free trip was a new and different ㉗_____. Before the trip, / I was
-free: ∼이 없는, ∼이 제외된   so+형용사+that+주어+can't …: 너무 …해서 …할 수 없다   경험
so ㉘_____ my smartphone / that I couldn't do ㉙_____ without it.
∼에 의존적인   (부정문에서) 아무것도   = my smartphone
But now / I see ㉚_____ I can enjoy the moment / without it. From the experience, /
see의 목적어절을 이끄는 접속사
I have learned / the importance of a ㉛_____ _____ of the smartphone. So, next
have [has]+과거 분사 (현재완료)   균형 잡힌 사용 (과거 분사+명사)
time, / would I ㉜_____ without a smartphone? Probably not. But / I will try to use
미래의 추측 조동사   여행하다   = Probably I wouldn't travel
it / ㉝_____.   without a smartphone.
= the smartphone   더 현명하게

Q What did the writer learn from the trip?
A He learned the importance of a balanced use of the smartphone.

07 본문의 내용과 일치하지 <u>않는</u> 부분을 찾아 바르게 고치시오.

(1) The locals acted kindly toward the family with various food.

_____ → _____

(2) The writer couldn't do anything without his family before the trip.

_____ → _____

(3) The writer learned the importance of a tech-free life.

_____ → _____

08 본문을 읽고 질문에 대한 알맞은 대답을 완성하시오.

(1) What did the locals show the family?
→ They showed the family _____
_____.

(2) Before the trip, what was the writer's relationship with his smartphone?
→ He was very _____.

(3) How will the writer try to use his smartphone now?
→ He will try to _____.

[01~02] 다음 글을 읽고, 물음에 답하시오.

Last summer, ⓐmy father suggested a surprising event: a family trip without smartphones! ⓑHe said, "ⓒI hate to see you sitting together and only looking at your smartphones." My sister and ⓓI explained the need for smartphones, but ⓔhe kept saying that we could not fully enjoy the trip with them. So we started a technology-free trip to a new city, Barcelona, Spain.

01 윗글의 밑줄 친 ⓐ~ⓔ 중 가리키는 것이 나머지와 다른 것은?

① ⓐ ② ⓑ ③ ⓒ
④ ⓓ ⑤ ⓔ

02 윗글의 다음에 이어질 내용으로 알맞은 것은?

① 가족들과 함께 한 도시 탐험
② 어머니를 위한 깜짝 여행 선물
③ 스마트폰 없이 일주일 살아보기
④ 스마트폰의 유용한 앱 사용 방법
⑤ 스마트폰 없이 바르셀로나로 간 여행

[03~05] 다음 글을 읽고, 물음에 답하시오.

On the way to our guesthouse around Plaza Reial, we got lost in downtown Barcelona. Dad was busy looking at the map and asking for directions with a few Spanish words he got from a tour guidebook. _____ our guesthouse was right next to the Plaza, it took us about two hours to get there. We were so tired that we could not go out for dinner. I went to bed but couldn't fall asleep because I was worried about what would happen the next day.

03 윗글의 빈칸에 알맞은 것은?

① As ② If
③ When ④ Because
⑤ Even though

04 윗글의 밑줄 친 문장을 다음과 같이 바꿔 쓸 때 빈칸에 알맞은 말을 쓰시오.

→ We were _____ tired _____ _____ out for dinner.

고난도
05 윗글을 읽고 답할 수 있는 질문이 <u>아닌</u> 것은?

① Where did the family get lost?
② What was Dad busy doing when they got lost?
③ When did they get to their guesthouse?
④ Why didn't they go out for dinner?
⑤ What was the writer worried about?

[06~08] 다음 글을 읽고, 물음에 답하시오.

After ⓐlooking around Gaudi's Park Guell, we decided to have seafood fried rice for lunch. However, we didn't know which restaurant ⓑto go to. We needed help, so Mom went up to an elderly lady and tried ⓒto ask for directions to a popular seafood restaurant. Luckily, she seemed to understand Mom's few Spanish words. She took us to a small local restaurant nearby. The seafood fried rice was ⓓamazed. I really wanted to take pictures of the food and ⓔpost them on my blog. But without my phone, I just decided to enjoy the moment.

06 윗글의 밑줄 친 ⓐ~ⓔ 중 어법상 어색한 것은?

① ⓐ   ② ⓑ   ③ ⓒ   ④ ⓓ   ⑤ ⓔ

07 Fill in the blanks according to the passage.

> The writer couldn't _____ pictures of the food on his blog because he didn't have his _____.

08 윗글의 내용과 일치하지 <u>않는</u> 것은?

① 가족은 가우디가 지은 구엘 공원을 둘러보았다.
② 가족은 점심으로 해산물 볶음밥을 먹기로 했다.
③ 엄마가 해산물 식당으로 가는 길을 물어보았다.
④ 한 노부인이 식당으로 가는 방법을 말해 주었다.
⑤ 현지 식당의 해산물 볶음밥은 아주 맛있었다.

[09~10] 다음 글을 읽고, 물음에 답하시오.

During the remaining days, we relied more and more on the _____. We were able to meet and talk with various people on the streets, in the bakeries, and in the parks. They were always kind enough to show us different sides of Barcelona with a smile.

09 윗글의 빈칸에 알맞은 것은?

① memory   ② locals
③ machine   ④ smartphones
⑤ guidebook

고난도

10 윗글의 내용과 일치하도록 다음 질문에 알맞은 대답을 완성하시오.

> **Q** How did the locals act toward the family?
> **A** They were always _____ _____ that they showed the family _____ _____ of Barcelona with a smile.

[11~12] 다음 글을 읽고, 물음에 답하시오.

Our technology-free trip was a new and ⓐ<u>different</u> experience. Before the trip, I was so ⓑ<u>dependent</u> on my smartphone that I couldn't do anything without it. But now I see that I can enjoy the moment ⓒ<u>without</u> it. From the experience, I have learned the importance of a ⓓ<u>balanced</u> use of the smartphone. So, next time, would I travel without a smartphone? <u>Probably not.</u> But I will try to use it more ⓔ<u>creatively</u>.

11 윗글의 ⓐ~ⓔ 중 흐름상 어색한 것은?

① ⓐ   ② ⓑ   ③ ⓒ
④ ⓓ   ⑤ ⓔ

12 윗글의 밑줄 친 **Probably not.**을 완전한 문장으로 쓸 때 빈칸에 알맞은 말을 쓰시오.

> → Probably I _____ without a smartphone.

01 다음 중 명사형을 만드는 방법이 나머지와 다른 것은?

① dependent   ② private
③ present   ④ important
⑤ different

신경향
02 다음 영영풀이가 설명하는 단어가 아닌 것은?

> ⓐ to have the same opinion about something
> ⓑ very fashionable and modern
> ⓒ what you think or believe about something
> ⓓ to give something to a charity or other organization

① effect   ② trendy
③ donate   ④ agree
⑤ opinion

03 다음 두 문장의 의미가 다른 것은?

① What's the matter?
   = What's wrong?
② I'm not with you on that.
   = I don't agree with you.
③ Can I help you?
   = Can I give you a hand?
④ What do you mean?
   = I'm sorry, I didn't get that.
⑤ What do you think about the present?
   = What would you like about the present?

04 다음 대화의 빈칸에 알맞지 않은 것은?

> **A** I think SNS is bad for society.
> **B** _____ I can't tell what is true and what is false.

① Same here.
② I think so, too.
③ I agree with you.
④ I'm not with you on that.
⑤ You can say that again.

시험에 잘 나오는 문제
05 다음 대화의 빈칸에 알맞은 것은?

> **A** Jenny, _____ the new online comic *Scary Night*?
> **B** I didn't like it. I thought it had too many sound effects.

① did you watch
② do you want to watch
③ can you tell me about
④ have you heard about
⑤ how do you feel about

06 다음 말에 이어질 대화를 순서대로 바르게 배열한 것은?

> Lisa, I've got over a hundred comments on my SNS posts.
> (A) Really? I think it's great that a lot of people see my posts.
> (B) Oh, I wouldn't feel comfortable to share my posts with so many people.
> (C) I'm not with you on that. I only want to share my posts with my close friends.

① (A) – (B) – (C)   ② (B) – (A) – (C)
③ (B) – (C) – (A)   ④ (C) – (A) – (B)
⑤ (C) – (B) – (A)

[07~08] 다음 대화를 읽고, 물음에 답하시오.

Jack I've just finished making the posting for Leon, Mom. What do you think about it?

Mom Oh, the title "LOST CAT" in big letters at the top is easy to see.

Jack Yeah, I did it to get attention. How about these photos below the title?

Mom Hmm... the one on the right doesn't show Leon's face well.

Jack Okay, I'll change the photo.

Mom Oh, I hope we can find Leon.

07 위 대화의 밑줄 친 it이 가리키는 것으로 알맞은 것은?

① the posting
② Leon
③ the title
④ the top
⑤ the photo

08 신경향
위 대화를 읽고 답할 수 있는 질문을 고른 후, 완전한 문장으로 답을 쓰시오.

(A) When did Leon go missing?
(B) Why did Jack write the title in big letters?
(C) What number should I call if I find Leon?

( ) _____

09 다음 대화의 빈칸에 알맞은 말을 괄호 안의 단어를 이용하여 쓰시오.

A Did you see the car accident near your house?
B Yes. And I saw _____(shock) people around the car, too.

10 **Which is right for the blank?**

The soup is _____ for me to drink.

① so hot
② too hot
③ hot enough
④ so hot that
⑤ too hot that

11 신경향
다음은 시험 문제와 현우의 답안지이다. 현우가 바르게 답한 것의 개수는?

• 괄호 안의 말을 알맞은 형태로 쓰시오.
(1) There is a flight (leave) this Sunday.
(2) The (excite) girls are waiting for the idol singer.
(3) We were annoyed with the (smoke) man by us.
(4) We don't want to take a (bore) class.
(5) The black truck (park) over there is mine.
답: (1) leaving   (2) exciting   (3) smoke
    (4) bored   (5) parked

① 1개   ② 2개   ③ 3개   ④ 4개   ⑤ 5개

12 고난도
다음 우리말과 뜻이 같도록 괄호 안의 말을 이용하여 문장을 완성하시오.

그녀는 너무 부끄러움이 많아서 사람들 앞에서 말을 할 수가 없다.
(shy / in front of / people / speak / can't)

→ _____

시험에 잘 나오는 문제

13 다음 중 어법상 어색한 것은?

① A fallen tree is blocking the road.
② I carried the broken chair to the storehouse.
③ He is hungry enough to eat all the food.
④ The hotel is great enough getting five stars.
⑤ Korean is so difficult that they can't learn it in a short time.

[14~16] 다음 글을 읽고, 물음에 답하시오.

Last summer, my father suggested a surprise event. (ⓐ) He said, "I hate to see you sitting together and only looking at your smartphones." (ⓑ) My sister and I explained the need for smartphones. (ⓒ) But he kept saying that we could not fully enjoy the trip with them. (ⓓ) So we started a technology-free trip to a new city, Barcelona, Spain. (ⓔ)

14 윗글의 밑줄 친 **surprise**를 알맞은 형태로 고치시오.

→ _____

15 윗글의 ⓐ~ⓔ 중 다음 문장이 들어갈 곳으로 알맞은 것은?

> It was a family trip without smartphones!

① ⓐ   ② ⓑ   ③ ⓒ   ④ ⓓ   ⑤ ⓔ

고난도

16 윗글을 다음과 같이 요약할 때 내용과 일치하지 <u>않는</u> 부분을 찾아 바르게 고치시오.

> Last summer, the writer's father suggested a tech-free trip to the family. The writer and his sister agreed with him. But in the end they started a trip to Barcelona, Spain.

_____ → _____

[17~19] 다음 글을 읽고, 물음에 답하시오.

ⓐOn the way to our guesthouse around Plaza Reial, we ⓑgot lost in downtown Barcelona. Dad ⓒwas busy looking at the map and asking for directions with a few Spanish words he ⓓgot from a tour guidebook. ⓔEven though our guesthouse was right next to the Plaza, it took us about two hours to get there. (A)We were too tired to go out for dinner.

17 윗글의 밑줄 친 ⓐ~ⓔ 중 문맥상 의미가 알맞지 <u>않은</u> 것은?

① ⓐ on the way to: ~의 주변에
② ⓑ get lost: 길을 잃다
③ ⓒ be busy -ing: ~하느라 바쁘다
④ ⓓ get from: ~에게서 얻다
⑤ ⓔ even though: 비록 ~일지라도

18 윗글의 밑줄 친 (A)를 「so ~ that ... can't ...」 구문을 이용하여 같은 의미의 문장으로 바꿔 쓰시오.

→ _____

19 윗글을 읽고 다음 질문에 알맞은 답을 우리말로 쓰시오.

> **Q** Dad asked for directions in Spanish. Where did he get the Spanish words from?
>
> **A** _____

[20~22] 다음 글을 읽고, 물음에 답하시오.

Our technology-free trip was a new and different experience. Before the trip, I couldn't do anything without my smartphone. ⓐ_____ now I see that I can enjoy the moment without it. From the experience, I have learned the importance of a balanced use of the smartphone. So, next time, would I travel without a smartphone? Probably not. ⓑ_____ I will try to use it more wisely.

20 윗글의 밑줄 친 부분과 의미가 같은 것은?

① my smartphone was very trendy
② my smartphone was very modern
③ I was careless to use my smartphone
④ I was very dependent on my smartphone
⑤ I couldn't be wise without my smartphone

21 윗글의 빈칸 ⓐ, ⓑ에 공통으로 들어갈 말로 알맞은 것은?

① If   ② But   ③ And
④ When   ⑤ Because

시험에 잘 나오는 문제
---

22 윗글의 글쓴이에 대한 내용과 일치하는 것은?

① '첨단 과학 기술 없는' 여행은 힘든 경험이었다.
② 여행 이후 스마트폰의 필요성을 더욱 깨달았다.
③ 여행을 통해 스마트폰의 균형 잡힌 사용의 중요함을 배웠다.
④ 다음에도 스마트폰 없이 여행할 것이다.
⑤ 앞으로는 스마트폰을 사용하는 시간을 줄일 것이다.

서술형 문제

Speaking

23 다음 대화의 빈칸에 알맞은 말을 〈보기〉에서 골라 쓰시오.

〈보기〉
• I'm with you on that.
• I think it is good.
• I don't think so.
• I think they are bad.

A What do you think about group chats?
B (1) _____
   They make us spend too much time reading everything.
A (2) _____
   We can share our thoughts with many people.

Reading

24 다음 글의 내용과 일치하도록 대화를 완성하시오.

After looking around Gaudi's Park Guell, we decided to have seafood fried rice for lunch. However, we didn't know which restaurant to go to. We needed help, so Mom went up to an elderly lady and tried to ask for directions to a popular seafood restaurant. Luckily, she seemed to understand Mom's few Spanish words. She took us to a small local restaurant nearby.

⬇

A What did you have for lunch today?
B (1) _____
A How did you get to the restaurant?
B (2) _____

Writing

25 다음 글의 밑줄 친 ①~⑤ 중 어법상 어색한 문장을 찾아 바르게 고치시오.

Are you doing well? You may read this letter in 2019. ①I'm writing this letter to help you remember the greatest moment this year. ②It was in May at the school festival. ③You and your best friend, Dave, practiced for a month and won first prize in the singing contest. ④You felt like you became a real singer. ⑤You were so amazing that you can't believe it was true. I hope you'll never forget that day.

→ (   ), _____
   _____

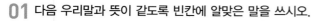

01 다음 우리말과 뜻이 같도록 빈칸에 알맞은 말을 쓰시오.

(1) 우리가 면세점에서 쇼핑할 시간이 있을까?

→ Will we have time to do some _____ shopping?

(2) 나는 건강을 유지하기 위해 보통 무설탕 음료를 마신다.

→ To keep healthy, I usually drink _____ drink.

신경향

02 다음 빈칸에 들어갈 말이 아닌 것은?

ⓐ I counted numbers to _____ asleep.
ⓑ His novel did not _____ any attention.
ⓒ Will you _____ for this in cash?
ⓓ You always _____ on me too much.

① pay   ② fall
③ rely   ④ get
⑤ keep

시험에 잘 나오는 문제

03 다음 대화의 밑줄 친 ①~⑤ 중 흐름상 어색한 것은?

A Hey, Julie! Have you heard about the *Quiz & Rice* game?
B ① Yeah, isn't it the one that donates rice when you get a right answer?
A ② Yeah, what do you think about the game?
B ③ I think it's a creative game. ④ You can have fun and help out hungry people. Have you played it yet?
A ⑤ Yeah, I have played it many times. But I'm going to try it out this weekend.

04 다음 대화의 빈칸에 알맞은 말을 쓰시오. (단, **what**을 이용할 것)

A _____ _____ _____ _____ the Sharing Library?
B I think it's cool. It can be a great way to read various kinds of books for free.

05 Which dialog is NOT natural?

① A How do you feel about our present?
   B How wonderful! Thank you all.
② A What is your opinion of the Donation Walk?
   B I think it's great. It can help people in need.
③ A I think watching movies at home is better than watching them at a theater.
   B I'm with you on that. I can't enjoy the large screen.
④ A The smartphone use control app can help you plan your phone use.
   B Oh, that's a good idea.
⑤ A This machine is much faster than ordering at the counter.
   B I'm with you on that. It really saves a lot of time.

06 다음과 같은 상황에서 할 말로 알맞은 것은?

You changed your hairstyle. You want to know what your friend thinks about your new hairstyle.

① What kind of hairstyle do you like?
② Do you know I changed my hairstyle?
③ Have you heard about this hairstyle?
④ What do you want to know about my hairstyle?
⑤ What do you think about my new hairstyle?

[07~08] 다음 대화를 읽고, 물음에 답하시오.

Teacher Now, we will start the three-minute debate. Today's first topic is fast fashion. What do you think about it? Please, begin, James.

James I think fast fashion is good. We can wear trendy clothes at a cheaper price.

Judy _____ It makes us spend too much money and throw away clothes too often.

Teacher It looks like the two of you have different opinions on the first topic. Now, let's move on to the second topic.

07 위 대화의 빈칸에 알맞은 것은?

① I like it, too.
② Yeah, we can.
③ I'm interested in it.
④ I'm not with you on that.
⑤ I think we should wear it.

08 According to the dialog, which is NOT true?

① They are debating about fast fashion.
② James thinks that fast fashion is good.
③ Fast fashion is trendy and cheap.
④ Judy thinks they can save money because of fast fashion.
⑤ James and Judy have different opinions.

09 다음 빈칸에 알맞은 것은?

> The _____ leaves were all over the front yard.

① fall   ② fell
③ falling   ④ fallen
⑤ to fall

10 다음 두 문장의 의미가 같도록 할 때 빈칸에 알맞은 것은?

> The car is so big that I can't drive it.
> = The car is too big _____.

① to drive   ② to drive it
③ me to drive   ④ for me to drive
⑤ for me to drive it

11 다음 문장에서 어법상 어색한 부분을 찾아 바르게 고치시오.

(1) The laughed man in the picture is my uncle.

_____ → _____

(2) I bought a using car at a low price.

_____ → _____

신경향
12 다음 글의 내용과 일치하도록 대화를 완성하시오.

> Today is Jamie's 15th birthday. His classmates threw a surprise party for him. He was very moved. He couldn't say anything.

↓

> **A** Jamie, happy birthday!
> **B** Oh, thank you. I'm _____ moved _____ I _____ say anything.

고난도
13 다음 중 어법상 알맞은 문장의 개수는?

(A) I saw a bright, shining star in the sky.
(B) He is enough strong to win the kickboxing match.
(C) We are too sleepy to study anymore.
(D) They were disappointing at his test results.
(E) This room is so dark that I can't read anything.

① 1개   ② 2개   ③ 3개
④ 4개   ⑤ 5개

[14~15] 다음 글을 읽고, 물음에 답하시오.

On the way to our guesthouse around Plaza Reial, we ⓐget lost in downtown Barcelona. Dad was busy looking at the map and ⓑasked for directions with a few Spanish words he got from a tour guidebook. Even though our guesthouse was right next to the Plaza, it ⓒtook us about two hours to get there. We were so tired ⓓthat we could not go out for dinner. I went to bed but couldn't fall asleep because I was worried about ⓔwhat would happen the next day.

14 윗글의 밑줄 친 ⓐ~ⓔ 중 어법상 어색한 것은?

① ⓐ ② ⓑ ③ ⓒ ④ ⓓ ⑤ ⓔ

15 윗글을 읽고 알 수 없는 것은?

① 숙소의 위치 ② 길을 잃은 장소
③ 숙소까지 걸린 시간 ④ 저녁 식사를 못한 이유
⑤ 내일 여행 일정

[16~18] 다음 글을 읽고, 물음에 답하시오.

After looking around Gaudi's Park Guell, we decided ⓐto have seafood fried rice for lunch. However, we didn't know which restaurant to go to. We needed help, so Mom went up to an elderly lady and tried ⓑto ask for directions to a popular seafood restaurant. Luckily, she seemed ⓒto understand Mom's few Spanish words. She took us ⓓto a small local restaurant nearby. The seafood fried rice was amazing. I really wanted ⓔto take pictures of the food and post them on my blog. But without my phone, I just decided to enjoy the moment.

16 윗글의 밑줄 친 ⓐ~ⓔ 중 쓰임이 나머지와 다른 것은?

① ⓐ ② ⓑ ③ ⓒ ④ ⓓ ⑤ ⓔ

17 윗글의 밑줄 친 **them**이 가리키는 것을 우리말로 쓰시오.

→ _____

시험에 잘 나오는 문제

18 윗글을 읽고 답할 수 있는 질문이 <u>아닌</u> 것은?

① What did they decide to do after lunch?
② Did they know the way to a popular restaurant?
③ Who took them to a restaurant nearby?
④ Did the writer take pictures of the food?
⑤ Why did the writer just decide to enjoy the moment?

[19~20] 다음 글을 읽고, 물음에 답하시오.

(A)While the remaining days, we relied (B)the more and more on the locals. We were able to meet and talk with various people on the streets, in the bakeries, and in the parks. They were always (C)enough kind to show us different sides of Barcelona with a smile. Also, our family talked a lot with each other. We spent much of our time together on the Spanish train, on the bus, and at the restaurants.

고난도

19 윗글의 밑줄 친 (A)~(C)를 어법상 바르게 고치시오.

(A) _____
(B) _____
(C) _____

시험에 잘 나오는 문제

20 윗글의 가족에 대한 내용과 일치하지 <u>않는</u> 것은?

① 현지 사람들에게 점점 더 의존했다.
② 거리, 빵집, 공원에서 다양한 사람들을 만났다.
③ 현지 사람들에게 웃으면서 친절하게 대했다.
④ 가족끼리 서로 이야기를 많이 나누었다.
⑤ 스페인식 기차, 버스, 식당에서 함께 많은 시간을 보냈다.

[21~22] 다음 글을 읽고, 물음에 답하시오.

Are you doing well? You may read this letter in 2019. I'm writing this letter to help you remember the greatest moment this year. It was in May at the school festival. You and your best friend, Dave, practiced for a month and won first prize in the singing contest. You felt like you became a real singer. You were so amazed that you couldn't believe it was true. I hope you'll never forget that day.

21 윗글에서 글을 쓴 목적이 나타나 있는 문장을 찾아 쓰시오.

→ _____

22 윗글의 내용과 일치하도록 다음 글을 완성하시오.

The writer and Dave entered the _____ _____ at the school festival in May and won _____ _____. They were too _____ to believe it was true.

서술형 문제

Reading

23 다음 글을 읽고, 글쓴이의 아버지가 스마트폰 없는 가족 여행을 제안한 이유를 우리말로 쓰시오.

Last summer, my father suggested a surprising event: a family trip without smartphones! He said, "I hate to see you sitting together and only looking at your smartphones." My sister and I explained the need for smartphones, but he kept saying that we could not fully enjoy the trip with them. So we started a technology-free trip to a new city, Barcelona, Spain.

→ _____

Speaking

24 다음 괄호 안의 우리말에 맞게 대화의 빈칸에 알맞은 말을 쓰시오.

A I want to send a special message to my grandmother in Australia. (1) _____ _____ _____ _____ _____ a handwritten letter? (너는 손으로 쓴 편지에 대해 어떻게 생각하니?)

B I think it's better than an e-mail. It's more personal.

A Yeah, (2) _____ _____ _____, _____! (나도 그렇게 생각해!) I think I will write her a letter and decorate it.

B That sounds great. (3) _____ _____ she'll like your letter. (나는 그녀가 너의 편지를 좋아할 거라고 확신해.)

Writing

25 다음 글에서 틀린 부분을 세 군데 찾아 바르게 고치시오.

(1) Wash one apple under running water and cut it into small pieces.
(2) Cook the cutting apple pieces with brown sugar on low heat.
(3) Add salt, milk, and a beating egg to make the egg mixture.
(4) Roll the bread out and put the cooking apple filling on it.
(5) Put the rolled bread in the egg mixture and take it out quickly. Then bake it for 3 minutes.
(6) Decorate a dish with the bread rolls and the remaining apple filling.

( ), _____ → _____
( ), _____ → _____
( ), _____ → _____

어떤 직업이 사라지고 어떤 직업이 생길까?

10년 뒤 세상은 지금과 같을까요? 전문가들에 따르면 미래는 현재 우리가 살고 있는 세상과 많이 달라질 거라고 해요. 그렇다면 지금 존재하는 직업 중 어떤 것은 사라지고, 또 지금은 존재하지 않는 직업들이 많이 생겨나기도 하겠죠?

• 미래에 없어질 직업

1. 텔레마케터	2. 회계사	3. 소매판매업자
4. 전문작가	5. 부동산중개인	6. 기계전문가
7. 비행기조종사	8. 경제학자	9. 건강관련기술자
10. 배우	11. 소방관	12. 편집자
13. 화학엔지니어	14. 성직자	15. 치과의사

– 자료: 칼 프레이, 마이클 오스본 옥스퍼드대 교수 논문 중 –

• 미래에 생겨날 직업

1. 가상공간 디자이너: 전국 혹은 전 세계에 있는 사람들이 가상공간에 홀로그램을 보내서 회의를 하는 경우와 같이, 어떤 일을 위해 가상공간이 필요할 때 그 가상공간을 실제처럼 설계하는 일을 해요.

2. 윤리 기술 변호사: 사람과 로봇, 그리고 인공지능 사이에서 중개자로서의 역할을 해요. 예를 들어, 노동자가 로봇 상사의 지시를 받게 될 때 로봇과 사람 사이의 우호적인 관계 설정을 촉진하는 업무를 하는 것이죠. 즉, 로봇에게 윤리를 가르치는 교사라고 할 수 있어요.

3. 우주여행 안내자: 우주여행객에게 외계 행성에 관한 해박한 지식을 들려주는 일은 당연히 해야 할 일이겠고요. 응급 상황에 대처하기 위해 의료 지식, 우주선이나 각종 기계에 대한 지식 및 수리 기술 등을 갖추고 업무를 수행하는 일을 해요.

4. 인체 디자이너: 2025년에는 생명공학의 발전으로 인간의 평균 수명이 100세를 넘는다고 해요. 생명공학 기술을 이용해 피부색이나 얼굴 모양은 물론 팔다리의 구조나 기능을 향상시켜 인간이 건강한 삶을 살 수 있도록 인체를 설계하는 직업이에요.

– 자료: 마이크로소프트사와 영국의 컨설팅 업체인 미래연구소 「10년 뒤 등장할 미래 직업 보고서」 중 –

Special

The Stone

Words & Phrases

예문 해석 · 62쪽

● 아는 단어에 ☑ 표시한 후 외워 봅시다.

☐ **arrive** [əráiv] 동 도착하다 (명 arrival)
Many guests **arrived** late and gave bad excuses. ❶

☐ **bear** [bɛər] 동 새끼를 낳다, 아기를 낳다 (– bore – born)
Brenda **bore** two sons and two daughters. ❷

☐ **beard** [biərd] 명 수염
The children are touching Santa's **beard**. ❸

☐ **cart** [kɑːrt] 명 수레, 우마차
The boy put his **cart** to the horse and rode away. ❹

☐ **decide** [disáid] 동 결정하다, 결심하다 (명 decision)
My brother **decided** to take a job in Busan. ❺

☐ **delight** [diláit] 명 기쁨, 즐거움
I heard **delight** in the bride's voice. ❻

☐ **destroy** [distrɔ́i] 동 파괴하다, 없애다 (명 destruction)
The earthquake **destroyed** much of the city. ❼

☐ **dwarf** [dwɔːrf] 명 난쟁이
Snow White left the seven **dwarfs** and married the prince. ❽

☐ **explain** [ikspléin] 동 설명하다 (명 explanation)
Mason **explained** his plan for this year to his parents. ❾

☐ **field** [fiːld] 명 들판
Some farmers were sowing the **field**. ❿

☐ **free** [friː] 동 빼내다, 풀어 주다, 형 자유로운
Carter is **freeing** the bear from the cage. ⓫

☐ **grandchildren** [grǽndtʃildrən] 명 손주
The old man taught Chinese characters to his **grandchildren**. ⓬

☐ **ground** [graund] 명 땅, 토양
The baby fell on the **ground** and hurt his knees. ⓭

☐ **hand** [hænd] 동 건네다, 명 손
The nurse **handed** me some medicine and told me to take it. ⓮

☐ **happen** [hǽpən] 동 일어나다, 발생하다
No one can tell what will **happen** in the future. ⓯

☐ **laugh** [læf] 동 (소리내어) 웃다, 명 웃음(소리)
Barry always **laughs** when I tell a joke. ⓰

☐ **log** [lɔːg] 명 통나무
Owen put another **log** in the fireplace. ⓱

☐ **magic** [mǽdʒik] 명 마술, 마법, 형 마술(마법)의
The fairy used **magic** to clean the house. ⓲

☐ **nothing** [nʌ́θiŋ] 대 아무것도 아닌 것
I said **nothing** to them about the matter. ⓳

☐ **problem** [prɑ́ːbləm] 명 문제
Crime was a serious **problem** in that city. ⓴

☐ **pull** [pul] 동 잡아당기다, 끌어당기다
When Doris **pulled** on the rope, a bell rang. ㉑

☐ **reward** [riwɔ́ːrd] 명 보상, 보답
Mr. Baker gave Bob a $50 **reward** for finding his lost cat. ㉒

☐ **still** [stil] 부 여전히
Luke is **still** waiting for Meg to call. ㉓

☐ **trouble** [trʌ́bl] 명 문제, 곤란, 골칫거리
Ryan always causes **trouble** in his school. ㉔

☐ **warn** [wɔːrn] 동 경고하다
Many reports **warn** that online games are bad for us. ㉕

☐ **unless** [ənlés] 접 ~하지 않는 한
I won't talk to him **unless** he apologizes to me. ㉖

☐ **change into** ~으로 바뀌다

☐ **get rid of** ~을 없애다

☐ **give birth** 새끼를 낳다, 아기를 낳다

☐ **go away** (떠나)가다

☐ **go by** 흐르다, 지나가다

☐ **keep ~ from -ing** ~가 …하지 못하게 하다

☐ **look forward to** ~을 기대하다, 고대하다

☐ **not at all** 전혀 ~아니다

☐ **this time** 이번에는

☐ **throw away** 버리다

☐ **worry about** ~에 대해 걱정하다

Words & Phrases Test

정답과 해설 · 62~63쪽

01 다음 중 두 단어의 관계가 나머지와 <u>다른</u> 것은?

① arrive : arrival
② decide : decision
③ magic : magician
④ explain : explanation
⑤ destroy : destruction

02 다음 영영풀이가 설명하는 단어가 <u>아닌</u> 것은?

ⓐ a thick piece of wood from a tree
ⓑ a vehicle with two wheels that a horse pulls
ⓒ hair that grows on a man's face, especially on his chin
ⓓ something that you get because you have done something good or helpful

① cart
② log
③ reward
④ beard
⑤ ground

03 다음 빈칸에 공통으로 알맞은 단어를 주어진 철자로 시작하여 쓰시오.

• Wash your h_____s with soap and water right now.
• Can you h_____ me the salt and pepper, please?

04 다음 중 밑줄 친 부분의 쓰임이 나머지와 <u>다른</u> 것은?

① The man is <u>free</u>ing the animal.
② I don't have <u>free</u> time anymore.
③ Liam was <u>free</u>d from jail last year.
④ The king will <u>free</u> the slaves soon.
⑤ Tony <u>free</u>s a dog which is tied to a tree by someone.

05 다음 우리말과 뜻이 같도록 할 때 빈칸에 들어갈 말이 알맞게 짝 지어진 것은?

• 비가 눈으로 바뀌었다.
  → The rain changed _____ snow.
• 나쁜 습관을 없애기는 쉽지 않다.
  → It is not easy to get rid _____ a bad habit.

① to - of
② for - of
③ for - away
④ into - of
⑤ into - away

06 다음 중 밑줄 친 부분의 쓰임이 <u>어색한</u> 것은?

① If you <u>go away</u>, I'll be lonely.
② It will <u>keep</u> her <u>for buying</u> more.
③ As the years <u>go by</u>, I miss my grandma who passed away a few years ago.
④ How much food do we <u>throw away</u> every day?
⑤ These days, people <u>worry about</u> eating fast food.

07 다음 우리말과 뜻이 같도록 빈칸에 알맞은 말을 쓰시오.

(1) 아버지는 마지막으로 나에게 경고했다.
  → My father _____ed me for the last time.
(2) 비가 오지 않는 한 오늘 축구 경기가 열릴 것이다.
  → The soccer game will be played today _____ it rains.
(3) 그 여자는 아이를 낳을 수가 없었다.
  → The woman was not able to _____ children.

Reading

• 다음 글을 끊어 읽고, 주어진 우리말에 알맞은 표현을 빈칸에 써 봅시다.

The Stone

One day, / Maibon was driving down the road / on his horse and cart / when he saw an
　　　　　　　과거진행형 (be동사의 과거형+동사원형-ing)　　　　　　　　　　　수레, 마차　　～할 때 (시간 접속사)

old man. The old man ❶_____ very _____. Maibon began to worry / about
　　　　　　　　　　　　　　매우 아파 보였다　　　　　　　　= began worrying

growing old.
전치사(about)의 목적어로 쓰인 동명사

Later that day, / he saw a ❷_____, Doli, / in the field. He was trying to get his leg
　　　　　　　　　　　　난쟁이　└─동격─┘　　　　　　　　　　　try+to부정사: ～하기 위해 노력하다

out / from under a log. Maibon pulled the log away / and ❸_____ the dwarf.
　　　　　　　　　　　　　　　　　　　　　　　　　　　　　　풀어 주었다

"You'll have your ❹_____. What do you want?"
　　　　　　　　　　보상, 보답

"I've heard / ❺_____ you have magic stones / that can keep a man young. I want
　　　　　　목적어절을 이끄는 접속사　　　　　선행사　　주격 관계대명사　　동사+목적어+목적격 보어(형용사)

one."
= a magic stone

"Oh, / you humans have it all wrong. Those stones don't make you young again. They
　　　　　　　　　　　완전히 틀리다, 전부 오해하다　　　　　　　　　동사+목적어+목적격 보어(형용사)

only ❻_____ you _____ getting older."
　　　　～가 …하는 것을 막다

"Just as good!"
같은 정도로 좋은

Doli ❼_____ _____ _____ the
　　　　　　설명하기 위해 노력했다

problem with the stones, / but Maibon didn't

listen. So / Doli handed him a magic stone / and
　　　　　　　　　hand+사람(간접목적어)+사물(직접목적어): ～에게 …을 건네다

❽_____ _____.
　　떠나갔다

Reading Test　　Basic

01 본문의 내용과 일치하면 **T**, 일치하지 않으면 **F**를 고르시오.

(1) The old man who Maibon saw on the road looked very sick. (T / F)

(2) The old man's name was Doli. (T / F)

(3) Maibon worried about growing old when he saw an old man. (T / F)

(4) A dwarf was trying to get his arm out from under a log. (T / F)

02 본문을 읽고 질문에 대한 알맞은 대답을 고르시오.

(1) What did the dwarf have?
　ⓐ Magic stones that can keep a man from getting old.
　ⓑ Magic stones that can make a man young again.

(2) What did the dwarf try to explain to Maibon?
　ⓐ How to use the stones.
　ⓑ The problem with the stones.

• 다음 글을 끊어 읽고, 주어진 우리말에 알맞은 표현을 빈칸에 써 봅시다.

목적어절을 이끄는 접속사   become+형용사: ~이 되다, ~해지다

After a few days, / Maibon saw / that his ❾ _____ didn't grow at all. He became

며칠 후에 (a few+셀 수 있는 명사: 몇몇의 ~)   수염   not ~ at all: 전혀 ~하지 않다

happy, / but his wife, Modrona, got upset.

└─ 동격 ─┘   get+형용사: ~이 되다, ~해지다

"The eggs don't ❿ _____ _____ chickens!" "Oh, / the season's slow, / that's

~으로 바뀌다

all." But she was not happy. "The cow doesn't ⓫ _____ _____!"

새끼를 낳다

Maibon, then, told her about the stone, / and she got very angry / and told him to

동사+대명사 목적어+부사   tell+목적어+to부정사: ~에게 …하라고 말하다

throw it away. He didn't want ⓬ _____, / but he listened to his wife / and threw the

= the stone   대부정사 throw it away 생략

stone out the window. However, the next morning, / he found the stone sitting

find+목적어+목적격 보어(현재 분사): ~이 …하고 있는 것을 발견하다

⓭ _____ the window! Maibon was worried

~ 옆에

about the animals, / but he was glad /

be glad that ~: ~하게 되어 기쁘다, 좋다

that he was ⓮ _____ young.

여전히

03 본문의 내용과 일치하지 않는 부분을 찾아 바르게 고치시오.

(1) Maibon's hair didn't grow at all after he got the magic stone.

_____ ➔ _____

(2) When Maibon told his wife about the magic stone, she was glad.

_____ ➔ _____

(3) Maibon threw the magic stone out the door. _____ ➔ _____

04 본문을 읽고 질문에 대한 알맞은 대답을 완성하시오.

(1) When Modrona said "The eggs don't change into chickens!" what did Maibon say?

➔ He said, "_____"

(2) When Maibon found the stone sitting by the window, why was he glad?

➔ Because he was _____.

Reading

• 다음 글을 끊어 읽고, 주어진 우리말에 알맞은 표현을 빈칸에 써 봅시다.

과거진행형 (be동사의 과거형+동사원형-ing)
Now / Maibon's baby was having trouble. No tooth
                                   have trouble: 곤란을 겪다
was seen / in his mouth. His wife told him to
수동태 (be동사+과거 분사)   tell+목적어+to부정사: ~에게 …하라고 말하다
⑮_____ the stone / and this time,
   버리다
Maibon put the stone / under the ground. But, the next
                      ~ 아래에 (전치사)
day, / the stone came back! Time ⑯_____
                                  (시간이) 지나갔다
_____ / and nothing grew or changed. Maibon
                                    형용사적 용법의 to부정사
began to worry. "There's nothing to ⑰
= began worrying   ~을 기대하다, 고대하다
_____ _____, / nothing to show for my work." Maibon tried to ⑱_____
              형용사적 용법의 to부정사   try+to부정사: ~하려고 노력하다 없애다, 파괴하다
the stone, / but it ⑲_____ _____ back.
           계속 (돌아)왔다

 **Reading Test**   *Basic*

05 본문의 내용에 맞게 괄호 안에서 알맞은 말을 고르시오.

(1) Maibon's baby was having trouble with his (teeth / hair).

(2) When Maibon tried to get rid of the stone, it (stopped / kept) coming back.

(3) Maibon thought he had (something / nothing) to look forward to.

06 본문을 읽고 질문에 대한 대답을 〈보기〉에서 고르시오.

〈보기〉
ⓐ His wife got angry at him.
ⓑ He put the stone under the ground.
ⓒ Nothing grew or changed.

(1) What did Maibon do when his wife told him to throw away the stone for the second time?

(2) Why did Maibon begin to worry?

• 다음 글을 끊어 읽고, 주어진 우리말에 알맞은 표현을 빈칸에 써 봅시다.

Maibon decided to throw away the stone /
_{decide+to부정사: ~하기로 결심하다}
far from his house. ⑳_____
_{~에서 멀리}   _{(그가) ~로 가는 도중에}
_____ _____ the field, / he saw

the dwarf. Maibon got angry with him. "Why
_{~에게 화가 났다}
didn't you ㉑_____ me / about the stone?"
_{경고하다}
"I tried to, / but you wouldn't listen."
_{warn you about the stone 생략}   _{고집, 거부의 조동사}
  Doli explained / that Maibon couldn't ㉒_____ _____ _____ the stone /
_{목적어절을 이끄는 접속사}   _{~을 제거하다}
unless he really wanted to. "I want no more of it. ㉓_____ may happen, / let it
_{~하지 않는 한 (= if ~ not)}   _{get rid of the stone 생략}   _{= the stone} _{어떤 것이 ~이라도 (복합관계대명사)}
happen!" Doli told him to throw the stone onto the ground / and go back home.
_{tell+목적어+to부정사: ~에게 …하라고 말하다}   _{사역동사+목적어+목적격 보어}
                                                                                  _(동사원형)
Maibon did / ㉔_____ Doli said.
_{= threw the stone onto the} _{~한 대로 (접속사)}
_{ground and went back}
_{home}When he arrived home, / Modrona told him the good news / —
                              _{주어+동사+간접목적어+직접목적어}
the eggs changed into chickens / and the cow ㉕_____ her
                              _{the good news에 대한 부연 설명}   _{(새끼를) 낳았다}
baby. And / Maibon laughed with delight / when he saw the
                              _{기뻐서}
first tooth / in his baby's mouth.

  Maibon, Modrona and their children and grandchildren

lived / for many years. Maibon ㉖_____ _____
            _{~ 동안}   _{~을 자랑스러워했다}
_____ his white hair and long beard.

---

07 본문의 내용과 일치하면 **T**, 일치하지 않으면 **F**를 고르시오.

  (1) Maibon decided to throw away the stone near his house. (T / F)
  (2) Maibon saw Doli on his way to his house. (T / F)
  (3) Maibon became proud of growing old after he threw away the stone and it didn't come back. (T / F)

08 본문을 읽고 질문에 대한 알맞은 대답을 완성하시오.

  (1) What couldn't happen unless Maibon really wanted it to?
    → He _____ unless he really wanted to.
  (2) When Maibon came back home, what good news did Modrona tell him?
    → She told him the news that the eggs _____ and the cow _____.

01 다음 글의 빈칸에 알맞은 것은?

> One day, Maibon was driving down the road on his horse and cart when he saw an old man. The old man looked very _____. Maibon began to worry about growing old.

① upset　　　　　② sick
③ careful　　　　④ healthy
⑤ peaceful

[02~04] 다음 글을 읽고, 물음에 답하시오.

Later that day, he saw a dwarf, Doli, in the ⓐfield. He was trying (A) getting / to get his leg out from under a log. Maibon pulled the log away and ⓑfreed the dwarf.

"You'll have your ⓒreward. What do you want?"

"I've heard that you have ⓓmagic stones that can keep a man young. I want one."

"Oh, you humans have it all wrong. Those stones don't make you young again. They only keep you from getting older."

"Just as good!"

Doli tried (B) explaining / to explain the problem with the stones, but Maibon didn't listen. So Doli ⓔhanded him a magic stone and went away.

02 윗글의 밑줄 친 ⓐ~ⓔ의 의미가 알맞지 않은 것은?

① ⓐ: 들판　　　　② ⓑ: 풀어 주었다
③ ⓒ: 보답　　　　④ ⓓ: 마법의
⑤ ⓔ: 던졌다

03 윗글의 (A), (B)의 각 네모 안에서 알맞은 것을 골라 쓰시오.

(A) _____　(B) _____

04 윗글을 읽고 답할 수 있는 질문이 <u>아닌</u> 것은?

① What was Doli doing when Maibon saw him?
② What did Maibon do for Doli?
③ What did Maibon want from Doli?
④ What did Doli try to explain to Maibon?
⑤ Why did Maibon not listen to Doli?

[05~07] 다음 글을 읽고, 물음에 답하시오.

After a few days, Maibon saw that his beard didn't grow at all. (ⓐ) He became happy, but his wife, Modrona, got upset.

"The eggs don't change into chickens!" "Oh, the season's slow, that's all." But she was not happy. "The cow doesn't give birth!" (ⓑ)

Maibon, then, told her about the stone, and she got very angry and told him <u>throw</u> it away. (ⓒ) He didn't want to, but he listened to his wife and threw the stone out the window. (ⓓ) Maibon was worried about the animals, but he was glad that he was still young. (ⓔ)

05 윗글에서 다음 영영풀이가 설명하는 단어를 찾아 쓰시오.

> without change

→ _____

06 윗글의 밑줄 친 **throw**의 형태로 알맞은 것은?

① throw　　　　② to throw
③ throwing　　　④ threw
⑤ thrown

07 Which is the best place for the following sentence among ⓐ~ⓔ?

> However, the next morning, he found the stone sitting by the window!

① ⓐ 　　　　② ⓑ 　　　　③ ⓒ

④ ⓓ 　　　　⑤ ⓔ

[08~10] 다음 글을 읽고, 물음에 답하시오.

Now Maibon's baby was having trouble. No tooth was seen in his mouth. His wife told him to throw away the stone and this time, Maibon put the stone under the ground. But, the next day, the stone came back! Time went by and nothing grew or changed. Maibon began to worry. "There's nothing <u>to look</u> forward to, nothing to show for my work." Maibon tried to destroy the stone, but it kept coming back.

08 윗글에서 다음 어구와 같은 의미로 쓰인 것을 찾아 쓰시오.

> get rid of

→ _____

09 윗글의 밑줄 친 **to look**과 쓰임이 다른 것은?

① You need a friend <u>to help</u> you now.
② I have a lot of questions <u>to ask</u> you.
③ I had no money <u>to buy</u> a present for her.
④ Let's go out for something <u>to eat</u>.
⑤ Diana is on a diet <u>to lose</u> some weight.

10 윗글을 다음과 같이 정리할 때, 일치하지 <u>않는</u> 부분을 찾아 바르게 고치시오.

> The stone caused trouble for Maibon's baby. And because of the stone, something changed. Maibon threw the stone away, but it kept coming back.

_____ → _____

[11~12] 다음 글을 읽고, 물음에 답하시오.

Maibon decided to throw away the stone far from his house. On ⓐ<u>his</u> way to the field, he saw the dwarf. Maibon got angry with ⓑ<u>him</u>. "Why didn't you warn me about the stone?" "I tried to, but ⓒ<u>you</u> wouldn't listen."

Doli explained that Maibon couldn't get rid of the stone unless ⓓ<u>he</u> really wanted to. "I want no more of it. Whatever may happen, let it happen!" Doli told ⓔ<u>him</u> to throw the stone onto the ground and go back home. Maibon <u>did</u> as Doli said.

11 윗글의 밑줄 친 ⓐ~ⓔ 중 가리키는 것이 나머지와 <u>다른</u> 것은?

① ⓐ 　② ⓑ 　③ ⓒ 　④ ⓓ 　⑤ ⓔ

고난도
12 윗글의 밑줄 친 **did**가 의미하는 것을 우리말로 쓰시오.

→ _____

Review Test

01 다음 중 밑줄 친 부분의 쓰임이 어색한 것은?

① I won't talk to Morin <u>if</u> she says sorry to me.
② When does the train for Busan <u>arrive</u>?
③ Can you <u>explain</u> how this machine works?
④ Cindy <u>handed</u> me the magazine that I was looking for.
⑤ The doctor said there was <u>nothing</u> wrong with me.

02 다음 영영풀이가 설명하는 단어로 알맞은 것은?

> to tell someone about something bad that might happen or is going to happen

① free   ② warn
③ pull   ④ laugh
⑤ destroy

03 다음 중 우리말 뜻이 알맞지 <u>않은</u> 것은?

① throw away: 버리다
② not ~ at all: 전혀 ~아니다
③ go away: 흐르다, 지나가다
④ worry about: ~에 대해 걱정하다
⑤ keep ~ from -ing: ~가 …하지 못하게 하다

04 다음 빈칸에 알맞지 <u>않은</u> 것은?

> You look _____ in that white dress.

① silly   ② lovely
③ ugly   ④ pretty
⑤ beautifully

05 다음 우리말과 뜻이 같도록 괄호 안의 말을 이용하여 빈칸에 알맞은 말을 쓰시오.

> 나는 내 나쁜 습관들을 바꾸려고 노력했지만 실패했다.
> → I _____ my bad habits, but I failed. (change)

06 다음은 시험 문제와 소연이의 답안지이다. 소연이가 바르게 답한 것의 개수를 쓰시오.

> • 괄호 안에서 알맞은 것을 고르시오.
> (1) There is (a few / a little) food in the refrigerator.
> (2) The sky is becoming (dark / darkly).
> (3) The doctor advised me (lose / to lose) weight.
> (4) I woke up and found myself (lying / to lie) on the floor.
> (5) I want you to (pick up me / pick me up).
> → (1) <u>a little</u>   (2) <u>darkly</u>
>   (3) <u>to lose</u>   (4) <u>to lie</u>
>   (5) <u>pick me up</u>

→ _____

07 다음 중 밑줄 친 부분이 어법상 알맞은 것은?

① The couple want <u>going</u> to Italy.
② Paul decided <u>to leave</u> his hometown.
③ The neighbor kept <u>to clean</u> his house.
④ They enjoy <u>to read</u> the power blogger's blog.
⑤ We plan <u>opening</u> a cafe near the subway station.

08 다음 빈칸에 알맞은 것은?

> There is nothing _____ you about that.

① tell
② tells
③ telling
④ to tell
⑤ will tell

[09~11] 다음 글을 읽고, 물음에 답하시오.

One day, Maibon was ⓐ drive down the road on his horse and cart when he saw an old man. The old man looked very sick. Maibon began to worry about ⓑ grow old.

Later that day, he saw a dwarf, Doli, in the field. He was trying ⓒ get his leg out from under a log. Maibon pulled the log away and ⓓ free the dwarf.

"You'll have your _____. What do you want?"

"I've heard that you have magic stones that can keep a man young. I want ⓔ it."

09 윗글의 밑줄 친 ⓐ~ⓔ 중 어법상 알맞게 고친 것이 <u>아닌</u> 것은? 고난도

① ⓐ → driving
② ⓑ → to grow
③ ⓒ → to get
④ ⓓ → freed
⑤ ⓔ → one

✏ 시험에 잘 나오는 문제

10 윗글의 빈칸에 알맞은 것은?

① ability
② advice
③ reward
④ wealth
⑤ warning

11 Fill in the blank according to the passage.

> Maibon thought that Doli's magic stone could keep him _____.

[12~14] 다음 글을 읽고, 물음에 답하시오.

After a few days, Maibon saw that his beard didn't grow at all. He became happy, but his wife, Modrona, got upset.

"The eggs don't change ⓐ _____ chickens!" "Oh, the season's slow, that's all." But she was not happy. "The cow doesn't give birth!"

Maibon, then, told her about the stone, and she got very angry and told him to throw it ⓑ _____. He didn't want to, but he listened to his wife and threw the stone out the window. However, the next morning, he ⓒ _____ _____! Maibon was worried about the animals, but he was glad that he was still young.

12 윗글의 빈칸 ⓐ, ⓑ에 들어갈 말이 알맞게 짝 지어진 것은?

① for – away
② out – away
③ up – with
④ into – up
⑤ into – away

13 윗글의 빈칸 ⓒ에 다음에 주어진 말을 순서대로 바르게 배열하시오.

> by the window / the stone / sitting / found

14 윗글의 내용과 일치하도록 할 때 빈칸에 Maibon이 들어갈 수 <u>없는</u> 것은?

① _____'s beard didn't grow at all.
② _____ said, "The cow doesn't give birth!"
③ _____ didn't want to throw the stone away.
④ _____ was worried about the animals.
⑤ _____ was glad because he was still young.

[15~17] 다음 글을 읽고, 물음에 답하시오.

Now Maibon's baby was having trouble. No tooth ⓐwas seen in his mouth. His wife ⓑtold him to throw away the stone and this time, Maibon put the stone under the ground. _____, the next day, the stone came back! Time went by and nothing grew or changed. Maibon ⓒbegan to worry. "There's nothing to look forward to, nothing ⓓto show for my work." Maibon tried to destroy the stone, but it ⓔkept coming back.

신경향

15 윗글의 밑줄 친 ⓐ~ⓔ에 대한 설명이 알맞지 <u>않은</u> 것은?

① ⓐ: 과거시제 수동태이다.
② ⓑ: 「tell+목적어+to부정사」 형태로 쓰인다.
③ ⓒ: began worrying으로 바꿔 쓸 수 있다.
④ ⓓ: 형용사적 용법으로 쓰인 to부정사이다.
⑤ ⓔ: 「keep+동명사」는 '~을 막다'라는 뜻이다.

16 윗글의 빈칸에 알맞은 것은?

① So   ② As
③ But   ④ And
⑤ Because

17 윗글의 내용과 일치하도록 할 때 빈칸에 알맞은 것은?

> Maibon began to worry because _____.

① his wife was upset
② nothing grew or changed
③ he couldn't find the dwarf, Doli
④ he didn't want to throw away the stone
⑤ he didn't know where to throw away the stone

[18~20] 다음 글을 읽고, 물음에 답하시오.

Maibon ⓐdecided to throw away the stone far from his house. 그는 들판으로 가는 길에 난쟁이를 보았다. Maibon got angry with him. "Why didn't you warn me about the stone?" "I tried to, but you ⓑwouldn't listen."

Doli explained that Maibon couldn't get rid of the stone ⓒunless he really wanted to. "I want no more of it. ⓓHowever may happen, let it happen!" Doli told him to throw the stone onto the ground and go back home. Maibon did ⓔas Doli said.

시험에 잘 나오는 문제

18 윗글의 밑줄 친 ⓐ~ⓔ 중 어법상 어색한 것은?

① ⓐ   ② ⓑ   ③ ⓒ
④ ⓓ   ⑤ ⓔ

19 윗글의 밑줄 친 우리말과 뜻이 같도록 빈칸에 알맞은 말을 쓰시오.

→ _____ _____ _____ _____ the field, he saw the dwarf.

20 윗글의 내용과 일치하지 <u>않는</u> 것은?

① Maibon은 집에서 멀리 떨어진 곳에 돌을 버리기로 했다.
② Maibon이 돌을 버리러 가는 길에 Doli를 만났다.
③ Maibon은 Doli에게 화를 냈다.
④ Doli는 돌을 진심으로 원하지 않아야 돌을 없앨 수 있다고 말했다.
⑤ Maibon은 Doli에게 돌을 주고 집으로 돌아갔다.

[21~22] 다음 글을 읽고, 물음에 답하시오.

When he arrived home, Modrona told him the good news — the eggs changed into chickens and the cow bore her baby. And Maibon laughed with delight when he saw the first tooth in his baby's mouth.

Maibon, Modrona and their children and grandchildren lived for many years. Maibon _____ his white hair and long beard.

21 윗글의 빈칸에 다음 표현과 반대 의미의 표현을 쓰시오.

was ashamed of

→ _____

22 How can we describe the mood in the passage?

① gloomy
② pleasant
③ noisy
④ humorous
⑤ nervous

서술형 문제

Writing

23 다음 문장을 수동태로 바꿔 쓰시오.

(1) They learn foreign languages on YouTube.
→ _____

(2) My grandpa built this cottage 50 years ago.
→ _____

(3) A lot of people will watch the World Cup match.
→ _____

Reading

24 다음 글의 밑줄 친 부분의 의미를 우리말로 구체적으로 쓰시오.

Maibon   I've heard that you have magic stones that can keep a man young. I want one.
Doli   Oh, you humans have it all wrong. Those stones don't make you young again. They only keep you from getting older.
Maibon   <u>Just as good!</u>

→ _____

Reading

25 다음 글을 아래와 같이 요약할 때, 틀린 부분을 두 군데 찾아 바르게 고치시오.

Doli explained that Maibon couldn't get rid of the stone unless he really wanted to. "I want no more of it. Whatever may happen, let it happen!" Doli told him to throw the stone onto the ground and go back home. Maibon did as Doli said.

When he arrived home, Modrona told him the good news—the eggs changed into chickens and the cow bore her baby. And Maibon laughed with delight when he saw the first tooth in his baby's mouth.

↓

Maibon didn't want the stone anymore. So he threw it onto the ground and went back home as his wife said. Then something bad happened to his animals. And his baby got his first tooth. He was delighted.

(1) _____ → _____
(2) _____ → _____

현실 속의 마법의 돌, 석면

석면(石綿)은 돌솜이라는 뜻으로, 100만 년 전의 화산 활동에 의해 생겨난 화강암의 일종이에요. 고대 이집트, 그리스, 로마 사람들은 석면으로 짠 천이 불 속에서도 타지 않는 것을 보고, 석면이 사악한 힘을 막는 '마법의 돌'이라고 생각했어요.

섭씨 400도가 넘는 고온에서도 견뎌 내고, 산과 알칼리에도 끄떡없으며, 썩거나 닳지도 않고, 전기나 열을 비롯한 어떤 물질도 석면을 통과할 수 없어요. 보온성도 뛰어나고 방음도 잘 되는 데다가 가격까지 싸니 '마법의 돌'이라고 생각할 만하죠.

그런데 이러한 석면이 일단 몸속에 들어가면 썩지도 녹지도 분리해 낼 수도 없는 물질을 10년 넘게 숨기고 있다가, 길게는 50년 동안 머물면서 우리 몸의 조직과 염색체를 파괴시켜 암을 일으켜요.

하지만 사람들은 오랫동안 석면이 이렇게 유해한 물질일 거라는 생각은 못했어요. 그러다가 프랑스에서 '아미솔 사건'이 터지면서 석면 사용을 제한하게 돼요. '아미솔'은 석면으로 천을 짜는 공장인데요. 1974년 이 공장에서 일하던 근로자 271명 중 12명이 폐암으로 사망하면서 공장이 문을 닫게 되는 사건이에요. 세계보건기구(WHO)는 1987년에 이르러서야 석면을 1급 발암물질 중의 하나로 규정했고, 우리나라는 석면 사용을 2007년부터 단계적으로 금지해 오다가 2015년부터는 석면을 어떤 용도로든 사용하는 일을 금지하고 있어요.

– 출처: 한국환경공단 〈중학생이 되기 전 꼭 알아야 할 환경상식 10가지〉 –

공부코스

B

학교 시험
Preview

중간고사 1회

01 다음 빈칸에 알맞지 <u>않은</u> 것은?

_____ a problem

① face ② solve
③ move ④ fix
⑤ focus on

02 다음 중 밑줄 친 부분이 주어진 영영풀이에 해당하는 뜻으로 쓰인 것은? **(2개)**

the words that an actor speaks in a play, movie, etc.

① Draw <u>lines</u> on a graph.
② The movie theaters have long <u>lines</u>.
③ Have you learned your <u>lines</u>?
④ Actors sometimes forget their <u>lines</u>.
⑤ His face was covered with <u>lines</u>.

03 다음 대화의 빈칸에 알맞은 것은?

A Look at this. This lion eats only vegetables.
B _____
A Me, too. Let's read more about it.

① I have never heard about it.
② Oh, I'm curious about it.
③ Oh, I knew it.
④ Sounds interesting!
⑤ That's amazing!

04 다음 대화의 밑줄 친 부분이 의도하는 바로 알맞은 것은?

A You look down today. <u>What's the matter?</u>
B I got a haircut but it's too short.

① 계획 묻기
② 유의할 점 묻기
③ 싫어하는 것 묻기
④ 관심 있는 것 묻기
⑤ 좋지 않은 감정을 느끼게 된 원인 묻기

05 Which is <u>NOT</u> a natural dialog?

① **A** I have a bad cold.
   B I think you should drink a lot of water.
② **A** This tree grows as high as the sky.
   B Really? The sky isn't as high as it is.
③ **A** You look worried. What's up?
   B I have a test today.
④ **A** Look at this picture of a huge flower.
   B Wow, it is bigger than a person.
⑤ **A** I lost my key, so I couldn't get into my house.
   B Oh, that's too bad.

06 다음 대화의 밑줄 친 ①~⑤ 중 흐름상 어색한 것은?

A Do you think we can be friends with lions, Todd?
B No, Clare. ①<u>I don't think so.</u>
A Well, ②<u>I watched a video clip about friendship between two men and a lion.</u>
B Really? I'm curious about the story. ③<u>Let me tell you more.</u>
A The two men raised a baby lion and sent her back into the wild. When the men and the lion met a year later, ④<u>she</u> remembered them.
B Wow, ⑤<u>that's so touching.</u>

[07~08] 다음 대화를 읽고, 물음에 답하시오.

A You look tired. _____

B I didn't have breakfast this morning. I'm so hungry.

A Oh, that's too bad. We still have two more hours until lunch break.

B Our school should have a snack bar. Then, we could have a quick breakfast or snacks.

A I think so, too. How can we make that <u>suggestion</u>?

B We can post it on the suggestion board.

07 위 대화의 빈칸에 알맞지 <u>않은</u> 것은?

① What's up?
② What is it?
③ What's the matter?
④ What's wrong with you?
⑤ Is there anything wrong?

08 위 대화의 밑줄 친 **suggestion**의 내용과 일치하도록 빈칸에 알맞은 말을 찾아 쓰시오.

> Some students don't have _____ and they get hungry in the morning. We should have a _____ _____ in our school.

09 다음 우리말을 영어로 옮길 때 빈칸에 알맞은 것은?

> 그는 25년 이상 동안 그의 뒷마당에서 그 사과나무를 길러 오고 있다.
> → He _____ the apple tree in his back garden for over 25 years.

① grows
② grew
③ is grown
④ has grown
⑤ have grown

10 다음 두 문장을 한 문장으로 연결할 때 빈칸에 알맞은 말을 쓰시오.

> Show me the smartphone. You got it as a birthday gift.
> → Show me the smartphone _____
> _____.

11 다음 주어진 문장을 바꿔 쓸 때 빈칸에 알맞은 말을 쓰시오.

> To say "I'm sorry" is very hard.
> → It _____ "I'm sorry."

12 다음 두 문장을 한 문장으로 쓸 때 알맞은 것은?

> Tim is 160 cm tall.
> Lizzy is 160 cm tall, too.

① Lizzy is as tall as Tim.
② Lizzy isn't as tall as Tim.
③ Tim is taller than Lizzy.
④ Lizzy is taller than Tim.
⑤ Lizzy is the tallest.

13 다음 중 밑줄 친 부분을 생략할 수 <u>없는</u> 것은?

① Winter is the season <u>that</u> I like best.
② The girl <u>whom</u> I spoke to is Jim's sister.
③ Have you seen the boy <u>that</u> sat on the bench?
④ It's the house <u>which</u> I was born in.
⑤ These are the chairs <u>that</u> I made by myself.

14 다음 글의 ①~⑤ 중 주어진 문장이 들어갈 곳으로 알맞은 것은?

> What's more, it was going to be dark soon.

> Stella's mom was lying dead and Stella was alone. (①) It is dangerous to stay alone in such a wild area. (②) Elephants can't see well at night. (③) So Stella could easily be attacked. (④) I called the elephant shelter and asked for help. (⑤) I decided to stay by her until the rescue team came.

[15~16] 다음 글을 읽고, 물음에 답하시오.

> I want to tell you a problem that I have. I'm worried about my terrible math grades. I have had this problem since last year. I want to do better in math. But when I try to study math, I just can't focus on it. I don't know what to do. I have not had a good night's sleep because of this worry. Can you take my worries away?
>
> (I=Alan)

15 서술형
윗글의 밑줄 친 부분이 가리키는 것을 우리말로 쓰시오.

➡ _____

16 Which is NOT true according to the passage?

① Alan is worried about his math grades.
② Alan has had the problem since last year.
③ Alan wants to do better in math.
④ Alan doesn't know what to focus on.
⑤ Alan has not had a good night's sleep.

[17~19] 다음 글을 읽고, 물음에 답하시오.

> **Anger**   What a day! I can't believe Jenny yelled at Bella after the school play.
> **Sadness**   Well, ⓐthat's because Bella forgot her lines on stage.
> **Anger**   Jenny pointed out the mistake ⓑthat Bella made. How could she do ⓒthat in front of everyone?
> **Joy**   But I'm sure ⓓthat Jenny did not mean to hurt Bella. They have been best friends since elementary school. Remember?
> **Anger**   (A)That's what I'm saying. A true friend would never put Bella down like that.
> **Fear**   I'm worried ⓔthat they are not going to be friends anymore.
> **Joy**   Come on, Fear. Don't go too far. We'll see.

17 윗글의 밑줄 친 ⓐ~ⓔ 중 〈보기〉의 밑줄 친 부분과 쓰임이 같은 것은?

> 〈보기〉
> He is the man that I saw on TV.

① ⓐ   ② ⓑ   ③ ⓒ   ④ ⓓ   ⑤ ⓔ

18 서술형
윗글의 밑줄 친 (A)의 뜻을 우리말로 쓰시오.

➡ _____

19 윗글의 내용과 일치하지 않는 것은?

① 연극이 끝난 후 Jenny가 Bella에게 소리를 질렀다.
② Bella는 무대에서 대사를 잊어버렸다.
③ Jenny는 사람들 앞에서 Bella의 실수를 지적했다.
④ Jenny와 Bella는 초등학교 때부터 친했다.
⑤ Jenny는 Bella를 일부러 망신 주었다.

[20~21] 다음 글을 읽고, 물음에 답하시오.

Date/Time: July 13th / 6:00 a.m.

Notes: A new elephant group appeared and Stella approached them. _____, I thought that they would not let Stella in their group. But I was wrong. An elephant, probably the oldest female, allowed Stella to become part of the group. The other elephants also seemed to welcome Stella. Unbelievably, one of the female elephants fed Stella. She cared for Stella as warmly as Stella's mom did. This was such an amazing moment!

20 윗글의 빈칸에 알맞은 것은?

① However   ② At first
③ In fact   ④ First of all
⑤ In the end

21 윗글 마지막에 나타난 글쓴이의 심경으로 알맞은 것은?

① bored   ② nervous   ③ relaxed
④ pleased   ⑤ touched

[22~23] 다음 글을 읽고, 물음에 답하시오.

Joy Whew! ⓐI'm so happy that they are talking again.

Anger ⓑYeah, Bella went to Jenny and talked to her first.

Joy Jenny didn't avoid Bella (A) _____ purpose.

Sadness ⓒYeah, Jenny knew a way to say sorry.

Fear ⓓI hope Bella doesn't have any more problems like this.

Joy Me, too. ⓔBut problems are part of growing up. Just like this time, Bella will face the problems, solve them, and become wiser (B) _____ the end.

22 윗글의 밑줄 친 ⓐ~ⓔ 중 흐름상 어색한 것은?

① ⓐ   ② ⓑ   ③ ⓒ   ④ ⓓ   ⑤ ⓔ

23 윗글의 빈칸 (A), (B)에 알맞은 말을 각각 쓰시오.

[24~25] 다음 글을 읽고, 물음에 답하시오.

Date/Time: July 8th / 2:35 p.m.

Notes: Today was my first day in Africa. I took lots of pictures ⓐ_____ elephants. This morning, I found an elephant group by a small water hole. I saw a baby elephant drinking water beside her mother. Her eyes were as bright as stars. I gave her a name, Stella. Around noon, I saw a group of lions approaching Stella. (A) The elephants stood around Stella and made a thick wall. Thanks ⓑ_____ them, Stella was safe.

24 윗글의 빈칸 ⓐ, ⓑ에 알맞은 말을 차례대로 쓰시오.

서술형
25 윗글의 밑줄 친 (A)의 이유를 우리말로 쓰시오.

→ _____

중간고사 2회

01 다음 중 -less를 붙여서 부정의 의미를 가진 형용사를 만들 수 <u>없는</u> 것은?

① limit ② life ③ care
④ rest ⑤ mystery

02 다음 빈칸에 공통으로 알맞은 단어를 쓰시오.

- The two groups worked _____ their problems together.
- Mr. Hunter was quick to point _____ our mistake.

03 다음 대화의 빈칸에 알맞지 <u>않은</u> 것은?

A You look tired. What's the matter?
B _____

① I missed the bus, so I had to run to school.
② I think I should ask my teacher for help.
③ I had to do my homework during break.
④ I walked home in the rain without an umbrella.
⑤ I lost my key, so I couldn't get into my house.

04 다음 대화의 빈칸에 알맞은 것은?

A I've gained weight lately. _____
B I think you should exercise regularly.

① What about you?
② What should I do?
③ What's the matter?
④ Are you interested in it?
⑤ Is there anything wrong?

05 다음 대화의 밑줄 친 부분이 의도하는 바로 알맞은 것은?

A Look at this. This horse guides the blind.
B Oh, I'm curious about the horse.
A Me, too. Let's read more about it.

① 유의할 점 말하기
② 좋아하는 것 말하기
③ 궁금한 일 표현하기
④ 기대하는 일 표현하기
⑤ 동의 구하기

06 다음 대화의 밑줄 친 우리말을 영어로 쓰시오. (단, 괄호 안의 어구를 활용할 것)

A Look at this picture, Mina. We got a new puppy yesterday. He's only two weeks old.
B Oh, Dylan, he's so small!
A Yeah. <u>그는 지금은 내 손만큼 작아</u>, but he'll get much bigger in a few months.
B Wow, puppies grow very quickly.

→ _____
(as / now / hand)

[07~08] 다음 대화를 읽고, 물음에 답하시오.

A Hello, you're on the air.
B Hi, Solomon. I'm Jenny. I have a problem.
A Hi, Jenny. What's the matter?
B I'm really bad at making eye contact.
A _____ looking into your own eyes in the mirror.
B That's a good idea. I'll try that.

07 위 대화의 밑줄 친 **a problem**의 내용으로 알맞은 것은?

① 시력이 나쁜 것
② 콘택트렌즈가 맞지 않는 것
③ 사람들과 눈을 잘 못 마주치는 것
④ 거울을 자주 보는 것
⑤ 거울로 자기 눈을 바라보는 것

08 위 대화의 빈칸에 알맞지 <u>않은</u> 것은?

① I think you should practice
② I suggest you practice
③ I advise you to practice
④ I hope you practice
⑤ You'd better practice

09 다음 두 문장을 한 문장으로 쓸 때 빈칸에 알맞은 것은?

Japan uses the name Sea of Japan.
Japan started using it at the 1870s.
→ Japan _____ the name Sea of Japan since the 1870s.

① uses
② is using
③ was using
④ used
⑤ has used

10 다음 빈칸에 알맞은 것은? (2개)

This is a song _____ the Beatles sang.

① who
② whom
③ which
④ that
⑤ what

11 다음 우리말을 영어로 옮길 때 빈칸에 알맞은 것은?

따뜻한 공기는 차가운 공기만큼 무겁지 않다.
→ Warm air is _____ cold air.

① not so heavy as
② not as heavy so
③ heavier than
④ the heavier than
⑤ the heaviest

12 다음에 주어진 말을 바르게 배열하여 문장을 쓰시오. (단, 한 단어를 추가할 것)

impossible / is / without smartphones / to live

→ _____

13 Which is NOT grammatically correct?

① It isn't easy to forgive an enemy.
② Gemma is a friend that I have fun with.
③ Everyone is just as busy as you.
④ I have been here for three hours.
⑤ Where's the girl is selling the ice-cream?

14 다음 글의 밑줄 친 부분에 나타난 'I'의 심경 변화로 알맞은 것은?

> **Date/Time**: July 8th / 2:35 p.m.
>
> **Notes**: Today was my first day in Africa. I took lots of pictures of elephants. This morning, I found an elephant group by a small water hole. I saw a baby elephant drinking water beside her mother. Her eyes were as bright as stars. I gave her a name, Stella. Around noon, I saw a group of lions approaching Stella. The elephants stood around Stella and made a thick wall. Thanks to them, Stella was safe.

① excited ➡ disappointed
② embarrassed ➡ satisfied
③ lonely ➡ pleased
④ worried ➡ relieved
⑤ nervous ➡ jealous

[15~16] 다음 글을 읽고, 물음에 답하시오.

Plant Diary

Date: June 15th, 2019
Write about what you saw:
Today, I saw a plant. It is called a pitcher plant. It is bright green and red. It looks like a pitcher. As for its size, it is about 15 cm long. 그것은 내 손만큼 길다. It is interesting that the plant attracts insects and eats them.

15 윗글의 밑줄 친 우리말을 영작할 때 빈칸에 알맞은 말을 쓰시오. (단, 주어진 단어를 사용할 것)

➡ It is _____ my hand. (long)

16 윗글의 종류로 알맞은 것은?

① 일기　　　　　　② 편지
③ 관찰 일지　　　　④ 감상문
⑤ 수필

[17~19] 다음 글을 읽고, 물음에 답하시오.

Anger　What a day! I can't believe Jenny yelled at Bella after the school play.
Sadness　Well, that's because Bella forgot her lines on stage.
Anger　Jenny pointed out the mistake that Bella made. How could she do that in front of everyone?
Joy　But I'm sure Jenny did not mean to hurt Bella. 그들은 초등학교 때부터 가장 친한 친구였잖아. Remember?
☐　That's what I'm saying. A true friend would never put Bella down like that.
Fear　I'm worried that they are not going to be friends anymore.
Joy　Come on, Fear. Don't go too far. We'll see.

서술형
17 윗글의 밑줄 친 **the mistake**가 가리키는 것을 우리말로 쓰시오.

➡ _____

18 윗글의 밑줄 친 우리말을 영작할 때 빈칸에 알맞은 말을 쓰시오.

➡ They _____
elementary school.

19 윗글의 네모 안에 알맞은 감정을 밑줄 친 문장에 유의하여 쓰시오.

[20~22] 다음 글을 읽고, 물음에 답하시오.

Date/Time: July 12th / 7:20 p.m.

Notes: Around sunset, I heard a strange sound. I followed the sound and found Stella ⓐ crying next to her mom. She was ⓑ lying dead and Stella was alone. It is dangerous ⓒ stay alone in such a wild area. What's more, it was going to be dark soon. Elephants can't see well at night. So Stella ⓓ could easily be attacked. I called the elephant shelter and asked for help. I decided ⓔ to stay by her until the rescue team came.

20 서술형

윗글의 밑줄 친 **a strange sound**가 가리키는 것을 우리말로 쓰시오.

→ _____

21 윗글의 밑줄 친 ⓐ~ⓔ 중 어법상 어색한 것은?

① ⓐ　② ⓑ　③ ⓒ　④ ⓓ　⑤ ⓔ

22 윗글의 내용과 일치하지 <u>않는</u> 것은?

① Stella가 자신의 엄마 옆에서 울고 있었다.
② Stella는 혼자 있었다.
③ 코끼리들은 밤에 잘 볼 수 없다.
④ 곧 어두워질 것이었다.
⑤ 코끼리 보호소에서 Stella를 구조하러 왔다.

[23~24] 다음 글을 읽고, 물음에 답하시오.

Anger　I can't forgive Jenny. She didn't say a word to Bella.

Fear　Jenny didn't even look at her. _____

Sadness　Bella ate alone during lunch today. Poor Bella! (ⓐ)

Joy　Jenny is Bella's best friend. (ⓑ) I'm sure there is a reason that we don't know about.

Anger　I can't stand this any longer. (ⓒ)

Fear　I don't want Bella to be hurt again. (ⓓ) She should let it go.

Joy　They are good friends. (ⓔ) They will work it out.

23 윗글의 빈칸에 다음 괄호 안의 단어를 바르게 배열하여 문장을 완성하시오.

→ Jenny _____ before.
(has / been / never / this cold)

24 윗글의 ⓐ~ⓔ 중 다음 문장이 들어갈 곳으로 알맞은 것은?

Bella should just go and tell her about her feelings.

① ⓐ　② ⓑ　③ ⓒ　④ ⓓ　⑤ ⓔ

25 다음 글의 밑줄 친 ①~⑤ 중 문맥상 낱말의 쓰임이 알맞지 <u>않은</u> 것은?

Date/Time: July 12th / 10:40 p.m.

Notes: The night was dark and quiet. I ① kept my eyes on Stella with my night camera. Stella was ② still next to her mom. She was touching her mom's ③ lifeless body with her nose. It was ④ sad to see Stella staying close to her mom. I hope Stella stays ⑤ dangerous throughout the night.

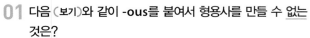

중간고사 3회

01 다음 (보기)와 같이 **-ous**를 붙여서 형용사를 만들 수 <u>없는</u> 것은?

> (보기)
>
> danger : dangerous

① humor ② fool ③ nerve
④ mystery ⑤ adventure

02 다음 빈칸에 들어갈 말이 알맞게 짝 지어진 것은?

> ・The papparazzi took pictures _____ their wedding.
> ・Thanks _____ your support, I have won the race.

① of – to ② for – of
③ of – in ④ in – to
⑤ to – for

03 다음 대화의 빈칸에 알맞지 <u>않은</u> 것은?

> A Have you heard about the blue whale?
> B Yes, I have. I heard it's very big.
> A It's the biggest sea animal in the world.
> B How big is it?
> A _____

① It's about 30 m long.
② It's longer than a basketball court.
③ It's very big.
④ It weighs up to 150 tons.
⑤ Its heart is as big as a Mini Cooper.

04 다음 대화의 빈칸에 알맞지 <u>않은</u> 것은?

> A Oh, I have a toothache.
> B _____

① I think you should go to the dentist.
② I suggest you go to the dentist.
③ I advise you to go to the dentist.
④ I want you to go to the dentist.
⑤ You'd better go to the dentist.

[05~06] 다음 대화를 읽고, 물음에 답하시오.

A Hello, you're on the air.
B Hi, Solomon. I'm Amy.
A Hi, Amy. What's the matter?
B I hate sharing my room with my little sister. She uses my stuff without asking me first. What should I do?
A Hmm... . I think you should tell her your feelings. And you should also make some rules with your sister.
B Oh, I'll try that. Thanks for the advice.

05 Which can replace the underlined part?

① You're right.
② That's a good idea.
③ Me, too.
④ I think so, too.
⑤ I think I should.

06 위 대화의 내용과 일치하지 <u>않는</u> 것은?

① Amy가 방송에서 상담하는 내용이다.
② Amy는 여동생과 방을 함께 쓴다.
③ Amy의 여동생은 Amy의 물건을 마음대로 쓴다.
④ Amy의 여동생은 규칙을 지키지 않는다.
⑤ Amy는 상담자의 조언을 받아들이겠다고 했다.

07 다음 대화의 밑줄 친 부분과 바꿔 쓸 수 있는 것은? (2개)

> **A** My room is always messy. <u>What should I do?</u>
> **B** I think you should put things back after using them.
> **A** That's a good idea. I'll try that. Thanks.

① What do you suggest?
② What do you think about it?
③ What about you?
④ What happened to you?
⑤ What would you advise me to do?

08 다음 대화의 ① ~ ⑤ 중 주어진 문장이 들어갈 곳으로 알맞은 것은?

> I'm curious about the story.

> **A** Do you think we can be friends with lions, Todd?
> **B** No, Clare. (①) I don't think so.
> **A** Well, I watched a video clip about friendship between two men and a lion. (②)
> **B** Really? (③) Can you tell me more?
> **A** The two men raised a baby lion and sent her back into the wild. (④) When the men and the lion met a year later, she remembered them. (⑤)
> **B** Wow, that's so touching.

09 다음 빈칸에 알맞은 것은?

> It is exciting _____ on a field trip.

① go
② went
③ to go
④ to going
⑤ have gone

10 다음 우리말을 영작할 때 빈칸에 알맞은 말을 쓰시오.

> 개미의 후각은 개의 후각만큼 좋다.
> → An ant's sense of smell is _____ a dog's.

11 ^{서술형} 다음 괄호 안의 말을 이용하여 우리말을 영어로 쓰시오.

> 피아노를 치는 것은 쉽지만 매우 잘 치는 것은 어렵다.
> (it's / difficult / easy / play the piano)

→ _____ but
_____ very well.

12 다음 문장에서 어법상 어색한 부분을 찾아 바르게 고치시오.

> (A) It's as hotter as last year.
> (B) My room is not as large so yours.

(A) _____ → _____
(B) _____ → _____

13 다음 중 어법상 어색한 것은?

① They have known each other since 2012.
② Dogs run as fast as rabbits.
③ That is interesting to talk about the past.
④ She's an artist I've never heard of.
⑤ They live in a house which has big windows.

14 다음 글의 전반부의 분위기로 알맞은 것은?

> Today was my first day in Africa. I took lots of pictures of elephants. This morning, I found an elephant group by a small water hole. I saw a baby elephant drinking water beside her mother. Her eyes were as bright as stars. I gave her a name, Stella. Around noon, I saw a group of lions approaching Stella. The elephants stood around Stella and made a thick wall. Thanks to them, Stella was safe.

① noisy ② peaceful ③ cheerful
④ fantastic ⑤ boring

[15~17] 다음 글을 읽고, 물음에 답하시오.

Anger What a day! I can't believe Jenny yelled at Bella after the school play.
Sadness Well, that's because Bella forgot her lines on stage.
Anger Jenny pointed out the mistake that Bella made. How could she do <u>that</u> in front of everyone?
Joy But I'm sure Jenny did not mean to hurt Bella. They have been best friends _____ elementary school. Remember?
Anger That's what I'm saying. A true friend would never put Bella down like that.

서술형
15 윗글의 밑줄 친 **that**이 의미하는 것을 우리말로 쓰시오.

→ _____

16 윗글의 빈칸에 알맞은 것은?

① during ② for ③ in
④ since ⑤ on

17 Which is true according to the passage?

① Bella pointed out Jenny's mistake.
② Bella forgot her lines on stage.
③ Jenny yelled at Bella after class.
④ Bella and Jenny fought with each other.
⑤ Bella and Jenny are not friends.

[18~19] 다음 글을 읽고, 물음에 답하시오.

Joy Whew! I'm so happy that they are talking again.
Anger Yeah, Bella went to Jenny and talked to her first.
Joy Jenny didn't avoid Bella on purpose.
Sadness Yeah, Jenny didn't know a way to say sorry.
Fear I hope Bella doesn't have any more problems like this.
Joy Me, too. <u>But problems are part of growing up.</u> Just like this time, Bella will ⓐ_____ the problems, ⓑ_____ them, and become wiser in the end.

18 윗글의 밑줄 친 부분을 참고하여 빈칸 ⓐ, ⓑ에 알맞은 단어를 주어진 철자로 시작하여 쓰시오.

ⓐ f_____
ⓑ s_____

19 윗글의 내용과 일치하도록 할 때 빈칸에 들어갈 말이 알맞게 짝 지어진 것은?

> Jenny _____ Bella because she didn't know a way to say she was _____.

① met – angry
② avoided – sorry
③ liked – thank you
④ talked to – happy
⑤ hoped – wiser

[20~22] 다음 글을 읽고, 물음에 답하시오.

Date/Time: July 12th / 7:20 p.m.

Notes: Around sunset, I heard a strange sound. I followed the sound and found Stella crying next to her mom. She was lying dead and Stella was alone. It is dangerous to stay alone in such a wild area. <u>What's more</u>, it was going to be dark soon. Elephants can't see well at night. So Stella could easily be attacked. I called the elephant shelter and asked for help. I decided to stay by her until the rescue team came.

20 윗글의 밑줄 친 부분과 바꿔 쓸 수 있는 것은?

① However ② Therefore
③ Actually ④ In addition
⑤ In fact

21 윗글에서 다음 영영풀이가 설명하는 단어로 알맞은 것은?

> place that provides food and protection for people or animals that need help

① wild ② area ③ sunset
④ shelter ⑤ rescue

22 윗글에 나타난 'I'에 대한 설명으로 알맞은 것은?

① 예민하다.
② 인내심이 강하다.
③ 모험심이 강하다.
④ 정이 많다.
⑤ 봉사 정신이 투철하다.

23 다음 글의 글쓴이에 대한 설명으로 알맞은 것은?

> The night was dark and quiet. I kept my eyes on Stella with my night camera. Stella was still next to her mom. She was touching her mom's lifeless body with her nose. It was sad to see Stella staying close to her mom. I hope Stella stays safe throughout the night.

① He likes elephants.
② He enjoys taking pictures of elephants.
③ He is waiting for Stella's mom to come back.
④ He is afraid to be alone.
⑤ He hopes Stella to be safe during the night.

[24~25] 다음 글을 읽고, 물음에 답하시오.

Date/Time: July 13th / 6:00 a.m.

Notes: A new elephant group appeared and Stella approached them. At first, I thought that ⓐ<u>they</u> would not let Stella in their group. But I was wrong. An elephant, probably the oldest female, _____ Stella to become part of the group. The other elephants also seemed to welcome Stella. Unbelievably, one of the female elephants fed Stella. ⓑ<u>She</u> cared for Stella as warmly as Stella's mom did. This was such an amazing moment!

24 서술형
윗글의 밑줄 친 ⓐ, ⓑ가 가리키는 것을 각각 찾아 쓰시오.

ⓐ _____

ⓑ _____

25 윗글의 빈칸에 알맞은 것은?

① allowed ② let ③ had
④ sent ⑤ made

기말고사 1회

01 다음 대화의 빈칸에 알맞은 단어를 쓰시오. (단, 밑줄 친 단어의 알맞은 형태를 사용할 것)

> **A** What are you interested in?
> **B** I'm interested in reading <u>novels</u>. So I want to be a _____ in the future.

02 다음 빈칸에 들어갈 말이 순서대로 알맞게 짝 지어진 것은?

> • Sam glanced _____ his wall clock quickly.
> • Many people think holidays always go _____ very quickly.
> • Bad weather kept us _____ playing baseball.

① at – for – on   ② at – on – by
③ for – at – from   ④ from – by – on
⑤ at – by – from

03 다음 대화의 빈칸에 알맞은 것은?

> **A** _____
> **B** I like action movies.

① Do you like action movies?
② What kind of movie do you like?
③ Why do you like action movies?
④ Are you curious about action movies?
⑤ What do you think about action movies?

04 서술형
다음 대화의 밑줄 친 우리말을 영작할 때 빈칸에 알맞은 말을 쓰시오.

> **A** Which do you prefer, going to the mountains or going to the beach?
> **B** I prefer going to the beach to going to the mountains. How about you?
> **A** <u>나는 해변에 가는 것보다 산에 가는 것이 더 좋아.</u>

→ I prefer _____.

05 다음 대화의 밑줄 친 부분과 바꿔 쓸 수 <u>없는</u> 것은?

> **A** I think reading e-books is better than reading paper books.
> **B** <u>I'm with you on that.</u> I can carry it easily and study anywhere I want.

① Same here.
② I disagree with you.
③ I think so, too.
④ I agree with you.
⑤ You can say that again.

06 Put (A) ~ (C) in the correct order after given sentence.

> What kind of performance do you like best?
> (A) I like dance performances best.
> (B) I prefer hip-hop dancing to disco dancing.
> (C) Okay. Then, which do you prefer, hip-hop dancing or disco dancing?

[07~08] 다음 대화를 읽고, 물음에 답하시오.

A Hey, Julie! ⓐHave you heard about the *Quiz & Rice* game?

B Yeah, ⓑisn't it the one that donates rice when you get a right answer?

A Yeah, ⓒwhy do you think so about the game?

B I think it's a creative game. You can have fun and help out hungry people. ⓓHave you played it yet?

A No, but ⓔI'm going to try it out this weekend.

07 위 대화의 밑줄 친 ⓐ~ⓔ 중 흐름상 어색한 것은?

① ⓐ   ② ⓑ   ③ ⓒ
④ ⓓ   ⑤ ⓔ

08 위 대화의 내용과 일치하도록 할 때 빈칸에 알맞은 것은?

_____ when we get the right answer in the *Quiz & Rice* game.

① Rice is donated
② The elderly are helped out
③ Hungry people are helped
④ We can take part in a creative game
⑤ Many kinds of foods are cooked

09 다음 주어진 문장을 바꿔 쓸 때 빈칸에 알맞은 것은?

Why does Jessy take yoga classes?
→ I'm not sure _____ .

① why does Jessy take yoga classes
② why Jessy does take yoga classes
③ why Jessy takes yoga classes
④ why does take Jessy yoga classes
⑤ Jessy why takes yoga classes

10 다음 빈칸에 알맞은 것은?

Ms. Smith _____ the chair.

① had I fix   ② had me fix
③ had I fixing   ④ had me fixing
⑤ had me to fix

11 다음 빈칸에 괄호 안의 말을 알맞은 형태로 고치시오.

• Jack let her _____(use) his smartphone.
• Look at the _____(move) robot.

12 다음 주어진 문장과 의미가 같은 것은?

They are too young to take part in the Olympics.

① They are very young what they can't take part in the Olympics.
② They are very young that they can't take part in the Olympics.
③ They are so young that they can take part in the Olympics.
④ They are so young that they can't take part in the Olympics.
⑤ They are so young what they can't take part in the Olympics.

13 다음 중 어법상 어색한 것은?

① Mr. Rich made Bob pick up the trash.
② Neil has so much work that he can't sleep.
③ Sally was too surprised to say anything.
④ Andy didn't tell me when the movie begins.
⑤ Miso almost stepped on a breaking bottle.

14 다음 밑줄 친 부분을 어법상 알맞게 고친 것이 아닌 것은?

① The cat is too small going up the stairs.
(→ to go)
② The pirates found some hiding treasure.
(→ hidden)
③ James was so sleepy that he can't finish his homework. (→ couldn't)
④ Do you think where did he sleep last night? (→ Where you think he slept)
⑤ The farmer makes two cows working for him in the field. (→ work)

[15~16] 다음 글을 읽고, 물음에 답하시오.

Last summer, my father suggested a surprising event: a family trip without smartphones! He said, "I hate to see you sitting together and only looking at your smartphones." My sister and I explained the need for smartphones, but he kept saying that we could not fully enjoy the trip with them. So we started a technology-free trip to a new city, Barcelona, Spain.

15 윗글의 밑줄 친 부분과 같은 의미로 쓰인 것을 본문에서 찾아 쓰시오.

→ _____

16 윗글의 내용과 일치하도록 할 때 다음 질문에 대한 대답으로 알맞은 것은?

> Q Why did Dad suggest a family trip without smartphones?

① 스마트폰이 고장 날까 봐
② 스마트폰을 이벤트 선물로 받을 수 있어서
③ 가족이 스마트폰을 자주 잃어버려서
④ 가족이 각자의 스마트폰만 보고 있는 게 싫어서
⑤ 가족끼리 스마트폰을 잘 사용하지 않아서

17 Which is the best place for the given sentence among ①~⑤?

> This is Icarus in the famous myth in Greece.

The title of this painting is *Landscape with the Fall of Icarus*. So, can you see where Icarus is? (①) Do you see two legs that are sticking out of the water near the ship? (②) In the myth, Icarus' father made wings for him with feathers and wax and told him to stay away from the sun. (③) However, Icarus didn't listen. (④) He flew too close to the sun. (⑤) So, the wax melted and he fell into the water.

[18~19] 다음 글을 읽고, 물음에 답하시오.

Who do you think he is painting? Take a quick look. The young princess seems to be the main person because she is in the center of the painting. _____ the title of the painting is *The Maids of Honour*. Then, is he drawing the two women beside the princess? Take a close look. It will make you wonder about the painting more. Try to see which direction he is looking at.

18 윗글의 빈칸에 알맞은 것은?

① So   ② But   ③ Because
④ Since   ⑤ For example

19 윗글의 밑줄 친 he가 공통으로 의미하는 것은?

① artist   ② tourist   ③ novelist
④ journalist   ⑤ scientist

20 다음 글의 내용과 일치하지 <u>않는</u> 것은?

> Today, I went to the Amazing Art exhibition. At the exhibition, I saw many interesting pieces of art. Among them, I liked the piece called *Moon Tree*. It was made by French artist, David Myriam. Interestingly, sand was used in this painting. I like it because a tree in the moon makes me feel calm. Now I know that anything can be used to make art. Anything is possible!

① The writer went to the Amazing Art exhibition.
② The piece of art called *Moon Tree* is liked by the writer.
③ David Myriam made *Moon Tree*.
④ David Myriam used sand to create his artwork.
⑤ A tree in the moon makes David Myriam feel calm.

[21~23] 다음 글을 읽고, 물음에 답하시오.

Welcome to the World Art Museum tour. When you go to an art museum, how much time do you ⓐspend looking at each painting? Many visitors glance at one painting for only a few seconds before they move on. But you might miss the important ⓑdetails of paintings ⓒsince it is hard to ⓓnotice them ⓔright away. Today, we'll look at two paintings closely and I'll help you see interesting details.

21 윗글의 밑줄 친 ⓐ~ⓔ의 의미가 알맞지 <u>않은</u> 것은?

① ⓐ: (시간을) 보내다   ② ⓑ: 세부 사항
③ ⓒ: ~ 때문에   ④ ⓓ: ~을 주의하다
⑤ ⓔ: 즉시

22 윗글의 밑줄 친 **they**가 가리키는 것을 영어 한 단어로 쓰시오.

→ _____

23 윗글에서 말하고자 하는 요지로 알맞은 것은?

① 미술관 투어를 자주 해라.
② 미술관에서 많은 시간을 보내라.
③ 그림의 세부 사항에 대해 미리 조사해라.
④ 그림을 힐끗 보며 방문객들과 함께 이동해라.
⑤ 그림을 자세히 보고 흥미로운 세부 사항들을 봐라.

[24~25] 다음 글을 읽고, 물음에 답하시오.

Our first day was terrible. On the way to our guesthouse around Plaza Reial, we got lost in downtown Barcelona. Dad was busy looking at the map and asking for directions with a few Spanish words he got from a tour guidebook. Even though our guesthouse was right next to the Plaza, it took us about two hours to get there. 우리는 너무 피곤해서 저녁을 먹으러 나갈 수가 없었다. I went to bed but couldn't fall asleep because I was worried about what would happen the next day.

서술형
24 윗글의 밑줄 친 우리말을 영작할 때 (조건)에 맞게 빈칸에 알맞은 말을 두 가지로 쓰시오.

(조건)
(1) so를 사용하여 7단어로 쓸 것
(2) too를 사용하여 5단어로 쓸 것

(1) We were _____ for dinner.
(2) We were _____ for dinner.

25 윗글을 읽고 답할 수 있는 질문이 <u>아닌</u> 것은?

① How was the family's first day?
② Where did the family get lost?
③ Where was the guesthouse located?
④ When did the writer's dad study Spanish?
⑤ Why couldn't the writer fall asleep?

기말고사 2회

01 다음 중 두 단어의 관계가 나머지와 <u>다른</u> 것은?

① direct : direction
② inform : information
③ exhibit : exhibition
④ produce : production
⑤ traditional : tradition

02 다음 중 밑줄 친 부분이 <u>어색한</u> 것은?

① <u>Take a look</u> at the list of the classes.
② You can always <u>rely for</u> Michael in a crisis.
③ The baby <u>fell asleep</u> in the bedroom.
④ <u>Even though</u> Lily is very little, she always helps her mother.
⑤ You should not <u>throw away</u> trash in the street.

03 다음 대화의 밑줄 친 부분과 바꿔 쓸 수 있는 것은?

> **A** Which do you prefer, taking photos or drawing pictures?
> **B** <u>I like drawing pictures better than taking photos.</u>

① I'd like to draw pictures and take photos.
② I like drawing pictures as much as taking photos.
③ I like drawing pictures, but I don't like taking photos.
④ I prefer drawing pictures to taking photos.
⑤ I prefer taking photos to drawing pictures.

04 다음 대화의 빈칸에 알맞지 <u>않은</u> 것은?

> **A** I think shopping online is better than shopping at the shops.
> **B** ＿＿＿＿＿＿＿＿＿＿ I can compare prices and buy the cheapest items.

① Same here.
② I agree with you.
③ I'm with you on that.
④ You can say that again.
⑤ I don't think so.

05 서술형

다음 괄호 안의 말을 바르게 배열하여 대화를 완성하시오.

> **A** Jenny, ＿＿＿＿＿＿＿＿＿＿ the new online comic *Scary Night*? (do / you / what / about / think)
> **B** I didn't like it. I thought it had too many sound effects.

06 다음 대화의 밑줄 친 ① ~ ⑤ 중 흐름상 <u>어색한</u> 것은?

> **A** ①<u>Can you help me?</u> ②<u>I don't know how to paint clean lines.</u>
> **B** ③<u>What kind of paint were you using?</u>
> **A** This round brush.
> **B** When you paint lines, a flat brush is better. ④<u>Try this one.</u>
> **A** ⑤<u>Okay, thank you.</u>

07
다음과 같은 상황에서 마지막 질문에 대한 응답으로 알맞은 말을 완성하시오.

> Your friend Jessy thinks she can share travel experiences when she travels in a group. So, she says traveling in a group is better than traveling alone. But you don't think so because you can't make your own travel plans. What can you say in this situation?

→ Jessy, I'm _____ _____

_____ _____ that.

08 다음 중 대화가 어색한 것은?

① A What are you reading, Jina?
   B The novel, *Life of Pi*.
② A Which do you prefer, rock or hip-hop?
   B I don't agree with you.
③ A What do you think about the Sharing Library?
   B I think it's cool.
④ A Have you listened to Jane's new song, *Girl Friend*?
   B Yeah, it's really cool.
⑤ A This machine is much faster than ordering at the counter.
   B I'm with you on that.

09 Which is NOT right for the blank?

> What _____ Willy was doing in his room?

① do you think
② do you know
③ do you believe
④ do you imagine
⑤ do you guess

10 다음 빈칸에 알맞은 것은?

> Sam's parents let him _____ a nature photographer.

① be   ② to be
③ being   ④ to being
⑤ been

11
다음 대화에서 어법상 어색한 부분을 찾아 바르게 고치시오.

> A Can you tell me how often do you go to the amusement park?
> B I go there about once a month.

_____ → _____

12 다음 주어진 우리말을 영어로 알맞게 옮긴 것은 (2개)

> Nick은 너무 어려서 롤러코스터를 탈 수 없다.

① Nick is too young to ride a roller coaster.
② Nick is very young to ride a roller coaster.
③ Nick is so young what he can't ride a roller coaster.
④ Nick is so young that he can't ride a roller coaster.
⑤ Nick is very young that he can't ride a roller coaster.

13 다음 중 밑줄 친 부분의 쓰임이 나머지와 다른 것은?

① Look at the <u>flying</u> bird in the sky.
② Don't be afraid of the <u>barking</u> dogs.
③ I think <u>watching</u> TV is a waste of time.
④ I saw you <u>taking</u> something out of the box.
⑤ Amanda is looking at a <u>burning</u> candle.

14 다음 중 어법상 알맞은 것끼리 짝 지어진 것은?

> (A) Can you open this locking door?
> (B) Henry finally found his lost dog.
> (C) The coach made us to work harder.
> (D) The man wants to know how much the watch is.
> (E) I was so sleepy that I can't open my eyes.

① (A), (B), (D) ② (A), (C), (E)
③ (B), (C), (E) ④ (B), (D)
⑤ (C), (D), (E)

[15~16] 다음 글을 읽고, 물음에 답하시오.

Dear Ron,

　Are you doing well? You may read this letter in 2019. I'm writing this letter to help you remember the greatest moment this year. It was in May at the school festival. You and your best friend, Dave, practiced for a month and won first prize in the singing contest. You felt like you became a real singer. <u>You were very amazing that you couldn't believe it was true.</u> I hope you'll never forget that day.

With love,
Ron Smith

15 서술형
윗글의 밑줄 친 부분에서 틀린 부분을 두 군데 찾아 바르게 고치시오.

_____ → _____

_____ → _____

16 윗글의 Ron에 대한 설명으로 알맞지 <u>않은</u> 것은?

① He is writing this letter to himself.
② He practiced for a month with his friend, Dave for the singing contest.
③ He won first prize in the singing contest.
④ He hopes Dave will never forget that day.
⑤ He felt like he became a real singer.

17 What is the passage mainly about?

> 　Today, I went to the Amazing Art exhibition. At the exhibition, I saw many interesting pieces of art. Among them, I liked the piece called *Moon Tree*. It was made by French artist, David Myriam. Interestingly, sand was used in this painting. I like it because a tree in the moon makes me feel calm. Now I know that anything can be used to make art. Anything is possible!

① Amazing Sand Art
② An Amazing Tree Exhibition
③ A Famous Artwork
④ The Mysterious Moon
⑤ My Favorite Artist

[18~19] 다음 글을 읽고, 물음에 답하시오.

> 　The title of this painting is ⓐ<u>Landscape with the Fall of Icarus</u>. So, can you see where Icarus is? Do you see two legs that are sticking out of the water near the ship? This is Icarus in the famous ⓑ<u>myth</u> in Greece. In the myth, Icarus' father made ⓒ<u>wings</u> for him with ⓓ<u>feathers</u> and ⓔ<u>wax</u> and told him to stay away from the sun. However, Icarus didn't listen. He flew too close to the sun. So, the wax melted and he _____.

18 윗글의 밑줄 친 ⓐ~ⓔ의 의미가 알맞지 <u>않은</u> 것은?

① ⓐ: 토지　② ⓑ: 신화　③ ⓒ: 날개
④ ⓓ: 깃털　⑤ ⓔ: 밀랍

19 윗글의 빈칸에 알맞은 것은?

① flew away
② made new wings
③ fell into the water
④ bought more wax
⑤ listened to his father carefully

20 다음 글의 밑줄 친 **They**가 가리키는 것이 되도록 빈칸에 알맞은 말을 쓰시오.

During the remaining days, we relied more and more on the locals. We were able to meet and talk with various people on the streets, in the bakeries, and in the parks. They were always kind enough to show us different sides of Barcelona with a smile. Also, our family talked a lot with each other. We spent much of our time together on the Spanish train, on the bus, and at the restaurants.

→ The _____

[21~22] 다음 글을 읽고, 물음에 답하시오.

Who do you think he is painting? Take a quick look. The young princess seems (A) to be / being the main person because she is in the center of the painting. But the title of the painting is *The Maids of Honour*. Then, is the artist drawing the two women beside the princess? Take a close look. It will make you (B) wonder / wandering about the painting more. Try (C) to see / seeing which direction the artist is looking at. Can you see the king and the queen in the mirror in the background of the painting? Who do you think he is painting now?

21 윗글의 (A), (B), (C)의 각 네모 안에서 알맞은 것을 각각 고르시오.

22 윗글의 내용과 일치하도록 대화의 빈칸에 알맞은 말을 쓰시오.

A I think the artist is painting the _____ _____.
B Why?
A Because she is in the center of the painting.

[23~25] 다음 글을 읽고, 물음에 답하시오.

ⓐ After looked around Gaudi's Park Guell, we decided ⓑ to have seafood fried rice for lunch. However, we didn't know which restaurant ⓒ to go to. We needed help, so Mom went up to an elderly lady and tried ⓓ to ask for _____ to a popular seafood restaurant. Luckily, she seemed to understand Mom's few Spanish words. She took us to a small local restaurant nearby. The seafood fried rice was amazing. I really wanted ⓔ to take pictures of the food and post them on my blog. But without my phone, I just decided to enjoy the moment.

23 윗글의 밑줄 친 ⓐ~ⓔ 중 어법상 어색한 것은?

① ⓐ   ② ⓑ   ③ ⓒ   ④ ⓓ   ⑤ ⓔ

24 윗글의 빈칸에 알맞은 것은?

① advice   ② directions
③ guidebooks   ④ guesthouses
⑤ technology

25 윗글의 내용을 바르게 이해한 사람이 <u>아닌</u> 것은?

① Jack: The family looked around Gaudi's Park Guell before lunch.
② Sora: The family decided to have seafood fried rice for lunch.
③ Minho: The writer's mom took the family to a small local restaurant nearby.
④ Alan: The seafood fried rice of a small local restaurant was amazing.
⑤ Harper: The writer wanted to post the pictures of the food on his blog, but he couldn't.

01 다음 (보기)와 같이 -ence/-ance를 붙여서 명사를 만들 수 <u>없는</u> 것은?

(보기)

dependent : dependence

① present   ② silent
③ important   ④ fluent
⑤ intelligent

02 다음 영영풀이가 설명하는 단어가 <u>아닌</u> 것은?

ⓐ old and aging
ⓑ to give birth to a baby
ⓒ one of the light soft things that cover a bird's body
ⓓ a book of directions and information for travelers

① bear   ② landscape
③ elderly   ④ feather
⑤ guidebook

03 다음 대화의 빈칸에 알맞은 것은?

A I think watching movies at home is better than watching them at a theater.
B I'm with you on that. _____

① I like action movies.
② I want to watch a movie tonight.
③ I can watch the movie more comfortably.
④ I can't enjoy the large screen and the sound effects.
⑤ I prefer watching movies at a theater to watching them at home.

04 ^{서술형} 다음 대화의 밑줄 친 부분을 바꿔 쓸 때 빈칸에 알맞은 말을 쓰시오.

A <u>What is your opinion of energy drinks?</u>
B I think they are bad. They make us stay awake too long.

→ _____ _____ _____
_____ about energy drinks?

05 다음 대화를 순서대로 바르게 배열한 것은?

(A) What kind of event is it?
(B) It's a hero movie event called The Costume Play.
(C) I'm going to join an event.
(D) Which activity are you going to do?

① (A) – (B) – (D) – (C)
② (A) – (C) – (D) – (B)
③ (C) – (A) – (D) – (B)
④ (D) – (B) – (C) – (A)
⑤ (D) – (C) – (A) – (B)

06 ^{서술형} 다음 Sally의 의견을 읽고 (조건)에 맞게 알맞은 응답을 각각 완성하시오.

Sally I think taking online classes is better than taking offline classes.

(조건)
(1) with를 사용하여 3단어로 쓸 것
(2) with를 사용하여 4단어로 쓸 것

(1) Jack _____ on that.
I can watch the lessons any time.
(2) Anna _____ on that.
I can't focus well outside of the classroom.

[07~08] 다음 대화를 읽고, 물음에 답하시오.

A Hi, we are planning a school festival, so we want to find out students' favorite types of performances. (1)_____

B Sure.

A (2)_____

B I like music performances best.

A Okay. (3)_____

B I prefer rock to hip-hop.

A (4)_____

B My favorite musician is TJ.

A Great. Thank you for your answers.

07 위 대화의 빈칸에 들어갈 말이 <u>아닌</u> 것은?

① Who's your favorite musician?

② May I ask you a few questions?

③ Then, which do you prefer, rock or hip-hop?

④ What do you think about the performance?

⑤ What kind of performance do you like best?

08 What is this dialog about?

① music performances

② kinds of music

③ middle school life

④ an interview of a famous musician

⑤ an interview to plan a school festival

09 다음 빈칸에 알맞은 것은?

> Many shampoos make _____.

① your hair smell good

② your hair smelling good

③ your hair to smell good

④ good your hair to smell

⑤ good your hair smelling

10 다음 우리말을 <조건>에 맞게 영작할 때 빈칸에 알맞은 말을 쓰시오.

> Alan은 너무 배가 고파서 그의 일에 집중할 수가 없다.

> ┌조건┐
> (1) hungry, focus on을 사용하여 5단어로 쓸 것
> (2) hungry, focus on을 사용하여 7단어로 쓸 것

(1) Alan is _____ his work.

(2) Alan is _____ his work.

11 다음 괄호 안에서 알맞은 것끼리 짝 지어진 것은?

> (A) Mike had me (watch / watching) his bag.
> (B) You can see the (shining / shone) jewel in this glass box.
> (C) I love home-(baking / baked) cookies.

	(A)	(B)	(C)
①	watch	shining	baking
②	watch	shining	baked
③	watch	shone	baking
④	watching	shining	baked
⑤	watching	shone	baked

12 다음 두 문장을 한 문장으로 연결하여 쓸 때 문장을 완성하시오.

> Please tell me. + What time does the musical start?
> → Please tell me _____.

13 다음 중 어법상 <u>어색한</u> 것은? (2개)

① Please let me go out and play baseball.

② The police found her stolen wedding ring.

③ Do you think why Jim prepared the party?

④ Peter ran so fast that he can't stop at the finish line.

⑤ Eva held her sleeping baby in her arms.

14 다음 글의 밑줄 친 ① ~ ⑤ 중 흐름상 어색한 것은?

During the remaining days, we relied more and more on the locals. ① We were able to meet and talk with various people on the streets, in the bakeries, and in the parks. ② They were always kind enough to show us different sides of Barcelona with a smile. ③ Also, our family talked a lot with each other. ④ My sister and I thought we needed our smartphones. ⑤ We spent much of our time together on the Spanish train, on the bus, and at the restaurants.

[15~16] 다음 글을 읽고, 물음에 답하시오.

Our technology-free trip was a new and different experience. Before the trip, I was ⓐ_____ dependent ⓑ_____ my smartphone that I couldn't do anything without it. But now I see that I can enjoy the moment without it. From the experience, I have learned the importance of a balanced use of the smartphone. So, next time, would I travel without a smartphone? Probably not. But I will try to use it more wisely.

15 윗글의 빈칸 ⓐ, ⓑ에 알맞은 말을 각각 쓰시오.

ⓐ _____, ⓑ _____

16 What does the underlined 'Probably not.' mean?

① Probably I wouldn't travel to Spain.
② Probably I would learn the importance of traveling.
③ Probably I wouldn't depend on my smartphone.
④ Probably I would travel without a smartphone.
⑤ Probably I wouldn't travel without a smartphone.

[17~19] 다음 글을 읽고, 물음에 답하시오.

Welcome to the World Art Museum tour. When you go to an art museum, how much time do you spend looking at each painting? Many visitors glance at one painting for only a few seconds before they move on. But you might miss the important details of paintings since it is hard to notice them right away. Today, we'll look at two paintings closely and I'll help you see interesting details.

17 서술형
윗글의 밑줄 친 **them**이 가리키는 것을 쓰시오. (단, 5단어로 쓸 것)

→ _____

18 윗글에서 다음 빈칸에 공통으로 알맞은 단어를 찾아 쓰시오.

· Many fish are dying _____ the water is polluted.
· My uncle has driven that red sports car _____ 2015.

19 윗글의 내용과 일치하도록 할 때 질문에 대한 대답으로 알맞은 것은?

Q Why might we miss the important details of paintings?

① Because visitors are too busy.
② Because there are too many visitors in art museums.
③ Because we spend only a few seconds looking at a painting.
④ Because we can't understand the important details of paintings.
⑤ Because we're not interested in the important details of paintings.

20 다음 글의 ①~⑤ 중 주어진 문장이 들어갈 곳으로 알맞은 것은?

> Among them, I liked the piece called *Moon Tree*.

> Today, I went to the Amazing Art exhibition. (①) At the exhibition, I saw many interesting pieces of art. (②) It was made by French artist, David Myriam. (③) Interestingly, sand was used in this painting. (④) I like it because a tree in the moon makes me feel calm. (⑤) Now I know that anything can be used to make art. Anything is possible!

[21~22] 다음 글을 읽고, 물음에 답하시오.

The title of this painting is *Landscape with the Fall of Icarus*. So, 이카로스가 어디에 있는지 보이나요? Do you see two legs that are sticking out of the water near the ship? This is Icarus in the famous myth in Greece. In the myth, Icarus' father made wings for him with feathers and wax and told him to stay away from the sun. However, Icarus didn't listen. He flew too close to the sun. So, the wax melted and he fell into the water.

21 윗글의 밑줄 친 우리말과 뜻이 같도록 괄호 안의 말을 바르게 배열하여 문장을 완성하시오.

→ So, _____?

(is / see / can / you / where / Icarus)

22 윗글을 읽고 답할 수 있는 질문이 아닌 것은?

① What is the title of the painting?
② What did Icarus' father tell Icarus?
③ Did Icarus listen to his father?
④ Why did Icarus' father make wings with feathers and wax?
⑤ What happened to Icarus when he flew too close to the sun?

[23~25] 다음 글을 읽고, 물음에 답하시오.

Later that day, he saw a ⓐdwarf, Doli, in the field. He was trying to get his leg out from under a log. Maibon pulled the log away and freed the dwarf. "You'll have your reward. What do you want?" "I've heard ⓑthat you have magic stones ⓒthat can keep a man young. I want one." "Oh, you humans have it all wrong. Those stones don't make you young again. They only ⓓkeep you from getting older." "Just as good!" Doli tried to explain the problem with the stones, but Maibon didn't listen. So Doli ⓔhanded him a magic stone and went away.

23 윗글에서 다음 영영풀이에 해당하는 단어를 찾아 쓰시오.

> something that you get because you have done something good or helpful

→ _____

24 윗글의 밑줄 친 ⓐ~ⓔ에 대한 설명이 알맞지 않은 것은?

① ⓐ: dwarf와 Doli는 동격이다.
② ⓑ: 목적어절을 이끄는 접속사이다.
③ ⓒ: magic stones를 선행사로 하는 목적격 관계대명사이다.
④ ⓓ: 「keep+목적어+from -ing」는 '목적어가 ~하는 것을 막다'라는 의미이다.
⑤ ⓔ: 「hand+사람(간접목적어)+사물(직접목적어)」은 '~에게 …을 건네다'라는 의미이다.

25 윗글을 읽고, Maibon에 대해 바르게 이해한 사람이 아닌 것은?

① Yuri: He saw a dwarf in the field.
② Sam: He helped a dwarf get his leg out from under a log.
③ Helen: He had heard that a dwarf has magic stones.
④ Eric: He wanted a magic stone that can keep a man young.
⑤ Jim: He tried to explain the problem with the stones.

듣기 실전 모의고사 1회

01 대화를 듣고, 여자의 친구를 그림에서 고르시오.

02 대화를 듣고, 남자의 스마트폰을 찾은 장소를 고르시오.

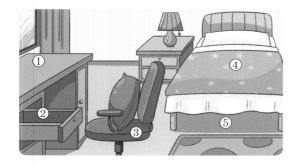

03 다음을 듣고, 내용과 일치하는 그림을 고르시오.

① ③ ⑥   ② ⑥ ③   ③ ③ ⑥

④ ③ ⑥   ⑤ ⑥ ③

04 대화를 듣고, 두 사람이 이용할 교통수단으로 알맞은 것을 고르시오.

① 버스   ② 자가용   ③ 지하철
④ 택시   ⑤ 자전거

05 대화를 듣고, 남자가 주문할 배낭의 가격으로 알맞은 것을 고르시오.

① $10   ② $15   ③ $30
④ $40   ⑤ $55

06 대화를 듣고, 남자의 심경으로 알맞은 것을 고르시오.

① happy   ② angry   ③ relieved
④ worried   ⑤ surprised

07 대화를 듣고, 두 사람이 대화하는 장소로 알맞은 곳을 고르시오.

① bakery   ② supermarket
③ bank   ④ gallery
⑤ fast food restaurant

08 대화를 듣고, 여자의 직업으로 알맞은 것을 고르시오.

① writer   ② librarian
③ detective   ④ police officer
⑤ director

09 대화를 듣고, 남자가 여자를 찾아온 목적으로 알맞은 것을 고르시오.

① 사과하려고
② 이웃에게 인사하려고
③ 첼로 연습을 같이 하려고
④ 8시에 하는 첼로 연주회에 같이 가려고
⑤ 8시 이후에 첼로 연습을 하지 말라고 말하려고

10 대화를 듣고, 이어지는 질문에 알맞은 대답을 고르시오.

① 책   ② 잡지   ③ 옷
④ 장미   ⑤ 음악 CD

11 대화를 듣고, 여자의 마지막 말의 의도로 알맞은 것을 고르시오.

① 감사　　② 걱정　　③ 제안
④ 충고　　⑤ 동의

12 대화를 듣고, 남자가 여행지를 결정한 이유로 알맞은 것을 고르시오.

① 유명한 관광지여서
② 사람들이 붐비지 않아서
③ 만리장성을 볼 수 있어서
④ 더운 여름을 만끽할 수 있어서
⑤ 세계 곳곳의 사람들을 만날 수 있어서

13 대화를 듣고, 남자의 신청서에서 <u>잘못된</u> 것을 고르시오.

Magic Sports Club

① 이름: Eric Brown
② 나이: 15
③ 키: 170 cm
④ 몸무게: 65 kg
⑤ 좋아하는 운동: 수영

14 대화를 듣고, 대화 직후에 두 사람이 할 일로 알맞은 것을 고르시오.

① 미용실에 간다.
② 경기장에 간다.
③ 쇼핑몰에 간다.
④ 패션 잡지를 본다.
⑤ 새 옷들을 입어 본다.

15 대화를 듣고, 내용을 <u>잘못</u> 정리한 것을 고르시오.

①	공연 제목	사물놀이
②	공연 시작 시각	오후 8시
③	남자가 퇴근하는 시각	오후 6시 30분
④	만날 시각	오후 7시 30분
⑤	만날 장소	King 쇼핑 센터 앞

16 대화를 듣고, 여자가 남자에게 조언한 것으로 알맞은 것을 고르시오.

① 쇼핑을 자주 해라.
② 쇼핑을 짧은 시간에 해라.
③ 쇼핑은 할인 기간을 이용해라.
④ 쇼핑에 많은 돈을 쓰지 마라.
⑤ 쇼핑 가기 전에 목록을 작성해라.

17 대화를 듣고, 남자의 상황에 어울리는 속담을 고르시오.

① Clothes make the man.
② Blood is thicker than water.
③ In one ear and out the other.
④ Kill two birds with one stone.
⑤ The grass is always greener on the other side of the fence.

18 대화를 듣고, 두 사람의 대화가 <u>어색한</u> 것을 고르시오.

① 　　② 　　③ 　　④ 　　⑤

19 대화를 듣고, 여자의 마지막 말에 이어질 남자의 응답으로 가장 알맞은 것을 고르시오.

Man _____

① I like Chinese food.
② I'd like to eat Italian food.
③ I'll eat Chinese food this Sunday.
④ I usually cook in my free time.
⑤ I go to the Italian restaurant once a week.

20 다음을 듣고, 다음과 같은 상황에서 소라가 할 말로 알맞은 것을 고르시오.

Sora _____

① I prefer rock to hip-hop.
② Listen to the music as loudly as you want.
③ I'd like to go to the rock concert with you.
④ I think you shouldn't play the music too loud.
⑤ My mom wants to listen to music with us.

01 대화를 듣고, 여자의 학생증을 찾은 곳을 고르시오.

02 대화를 듣고, 내일의 날씨로 알맞은 것을 고르시오.

① ② ③

④ ⑤

03 대화를 듣고, 내용과 어울리는 표지판을 고르시오.

① ② ③

④ ⑤

04 대화를 듣고, 남자가 주문한 음식으로 알맞은 것을 고르시오.

① 감자 수프, 적당히 익힌 스테이크, 아이스 커피
② 감자 튀김, 적당히 익힌 스테이크, 아이스 티
③ 감자 튀김, 잘 익힌 스테이크, 아이스 커피
④ 감자 수프, 적당히 익힌 스테이크, 아이스 티
⑤ 감자 수프, 잘 익힌 스테이크, 아이스 티

05 대화를 듣고, 여자의 직업으로 알맞은 것을 고르시오.

① writer ② curator
③ movie star ④ hair stylist
⑤ fashion designer

06 다음을 듣고, 민호가 야구 모자를 사는 데 얼마를 썼는지 고르시오.

① $10 ② $20 ③ $30
④ $40 ⑤ $50

07 대화를 듣고, 두 사람이 대화하는 장소로 알맞은 곳을 고르시오.

① At a zoo ② At a park
③ At a pet shop ④ At a classroom
⑤ At a theater

08 대화를 듣고, 여자의 심경으로 알맞은 것을 고르시오.

① pleased ② dissatisfied
③ worried ④ frightened
⑤ embarrassed

09 대화를 듣고, 두 사람의 관계로 알맞은 것을 고르시오.

① 교사 – 학부모 ② 치과 의사 – 환자
③ 엄마 – 아들 ④ 상담사 – 학생
⑤ 승무원 – 승객

10 다음을 듣고, 여자가 메시지를 남긴 목적으로 알맞은 것을 고르시오.

① 약속 장소를 정하려고
② 약속 장소를 물어보려고
③ 약속 시간을 바꾸려고
④ 빨리 오라고 재촉하려고
⑤ 약속 시간이 맞는지 확인하려고

11 대화를 듣고, 남자가 가장 좋아하는 스포츠로 알맞은 것을 고르시오.

① 농구 ② 축구 ③ 조깅
④ 배구 ⑤ 수영

12 대화를 듣고, 오늘날의 대중음악에 대한 여자의 생각으로 알맞은 것을 고르시오.

① 가사가 쉽다.
② 가사가 아름답다.
③ 노래가 신난다.
④ 모든 노래가 똑같다.
⑤ 가수들이 재능이 없다.

13 대화를 듣고, Owen의 작년과 올해의 키가 바르게 짝지어진 것을 고르시오.

	작년	올해
①	150 cm	160 cm
②	155 cm	160 cm
③	155 cm	165 cm
④	160 cm	165 cm
⑤	160 cm	170 cm

14 다음을 듣고, 영어를 잘 말하는 방법으로 언급되지 <u>않은</u> 것을 고르시오.

① 영어 노래 듣기
② 영어 잡지 읽기
③ 영어 발음 연습하기
④ 영어 TV 프로그램 보기
⑤ 친구와 영어로 말하기

15 대화를 듣고, 내용을 <u>잘못</u> 정리한 것을 고르시오.

① Come and Join the DIY Drone Class
② You Can Make Your Own Drone
③ On Tuesday and Thursday
④ We meet at 4:00 p.m.
⑤ In classroom 5B

16 대화를 듣고, 여자가 무엇에 대한 고민을 상담하고 있는지 고르시오.

① 진로 ② 종교 ③ 친구
④ 외모 ⑤ 성적

17 대화를 듣고, 남자의 상황에 어울리는 속담을 고르시오.

① 시작이 반이다.
② 쇠뿔도 단김에 빼라.
③ 끝이 좋으면 만사가 좋다.
④ 놀지 않고 일만 하면 바보가 된다.
⑤ 건강한 육체에 건전한 정신이 깃든다.

18 대화를 듣고, 다음 그림의 상황에 가장 알맞은 대화를 고르시오.

① ② ③ ④ ⑤

[19~20] 대화를 듣고, 여자의 마지막 말에 이어질 남자의 응답으로 가장 알맞은 것을 고르시오.

19 Man _____

① That's surprising!
② I'm with you on that.
③ I'm glad to hear that.
④ I like buying secondhand things, too.
⑤ I prefer shopping at a flea market to shopping at a shopping mall.

20 Man _____

① I think it's wonderful.
② I want you to be a hair designer.
③ You shouldn't go to the hair salon.
④ Your hair is as short as mine.
⑤ I think you'd better change your hairstyle back.

스페인의 전통 음식

스페인에서는 하루에 5끼를 먹는다고 해요. 아침은 우리와 별 차이가 없지만 점심은 2시에서 4시 사이에, 저녁은 오후 9시가 넘어서 먹어요. 시에스타라는 낮잠을 자고 일과를 마치면 오후 8시가 되기 때문에 사이사이에 간단한 간식을 하는 것에서 1일 5식 문화가 생겼어요.

• 파에야 (paella)

파에야는 쌀과 고기, 해산물, 채소를 넣고 만든 요리로 사프란이라는 노란색 향신료가 들어가 특유의 노란색을 띠고 있어요. 8세기경 아랍 문명의 지배를 받던 시대에 쌀이 스페인으로 처음 들어오면서 파에야와 유사한 음식을 먹기 시작한 것으로 알려져 있으며 19세기에 들어 파에야라는 명칭을 갖게 되었어요.

• 하몽 (jamon)

돼지 뒷다리의 넓적다리 부분을 통째로 잘라 소금에 절여 동굴과 같은 그늘에서 곰팡이가 피도록 약 6개월에서 2년 정도 건조ㆍ숙성시켜 만든 생햄이에요. 맛이 오랫동안 변하지 않고 유지되는 특징이 있죠. 하몽 자체를 얇게 잘라 먹기도 하며, 샌드위치와 같은 음식에 곁들여 먹기도 한답니다.

• 타파스 (tapas)

간식과 식사 전에 술과 곁들여 간단히 먹는 소량의 음식을 통틀어서 타파스라고 말해요. 일반적으로 음식을 한 입 크기로 만들어 이쑤시개에 꽂거나 소량씩 그릇에 담아 먹는데요. 치즈, 햄, 튀김, 미트볼, 빵 등 무엇이든 타파스가 될 수 있어요.

공부코스 C

교과서
Key Note

■ 지금까지 배운 단어를 얼마나 기억하고 있는지 확인해 봅시다.

- □ advice [ədváis] 명 ❶ _____
- □ alone [əlóun] 부 홀로, 혼자
- □ avoid [əvɔ́id] 동 피하다
- □ contact [kántækt] 명 접촉, 동 ❷ _____
- □ difficult [dífikʌlt] 형 어려운
- □ elementary [èləméntəri] 형 초보의, 초급의
- □ fear [fiər] 명 ❸ _____
- □ forgive [fərgív] 동 용서하다
- □ haircut [hέərkʌt] 명 ❹ _____
- □ hurt [həːrt] 동 다치게 하다, 아프게 하다
- □ limit [límit] 명 ❺ _____
- □ line [lain] 명 (연극, 영화의) 대사
- □ matter [mǽtər] 명 문제, 동 중요하다
- □ mean [miːn] 동 의도하다, 작정하다
- □ raise [reiz] 동 기르다
- □ reason [ríːzən] 명 ❻ _____
- □ regularly [régjulərli] 부 규칙적으로, 정기적으로
- □ since [sins] 전 ❼ _____

- □ stand [stænd] 동 ❽ _____
- □ stuff [stʌf] 명 물건, 재료
- □ suggestion [səgdʒéstʃən] 명 ❾ _____
- □ upset [ʌ̀psét] 형 속상한, 마음이 상한
- □ worry [wə́ːri] 명 걱정, 동 걱정하다
- □ yell [jel] 동 소리치다, 소리 지르다
- □ yet [jet] 부 ❿ _____
- □ face a problem ⓫ _____
- □ focus on ~에 집중하다
- □ in the end ⓬ _____
- □ let it go ⓭ _____
- □ make a mistake 실수하다
- □ on purpose 고의로, 일부러
- □ point out ⓮ _____
- □ put ~ down ~을 깎아내리다
- □ set an alarm 자명종을 맞추다
- □ up and down 좋다가 나쁘다가 하는
- □ work out ⓯ _____

● 우리말을 참고하여 빈칸에 알맞은 말을 써 봅시다.

- □ Should I ⓰ _____ her name all over the place?   내가 사방에 그녀의 이름을 **소리쳐 불러야** 할까?
- □ Yuri has to memorize many ⓱ _____ for her school play.   유리는 학교 연극을 위해 많은 **대사들을** 암기해야 한다.
- □ Sam didn't ⓲ _____ to break Jack's glasses.   Sam은 Jack의 안경을 깨뜨릴 **의도는** 아니었다.
- □ I think you should not ⓳ _____ your friend's feelings.   내 생각에 너는 친구의 **감정을 상하게** 해서는 안 된다.
- □ Please ⓴ _____ me for losing your new umbrella.   네 새 우산을 잃어버린 걸 **용서해** 줘.
- □ I don't like to eat ㉑ _____ at a restaurant.   나는 식당에서 **혼자** 식사하는 것을 좋아하지 않는다.
- □ Max ㉒ _____ using his smartphone when other people were in the room.   Max는 방에 다른 사람들이 있을 때는 스마트폰 사용을 **피했다**.
- □ Our feelings are always going ㉓ _____.   우리의 감정은 항상 **좋다가 안 좋다가** 한다.
- □ Jack always ㉔ _____ my band _____.   Jack은 항상 나의 밴드를 **깎아 내린다**.
- □ Sometimes the students use slang ㉕ _____.   때때로 그 학생들은 **일부러** 속어를 사용한다.

정답

❶ 조언, 충고 ❷ 접촉하다 ❸ 두려움, 공포 ❹ 이발, 머리 깎기 ❺ 한계, 제한 ❻ 이유, 까닭 ❼ ~부터, ~ 이후 ❽ 참다, 견디다 ❾ 제안 ❿ (부정문에서) 아직 ⓫ 문제에 직면하다 ⓬ 결국, 마침내 ⓭ 그쯤 해 두다, 내버려 두다 ⓮ 지적하다 ⓯ 해결하다 ⓰ yell ⓱ lines ⓲ mean ⓳ hurt ⓴ forgive ㉑ alone ㉒ avoided ㉓ up and down ㉔ puts, down ㉕ on purpose

좋지 않은 감정을 느끼게 된 원인 묻기 / 고민을 해결할 방법 제안하기

- **좋지 않은 감정을 느끼게 된 원인 묻기**
  - What's the matter (with you)?
  - What's wrong (with you)?
  - What's up? / What happened (to you)?
  - What's the problem?

- **좋지 않은 감정을 느끼게 된 원인 대답하기**
  - I have a lot of things to do.
  - My teeth hurt badly.
  - I couldn't sleep well at night.
  - We lost the soccer game.

- **고민을 해결할 방법 제안하기**
  - I think you should ~ / I advise you to ~
  - You'd better ~ / I suggest that you ~
  - Why don't you ~? / How [What] about -ing ~?

- **고민을 해결할 방법 묻기**
  - What should [can] I do?
  - What do you suggest?
  - What would you advise me to do?

● 교과서의 듣기 대본을 완성해 봅시다.

Listen & Talk 1

W   You look tired. What's ❶ _____ _____ ?

M   I didn't have breakfast this morning. I'm so hungry.

W   Oh, that's too bad. We still have two more hours until ❷ _____ _____ .

M   Our school should have a ❸ _____ _____ . Then, we could have a quick breakfast or snacks.

W   I ❹ _____ _____ , too. How can we make that suggestion?

M   We can post it on the ❺ _____ _____ .

Listen & Talk 2

M   Ms. Morris, I just can't stop playing computer games. ❻ _____ should I do?

W   Well, why don't you use a special program? When you set a time limit, the computer ❼ _____ _____ at that time.

M   Oh, that's a good idea.

W   And ❽ _____ _____ you _____ move the computer out of your room and into the living room.

M   I think I should. Thank you for the ❾ _____ , Ms. Morris.

Communication

M   Hello, you're on the air. / **W**   Hi, Solomon. I'm Amy. / **M**   Hi, Amy. What's the matter?

W   I hate ❿ _____ my room with my little sister. She uses my stuff without ⓫ _____ me first. What should I do?

M   Hmm.... I think ⓬ _____ _____ tell her your feelings. And you should also make some rules with your sister.

W   Oh, I'll try that. Thanks for the advice.

정답

❶ the matter [problem] ❷ lunch break ❸ snack bar ❹ think so ❺ suggestion board ❻ What ❼ shuts down ❽ I think, should ❾ advice ❿ sharing ⓫ asking ⓬ you should

Lesson 05   Vocabulary & Grammar

Vocabulary

- **problem과 함께 쓰이는 동사**

  problem은 '문제'라는 뜻으로 face, focus on, solve 등의 동사와 쓰여 '문제를 ~하다'라는 의미를 나타낸다.

  - face a problem: 문제에 직면하다
  - focus on a problem: 문제에 집중하다
  - solve a problem: 문제를 풀다
  - fix a problem: 문제를 해결하다

  (e.g.) We'd better **focus on the problem** at hand.   우리는 당면한 문제에 집중하는 게 좋겠다.

- **mistake와 함께 쓰이는 동사**

  mistake는 '실수'라는 뜻으로 make, point out, repeat 등의 동사와 쓰여 '실수를 ~하다'라는 의미를 나타낸다.

  - make a mistake: 실수하다
  - point out a mistake: 실수를 지적하다
  - repeat a mistake: 실수를 반복하다
  - admit a mistake: 실수를 인정하다

  (e.g.) Please **point out mistakes** in my report.   내 보고서의 실수들을 지적해 주세요.

Grammar

1 현재완료

- **쓰임**: 현재완료는 과거에 일어난 일이 현재까지 영향을 미칠 때 쓰며, 「have [has]+과거 분사」로 나타낸다. 특정 과거 시점을 나타내는 부사(구)나 when이 이끄는 부사절과는 함께 쓸 수 없다.

	현재완료	과거
형태	have [has]+과거 분사	규칙, 불규칙 동사의 과거형
의미	경험, 계속, 완료, 결과	과거에 있었던 사건이나 행동

- **의미**

  ① **경험**: '~한 적이 있다'라는 뜻으로 과거에 한 번 이상 되풀이된 행동을 나타낼 때 쓰며, 주로 ever, never, before, 횟수를 나타내는 부사(구)(once, twice, three times ...)와 함께 쓴다.

  (e.g.) Ann **has been** to Sweden twice.   Ann은 스웨덴에 두 번 가 본 적이 있다.

  ② **계속**: '~해 오고 있다'라는 뜻으로 과거에 시작된 일이나 상태가 지금까지 이어지고 있음을 나타내며, 「for+시간의 길이(~동안)」, 「since+시작한 시점(~ 이후로)」 등과 함께 쓴다.

  (e.g.) They **have been** best friends since childhood.   그들은 어린 시절부터 가장 친한 친구였다.

  ③ **완료**: '(최근에, 지금 막) ~해 버렸다'라는 뜻으로 과거에 시작된 일이 현재는 끝난 경우에 쓰며, already, yet, just 등의 부사와 함께 쓴다.

  (e.g.) I **have** just **arrived** at the airport.   나는 방금 공항에 도착했다.

  ④ **결과**: '(과거에) ~해서 (현재) …하다'라는 뜻으로 과거에 일어난 일로 인해 현재의 결과가 남은 경우에 쓴다.

  (e.g.) Lily **has gone** to Rome, Italy. (So, she isn't here now.)   Lily는 이탈리아의 로마에 가고 없다. (그래서 지금 여기 없다.)

2 목적격 관계대명사

- **역할과 종류**: 관계대명사가 관계대명사절에서 목적어 역할을 할 때 목적격 관계대명사라고 한다. 선행사가 사람인 경우에는 whom 또는 who를, 사물이나 동물인 경우에는 which를 사용한다. who(m)와 which는 that으로 바꿔 쓸 수 있다.

  (e.g.) I'm sure there is a reason **which** [**that**] we don't know about.   나는 우리가 모르는 이유가 있다고 확신한다.

- **목적격 관계대명사의 생략**: 목적격 관계대명사는 대개 생략이 가능하다.

  (e.g.) I'm afraid of talking with people (**who** [**whom**]) I don't know well.   나는 잘 모르는 사람들과 이야기하는 것이 두렵다.

■ 다음 문제를 풀어 보면서 어휘 내용을 복습해 봅시다.

1 다음 빈칸에 들어갈 수 <u>없는</u> 것을 오른쪽에서 고르시오.

_____ a problem	• solve • win • fix

2 다음 괄호 안에서 알맞은 것을 고르시오.

(1) Newspaper reporters focus (on / out) political problems. 신문 기자들은 정치 문제에 집중한다.

(2) The professor pointed (on / out) several of Mark's mistakes. 그 교수는 Mark의 실수 몇 가지를 지적했다.

3 다음 우리말과 뜻이 같도록 빈칸에 알맞은 말을 쓰시오.

(1) We _____ a serious environmental _____. 우리는 심각한 환경 문제에 직면하고 있다.

(2) Be careful not to _____ a _____ like this again. 이런 실수를 또다시 하지 않도록 주의해라.

■ 다음 문제를 풀어 보면서 문법 내용을 복습해 봅시다.

1 다음 괄호 안에서 알맞은 것을 고르시오.

(1) Kate (lived / has lived) alone for two years. Kate는 2년 동안 혼자 살고 있다.

(2) I (lost / have lost) my credit card last week. 나는 지난주에 내 신용카드를 잃어버렸다.

(3) The soccer player (broke / has broken) his leg before. 그 축구 선수는 전에 다리가 부러진 적이 있다.

2 다음 우리말과 뜻이 같도록 괄호 안의 말을 이용하여 빈칸에 알맞은 말을 쓰시오.

(1) We _____ to Italy once. (travel) 우리는 이탈리아를 한 번 여행한 적이 있다.

(2) Jenny _____ here for 10 years. (work) Jenny는 이곳에서 10년간 일해 오고 있다.

(3) The train _____ from the station. (already depart) 열차가 이미 역을 떠났다.

(4) Mr. Dale _____ his dog in the accident. (lose) Dale 씨는 사고로 반려견을 잃어서 지금 없다.

3 다음 빈칸에 알맞은 관계대명사를 쓰시오.

(1) Did you find the ring _____ your boyfriend gave to you? 너 남자친구가 준 반지 찾았니?

(2) The woman _____ I saw in the cafe was very rude. 내가 카페에서 본 여자는 매우 무례했다.

(3) I lost the book _____ I borrowed from the library. 나는 도서관에서 빌린 책을 잃어버렸다.

4 다음 밑줄 친 부분이 생략 가능하면 ○, 그렇지 않으면 ×로 표시하시오.

(1) I like that man <u>who</u> you brought to my party. ( )

나는 네가 내 파티에 데려온 저 남자가 마음에 든다.

(2) I have a necklace <u>which</u> is made of gold. ( ) 나는 금으로 만들어진 목걸이를 가지고 있다.

(3) The coffee <u>which</u> she made is very strong. ( ) 그녀가 만든 커피는 매우 진하다.

정답

1 win 2 (1) on (2) out 3 (1) face, problem (2) make, mistake

1 (1) has lived (2) lost (3) has broken 2 (1) have traveled (2) has worked (3) has already departed (4) has lost

3 (1) which [that] (2) who(m) [that] (3) which [that] 4 (1) ○ (2) × (3) ○

■ 교과서의 리딩 본문을 완성해 봅시다.

Voices in Our Mind

Bella is 15 years old ❶_____ _____ and these days her feelings are going ❷_____ _____ _____. Today, she ❸_____ _____. Let's listen to Bella's feelings and ❹_____ _____ why.

❶ 올해 ❷ 좋다가 나쁘다가 하는 ❸ 우울해 보이다 ❹ 알아보다

Day 1

Anger ❺_____ _____ _____! I can't believe Jenny ❻_____ _____ Bella after the school play.

Sadness Well, ❼_____ _____ Bella forgot her ❽_____ on stage.

Anger Jenny ❾_____ _____ the mistake that Bella made. How could she do that ❿_____ _____ _____ everyone?

Joy But I'm sure Jenny did not ⓫_____ _____ hurt Bella. They ⓬_____ _____ best friends ⓭_____ elementary school. Remember?

Anger That's ⓮_____ I'm saying. A true friend would never ⓯_____ Bella _____ like that.

Fear I'm worried that they are ⓰_____ going to be friends _____.

Joy Come on, Fear. Don't ⓱_____ _____ _____. We'll see.

❺ 정말 끔찍한 하루야! ❻ ~에게 소리 질렀다 ❼ 그것은 ~이기 때문이다 ❽ 대사 ❾ 지적했다 ❿ ~의 앞에서 ⓫ ~하려고 의도하다 ⓬ (계속) ~였다 ⓭ ~ 이후로 ⓮ ~ 것 (관계대명사) ⓯ ~을 깎아내리다 ⓰ 더 이상 ~ 않는 ⓱ 극단적으로 생각하다

Day 2

Anger   I can't forgive Jenny. She ①_____ _____ _____ to Bella.

Fear   Jenny didn't ②_____ look at her. Jenny has never been ③_____ _____ before.

Sadness   Bella ate ④_____ during lunch today. ⑤_____ Bella!

Joy   Jenny is Bella's best friend. ⑥_____ _____ there is a ⑦_____ _____ we don't know about.

Anger   I ⑧_____ _____ this any longer. Bella should just go and tell her about her ⑨_____.

Fear   I don't want Bella ⑩_____ _____ _____ again. She should ⑪_____ _____ _____.

Joy   They are good friends. They will ⑫_____ it _____.

❶ 한마디도 안 했다 ❷ 심지어 ❸ 이렇게 차가운 ❹ 홀로, 혼자서 ❺ 불쌍한, 가엾은 ❻ 나는 ~라고 확신한다 ❼ ~한 이유 (선행사+관계대명사)
❽ 참을 수 없다 ❾ 감정 ❿ 상처 받는 것을 (목적격 보어) ⓫ 내버려 두다 ⓬ 해결하다

Day 3

Joy   Whew! I'm so ⑬_____ _____ they are talking again.

Anger   Yeah, Bella went to Jenny and talked to her ⑭_____.

Joy   Jenny didn't avoid Bella ⑮_____ _____.

Sadness   Yeah, Jenny didn't know a way to ⑯_____ _____.

Fear   I hope Bella doesn't have any more problems ⑰_____ _____.

Joy   Me, too. But problems are part of ⑱_____ _____. Just like this time, Bella will ⑲_____ the problems, solve them, and become wiser ⑳_____ _____ _____.

⑬ ~해서 기쁜 ⑭ 먼저 ⑮ 일부러 ⑯ 사과하다 ⑰ 이와 같은 ⑱ 성장 (동명사구) ⑲ 직면하다 ⑳ 결국, 마침내

■ 지금까지 배운 단어를 얼마나 기억하고 있는지 확인해 봅시다.

- □ adventurous [ədvéntʃərəs] 형 모험심이 강한, 모험적인
- □ allow [əláu] 동 ❶ _____
- □ appear [əpíər] 동 ❷ _____
- □ approach [əpróutʃ] 동 다가가다, 다가오다
- □ attack [ətǽk] 동 공격하다, 습격하다
- □ blind [blaind] 형 눈먼, 시각 장애인인
- □ careless [kέərlis] 형 ❸ _____
- □ curious [kjúəriəs] 형 궁금한, 호기심이 많은
- □ dangerous [déindʒərəs] 형 ❹ _____
- □ feed [fi:d] 동 ❺ _____
- □ female [fí:meil] 형 암컷의
- □ giant [dʒáiənt] 형 거대한, 명 ❻ _____
- □ hole [houl] 명 구덩이, 구멍
- □ humorous [hjú:mərəs] 형 재미있는, 유머러스한
- □ insect [ínsekt] 명 곤충, 벌레
- □ language [lǽŋgwidʒ] 명 ❼ _____
- □ lifeless [láiflis] 형 ❽ _____
- □ rescue [réskju:] 명 ❾ _____

- □ restless [réstlis] 형 가만히 못 있는
- □ seem [si:m] 동 ~처럼 보이다
- □ sense [sens] 명 ❿ _____
- □ shelter [ʃéltər] 명 ⓫ _____
- □ strength [streŋθ] 명 힘
- □ tail [teil] 명 꼬리
- □ thick [θik] 형 두꺼운, 굵은
- □ throughout [θru:áut] 전 ⓬ _____
- □ tongue [tʌŋ] 명 혀
- □ trunk [trʌŋk] 명 (코끼리의) 코
- □ unbelievably [ʌnbilívəbli] 부 ⓭ _____
- □ wild [waild] 명 야생, 형 야생의
- □ become part of ~의 일원(일부)이 되다
- □ care for ~을 돌보다
- □ keep one's eyes on ⓮ _____
- □ next to ~의 바로 옆에
- □ take a picture of ~의 사진을 찍다
- □ thanks to ⓯ _____

● 우리말을 참고하여 빈칸에 알맞은 말을 써 봅시다.

- □ A dog was digging a ⓰ _____ in the ground. 개 한 마리가 땅에 **구덩이**를 파고 있었다.
- □ When you ⓱ _____ the village, you'll see a big tree on your right. 그 마을에 **다가가면** 오른편으로 커다란 나무가 보일 것이다.
- □ The ice was ⓲ _____ enough to walk on. 얼음은 그 위를 걸을 수 있을 만큼 충분히 **두꺼웠다**.
- □ Nicole studies ⓳ _____ flowers. Nicole은 **야생**화를 연구한다.
- □ The old man was ⓴ _____ and his money was stolen. 그 노인은 **공격**을 받았고 돈을 도둑맞았다.
- □ The zookeeper called the ㉑ _____ panda "Rara." 그 사육사는 **암컷** 판다를 '라라'라고 불렀다.
- □ David ㉒ _____ to concentrate on his work. David는 그의 일에 집중하고 있는 **것처럼 보인다**.
- □ Jenny ㉓ _____ a lot of _____ African animals. Jenny는 아프리카 동물들의 **사진을** 많이 **찍었다**.
- □ There are some deer ㉔ _____ the river. 강 **바로 옆에** 사슴 몇 마리가 있다.
- □ I ㉕ _____ sick children at a children's hospital. 나는 소아 병동에서 아픈 아이들을 **돌본다**.

정답

❶ 허락하다 ❷ 나타나다 ❸ 부주의한 ❹ 위험한 ❺ 우유를 먹이다, 먹이를 주다 ❻ 거인 ❼ 언어 ❽ 죽은, 생명이 없는 ❾ 구조 ❿ 감각 ⓫ 보호소 ⓬ ~동안 쪽, 내내 ⓭ 믿을 수 없을 정도로 ⓮ ~에서 눈을 떼지 않다 ⓯ ~ 덕분에 ⓰ hole ⓱ approach ⓲ thick ⓳ wild ⓴ attacked ㉑ female ㉒ seems ㉓ took, pictures of ㉔ next to ㉕ care for

궁금한 일 표현하기 / 비교해 표현하기

- **궁금한 일 표현하기**
  - I'm curious about ~. / I wonder ~.
  - I want to know ~. / I'd be interested to ~.

- **궁금한 일 묻기**
  - Can someone tell me about ~?
  - Are you curious about ~?

- **비교해 표현하기**
  - Her wedding dress is as white as snow.
  - Cats aren't as intelligent as dolphins.
  - Andrew is the same age as Cathy is.
  - Sally's backpack and mine are the same.
  - My sister and I look alike.
  - Your watch is similar to mine in shape and color.

- **비교해 묻기**
  - Who is faster, Superman or Batman?
  - Which is bigger, this box or that one?
  - Which do you like better, music or science?

- 교과서의 듣기 대본을 완성해 봅시다.

Listen & Talk 1

W Do you think we can be friends with lions, Todd?

M No, Clare. I don't ❶_____ _____.

W Well, I watched a video clip about ❷_____ between two men and a lion.

M Really? I'm ❸_____ about the story. Can you tell me more?

W The two men raised a baby lion and sent her back into the ❹_____. When the men and the lion met a year later, she remembered them.

M Wow, that's so ❺_____.

Listen & Talk 2

M Hi, I'm Toby. I'm going to give a ❻_____ about the blue whale. It's the biggest sea animal in the world. ❼_____ _____ is it? Well, it's about 30 m long. That means it's ❽_____ than a basketball court. Another interesting thing is that its tongue is ❾_____ heavy _____ an elephant! Surprising, isn't it?

Communication

W Hello, Dr. Watson. Can you tell us about your ❿_____?

M I study animals that lived millions of years ago.

W Oh, I'm ⓫_____ about those animals. Were there any interesting ones?

M Yes, there were many. This is the giant kangaroo. It lived in Australia. It was ⓬_____ heavy _____ three men and it couldn't ⓭_____ well.

W That's amazing!

정답

❶ think so ❷ friendship ❸ curious ❹ wild ❺ touching ❻ presentation ❼ How big ❽ longer ❾ as, as ❿ study ⓫ curious ⓬ as, as ⓭ jump

Vocabulary

- **형용사형 접미사 「명사+-less」**

  명사에 접미사 -less를 붙이면 '~이 없는'이라는 부정의 의미를 내포하는 형용사가 된다.

  - care+-less = careless (부주의한)
  - rest+-less = restless (가만히 못 있는)
  - life+-less = lifeless (죽은, 생명이 없는)
  - use+-less = useless (쓸모없는)

  (e.g.) Forgive my **careless** words.　나의 부주의한 말을 용서해 줘.

- **형용사형 접미사 「명사+-ous」**

  명사의 어근에 -ous를 붙이면 '그와 같은 성질, 특징을 많이 가진'을 표현하는 형용사가 된다.

  - adventure+-ous = adventurous (모험심이 강한)
  - humor+-ous = humorous (재미있는)
  - danger+-ous = dangerous (위험한)
  - mystery+-ous = mysterious (신비로운)

  (e.g.) The audience laughed at the comedian's **humorous** stories.　관객들은 그 코미디언의 재미있는 이야기에 웃었다.

Grammar

1 가주어(it) ~ 진주어(to부정사)

- **to부정사의 명사적 용법:** 「to+동사원형」의 형태로 쓰이는 to부정사는 문장에서 명사처럼 쓰여, 주어, 목적어, 보어 역할을 한다.

  (e.g.) **To see** you reading books is surprising. 〈주어 역할: ~하는 것은〉 네가 책을 읽는 것을 보는 것은 놀랍다.

  My favorite thing is **to watch** interesting video clips on YouTube. 〈보어 역할: ~하는 것(이다)〉
  내가 가장 좋아하는 일은 유튜브로 재미있는 동영상들을 보는 것이다.

  The people started **to run** after the pickpocket. 〈목적어 역할: ~하기를〉 사람들이 소매치기를 뒤쫓아 달리기 시작했다.

- **It(가주어) ~ to부정사(진주어):** to부정사가 명사적 용법 중 주어로 쓰인 경우 It을 사용하여 「It ~ to부정사」 형태로 바꿔 쓸 수 있는데, 이때 It을 '가주어', to부정사를 '진주어'라고 한다.

  (e.g.) **To stay** alone in such a wild area is dangerous.

  → **It** is dangerous **to stay** alone in such a wild area.　그러한 야생 지역에서 혼자 있는 것은 위험하다.
  　　가주어　　　　　　　　　진주어

2 원급 비교

- **원급 비교:** 두 개의 대상을 서로 비교하여 정도가 같을 때 사용하는 표현이다.

긍정문	as+형용사[부사]의 원급+as ~	…만큼 ~한[하게]
부정문	not as [so]+형용사[부사]의 원급+as ~	…만큼 ~하지 않은[않게]

  (e.g.) Stella's eyes were **as bright as** stars.　Stella의 눈은 별처럼 밝았다.

  A football stadium is **not as** [**so**] **clean as** a library.　축구 경기장은 도서관만큼 깨끗하지 않다.

- **A not as [so]+원급+as B = B+비교급+than A**

  (e.g.) My hair is**n't as long as** my mother's.　내 머리카락은 엄마 머리카락만큼 길지 않다.

  = My mother's hair is **longer than** mine.　엄마 머리카락은 내 머리카락보다 길다.

  Dogs can't see **as well as** humans.　개들은 사람만큼 잘 볼 수 없다.

  = Humans can see **better than** dogs.　사람은 개들보다 잘 볼 수 있다.

■ 다음 문제를 풀어 보면서 어휘 내용을 복습해 봅시다.

1 다음 괄호 안에서 알맞은 것을 고르시오.

(1) The car accident was because of (careful / careless) driving. 그 교통사고는 부주의한 운전 때문이었다.

(2) Jane lives an (adventurous / adventure) life in the jungle. Jane은 정글에서 모험적인 삶을 살아간다.

2 다음 밑줄 친 단어를 알맞은 형태로 고치시오.

(1) Matthew was rest and couldn't sit still then. Matthew는 그때 어쩔 줄 몰라서 안절부절못했다.

(2) Lora loves humor people. Lora는 재미있는 사람들을 좋아한다.

3 다음 우리말과 뜻이 같도록 빈칸에 알맞은 말을 쓰시오.

(1) Stop wasting money on _____ stuff. 쓸모없는 물건에 돈을 낭비하는 것을 멈춰라.

(2) It's _____ to drive when you are sleepy. 졸릴 때 운전하는 것은 위험하다.

■ 다음 문제를 풀어 보면서 문법 내용을 복습해 봅시다.

1 다음 문장을 가주어 **It**으로 시작하는 문장으로 바꿔 쓸 때 빈칸에 알맞은 말을 쓰시오.

(1) To break a bad habit is difficult.

→ _____ is difficult _____. 나쁜 습관을 버리는 것은 어렵다.

(2) To eat dinner in a restaurant is expensive.

→ _____ is expensive _____. 식당에서 저녁을 먹는 것은 비용이 많이 든다.

2 다음 괄호 안의 말을 바르게 배열하여 문장을 완성하시오.

(1) _____ how to make good coffee. (interesting / it / learn / to / is)

맛있는 커피를 만드는 방법을 배우는 것은 흥미롭다.

(2) _____ a walk regularly. (take / to / it / good for health / is)

규칙적으로 산책을 하는 것은 건강에 좋다.

3 다음 괄호 안에서 알맞은 것을 고르시오.

(1) Your legs are as (long / longer) as the model's. 너의 다리는 저 모델의 다리만큼 길다.

(2) I'm not as smart (as / so) my brother. 나는 내 형만큼 똑똑하지 않다.

(3) My phone is as (older / old) as yours. 내 전화기는 네 것만큼 오래되었다.

4 다음 우리말과 뜻이 같도록 괄호 안의 말을 이용하여 문장을 완성하시오.

(1) This shoe is _____ a feather. (light) 이 신발은 깃털처럼 가볍다.

(2) Busan is _____ Seoul. (crowded) 부산은 서울만큼 혼잡하지 않다.

(3) Ted swims _____ Andrew. (well) Ted는 Andrew만큼 수영을 잘한다.

정답

1 (1) careless (2) adventurous **2** (1) restless (2) humorous **3** (1) useless (2) dangerous

1 (1) It, to break a bad habit (2) It, to eat dinner in a restaurant **2** (1) It is interesting to learn (2) It is good for health to

take **3** (1) long (2) as (3) old **4** (1) as light as (2) not as [so] crowded as (3) as well as

■ 교과서의 리딩 본문을 완성해 봅시다.

The Footprints of a Baby Elephant

Date/Time: July 8th / 2:35 p.m.

Notes: Today was my first day in Africa. I ❶_____ lots of _____ _____ elephants. This morning, I found an elephant group by a small ❷_____ _____. I saw a baby elephant drinking water beside her mother. Her eyes were ❸_____ _____ _____ stars. I gave her a name, Stella. ❹_____ _____, I saw a group of lions ❺_____ Stella. The elephants stood ❻_____ Stella and made a ❼_____ wall. ❽_____ _____ them, Stella was safe.

❶ ~의 사진을 찍었다 ❷ 물웅덩이 ❸ ~만큼 밝은 ❹ 정오 즈음에 ❺ 다가가는 (현재 분사 목적격 보어) ❻ ~ 주위에 ❼ 두꺼운 ❽ ~ 덕분에

Date/Time: July 12th / 7:20 p.m.

Notes: ❾_____ _____, I heard a strange sound. I followed the sound and found Stella crying ❿_____ _____ her mom. She was ⓫_____ _____ and Stella was alone. ⓬_____ is dangerous to stay alone in such a ⓭_____ _____. ⓮_____ _____, it was going to be dark soon. Elephants can't see well at night. So Stella could easily ⓯_____ _____. I called the elephant shelter and ⓰_____ _____ _____. I decided to stay by her ⓱_____ the rescue team came.

❾ 해 질 녘에 ❿ ~ 옆에 ⓫ 죽어서 누워 있는 ⓬ to stay ~의 가주어 ⓭ 야생 지역 ⓮ 게다가, 더욱이 ⓯ 공격 받다 (수동태) ⓰ 도움을 요청했다 ⓱ ~할 때까지

Date/Time: July 12th / 10:40 p.m.

Notes: The night was dark and quiet. I ❶_____ _____ _____ _____ Stella with my night camera. Stella was ❷_____ next to her mom. She was touching her mom's ❸_____ _____ with her nose. It was sad ❹_____ _____ Stella staying ❺_____ _____ her mom. I hope Stella stays safe ❻_____ _____ _____.

❶ ~에서 내 눈을 떼지 않았다 ❷ 여전히, 아직도 ❸ 죽은 몸 ❹ 보는 것 (진주어) ❺ ~의 가까이에 ❻ 밤새도록

Date/Time: July 13th / 6:00 a.m.

Notes: A new elephant group ❼_____ and Stella approached them. ❽_____ _____, I thought that they would not ❾_____ Stella _____ their group. But I was wrong. An elephant, probably the oldest female, ❿_____ Stella _____ _____ part of the group. The other elephants also ⓫_____ _____ welcome Stella. Unbelievably, one of the female elephants ⓬_____ Stella. She cared for Stella ⓭_____ _____ _____ Stella's mom did. This was ⓮_____ _____ _____ _____!

❼ 나타났다 ❽ 처음에 ❾ ~을 … 안으로 받아들이다 ❿ ~가 …이 되는 것을 허락했다 ⓫ ~인 것처럼 보였다 ⓬ 젖을 먹였다 ⓭ ~만큼 따뜻하게 ⓮ 너무나 놀라운 순간

■ 지금까지 배운 단어를 얼마나 기억하고 있는지 확인해 봅시다.

☐ **artist** [ɑ́:rtist] 명 ❶ _____
☐ **artwork** [ɑ́:rtwə:rk] 명 예술 작품
☐ **brush** [brʌʃ] 명 붓
☐ **classical** [klǽsikəl] 형 클래식의
☐ **comedy** [kámədi] 명 희극, 코미디
☐ **despite** [dispáit] 전 ❷ _____
☐ **detail** [di:téil] 명 세부 사항
☐ **direction** [dirékʃən] 명 방향
☐ **exhibit** [igzíbit] 동 전시하다
☐ **exhibition** [èksibíʃən] 명 ❸ _____
☐ **feather** [féðər] 명 깃털
☐ **flat** [flæt] 형 ❹ _____
☐ **landscape** [lǽndskèip] 명 ❺ _____
☐ **maid** [meid] 명 시녀, 하녀
☐ **melt** [melt] 동 ❻ _____
☐ **modern** [mɑ́:dərn] 형 현대의
☐ **myth** [miθ] 명 신화
☐ **prefer** [prifə́:r] 동 ❼ _____

☐ **prince** [prins] 명 왕자
☐ **produce** [prədjú:s] 동 ❽ _____
☐ **promise** [prɑ́:mis] 동 약속하다, 명 약속
☐ **queen** [kwi:n] 명 왕비
☐ **real** [rí:əl] 형 ❾ _____
☐ **rock** [rɑk] 명 록 음악, 형 록 음악의
☐ **seaside** [sí:sàid] 명 해변, 바닷가
☐ **since** [sins] 접 ❿ _____
☐ **stick** [stik] 동 ⑪ _____
☐ **teen** [ti:n] 명 십 대, 형 십 대의
☐ **tragedy** [trǽdʒədi] 명 비극
☐ **version** [və́:rʒən] 명 (어떤 것의) 변형, ~판
☐ **wing** [wiŋ] 명 ⑫ _____
☐ **wonder** [wʌ́ndər] 동 궁금해하다
☐ **glance at** ~을 힐끗 보다
☐ **right away** 즉시, 바로
☐ **stay away from** ⑬ _____
☐ **take a look** 보다

● 우리말을 참고하여 빈칸에 알맞은 말을 써 봅시다.

☐ Seagulls have gray-white ⑭ _____ s.   갈매기는 회색빛이 도는 흰 **깃털**을 가지고 있다.
☐ When Joshua borrowed my baseball, he ⑮ _____ to return it the next day.   Joshua가 내 야구공을 빌릴 때, 그는 그것을 다음 날 돌려주겠다고 **약속했다**.
☐ I want to hear all the ⑯ _____ of the accident.   나는 그 사고의 **세부 사항들**을 모두 듣고 싶다.
☐ Most people thought that the story was a ⑰ _____ .   대부분의 사람들은 그 이야기를 **신화**로 생각했다.
☐ The story has many elements of a ⑱ _____ .   그 이야기에는 **비극**의 요소가 많이 있다.
☐ I ⑲ _____ what you will be when you grow up.   나는 네가 자라서 무엇이 될지 **궁금하다**.
☐ This sign points in the ⑳ _____ to the museum.   이 표지판은 박물관으로 가는 **방향**을 가리키고 있다.
☐ Their school was in a ㉑ _____ building.   그들의 학교는 **현대식** 건물 안에 있었다.
☐ Over seventy ㉒ _____ are exhibited here.   이곳에는 70점 이상의 **예술 작품**이 전시되어 있다.
☐ Joan was ㉓ _____ the door when I saw her.   내가 Joan을 봤을 때 그녀는 문을 **힐끗거리고** 있었다.
☐ Can I ㉔ _____ at your note?   너의 노트 필기를 **봐도** 될까?
☐ You should go to the doctor ㉕ _____ .   너는 **즉시** 병원에 가야 한다.

정답

❶ 예술가 ❷ ~에도 불구하고 ❸ 전시회 ❹ 납작한 ❺ 풍경 ❻ 녹다 ❼ 더 좋아하다 ❽ 생산하다 ❾ 진짜의 ❿ ~ 때문에, ~이므로 ⑪ (몸의 일부를) 내밀다 ⑫ 날개 ⑬ ~을 가까이하지 않다 ⑭ feather ⑮ promised ⑯ details ⑰ myth ⑱ tragedy ⑲ wonder ⑳ direction ㉑ modern ㉒ artworks ㉓ glancing at ㉔ take a look ㉕ right away

구체적인 종류나 장르 묻기 / 둘 중에 더 좋아하는 것 말하기

- **구체적인 종류나 장르 묻기**
  - What kind of ~?
  - What sort of ~?
  - What type of ~?
  - To which category does ~ belong?

- **둘 중에 더 좋아하는 것 말하기**
  - I prefer ~ to …. / I like ~ better than ….
  - I'd prefer ~ if possible.
  - I think ~ is better than ….

- **둘 중에 더 좋아하는 것 묻기**
  - Which do you prefer, ~ or …?
  - Which do you like better, ~ or …?

- 교과서의 듣기 대본을 완성해 봅시다.

Listen & Talk 1

W (*ringing*) Hello, Steve.

M Hi, Anna. We're ① _____ at the arts festival tomorrow at 1:30, right?

W Right. ② _____ _____ _____ performance do you want to watch first?

M I ③ _____ _____ watch the hip-hop dance performance first.

W Sounds good. It's at 2 p.m. at the gym, right?

M Yeah, and ④ _____ _____ watching the play, *Romeo and Juliet*, at 4 p.m.?

W Oh, the one at the Main Hall near the gym? Sure!

Listen & Talk 2

W I saw an interesting ⑤ _____ in an art book. Look at this.

M Wow, it ⑥ _____ _____ da Vinci's *Mona Lisa*.

W Actually, it's *Mona Lisa* by Fernando Botero. Which do you prefer?

M I ⑦ _____ da Vinci's _____ Botero's. Da Vinci's *Mona Lisa* has an interesting smile. ⑧ _____ _____ you?

W Well, I prefer Botero's to da Vinci's. His *Mona Lisa* is cute, and it looks modern.

Communication

M Hi, we are planning a school festival, so we want to find out students' ⑨ _____ types of performances. May I ask you a few questions?

W Sure. / **M** ⑩ _____ _____ _____ performance do you like best?

W I like music performances best.

M Okay. Then, which do you ⑪ _____ , rock _____ hip-hop?

W I prefer rock to hip-hop. / **M** Who's your favorite musician?

W My ⑫ _____ _____ is TJ. / **M** Great. Thank you for your ⑬ _____ .

정답

① meeting ② What kind of ③ want to ④ how (what) about ⑤ painting ⑥ looks like ⑦ prefer, to ⑧ How (What) about
⑨ favorite ⑩ What kind of ⑪ prefer, or ⑫ favorite musician ⑬ answers

Lesson 07 Vocabulary & Grammar

Vocabulary

- **명사형 접미사「명사+-ist」**

  명사 뒤에 접미사 -ist를 붙이면 그 명사를 행하는 행위자나 관계자를 나타내는 경우가 많다.

  - art+-ist = artist (예술가, 화가)
  - tour+-ist = tourist (관광객)
  - novel+-ist = novelist (소설가)
  - journal+-ist = journalist (기자)

  (e.g.) Becky will become a great **artist** someday. Becky는 언젠가는 위대한 예술가가 될 것이다.

- **명사형 접미사「동사+-(t)ion」**

  동사 뒤에 접미사 -(t)ion을 붙이면 상태 또는 동작의 결과를 표현하는 명사가 된다.

  - direct+-ion = direction (방향)
  - produce+-tion = production (생산)
  - exhibit+-ion = exhibition (전시회)
  - act+-ion = action (활동)

  (e.g.) In which **direction** is your house? 너의 집은 어느 방향이니?

Grammar

1 사역동사

- **정의와 쓰임**: 사역동사란 문장의 주어가 직접 행동하지 않고 목적어가 행동하게 하는 동사를 말한다. 「사역동사+목적어+ 목적격 보어」의 형태로 쓰여 '~가 …하게 하다[시키다]'의 의미를 나타내며, 이때 목적격 보어로 동사원형을 쓴다.

  (e.g.) It will **make** you **wonder** about the painting more. 그것은 네가 그 그림에 대해 더 궁금해하게 할 것이다.

- **종류**

  ① **make**: (억지로 무엇을 하게) 만들다, 시키다

  (e.g.) The farmer **makes** two cows **work** for him in the field. 그 농부는 두 마리의 소가 들판에서 그를 위해 일하게 한다.

  ② **have**: (누구에게 무엇을 하도록) 하다, 시키다

  (e.g.) She **had** her husband **clean** the bedroom. 그녀는 그녀의 남편에게 침실 청소를 하게 했다.

  ③ **let**: (누가 무엇을 하도록) 허락하다

  (e.g.) The woman **lets** the man **drink** water. 그 여자는 남자가 물을 마시게 한다.

  (cf.) 준사역동사 help: 목적격 보어로 동사원형과 to부정사를 모두 취할 수 있다.

  I'll **help** you **(to) make** chicken soup. 네가 치킨 수프를 만드는 것을 내가 도와줄게.

2 간접의문문

- **형태와 역할**: 의문문이 다른 문장의 일부가 되었을 때 그 의문문을 간접의문문이라고 하며 「의문사+주어+동사」의 어순으 로 쓴다. 문장 내에서 주어, 목적어, 보어 역할을 한다.

  (e.g.) Do you know **where Icarus is**? 〈목적어〉 너는 이카로스가 어디에 있는지 아니?

  The important thing is **what you can do**. 〈보어〉 중요한 것은 네가 무엇을 할 수 있는가이다.

- **주의할 간접의문문**: 생각이나 추측을 나타내는 동사 think, believe, guess, imagine, suppose 등이 쓰인 의문문에 의문 사가 있는 간접의문문이 목적어로 오면 간접의문문의 의문사가 문장 맨 앞으로 간다.

  (e.g.) Do you think? + Why is K-pop popular in other countries?

  → Do you think why K-pop is popular in other countries. (×)

  → **Why** do you think **K-pop is popular in other countries**? 한국 대중음악이 왜 다른 나라들에서 인기 있다고 생각하니?

■ 다음 문제를 풀어 보면서 어휘 내용을 복습해 봅시다.

1 다음 짝 지어진 관계가 같도록 빈칸에 알맞은 단어를 쓰시오.

(1) art : artist = journal : _____　예술 : 예술가 = 신문[잡지] : 기자

(2) direct : direction = act : _____　가리키다 : 방향 = 행동하다 : 행동

2 다음 괄호 안에서 알맞은 것을 고르시오.

(1) The Vatican City is crowded with (tourers / tourists).　바티칸 시국은 관광객들로 북적거린다.

(2) Rice (production / productance) has increased this year.　올해는 쌀 생산량이 증가했다.

3 다음 우리말과 뜻이 같도록 빈칸에 알맞은 말을 쓰시오.

(1) The famous photographer is having a photo _____ next month.

　그 유명한 사진작가는 다음 달에 사진 전시회를 연다.

(2) The man next door is a bestselling _____.　옆집 남자는 베스트셀러 소설가이다.

■ 다음 문제를 풀어 보면서 문법 내용을 복습해 봅시다.

1 다음 괄호 안에서 알맞은 것을 고르시오.

(1) The teacher didn't let us (go / going) home early.　선생님은 우리가 집에 일찍 가는 것을 허락하지 않으셨다.

(2) The documentary made them (to cry / cry) a lot.　그 다큐멘터리는 그들이 눈물을 많이 흘리게 했다.

(3) My dad had me (exercise / to exercise) every day.　아빠는 내가 매일 운동하게 하셨다.

2 다음 밑줄 친 부분을 알맞게 고쳐 쓰시오.

(1) My parents let us to have a kitten.　부모님은 우리가 새끼고양이를 기르는 것을 허락하셨다.

(2) Ms. Button had her husband buying some fruit.　Button 부인은 남편에게 과일을 좀 사 오게 시켰다.

(3) Hojun helped the foreigners looking for the building.　호준이는 외국인들이 그 건물을 찾는 것을 도와주었다.

3 다음 괄호 안의 말을 바르게 배열하여 문장을 완성하시오.

(1) I'd like to know _____ Korean. (you / why / study)

　나는 네가 왜 한국어를 공부하는지 알고 싶다.

(2) I don't know _____. (lives / Suji / where)　나는 수지가 어디에 사는지 모른다.

(3) Tell me _____. (the bus / left / when)　버스가 언제 떠났는지 말해 주세요.

4 다음 두 문장을 한 문장으로 쓸 때 빈칸에 알맞은 말을 쓰시오.

(1) They want to know. + How can they get to the subway station?

　➞ They want to know _____.　그들은 지하철역에 어떻게 가는지 알고 싶어 한다.

(2) Do you guess? + Who built this hut?

　➞ _____　누가 이 오두막집을 지었다고 추측하니?

■ 교과서의 리딩 본문을 완성해 봅시다.

The More You See, The More You Know

Welcome to the World Art Museum tour. When you go to an art museum, **①**_____ _____ _____ do you _____ looking at each painting? Many visitors **②**_____ _____ one painting for only **③**_____ _____ _____ before they move on. But you might miss the important **④**_____ of paintings since **⑤**_____ is hard to notice them **⑥**_____ _____. Today, we'll look at two paintings **⑦**_____ and I'll **⑧**_____ you _____ interesting details.

① 얼마나 많은 시간을 보내나요 **②** ~을 힐끗 보다 **③** 몇 초 **④** 세부 사항들 **⑤** 가주어 **⑥** 즉시, 바로 **⑦** 자세히 **⑧** (당신이) 보는 것을 돕다

Look at this painting first. The **⑨**_____ _____ is so peaceful and beautiful, **⑩**_____ _____? The title of this painting is *Landscape with the Fall of Icarus*. So, can you see **⑪**_____ _____ _____? Do you see two legs **⑫**_____ _____ _____ out of the water near the ship? This is Icarus in the **⑬**_____ _____ in Greece. In the myth, Icarus' father made wings for him **⑭**_____ _____ and _____ and told him to **⑮**_____ _____ _____ the sun. However, Icarus didn't listen. He flew **⑯**_____ _____ _____ the sun. So, the wax melted and he **⑰**_____ _____ the water. Now, look at the **⑱**_____ _____ again. **⑲**_____ the tragedy of Icarus, people are **⑳**_____ _____ _____ their everyday activities. Does the painting still **㉑**_____ _____? What do you think the artist is trying **㉒**_____ _____ us?

⑨ 바닷가 풍경 **⑩** 부가의문문 **⑪** 이카로스가 어디에 있는지 (간접의문문) **⑫** 내밀고 있는 (관계대명사+현재진행형) **⑬** 유명한 신화 **⑭** 깃털과 밀랍으로 **⑮** ~을 가까이하지 않다 **⑯** ~에 너무 가까이 **⑰** ~ 안으로 떨어졌다 **⑱** 그림 전체 **⑲** ~에도 불구하고 **⑳** ~을 계속 하고 있는 **㉑** 평화로워 보이다 **㉒** 말하려고 하다 (try의 목적어)

① how much time, spend **②** glance at **③** a few seconds **④** details **⑤** it **⑥** right away **⑦** closely **⑧** help, see **⑨** seaside landscape **⑩** isn't it **⑪** where Icarus is **⑫** that [which] are sticking **⑬** famous myth **⑭** with feathers, wax **⑮** stay away from **⑯** too close to **⑰** fell into **⑱** entire painting **⑲** Despite **⑳** going on with **㉑** look peaceful **㉒** to tell

Now, let's ❶ _____ _____ _____ the next painting. Do you see the artist in front of the large ❷ _____? He is Diego Velázquez, and he actually painted this picture. ❸ _____ do you think _____ _____ _____? Take a quick look. The young princess ❹ _____ _____ be the main person because she is ❺ _____ _____ _____ of the painting. But the title of the painting is *The Maids of Honour.* Then, ❻ _____ the artist _____ the two women beside the princess? ❼ _____ _____ close _____. It will ❽ _____ you _____ about the painting more. Try to see ❾ _____ _____ the artist is looking at. Can you see the king and the queen in the mirror ❿ _____ _____ _____ of the painting? Who do you think he is painting now?

❶ ~로 넘어가다 ❷ 캔버스, 화폭 ❸ 그가 누구를 그리고 있는지 (간접의문문) ❹ ~인 것처럼 보이다 ❺ 중앙에 ❻ 그리고 있는가 (현재진행형 의문문) ❼ 보다 (명령문) ❽ (당신을) 궁금하게 하다 ❾ 어느 방향 (의문사+명사) ❿ (그림의) 배경에

■ 지금까지 배운 단어를 얼마나 기억하고 있는지 확인해 봅시다.

☐ **agree** [əgríː] 동 ❶ _____
☐ **balance** [bǽləns] 동 ❷ _____ . 명 균형
☐ **bottom** [bátəm] 명 맨 아래 (부분)
☐ **creative** [kriéitiv] 형 ❸ _____
☐ **debate** [dibéit] 명 ❹ _____
☐ **deliver** [dilívər] 동 전달하다, 배달하다
☐ **dependence** [dipéndəns] 명 의존, 의지
☐ **donate** [dóuneit] 동 ❺ _____
☐ **downtown** [dáuntáun] 형 시내의, 도심지의
☐ **effect** [ifékt] 명 ❻ _____
☐ **elderly** [éldərli] 형 나이가 지긋한
☐ **experience** [ikspíəriəns] 명 경험, 동 경험하다
☐ **fry** [frai] 동 ❼ _____
☐ **importance** [impɔ́ːrtəns] 명 중요함
☐ **local** [lóukəl] 형 ❽ _____ . 명 주민
☐ **machine** [məʃíːn] 명 기계
☐ **moment** [móumənt] 명 ❾ _____
☐ **nearby** [níərbái] 부 근처에

☐ **opinion** [əpínjən] 명 ❿ _____
☐ **post** [poust] 동 (웹 사이트에 정보, 사진을) 올리다
☐ **presence** [prézəns] 명 ⓫ _____
☐ **remain** [riméin] 동 남아 있다, 남다
☐ **side** [said] 명 (사물, 성격의) 측면
☐ **suggest** [səgdʒést] 동 ⓬ _____
☐ **surprise** [sərpráiz] 동 놀라게 하다
☐ **technology** [teknálədʒi] 명 (과학) 기술
☐ **trendy** [tréndi] 형 최신 유행의
☐ **wisely** [wáizli] 부 ⓭ _____
☐ **be busy -ing** ~하느라 바쁘다
☐ **even though** ⓮ _____
☐ **fall asleep** 잠들다
☐ **get attention** 주목을 받다
☐ **get lost** 길을 잃다
☐ **keep -ing** ⓯ _____
☐ **pay for** ~에 대한 대금을 지불하다
☐ **rely on** ~에 의존하다

• 우리말을 참고하여 빈칸에 알맞은 말을 써 봅시다.

☐ They introduced modern ⓰ _____ into schools. 그들은 현대 **과학 기술**을 학교에 도입했다.
☐ The scientists ⓱ _____ the results of their study on their web page. 그 과학자들은 그들의 연구 결과를 자신들의 웹 사이트에 **올렸다.**
☐ Sue always looks on the sunny ⓲ _____ of things. Sue는 항상 사물의 밝은 **면**을 본다.
☐ Flying in a hot-air balloon was an amazing ⓳ _____ for me. 열기구를 타고 나는 것은 나에게 놀라운 **경험**이었다.
☐ We're reducing our ⓴ _____ on nuclear power. 우리는 원자력에 대한 **의존**을 줄이고 있다.
☐ I jump rope every morning in the park ㉑ _____ . 나는 **근처에** 있는 공원에서 매일 아침 줄넘기를 한다.
☐ Rachel has a fancy and ㉒ _____ hairstyle. Rachel은 화려하고 **최신 유행의** 헤어스타일을 하고 있다.
☐ If you ㉓ _____ . ask a passer-by. 만약 **길을 잃으면** 지나가는 사람에게 물어봐.
☐ I always used to ㉔ _____ you. 나는 항상 너에게 **의존**하곤 했다.
☐ Many people use SNS to ㉕ _____ . 많은 사람들이 **주목을 받기** 위해 SNS를 이용한다.

정답

❶ 동의하다 ❷ 균형을 잡다 ❸ 창의적인 ❹ 토론, 논의 ❺ 기부하다 ❻ 효과 ❼ 튀기다 ❽ 지역의, 현지의 ❾ 순간 ❿ 의견 ⓫ 존재 ⓬ 제안하다 ⓭ 현명하게 ⓮ 비록 ~할지라도 ⓯ 계속해서 ~하다 ⓰ technology ⓱ posted ⓲ side ⓳ experience ⓴ dependence ㉑ nearby ㉒ trendy ㉓ get lost ㉔ rely on ㉕ get attention

상대방의 의견 묻기 / 상대방의 의견과 같거나 다름을 표현하기

■ **상대방의 의견 묻기**
- What do you think about ~?
- How do you feel about ~?
- What do you think of ~?
- What is your opinion of ~?

■ **의견을 묻는 말에 답하기**
- I think it makes life much easier.

■ **상대방의 의견과 같음을 표현하기**
- I'm with you on that.
- I think so, too. / I agree (with you).
- You can say that again.

■ **상대방의 의견과 다름을 표현하기**
- I'm not with you on that.
- I don't think so. / I don't agree (with you).
- I disagree with you.

● 교과서의 듣기 대본을 완성해 봅시다.

Listen & Talk 1

M Hey, Julie! Have you heard about the *Quiz & Rice* game?

W Yeah, isn't it the one that donates rice when you get a ❶_____ _____?

M Yeah, ❷_____ _____ _____ _____ _____ the game?

W I think it's a creative game. You can have fun and ❸_____ _____ hungry people. Have you played it yet?

M No, but I'm going to ❹_____ it _____ this weekend.

Listen & Talk 2

W Excuse me. Can you help me ❺_____ with this machine?

M Sure. First, press the Hot Dog button and ❻_____ your hot dog and drink.

W Okay. How do I pay for my order?

M Touch the Done button at the bottom and ❼_____ _____ them.

W Wow, it's so simple. This machine is much faster than ordering at the counter.

M I'm ❽_____ _____ on that. It really ❾_____ a lot of time when there's a long line.

Communication

W₁ Now, we will start the three-minute ❿_____. Today's first topic is fast fashion. What do you think about it? Please, begin, James.

M I think fast fashion is ⓫_____. We can wear trendy clothes at a cheaper price.

W₂ I'm ⓬_____ _____ _____ on that. It makes us ⓭_____ too much money and throw away clothes too often.

W₁ It looks like the two of you have ⓮_____ opinions on the first topic. Now, let's move on to the second topic.

정답

❶ right answer ❷ what do you think about [of] ❸ help out ❹ try, out ❺ order ❻ choose ❼ pay for ❽ with you ❾ saves ❿ debate ⓫ good ⓬ not with you ⓭ spend ⓮ different

Lesson 08　Vocabulary & Grammar

Vocabulary

- **명사형 접미사 「형용사＋-ence [ance]」**

  형용사 뒤에 접미사 -ence [ance]를 붙이면 특정한 상태나 행동을 나타내는 명사가 된다.

  - dependent＋-ence ＝ dependence (의존)
  - important＋-ance ＝ importance (중요함)
  - present＋-ence ＝ presence (존재)
  - excellent＋-ence ＝ excellence (탁월함)

  (e.g.) Grace was happy to be in your **presence**.　Grace는 네가 함께 있어서 행복했다.

- **연결어 「명사＋-free」**

  명사 뒤에 -free를 붙이면 '～가 없는, ～이 제외된, 무첨가의'라는 의미를 갖는 형용사가 된다.

  - technology＋-free ＝ technology-free (과학 기술이 없는)
  - duty＋-free ＝ duty-free (관세가 없는, 면세의)
  - sugar＋-free ＝ sugar-free (설탕이 없는)
  - hands＋-free ＝ hands-free (손을 쓸 필요가 없는)

  (e.g.) Give me **sugar-free** gums.　저에게 무설탕 껌을 주세요.

Grammar

1 「so ～ that ... can't ...」

- **형태와 의미:** 「so＋형용사[부사]＋that＋주어＋can't ...」의 형태로 쓰여 '너무 ～해서 …할 수 없다'라는 의미를 나타낸다. 이때 「so＋형용사[부사]」는 어떤 일에 대한 원인이나 상태를, that절 이하는 그 일에 대한 결과를 나타낸다.

  (e.g.) We were **so** tired **that** we **could not** go out.　우리는 너무 피곤해서 밖에 나갈 수가 없었다.

- **쓰임:** 「too＋형용사[부사]＋to부정사」로 바꿔 쓸 수 있으며 '～하기에 너무 …하다'라는 의미를 나타낸다.

  (e.g.) Santa Claus checks his phone **so** often **that** he **can't** focus on his work.

  → Santa Claus checks his phone **too** often **to focus** on his work.

  　산타클로스는 너무 자주 전화기를 확인해서 그의 일에 집중할 수가 없다.

  (cf.) 주절의 주어와 that절의 주어가 서로 다른 경우 「too＋형용사[부사]＋for＋목적격＋to부정사」로 바꿔 쓴다.

  The water is **so** dirty **that** he **can't** drink it.　물이 너무 더러워서 그는 그것을 마실 수 없다.

  → The water is **too** dirty **for** him **to drink**.

2 현재[과거] 분사

- **형태:** 분사에는 현재 분사와 과거 분사 두 가지가 있으며, 명사와의 의미 관계에 따라 분사의 형태가 달라진다.

	현재 분사	과거 분사
형태	동사원형＋-ing	동사원형＋-ed
의미	능동(～하게 만드는), 진행(～하고 있는)	수동(～해진, ～당한), 완료(～되어 있는)

(e.g.) During the **remaining** days, we relied more and more on the locals. 〈현재 분사〉

남아 있는 날들 동안, 우리는 점점 더 현지 사람들에게 의존하게 되었다.

The seafood **fried** rice was amazing. 〈과거 분사〉 그 해산물 볶음밥은 놀라웠다.

- **역할:** 명사의 앞이나 뒤에서 명사를 수식하는 형용사 역할과 주어나 목적어를 보충 설명하는 보어 역할을 한다.

  (e.g.) Look at that cat **climbing** the tree. 〈형용사 역할〉 나무를 오르고 있는 저 고양이를 봐.

  The singer was **surprised** at the size of the crowd. 〈주격 보어 역할〉 그 가수는 군중의 규모에 놀랐다.

  They saw us **waving** our hands. 〈목적격 보어 역할〉 그들은 우리가 손을 흔드는 것을 보았다.

■ 다음 문제를 풀어 보면서 어휘 내용을 복습해 봅시다.

1 다음 짝 지어진 관계가 같도록 빈칸에 알맞은 단어를 쓰시오.

> excellent : excellence = present : _____ 뛰어난 : 탁월함 = 존재하는 : 존재

2 다음 우리말과 뜻이 같도록 빈칸에 알맞은 말을 쓰시오.

(1) You must reduce your _____ on your parents.
너는 너의 부모에 대한 의존도를 줄여야 한다.

(2) This drink is not _____. It is not good for your teeth.
이 음료는 무설탕이 아니다. 그것은 너의 치아에 좋지 않다.

(3) Keep in mind the _____ of a clean environment.
깨끗한 환경의 중요함을 명심해라.

■ 다음 문제를 풀어 보면서 문법 내용을 복습해 봅시다.

1 다음 괄호 안에서 알맞은 것을 고르시오.

(1) Lucy is (so / too) sick that she can't go to work. Lucy는 너무 아파서 회사에 갈 수 없다.

(2) This room is so cold that I (can / can't) sleep well. 이 방은 너무 추워서 나는 잠을 잘 잘 수가 없다.

2 다음 두 문장의 의미가 같도록 빈칸에 알맞은 말을 쓰시오.

(1) Kate was so tired that she couldn't watch the performance.
= Kate was too tired _____ the performance.
Kate는 너무 피곤해서 그 공연을 볼 수 없었다.

(2) Brian is too young to understand the story.
= Brian is so young _____ the story.
Brian은 너무 어려서 그 이야기를 이해할 수 없다.

3 다음 괄호 안에서 알맞은 것을 고르시오.

(1) There are pieces of the (breaking / broken) vase on the floor. 바닥에 깨진 꽃병 조각들이 있다.

(2) The (sleeping / slept) baby in this photo is me. 이 사진에서 자고 있는 아기는 나다.

4 다음 괄호 안의 말을 이용하여 문장을 완성하시오.

(1) Judy only ate two _____ eggs for lunch because of her diet. (boil)
Judy는 다이어트 때문에 점심으로 삶은 달걀 두 개만 먹었다.

(2) The child was rescued from a _____ house. (burn)
그 아이는 불타고 있는 집에서 구조되었다.

정답

1 presence **2** (1) dependence (2) sugar-free (3) importance
1 (1) so (2) can't **2** (1) to watch (2) that he can't understand **3** (1) broken (2) sleeping **4** (1) boiled (2) burning

■ 교과서의 리딩 본문을 완성해 봅시다.

My Tech-Free Trip Story

Last summer, my father suggested a ❶_____ event: a family trip ❷_____ smartphones! He said, "I hate to ❸_____ you _____ together and only looking at your smartphones." My sister and I explained the ❹_____ _____ smartphones, but he ❺_____ _____ that we could not ❻_____ enjoy the trip with them. So we started a ❼_____ _____ to a new city, Barcelona, Spain.

❶ 깜짝 놀랄 만한 ❷ ~이 없이 ❸ ~가 앉아 있는 것을 보다 (지각동사+목적어+현재 분사) ❹ ~에 대한 필요성 ❺ 계속 말했다 ❻ 충분히 ❼ 첨단 과학 기술 없는 여행

Our first day was terrible. ❽_____ _____ _____ _____ our guesthouse around Plaza Reial, we ❾_____ _____ in downtown Barcelona. Dad ❿_____ _____ _____ at the map and asking for directions with a few Spanish words he got from a ⓫_____ _____. Even though our guesthouse was ⓬_____ _____ _____ the Plaza, it took us about two hours ⓭_____ _____ _____. We were ⓮_____ tired _____ we could not go out for dinner. I went to bed but couldn't fall asleep because I was worried about ⓯_____ _____ _____ the next day.

❽ ~로 가는 길에 ❾ 길을 잃었다 ❿ 보느라 분주했다 ⓫ 여행 안내 책자 ⓬ ~의 바로 옆에 ⓭ 그곳에 도착하는 데 ⓮ 너무 ~해서 …한 ⓯ 무슨 일이 일어날지 (간접의문문)

정답

❶ surprising ❷ without ❸ see, sitting ❹ need for ❺ kept saying ❻ fully ❼ technology-free trip ❽ On the way to ❾ got lost ❿ was busy looking ⓫ tour guidebook ⓬ right next to ⓭ to get there ⓮ so, that ⓯ what would happen

After ①_____ _____ Gaudi's Park Guell, we decided to have seafood fried rice for lunch. However, we didn't know ②_____ _____ _____ _____ _____. We needed help, so Mom ③_____ _____ _____ an elderly lady and tried to ask for directions to a popular seafood restaurant. Luckily, she ④_____ _____ understand Mom's few Spanish words. She ⑤_____ us to a small local restaurant nearby. The seafood fried rice was amazing. I really wanted to take pictures of the food and ⑥_____ them on my blog. But without my phone, I just ⑦_____ _____ enjoy the moment.

❶ 둘러본 (후에) ❷ 어떤 식당으로 가야 할지 (의문사+to부정사) ❸ ~에게 다가갔다 ❹ ~하는 듯했다 ❺ 데리고 갔다 ❻ (웹 사이트에 사진을) 올리다 ❼ ~하기로 결정했다

During the ⑧_____ _____, we relied more and more on the ⑨_____. We were able to meet and talk with ⑩_____ people on the streets, in the bakeries, and in the parks. They were always kind ⑪_____ _____ show us different sides of Barcelona with a smile. Also, our family talked a lot with ⑫_____ _____. We ⑬_____ much of our time together on the Spanish train, on the bus, and at the restaurants.

❽ 남아 있는 날들 ❾ 현지인들 ❿ 다양한 ⓫ ~할 만큼 충분히 ⓬ 서로 ⓭ (시간을) 보냈다

Our technology-free trip was a new and different ⑭_____. Before the trip, I was ⑮_____ dependent on my smartphone _____ I _____ do anything without it. But now I see ⑯_____ I can enjoy the moment without it. From the experience, I have learned the importance of a ⑰_____ _____ of the smartphone. So, ⑱_____ _____, would I travel without a smartphone? Probably not. But I will try to use it ⑲_____ _____.

⓮ 경험 ⓯ 너무 ~해서 …할 수 없었다 ⓰ 목적어절을 이끄는 접속사 ⓱ 균형 잡힌 사용 ⓲ 다음번에 ⓳ 더 현명하게

정답

❶ looking around ❷ which restaurant to go to ❸ went up to ❹ seemed to ❺ took ❻ post ❼ decided to ❽ remaining days ❾ locals ❿ various ⓫ enough to ⓬ each other ⓭ spent ⓮ experience ⓯ so, that, couldn't ⓰ that ⓱ balanced use ⓲ next time ⓳ more wisely

평가문제집

정답과 해설

MIDDLE
SCHOOL

ENGLISH 2·2

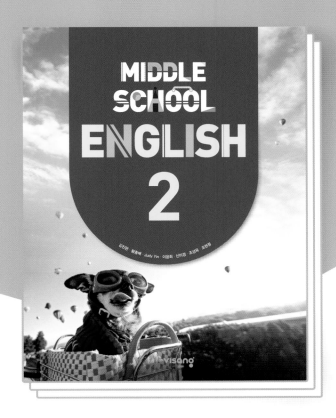

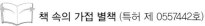
책 속의 가접 별책 (특허 제 0557442호)

'정답과 해설'은 본책에서 쉽게 분리할 수 있도록 제작되었으므로
유통 과정에서 분리될 수 있으나 파본이 아닌 정상 제품입니다.

정답과 해설

Lesson 05
Explore Your Feelings!

Words & Phrases p. 8

01 내 충고를 잊지 마.

02 나는 식당에서 혼자 식사하는 것을 좋아하지 않는다.

03 Max는 방에 다른 사람들이 있을 때는 스마트폰을 사용하는 것을 피했다.

04 미식축구 경기에서는 신체 접촉이 많다.

05 새로운 언어를 배우는 것은 나에게 어렵다.

06 나는 초등학교 때는 친구들이 많았다.

07 나는 개에 대한 끔찍한 두려움을 가지고 있다.

08 네 새 우산을 잃어버린 걸 용서해 줘.

09 너는 머리를 자르러 얼마나 자주 미용실에 가니?

10 나는 Julia가 게으르기 때문에 그녀가 싫다.

11 내 생각에 너는 친구의 감정을 상하게 해서는 안 된다.

12 운전할 때는 속도 제한을 지키세요.

13 유리는 학교 연극을 위해 많은 대사를 암기해야 한다.

14 Harper는 문제를 해결하기 위해 그들에게 귀를 기울이고 있다.

15 운동선수들에게는 수면의 질이 중요하다.

16 Sam은 Jack의 안경을 깨뜨릴 의도는 아니었다.

17 나의 할아버지는 많은 종류의 동물을 기르신다.

18 Tom이 나에게 화가 난 이유를 모르겠다.

19 Bob은 TV만 보고 규칙적으로 운동하지 않는다.

20 Dave는 작년부터 패스트푸드를 먹지 않고 있다.

21 나는 그 종업원의 무례함을 참을 수 없었다.

22 나에게 내 책상 위에 있는 물건을 좀 가져다줄래?

23 Alan은 그녀의 제안에 대해 뭐라고 말하니?

24 Cindy는 왜 그렇게 속상해하고 있니?

25 옛날 옛적에 현명한 왕이 한 분 있었다.

26 나의 가장 큰 걱정은 내 체중이다.

27 내가 사방에 그녀의 이름을 소리쳐 불러야 할까?

28 Jessy는 아직 그녀의 숙제를 끝내지 못했다.

Words & Phrases Test p. 9

01 (1) forgive (2) mean (3) avoid   02 ⑤
03 (1) hurt (2) yell   04 (m)atter   05 ①
06 (1) 나는 네가 실수하지 않기를 바란다.
   (2) Matt는 내 안경을 고의로 깨뜨렸다.
   (3) 나는 자라서 가수가 되고 싶다.
07 ④

01
해석

(1) 나는 Dave가 약속을 어긴 것을 용서하지 않을 것이다.
(2) 나는 선생님께 거짓말할 의도는 아니었다.
(3) Jessy는 너무 많은 초콜릿을 먹는 것을 피해야 한다.

해설 (1) '약속을 어긴 것을 용서하지 않다'라는 의미가 자연스러우므로 빈칸에는 forgive가 알맞다.
(2) '거짓말할 의도가 아니었다'라는 의미가 자연스러우므로 빈칸에는 mean이 알맞다.
(3) '초콜릿을 먹는 것을 피하다'라는 의미가 자연스러우므로 빈칸에는 avoid가 알맞다.

02
해설 '① 두려움 ② 분노 ③ 기쁨 ④ 슬픔'은 모두 '⑤ 감정(feeling)'을 나타내는 단어들이다.

03
해설 (1) '누군가에게 고통이나 상처를 주는 것'은 hurt(다치게 하다, 아프게 하다)이다.
(2) '크고 날카롭게 소리치는 것'은 yell(소리치다, 소리 지르다)이다.

04
해석

· 너와 의논하고 싶은 문제가 있다.
· 네가 늦더라도 그것은 중요하지 않다. 우리가 너를 기다릴 것이다.
해설 명사로 '문제'라는 뜻과 동사로 '중요하다'라는 뜻을 모두 가지고 있는 단어는 matter이다.

05
해석

만약 지구 온난화가 계속되면, 결국에는 수많은 동물과 식물이 멸종될 것이다.
① 마침내 ② 주로 ③ 일반적으로 ④ 규칙적으로 ⑤ 놀랍게도
해설 in the end는 '마침내, 결국'이라는 의미이므로 finally와 바꿔 쓸 수 있다.

06
해설 (1) make a mistake: 실수하다

(2) on purpose: 고의로, 일부러

(3) grow up: 성장하다

07

해석

① 나는 음악 교습을 정기적으로 받는다.

② 나는 그의 무례한 태도를 참을 수가 없다.

③ Cook 부인은 혼자 쇼핑하러 가는 것을 좋아한다.

④ 그것이 이사를 가는 가장 큰 이유였다.

⑤ 미란이는 작년 이후로 많이 변했다.

해설 ④ reason은 '이유'라는 뜻이며, '충고'는 advice이다.

Functions Test pp. 11~12

01 ①, ④ **02** What should I do? **03** ②

04 I think you should exercise

05 (A) What's the matter? (B) Oh, that's too bad.
　　(C) I think so, too.

06 ③ **07** (C) − (A) − (B) − (D) **08** ②

09 I think you should take a bath before you sleep.

10 ④ **11** (1) matter (2) What, do **12** ①, ⑤

01

해석

A 너 오늘따라 침울해 보여. 무슨 일이야?

B 머리를 잘랐는데 너무 짧아.

① 무슨 일이야?　　　② 너는 어때?

③ 처음 뵙겠습니다.　　④ 무슨 일이야?

⑤ 잘 지내니?

해설 침울해 보이는 원인을 묻는 말이 들어가야 하므로 What's wrong? / What's the matter?가 알맞다.

02

해석

A 나는 너무 쉽게 화를 내. 내가 어떻게 해야 할까?

B 내 생각엔 네가 눈을 감고 10까지 세어야 할 것 같아.

A 그거 좋은 생각이다. 한번 해 볼게. 고마워.

해설 자신의 고민을 해결할 수 있는 방법을 묻는 표현이 들어가야 하고 should를 사용해야 하므로 What should I do?가 알맞다.

03

해석

A 내 방은 항상 지저분해. 내가 어떻게 해야 할까?

B 내 생각엔 네가 물건들을 사용한 후에 그것들을 제자리에 가져다 놓아야 할 것 같아.

A 그거 좋은 생각이다. 한번 해 볼게. 고마워.

해설 ②는 '~해도 된다'라는 허락의 표현이고, 나머지는 모두 고민을 해결할 방법을 제안하는 표현이다.

04

해석

A 최근에 체중이 늘었어.

B 내 생각엔 네가 규칙적으로 운동해야 할 것 같아.

해설 '내 생각엔 네가 ~해야 할 것 같아'라는 뜻으로 상대방의 고민을 해결하는 방법을 제안하는 표현은 I think you should ~의 순서로 쓴다.

[05~06]

A 너 피곤해 보여. 무슨 일이니?

B 오늘 아침에 아침을 못 먹었어. 너무 배가 고파.

A 오, 그거 안됐다. 점심시간까지 아직 두 시간 더 남았는데.

B 우리 학교에 매점이 있어야 해. 그러면 간단한 아침 식사나 간식을 먹을 수 있을 테니까.

A 나도 그렇게 생각해. 어떻게 하면 우리가 그 제안을 할 수 있을까?

B 우리는 그것을 건의 게시판에 올려 볼 수 있어.

05

해설 (A) 피곤해 보이는 원인을 묻는 What's the matter?가 알맞다.

(B) 배가 고프다는 말에 유감을 나타내는 Oh, that's too bad.가 알맞다.

(C) 상대방의 말에 동의를 나타내는 I think so, too.가 알맞다.

06

해석

더 나은 학교를 만듭시다!	
제목	많은 학생들이 배가 고픕니다!
이름	Mike, Jamie
건의	어떤 학생들은 점심(→ 아침)을 먹지 않아서 아침에 배가 고픕니다. 우리 학교에 매점이 있어야 합니다.

해설 아침을 먹지 않아서 배가 고프니 학교에 매점이 있으면 좋겠다는 대화이므로 ③은 lunch가 아니라 breakfast가 되어야 한다.

07

해석

(C) 나 수업에 또 늦었어. 나는 정말 아침에 잘 못 일어나겠어.

(A) 자명종은 맞춰 두니?

(B) 응, 하지만 그것을 끄고 다시 잠이 들어.

(D) 내 생각엔 자명종을 침대에서 멀리 떨어진 곳에 두어야 할 것 같아. 그렇게 하면 너는 침대 밖으로 나와야만 할 거야.

해설 수업에 늦었다고 말하는 (C)에 대해 자명종을 맞춰 두는지 묻는 (A)가 이어지며, 그에 대한 대답이 (B)이고, 고민을 해결할 방법을 제안하는 (D)가 마지막에 이어진다.

08

해석

A 무슨 일이야?

B _____

① 몸이 안 좋아. ② 새 친구들이 생겼어.

③ 내 남동생이랑 싸웠어. ④ 버스를 놓쳐서 학교까지 뛰어 와야 했어.

⑤ 엄마의 새 안경을 떨어뜨려서 깨뜨렸어.

해설 What's the matter?는 상대방이 좋지 않은 감정을 느끼게 된 원인을 묻는 표현이므로 ② '새 친구들이 생겼다'는 말은 빈칸에 알맞지 않다.

09

해석

나는 밤에 잠을 잘 못 자.

– 내 생각엔 네가 자기 전에 목욕을 해 봐야 할 것 같아.

해설 '내 생각엔 네가 ~해야 할 것 같아'라는 뜻으로 상대방의 고민을 해결할 방법을 제안할 때는 I think you should ~로 한다.

10

해석

A 나는 뭔가를 자주 잊어버려. 내가 어떻게 해야 할까?

B 내 생각엔 네가 그 일들을 적어 두어야 할 것 같아.

A 그거 좋은 생각이다. 한번 해 볼게. 고마워.

① 너는 그 일들을 적어 두었어.

② 너는 그 일들을 적어 두고 있어.

③ 너는 그 일들을 적어 둘 수 있어.

④ 너는 그 일들을 적어 두는 게 좋겠어.

⑤ 너는 그 일들을 적어 둘 거야.

해설 I think you should ~는 상대방의 고민을 해결할 방법을 제안하는 표현으로 You'd better ~로 바꿔 쓸 수 있다.

[11~12]

A 안녕하세요. (방송에) 연결되었습니다.

B 안녕하세요, Solomon. 저는 Amy라고 해요.

A 안녕하세요, Amy. 무슨 일이죠?

B 저는 여동생과 제 방을 함께 쓰는 게 싫어요. 그 애는 제게 먼저 물어보지도 않고 제 물건들을 쓰거든요. 제가 어떻게 해야 하죠?

A 흠…. 제 생각엔 여동생에게 자신의 감정을 말해 봐야 할 것 같아요. 그리고 또 여동생과 함께 몇 가지 규칙을 만들어야 한다고 생각해요.

B 오, 한번 해 볼게요. 조언 감사합니다.

11

해설 (1) '무슨 일이죠?'라는 뜻으로 좋지 않은 감정을 느끼게 된 원인을 물을 때는 What's the matter?라고 한다.

(2) '제가 어떻게 해야 하죠?'라는 뜻으로 고민을 해결할 방법에 대해 조언을 구할 때는 What should I do?라고 한다.

12

해석

① 그녀의 여동생에게 자신의 감정을 말하는 것

② 방을 그녀의 여동생과 함께 청소하는 것

③ 그녀의 엄마에게 그 문제에 대해 말하는 것

④ 그녀의 여동생과 함께 규칙을 지키는 것

⑤ 그녀의 여동생과 함께 규칙을 만드는 것

해설 여동생에게 자신의 감정을 말하고 여동생과 함께 규칙을 만들어야 한다고 제안했으므로 ①, ⑤가 알맞다.

p. 13

듣기·말하기 Script

Listen & Talk 1~2 **1-A** 1 ❶ What's the matter ❷ favorite ❸ yet ❹ what to do 2 ❺ look down ❻ haircut ❼ Take off ❽ used to **1-B** ❶ have breakfast ❷ hungry ❸ that's too bad ❹ lunch break ❺ snack bar ❻ I think so, too ❼ suggestion board **2-A** 1 ❶ how to do better ❷ advice ❸ solve ❹ I think you should ❺ focus on 2 ❻ wake up ❼ set, alarm ❽ turn, off ❾ far from ❿ That way ⓫ get out of **2-B** ❶ What should I do ❷ why don't you ❸ limit ❹ shuts down ❺ that's, good idea ❻ move ❼ living room ❽ I think, should

Communication ❶ on, air ❷ What's the matter ❸ sharing, with ❹ stuff ❺ I think you should ❻ feelings ❼ rules

해석

Listen & Talk 1~2

1-A

1.

남 너 오늘 기분이 별로 좋아 보이지 않네. 무슨 일이야?

여 언니가 가장 좋아하는 티셔츠를 입었어. 그런데 내가 그 위에 포도 주스를 흘렸어.

남 오, 이런. 너희 언니한테 말했니?

여 아니, 아직. 어떻게 해야 할지 모르겠어.

2.

여 David, 너 오늘따라 침울해 보여. 무슨 일이야?

남 머리를 잘랐는데 너무 짧아. 우스꽝스럽게 보여.

여 모자를 벗고 좀 보자. (잠시 후) 오, 괜찮아 보이는데.

남 정말? 나는 아직 익숙해지지 않은 것 같아.

1-B

여 너 피곤해 보여. 무슨 일이니?

남 오늘 아침에 아침을 못 먹었어. 너무 배가 고파.

여 오, 그거 안됐다. 점심시간까지 아직 두 시간 더 남았는데.

남 우리 학교에 매점이 있어야 해. 그러면 간단한 아침 식사나 간식을 먹을 수 있을 테니까.

여 나도 그렇게 생각해. 어떻게 하면 우리가 그 제안을 할 수 있을까?

남 우리는 그것을 건의 게시판에 올려 볼 수 있어.

2-A

1.

여 수학을 더 잘하는 방법을 모르겠어. 나에게 조언 좀 해 줄 수 있니?

남 시험에 대비해서 어떻게 공부하니?

여 나는 그냥 많은 문제를 풀어 봐.

남 음, 전부 풀어 보지는 마. 내 생각엔 네가 틀린 문제들에 집중해야 할 것 같아.

2.

여 나 수업에 또 늦었어. 나는 정말 아침에 잘 못 일어나겠어.

남 자명종은 맞춰 두니?

여 응, 하지만 그것을 끄고 다시 잠이 들어.

남 내 생각엔 자명종을 침대에서 멀리 떨어진 곳에 두어야 할 것 같아. 그렇게 하면 너는 침대 밖으로 나와야만 할 거야.

2-B

남 Morris 선생님. 저는 정말 컴퓨터 게임을 멈출 수가 없어요. 제가 어떻게 해야 하죠?

여 음, 특별한 프로그램을 써 보는 게 어때? 네가 시간제한을 정해 두면, 컴퓨터가 그 시간에 맞춰 꺼지는 거야.

남 오, 그거 좋은 생각이에요.

여 그리고 내 생각엔 컴퓨터를 네 방에서 거실로 옮겨 두어야 할 것 같아.

남 제 생각에도 그래야 할 것 같아요. Morris 선생님, 조언 감사해요.

Communication

남 안녕하세요. (방송에) 연결되었습니다.

여 안녕하세요. Solomon. 저는 Amy라고 해요.

남 안녕하세요. Amy. 무슨 일이죠?

여 저는 여동생과 제 방을 함께 쓰는 게 싫어요. 그 애는 제게 먼저 물어보지도 않고 제 물건들을 쓰거든요. 제가 어떻게 해야 하죠?

남 흠…. 제 생각엔 여동생에게 자신의 감정을 말해 봐야 할 것 같아요. 그리고 또 여동생과 함께 몇 가지 규칙을 만들어야 한다고 생각해요.

여 오, 한번 해 볼게요. 조언 감사합니다.

Grammar Test Basic
p. 15

01 (1) has worked / worked (2) have visited / visited

02 (1) who(m) [that] (2) which [that] (3) which [that]

03 (1) have used (2) ate (3) since (4) ○

04 (1) a man whom we can trust

(2) a song that I don't know

(3) girl everybody likes

05 (1) have seen (2) Has, played the drums

(3) has lived (4) have not [haven't] taken a vacation

01

해석

(1) · Martin 씨는 2000년 이후로 이 회사에서 일해 왔다.

· Martin 씨는 작년에 이 회사에서 일했다.

(2) · 그들은 두 번 에펠탑을 방문한 적이 있다.

· 그들은 2년 전에 에펠탑을 방문했다.

해설 (1) '2000년 이후로 일해 왔다'는 과거부터 지금까지 계속 해 오고 있다는 의미이므로 현재완료 형태가 알맞고, last year는 특정 과거 시점을 나타내는 부사구이므로 과거시제가 알맞다.

(2) '두 번 방문한 적이 있다'는 경험의 의미이므로 현재완료 형태가 알맞고, two years ago는 특정 과거 시점을 나타내는 부사구이므로 과거시제가 알맞다.

02

해석

(1) 그 남자아이는 매우 재미있었다. 우리는 그 아이를 공원에서 만났다. → 우리가 공원에서 만난 남자아이는 매우 재미있었다.

(2) Sam은 자전거를 샀다. 그는 그것을 사고 싶었다. → Sam은 사고 싶었던 자전거를 샀다.

(3) 마지막 노래는 '굿바이'였다. 그들은 그것을 불렀다. → 그들이 부른 마지막 노래는 '굿바이'였다.

해설 (1) 선행사가 사람(boy)이고 관계대명사가 절 안에서 목적어 역할을 하므로 목적격 관계대명사 who(m) 또는 that이 알맞다.

(2), (3) 선행사가 사물(bike, song)이고 관계대명사가 절 안에서 목적어 역할을 하므로 목적격 관계대명사 which 또는 that이 알맞다.

03

해석

(1) 우리는 이 오븐을 10년 동안 사용해 오고 있다.

(2) Harry는 어제 초밥을 먹었다.

(3) 그들은 2004년 이후로 보스턴에 살고 있다.

(4) 소리는 전에 그 산에 올라가 본 적이 있다.

해설 (1) 주어가 복수형인 we이므로 현재완료 형태는 have used가 되어야 한다.

(2) yesterday는 특정 과거 시점을 나타내는 부사이므로 동사는 과거 형태인 ate가 되어야 한다.

(3) 현재완료 문장에서 '~이후로'의 뜻으로 시작 시점을 나타내는 말과 함께 쓰이는 것은 since이다.

04

해석

(1) 그는 우리가 믿을 수 있는 사람이다.

(2) 그들은 내가 모르는 노래를 부르고 있다.

(3) Fay는 모두가 좋아하는 명랑한 소녀이다.

해설 (1) 선행사 a man을 목적격 관계대명사절인 whom we can trust가 뒤에서 수식하도록 배열한다.

(2) 선행사 a song을 목적격 관계대명사절인 that I don't know가 뒤에서 수식하도록 배열한다.

(3) 선행사 girl을 목적격 관계대명사절인 whom(m) [that]

everybody likes가 뒤에서 수식해야 하는데, 주어진 말에 목적격 관계대명사가 없으므로 everybody likes만 뒤에 온다.

05
해설 (1) '본 적이 있다'는 경험을 나타내므로 현재완료 형태인 have seen이 알맞다.
(2) '~해 본 적이 있니?'라는 경험을 묻는 현재완료이고 주어가 3인칭 단수형이므로 has를 써서 Has Karl played the drums가 알맞다.
(3) '평생 살아 오고 있다'라는 계속을 나타내므로 현재완료 형태인 has lived가 알맞다.
(4) '~ 이후로 휴가를 가지 못하고 있다'라는 계속을 나타내고 현재완료의 부정문이어야 하므로 have not [haven't] taken a vacation이 알맞다.

Grammar Test — Advanced

Grammar **Test** **Advanced** pp. 16~17

01 ③, ④ **02** ③ **03** ⑤
04 (1) which [that] she lost in the street (2) she lost in the street **05** ③ **06** ①
07 which → who [whom / that]
08 (A), (D) / (B), (C), (E) **09** ② **10** ①
11 (which [that]) I will read in my free time
12 has played it for five years **13** ③
14 lived / have lived **15** ① **16** ①, ⑤

01
해석
그린 뮤직은 식물들이 듣기 좋아하는 음악이다.
해설 선행사가 사물(music)이고 관계대명사가 절 안에서 목적어 역할을 하므로 목적격 관계대명사 which나 that이 알맞다.

02
해석
Susie는 그 유명한 작가를 여러 번 만난 적이 있다.
해설 '만난 적이 있다'라는 뜻으로 현재까지의 경험을 나타내므로 현재완료 형태인 has met이 알맞다.

03
해석
아빠는 3시간 전에 김밥을 만들기 시작했다. 그는 그것을 지금도 만든다.
→ 아빠는 3시간 동안 김밥을 만들고 있다.
해설 '3시간 전부터 지금까지 계속 만들고 있다'라는 뜻으로 현재까지의 동작의 계속을 나타내므로 현재완료 형태인 has made가 알맞다.

04
해석
Judy는 길에서 잃어버린 그녀의 개를 찾고 있다.

해설 (1) her dog를 수식하는 관계대명사절이 되어야 하므로 관계대명사 which [that]로 연결하며, 목적어인 it을 또 쓸 필요가 없다.
(2) 목적격 관계대명사는 생략할 수 있으므로 which [that] 없이 her dog를 수식할 수 있다.

05
해설 '갈색 고양이'이므로 brown이 명사 cat을 수식하고, cat을 수식하는 관계대명사절인 that Mary found가 뒤에 위치해야 하므로 세 번째 오는 말은 that이다.

06
해설 has played는 현재완료이므로 특정한 과거 시점을 나타내는 last year와 함께 쓸 수 없다.

07
해석
A 사진 속의 그 여자는 누구니?
B 그녀는 내가 가장 좋아하는 가수야.
해설 선행사가 사람(singer)인 경우에는 목적격 관계대명사로 who [whom / that]를 사용한다.

08
해석
(A) Sally는 전에 아이스티를 마셔 본 적이 있다.
(B) 우리는 2시간 동안 농구를 해 오고 있다.
(C) 그는 작년부터 은행에서 일하고 있다.
(D) Peter는 패션쇼를 두 번 본 적이 있다.
(E) 나는 오랫동안 Jake를 알아 왔다.
해설 (A), (D)는 '~해 본 적이 있다'라는 의미로 현재완료의 경험을 나타내고, (B), (C), (E)는 '(계속) ~해 왔다'라는 의미로 현재완료의 계속을 나타낸다.

09
해석
• Eddy는 모든 사람이 좋아하는 영화배우이다.
• 나는 그 유명한 가수가 신었던 신발을 사고 싶다.
해설 첫 번째 문장은 선행사가 사람(movie star)이고 관계대명사가 절 안에서 목적어 역할을 하므로 who [whom / that]가 알맞고, 두 번째 문장은 선행사가 사물(shoes)이고 관계대명사가 절 안에서 목적어 역할을 하므로 which [that]가 알맞다. 따라서 알맞게 짝 지어진 것은 ②이다.

10
해석
• Ann과 그녀의 여동생은 두 시간 동안 거리를 청소해 오고 있다.
• Jill은 초등학교 때 이후로 우주에 관심이 있다.
해설 현재완료 문장에서 시간의 길이 앞에는 for, 시작한 시점 앞에는 since를 쓴다.

11
해석
나는 잡지를 사고 싶다. 나는 그것을 여가 시간에 읽을 것이다.

→ 나는 여가 시간에 읽을 잡지를 사고 싶다.

해설 선행사가 사물(magazine)이므로 목적격 관계대명사 which 나 that을 사용하여 연결한다. 이때 관계대명사절에는 목적어 it을 또 쓸 필요가 없으며, 목적격 관계대명사인 which나 that은 생략할 수 있다.

12

해석

Q Becky는 얼마나 오랫동안 피아노를 치고 있니?

A 그녀는 5년 동안 피아노를 치고 있어.

해설 2013년부터 2018년까지 5년 동안 피아노를 계속 치고 있으므로 현재완료(has played)를 사용하고 시간의 길이인 five years 앞에는 for를 쓴다.

13

해석

비옷은 비가 올 때 우리가 입는 옷이다.

해설 which는 생략된 목적격 관계대명사이므로 선행사(coat)와 관계대명사절의 주어(we) 사이인 ③에 들어가는 것이 알맞다.

14

해석

• 그들은 2009년에 King 가에 살았다.

• 그들은 2009년 이후로 King 가에 살고 있다.

해설 in 2009는 과거의 특정 시점을 나타내는 부사구이므로 과거 형태인 lived가 알맞고, '2009년 이후로 살고 있다'는 지금까지 계속되고 있는 상태이므로 현재완료 형태인 have lived가 알맞다.

15

해석

(A) 나의 삼촌이 아는 남자가 방금 옆집을 구입했다.

(B) 치과의사는 너의 치아를 관리하는 사람이다.

(C) Harry가 산 로봇은 아주 멋졌다.

(D) 우리가 묵은 호텔은 싸지만 안락했다.

해설 목적격 관계대명사인 (A)와 (C)는 생략할 수 있다. (B)는 주격 관계대명사이므로 생략할 수 없다. (D)와 같이 관계대명사가 전치사의 목적어인 경우 「전치사＋관계대명사」의 구조로 쓰이면 목적격 관계대명사이더라도 생략할 수 없다.

16

해석

① 너는 스페인에 가 본 적이 있니?

② Emma는 이 영화를 여러 번 보았다.

③ Meg는 10년 동안 자신의 머리 스타일을 바꾸지 않았다.

④ 나는 어젯밤에 잠을 못 자서 오늘 매우 피곤하다.

⑤ 사람들은 언제 밸런타인데이에 초콜릿을 주기 시작했는가?

해설 ① '~에 가 본 적이 있니?'라는 경험을 물을 때는 Have you ever been to ~?를 쓴다. have gone은 '~에 가고 없다'는 뜻으로 결과를 나타내는 현재완료이다.

⑤ when은 현재완료와 쓰일 수 없으므로 have people started는 did people start가 되어야 한다.

Reading

❶ up and down ❷ yelled at ❸ that's because ❹ lines ❺ pointed out ❻ mistake that〔which〕❼ mean ❽ hurt ❾ have been ❿ since ⓫ put, down ⓬ anymore ⓭ forgive ⓮ has never been ⓯ alone ⓰ reason that〔which〕⓱ stand ⓲ let it go ⓳ work, out ⓴ avoid ㉑ on purpose ㉒ growing up ㉓ face the problems ㉔ in the end

우리 마음의 소리

Bella는 올해로 15살이고 요즘 그 애의 기분은 좋다가 안 좋다가 한다. 오늘 그 애는 기분이 안 좋아 보인다. Bella의 감정에 귀 기울여 보고 그 이유를 알아보자.

첫째 날

Anger 정말 끔찍한 하루야! 학교 연극이 끝난 후 Jenny가 Bella에게 소리를 지르다니 믿을 수가 없어.

Sadness 글쎄. 그건 Bella가 무대에서 그녀의 대사를 잊어버렸기 때문이잖아.

Anger Jenny는 Bella가 저지른 실수를 지적했잖아. 어떻게 모든 사람 앞에서 그렇게 할 수가 있니?

Joy 하지만 난 Jenny가 Bella에게 상처를 주려고 했던 건 아니었다고 확신해. 그들은 초등학교 때부터 가장 친한 친구였잖아. 기억하지?

Anger 내 말이 바로 그거야. 진정한 친구라면 절대로 그런 식으로 Bella를 깎아내리지 않을 거야.

Fear 나는 그들이 더 이상 친구로 지내지 않을까 봐 걱정돼.

Joy 에이, Fear. 너무 극단적으로 생각하지 마. 곧 알게 되겠지.

둘째 날

Anger 난 Jenny를 용서할 수 없어. 그 애는 Bella에게 한마디도 말을 안 했어.

Fear Jenny는 심지어 Bella를 쳐다보지도 않았어. Jenny가 전에 이렇게 차가웠던 적이 없었어.

Sadness Bella는 오늘 점심시간에 혼자 밥을 먹었잖아. 가엾은 Bella!

Joy Jenny는 Bella의 가장 친한 친구야. 나는 우리가 모르는 어떤 이유가 있다고 확신해.

Anger 나는 더 이상 이 상황을 못 참아. Bella는 일단 가서 Jenny에게 자신의 감정을 말해야 해.

Fear 나는 Bella가 또다시 상처 받는 걸 원하지 않아. 그 애는 그냥 내버려 두어야 해.

Joy 그 애들은 좋은 친구야. 그 애들이 잘 해낼 거야.

셋째 날

Joy 휴! 나는 그 애들이 다시 이야기하게 되어 무척 기뻐.

Anger 그래. Bella가 Jenny에게 가서 그 애에게 먼저 말을 걸었지.

Lesson 05 Explore Your Feelings!   7

Joy Jenny는 일부러 Bella를 피한 게 아니었어.

Sadness 맞아, Jenny는 사과하는 방법을 몰랐던 거야.

Fear 나는 Bella에게 이번과 같은 문제가 더 이상 없기를 바라.

Joy 나도 그래. 하지만 문제는 성장의 일부야. 이번과 마찬가지로 Bella는 문제들에 직면하게 될 거고, 그것들을 해결할 거고, 그리고 결국 더 현명해질 거야.

Reading Test — Basic

01 (1) F (2) T (3) F
02 (1) 15 [fifteen] years old
  (2) going up and down
  (3) forgot her lines on stage
03 (1) Joy (2) Fear
04 (1) Jenny's → Bella's (2) festival → play
  (3) teacher → friend
05 (1) friendly → cold (2) dreams → feelings
  (3) Sadness → Joy
06 (1) say a word to Bella (2) ate lunch alone
  (3) to be hurt again
07 (1) happy (2) sorry (3) Bella
08 (1) Yes, she did.
  (2) doesn't have any more problems like this
  (3) Problems

01
해석
(1) Bella는 무대에서 그녀의 노래를 잊어버렸다.
(2) Jenny는 모든 사람 앞에서 Bella의 실수를 지적했다.
(3) Bella와 Jenny는 중학교 때 가장 친한 친구가 되었다.

해설 (1) Anger의 말 I can't believe Jenny yelled at Bella after the school play.와 Sadness의 말 Well, that's because Bella forgot her lines on stage.로 보아 Bella는 '노래의 가사'가 아니라 '연극의 대사'를 잊어버렸으므로 일치하지 않는 문장이다.
(2) Anger의 말 Jenny pointed out the mistake that Bella made. How could she do that in front of everyone?으로 보아 Jenny는 모든 사람 앞에서 Bella의 실수를 지적했으므로 본문의 내용과 일치하는 문장이다.
(3) Joy의 말 They have been best friends since elementary school.로 보아 '중학교' 때 가장 친한 친구가 된 것이 아니라 '초등학교' 때부터 가장 친한 친구였으므로 일치하지 않는 문장이다.

02
해석
(1) Bella는 올해 몇 살인가?
  → 그녀는 15살이다.
(2) 요즘 Bella의 기분은 어떤가?
  → 그녀의 기분은 좋다가 안 좋다가 한다.
(3) Jenny는 왜 Bella에게 소리를 질렀는가?
  → 그녀가 무대에서 그녀의 대사를 잊어버렸기 때문이다.

해설 (1) Bella is 15 years old this year ~에 언급되어 있듯이 Bella는 15살이므로 She is 15 [fifteen] years old.라고 답하는 것이 알맞다.
(2) these days her feelings are going up and down에 언급되어 있듯이 Bella의 기분은 좋다가 나쁘다가 하므로 Her feelings are going up and down.이라고 답하는 것이 알맞다.
(3) Sadness의 말 Well, that's because Bella forgot her lines on stage.에 언급되어 있듯이 Jenny는 Bella가 무대에서 대사를 잊어버렸기 때문에 소리를 질렀으므로 Because she forgot her lines on stage.라고 답하는 것이 알맞다.

03
해석
(1) Joy는 Jenny가 Bella에게 상처를 주려고 했던 건 아니었다고 확신한다.
(2) Fear는 Bella와 Jenny가 더 이상 친구로 지내지 않을까 봐 걱정한다.

해설 (1) But I'm sure Jenny did not mean to hurt Bella.라는 말은 Joy가 했으므로 빈칸에 Joy가 알맞다.
(2) I'm worried that they are not going to be friends anymore.라는 말은 Fear가 했으므로 빈칸에 Fear가 알맞다.

04
해석
(1) Jenny(→ Bella)의 기분이 요즘 좋다가 나쁘다가 한다.
(2) Jenny는 Bella에게 학교 축제(→ 연극) 후에 소리를 질렀다.
(3) Anger는 진정한 선생님(→ 친구)이라면 절대로 그런 식으로 Bella를 깎아내리지 않을 거라고 말한다.

해설 (1) Bella is 15 years old this year and these days her feelings are going up and down.에서 기분이 좋다가 나쁘다가 하는 사람은 Bella이므로 Jenny를 Bella로 고쳐야 한다.
(2) Anger의 말 I can't believe Jenny yelled at Bella after the school play.로 보아 연극(play) 후에 소리를 질렀으므로 festival을 play로 고쳐야 한다.
(3) Anger의 말 A true friend would never put Bella down like that.에서 친구라면 그런 식으로 깎아내리지 않을 거라고 했으므로 teacher를 friend로 고쳐야 한다.

05
해석
(1) Jenny는 전에 이렇게 Bella에게 다정했던(→ 차가웠던) 적이 없었다.
(2) Anger는 Bella가 가서 Jenny에게 자신의 꿈(→ 감정)을 말하기를 원한다.
(3) Sadness(→ Joy)는 Bella와 Jenny가 그들의 문제를 잘 해결할 것이라고 말한다.

해설 (1) Fear의 말 Jenny has never been this cold before.에서 Jenny가 이렇게 차가웠던 적이 없었다고 했으므로 friendly를 cold로 고쳐야 한다.

(2) Anger의 말 Bella should just go and tell her about her feelings.에서 Bella가 Jenny에게 자신의 감정을 말해야 한다고 했으므로 dreams를 feelings로 고쳐야 한다.

(3) Joy가 They will work it out.이라고 말했으므로 Sadness를 Joy로 고쳐야 한다.

06
해석
(1) Anger는 왜 Jenny를 용서할 수 없는가?
→ 그녀가 Bella에게 한마디도 말을 하지 않았기 때문이다.

(2) Bella는 오늘 누구와 함께 점심을 먹었는가?
→ 그녀는 혼자 점심을 먹었다.

(3) Fear는 Bella를 위해 무엇을 원하는가?
→ Fear는 그녀가 또다시 상처 받는 것을 원하지 않는다.

해설 (1) Anger의 말 I can't forgive Jenny. She didn't say a word to Bella.에 언급되어 있듯이 Bella가 Jenny에게 한마디도 하지 않아서 Anger는 Jenny를 용서할 수 없는 것이므로 Because she didn't say a word to Bella.라고 답하는 것이 알맞다.

(2) Bella ate alone during lunch today.에 언급되어 있듯이 Bella는 오늘 혼자 점심을 먹었으므로 She ate lunch alone.이라고 답하는 것이 알맞다.

(3) Fear의 말 I don't want Bella to be hurt again.에 언급되어 있듯이 Bella가 또다시 상처 받는 것을 원하지 않으므로 Fear doesn't want her to be hurt again.이라고 답하는 것이 알맞다.

07
해석
(1) Joy는 Bella와 Jenny가 다시 이야기하게 되어 무척 기쁘다.

(2) Jenny는 사과하는 방법을 몰랐다.

(3) Bella는 문제들에 직면하게 될 것이고, 그것들을 해결할 것이고, 그리고 결국 더 현명해질 것이다.

해설 (1) Joy의 말 I'm so happy that they are talking again.에서 Joy는 Bella와 Jenny가 다시 이야기하게 되어 기쁘다고 했으므로 괄호 안에서 happy가 알맞다.

(2) Sadness의 말 Yeah, Jenny didn't know a way to say sorry.에서 Jenny는 사과하는 방법을 몰랐다고 했으므로 괄호 안에서 sorry가 알맞다.

(3) Joy의 말 Bella will face the problems, solve them, and become wiser in the end.로 보아 문제들에 직면해서 해결하고 더 현명해질 사람은 Bella이므로 괄호 안에서 Bella가 알맞다.

08
해석
(1) Bella가 Jenny에게 가서 그 애에게 먼저 말을 걸었는가?
→ 그렇다.

(2) Fear는 무엇을 바라는가?

→ Fear는 Bella에게 이번과 같은 문제가 더 이상 없기를 바란다.

(3) Joy의 말에 따르면 무엇이 성장의 일부인가?
→ 문제들이 성장의 일부이다.

해설 (1) Anger의 말 Bella went to Jenny and talked to her first.에 언급되어 있듯이 Bella가 Jenny에게 먼저 말을 걸었으므로 Yes, she did.라고 답하는 것이 알맞다.

(2) Fear의 말 I hope Bella doesn't have any more problems like this.에 언급되어 있듯이 Fear는 Bella에게 이번과 같은 문제가 더 이상 없기를 바라므로 Fear hopes Bella doesn't have any more problems like this.라고 답하는 것이 알맞다.

(3) Joy의 말 problems are part of growing up에 언급되어 있듯이 문제가 성장의 일부이므로 Problems are part of growing up.이라고 답하는 것이 알맞다.

Reading **Test** **Advanced**

pp. 22~23

01 ③, ⑤   **02** ④   **03** ④   **04** ②, ④   **05** up and down
06 ④   **07** ①   **08** ②   **09** dinner → lunch   **10** Joy
11 ⑤   **12** ③

[01~04]

Anger 정말 끔찍한 하루야! 학교 연극이 끝난 후 Jenny가 Bella에게 소리를 지르다니 믿을 수가 없어.

Sadness 글쎄. 그건 Bella가 무대에서 그녀의 대사를 잊어버렸기 때문이잖아.

Anger Jenny는 Bella가 저지른 실수를 지적했잖아. 어떻게 모든 사람 앞에서 그렇게 할 수가 있니?

Joy 하지만 난 Jenny가 Bella에게 상처를 주려고 했던 건 아니었다고 확신해. 그들은 초등학교 때부터 가장 친한 친구였잖아. 기억하지?

Anger 내 말이 바로 그거야. 진정한 친구라면 절대로 그런 식으로 Bella를 깎아내리지 않을 거야.

Fear 나는 그들이 더 이상 친구로 지내지 않을까 봐 걱정돼.

Joy 에이. Fear. 너무 극단적으로 생각하지 마. 곧 알게 되겠지.

01
해설 'Bella가 저지른 실수'라는 의미이므로 선행사 a mistake를 수식하는 관계대명사절이 되어야 한다. 선행사가 a mistake이므로 목적격 관계대명사 ② that이나 ④ which가 와야 하며, ⑤와 같이 목적어 it을 또 쓰지 않는다. ①처럼 목적격 관계대명사를 생략할 수도 있다. 따라서 ③, ⑤는 알맞지 않다.

02
해설 put ~ down은 '~을 깎아내리다'라는 의미이다.

03

해석

① 기쁜　② 고마워하는　③ 미안한　④ 걱정되는　⑤ 놀란

해설 빈칸 다음의 내용으로 보아 '그들이 더 이상 친구로 지내지 않을까 봐 걱정된다.'는 의미가 되어야 하므로 worried가 알맞다.

04

해석

① Bella는 무대에서 그녀의 대사를 잊어버렸다.

② Bella는 수업 중에 실수를 했다.

③ Jenny는 Bella의 실수를 지적했다.

④ Jenny는 학교 소풍이 끝난 후에 Bella에게 소리를 질렀다.

⑤ Bella와 Jenny는 초등학교 때부터 가장 친한 친구였다.

해설 ② Bella는 수업 중이 아니라 연극 중에 실수를 저질렀으므로 일치하지 않는다.

④ Jenny는 학교 소풍이 아니라 연극이 끝난 후에 Bella에게 소리를 질렀으므로 일치하지 않는다.

[05~06]

Bella는 올해로 15살이고 요즘 그 애의 기분은 좋다가 안 좋다가 한다. 오늘 그 애는 기분이 안 좋아 보인다. Bella의 감정에 귀 기울여 보고 그 이유를 알아보자.

05

해설 '좋다가 나쁘다가 하는'은 up and down으로 표현한다.

06

해석

① Bella의 일상생활

② Bella의 학교 친구들

③ Bella를 행복하게 해 주는 것

④ Bella가 오늘 기분이 안 좋아 보이는 이유

⑤ 학교 연극반에서의 Bella의 활동들

해설 Bella가 오늘 기분이 안 좋아 보이는 이유를 알아보자고 했으므로 다음에 이어질 내용은 ④이다.

[07~09]

Anger 난 Jenny를 용서할 수 없어. 그 애는 Bella에게 한 마디도 말을 안 했어.

Fear Jenny는 심지어 Bella를 쳐다보지도 않았어. Jenny가 전에 이렇게 차가웠던 적이 없었어.

Sadness Bella는 오늘 점심시간에 혼자 밥을 먹었잖아. 가엾은 Bella!

Joy Jenny는 Bella의 가장 친한 친구야. 나는 우리가 모르는 어떤 이유가 있다고 확신해.

Anger 나는 더 이상 이 상황을 못 참아. Bella는 일단 가서 Jenny에게 자신의 감정을 말해야 해.

Fear 나는 Bella가 또다시 상처 받는 걸 원하지 않아. 그 애는 그냥 내버려 두어야 해.

Joy 그 애들은 좋은 친구야. 그 애들이 잘 해낼 거야.

07

해설 ① '전에 ~한 적이 없다'라는 의미로 경험을 나타내므로 현재완료를 써서 hasn't been 또는 has never been으로 고쳐야 한다.

② '~ 동안'이라는 의미로 특정한 기간을 나타내는 명사 앞에는 during을 쓴다.

③ reason은 사물에 해당하므로 관계대명사는 which나 that을 쓴다.

④ '더 이상 ~ 않는'이라는 의미로는 not ~ any longer를 쓴다.

⑤ 「want+목적어+to부정사」의 형태로 써야 하므로 to be를 쓴다.

08

해설 그쯤 해 두다, 내버려 두다: let it go / 해결하다: work out

09

해석

Bella는 저녁(→ 점심)을 혼자 먹었다. Jenny는 심지어 Bella를 쳐다보지도 않았고 그녀에게 한마디도 말을 안 했다. 가엾은 Bella!

해설 Bella는 '저녁'을 혼자 먹은 것이 아니라 '점심'을 혼자 먹었다.

[10~12]

Joy 휴! 나는 그 애들이 다시 이야기하게 되어 무척 기뻐.

Anger 그래, Bella가 Jenny에게 가서 그 애에게 먼저 말을 걸었지.

Joy Jenny는 일부러 Bella를 피한 게 아니었어.

Sadness 맞아. Jenny는 사과하는 방법을 몰랐던 거야.

Fear 나는 Bella에게 이번과 같은 문제가 더 이상 없기를 바라.

Joy 나도 그래. 하지만 문제는 성장의 일부야. 이번과 마찬가지로 Bella는 문제들에 직면하게 될 거고, 그것들을 해결할 거고, 그리고 결국 더 현명해질 거야.

10

해설 '그 애들이 다시 이야기하게 되어 무척 기뻐.'라고 말하는 것으로 보아 Joy임을 알 수 있다.

11

해설 ⑤ in the end는 '결국, 마침내'라는 뜻이다.

12

해석

① Bella는 그녀의 친구와 화해했다.

② Bella는 그녀의 친구에게 가서 먼저 말을 걸었다.

③ Bella(→Jenny)는 일부러 그녀의 친구를 피한 것이 아니었다.

④ Fear는 Bella에게 이번과 같은 문제가 더 이상 없기를 바란다.

⑤ Bella는 앞으로 더 많은 문제를 해결한 후에 더 현명해질 것이다.

해설 ③ 친구를 일부러 피한 것이 아닌 사람은 Bella가 아니라 Jenny이다.

Review Test 1회

pp. 24~27

01 (1) solve, problem (2) focus on, problem
02 on / in **03** ⑤ **04** ③ **05** ② **06** think, should
07 ②, ⑤ **08** ⑤ **09** has baked **10** ③ **11** ①, ④
12 Has / has / has been **13** (A), (D) / (B), (C), (E)
14 ②, ⑤ **15** ① **16** (A) has never been (B) that we don't know about **17** ①, ③ **18** ② **19** anymore
20 ④ **21** ① **22** ②
23 (which [that]) we wear to keep our hands warm or safe
24 (1) What's the matter? (2) What's wrong?
25 Jenny가 학교 연극이 끝난 후 모든 사람 앞에서 Bella가 저지른 실수를 지적하고 소리를 질렀기 때문에

01
해설 (1) 문제를 해결하다: solve a problem
(2) 문제에 집중하다: focus on a problem

02
해석
· Patrick은 내 학생증을 고의로 커튼 뒤에 숨겼다.
· 나는 몇 시간 동안 내 열쇠를 찾았고 결국 차 안에서 그것들을 발견했다.
해설 on purpose: 일부러, 고의로 / in the end: 결국, 마침내

03
해석
A 나는 항상 내 남동생과 싸워. 내가 어떻게 해야 할까?
B 내 생각엔 너희들이 서로에게 더 마음을 터놓아야 할 것 같아.
A 그거 좋은 생각이다. 한번 해 볼게. 고마워.
해설 I think you should ~는 상대방에게 고민을 해결할 방법을 조언하는 표현이다.

04
해석
A 너 피곤해 보여, Philip. 무슨 일이니?
B 열쇠를 잃어버려서 집에 들어갈 수 없었어.
A 오, 그거 안됐다.

해설 피곤해 보이는 원인을 묻는 말이 들어가야 하므로 ③ What did you do?는 알맞지 않다.

05
해석
무슨 일이니?
① 유리: 내 가방을 잃어버렸어.
② Sam: 나는 내일 수업이 없어.
③ Jessy: 나의 가장 친한 친구가 나에게 화가 났어.
④ 민호: 머리를 잘랐는데 너무 짧아.
⑤ Eric: 오늘 아침에 아침을 못 먹었어. 너무 배가 고파.
해설 What's the matter?는 상대방의 좋지 않은 일에 대한 원인을 묻는 표현이므로 ② '내일 수업이 없다'는 Sam의 대답은 알맞지 않다.

[06~07]

A Daisy, 너 또 늦었구나.
B 정말 죄송해요, Jones 선생님. 어젯밤에 또 늦게까지 자지 않고 깨어 있었어요.
A 음, 네가 좀 더 일찍 잠자리에 드는 게 좋겠구나. 또 가방을 전날 저녁에 챙겨야 해. 그래야 아침에 시간을 절약할 수 있어.
B 알겠어요, Jones 선생님. 선생님 조언대로 해 볼게요.

06
해설 You'd better ~는 '~하는 것이 좋다'라는 뜻으로 고민에 대해 제안이나 충고를 해 주는 말이므로 I think you should ~로 바꿔 쓸 수 있다.

07
해석
① 일찍 일어나기
② 좀 더 일찍 잠자리에 들기
③ 학교에 정시에 도착하기
④ 아침에 시간 절약하기
⑤ 가방을 전날 저녁에 챙기기
해설 고민을 해결하는 방법을 제안하는 표현인 you'd better ~ / You should ~로 보아 좀 더 일찍 잠자리에 들고, 가방을 전날 저녁에 챙기라고 조언하고 있음을 알 수 있다.

08
해석
① A 나는 낮은 점수 때문에 스트레스를 받아.
   B 나는 너에게 선생님께 도움을 청해 보라고 조언해.
② A 나는 뭔가를 너무 자주 잊어버려.
   B 나는 너에게 그 일들을 적어 두라고 제안해.
③ A 나는 소풍에 늦게 일어나고 싶지 않아.
   B 너는 일찍 잠자리에 드는 게 좋겠어.

④ A 나는 배낭이 필요해, 하지만 돈이 충분하지 않아.

　　B 너는 할인 판매를 기다려야 해.

⑤ A 나는 너무 쉽게 화를 내.

　　B 내 생각엔 네가 취미를 가져야 할 것 같아.

해설 ⑤ 화를 자주 낸다는 고민에 대해 '취미를 가지라'는 조언의 말은 알맞지 않다.

09

해석

Baker 부인은 2010년 이후로 쿠키를 구워 오고 있다.

해설 '2010년 이후로 지금까지 계속 쿠키를 굽고 있다'라는 뜻으로 과거부터 현재까지의 상태의 계속을 나타내므로 현재완료 형태인 has baked가 알맞다.

10

해설 Niagara Falls is a beautiful place.와 Many people visit Niagara Falls every year.가 합쳐진 문장으로 목적격 관계대명사 which는 선행사와 관계대명사절의 주어 사이인 ③에 들어가야 한다.

11

해석

나는 그 티셔츠가 정말로 마음에 든다. 너는 그 티셔츠를 입고 있다.

→ 나는 네가 입고 있는 티셔츠가 정말로 마음에 든다.

해설 선행사가 사물(T-shirt)이므로 목적격 관계대명사 which나 that을 사용하여 연결한다. 이때 관계대명사절에는 목적어 it을 또 쓸 필요가 없으며, which나 that은 생략할 수 있다. 따라서 ①과 ④가 알맞다.

12

해석

A Brian은 파리 여행을 해 본 적 있니?

B 응, 있어. 그는 파리 여행을 두 번 해 본 적이 있어.

해설 '~해 본 적이 있니?'라는 뜻으로 경험을 묻는 질문이므로 Has Brian ever been ~?이 되어야 하고, 이에 대한 긍정의 대답은 Yes, he has.이며, '~해 본 적이 있다'라는 경험을 나타내므로 「has+과거 분사」의 현재완료 형태인 has been으로 쓴다.

13

해석

(A) 너는 아프리카 음식을 먹어 본 적 있니?

(B) Logan은 두 달 동안 햄스터를 키우고 있다.

(C) 너는 내가 마지막으로 본 이후로 많이 변했다.

(D) Tony와 그의 남동생은 비행기를 타 본 적이 없다.

(E) 사람들은 오랫동안 인형극을 즐겨 왔다.

해설 (A), (D) '~한 적이 있다'라는 뜻으로 경험을 나타낸다.

(B), (C), (E) '~ 동안, ~ 이후로 쭉 …했다'라는 뜻으로 계속을 나타낸다.

14

해석

① 민지는 3년 동안 이 웹 사이트를 운영해 오고 있다.

② 너는 민속 마을을 언제 방문했니?

③ 이것은 나의 할아버지가 심은 나무이다.

④ 너는 런던에서 만났던 Jack을 기억하니?

⑤ 내가 어제 만난 사람은 미국인이다.

해설 ② 의문사 when은 현재완료와 함께 쓸 수 없으므로 과거시제인 When did you visit ~?가 되어야 한다.

⑤ The man과 I 사이에 목적격 관계대명사 who〔whom / that〕가 생략된 문장으로, 목적격 관계대명사가 이끄는 절에는 목적어 him을 또 쓰면 안 되므로 him을 빼야 한다.

15

해석

나는 너에게 내가 가지고 있는 고민거리에 대해 말하고 싶어. 나는 내 형편없는 수학 점수가 걱정이야. 나는 작년부터 계속 이 고민거리를 가지고 있었어. 나는 수학을 좀 더 잘하고 싶어. 하지만 내가 수학을 공부하려고 하면, 정말 그것에 집중이 안 돼. 나는 무엇을 해야 할지 모르겠어. 나는 이 걱정 때문에 잠을 잘 잘 수가 없어. 내 걱정거리를 없애 줄 수 있니?

해설 첫 문장의 I가 말하려는 problem이 주어진 문장의 내용이며, ① 다음부터 주어진 문장에 대한 설명이 이어지고 있으므로, 주어진 문장은 ①에 들어간다.

[16~17]

Anger 난 Jenny를 용서할 수 없어. 그 애는 Bella에게 한마디도 말을 안 했어.

Fear Jenny는 심지어 Bella를 쳐다보지도 않았어. Jenny가 전에 이렇게 차가웠던 적이 없었어.

Sadness Bella는 오늘 점심시간에 혼자 밥을 먹었잖아. 가엾은 Bella!

Joy Jenny는 Bella의 가장 친한 친구야. 나는 우리가 모르는 어떤 이유가 있다고 확신해.

Anger 나는 더 이상 이 상황을 못 참아. Bella는 일단 가서 Jenny에게 자신의 감정을 말해야 해.

Fear 나는 Bella가 또다시 상처 받는 걸 원하지 않아. 그 애는 그냥 내버려 두어야 해.

16

해설 (A) '전에 ~한 적이 없다'라는 경험을 나타내므로 현재완료 형태인 has never been이 알맞다.

(B) 선행사가 reason이므로 목적격 관계대명사는 which 또는 that을 쓰거나 생략하는 것이 알맞다.

17

해설 ① 한마디 말도 하지 않은 사람은 Bella가 아니라 Jenny이다. ③ 쳐다보지도 않은 사람은 Bella가 아니라 Jenny이다.

Anger 정말 끔찍한 하루야! 학교 연극이 끝난 후 Jenny가 Bella에게 소리를 지르다니 믿을 수가 없어.

Sadness 글쎄. 그건 Bella가 무대에서 그녀의 대사를 잊어버렸기 때문이잖아.

Anger Jenny는 Bella가 저지른 실수를 지적했잖아. 어떻게 모든 사람 앞에서 그렇게 할 수가 있니?

Joy 하지만 난 Jenny가 Bella에게 상처를 주려고 했던 건 아니었다고 확신해. 그들은 초등학교 때부터 가장 친한 친구였잖아. 기억하지?

Anger 내 말이 바로 그거야. 진정한 친구라면 절대로 그런 식으로 Bella를 깎아내리지 않을 거야.

Fear 나는 그들이 더 이상 친구로 지내지 않을까 봐 걱정돼.

Joy 에이, Fear. 너무 극단적으로 생각하지 마. 곧 알게 되겠지.

18
해설 ⓑ point out은 '~을 지적하다'라는 뜻이다.

19
해설 '더 이상 ~ 않는'은 not ~ anymore / not ~ any longer로 나타내는데 빈칸이 한 개이므로 anymore가 알맞다.

20
해석
① Bella는 무슨 실수를 저질렀는가?
② 연극이 끝난 후 Jenny는 Bella에게 무엇을 했는가?
③ Jenny는 Bella가 저지른 실수를 지적했는가?
④ Jenny는 Bella와 얼마나 자주 싸우는가?
⑤ 그들은 언제 이후로 가장 친한 친구였는가?
해설 Jenny와 Bella가 얼마나 자주 싸우는지는 나와 있지 않으므로 ④에는 답할 수 없다.
① She forgot her lines on stage.
② She yelled at Bella.
③ Yes, she did.
⑤ They have been best friends since elementary school.

[21~22]

Joy 휴! 나는 그 애들이 다시 이야기하게 되어 무척 기뻐.

Anger 그래. Bella가 Jenny에게 가서 그 애에게 먼저 말을 걸었지.

Joy Jenny는 일부러 Bella를 피한 게 아니었어.

Sadness 맞아. Jenny는 사과하는 방법을 몰랐던 거야.

Fear 나는 Bella에게 이번과 같은 문제가 더 이상 없기를 바라.

Joy 나도 그래. 하지만 문제는 성장의 일부야. 이번과 마찬가지로 Bella는 문제에 직면하게 될 거고, 그것들을 해결할 거고, 그리고 결국 더 현명해질 거야.

21
해설 찾아가서 먼저 말을 건 것으로 보아 용기 있는 성격이다.

22
해설 '문제에 직면하다'라는 뜻일 때는 동사로 face를 쓴다.

23
해석
A 장갑은 무엇이니?
B 그것은 우리 손을 따뜻하게 하거나 안전하게 하기 위해 끼는 의류야.
해설 선행사가 사물(clothing)이고 괄호 안의 문장이 선행사를 수식하면서 선행사가 관계대명사절의 목적어이므로 목적격 관계대명사 which나 that을 사용하여 10단어의 문장으로 완성하고 생략 가능한 관계대명사 which [that]에 괄호를 한다. 이때 관계대명사절 안의 목적어 them은 쓰지 않는다.

24
해석
A 너 피곤해 보여, Alan. 무슨 일이니?
B 쉬는 시간 동안 숙제를 해야 했어.
A 오, 그거 안됐다.
해설 '쉬는 시간 동안에 숙제를 해야 했다'는 B의 대답으로 보아 빈칸에는 피곤하게 된 원인을 묻는 말인 ⑴ What's the matter? ⑵ What's wrong?이 알맞다.

25
해석
Bella는 올해로 15살이고 요즘 그 애의 기분은 좋다가 안 좋다가 한다. 오늘 그 애는 기분이 안 좋아 보인다. Bella의 감정에 귀 기울여 보고 그 이유를 알아보자.

Anger 정말 끔찍한 하루야! 학교 연극이 끝난 후 Jenny가 Bella에게 소리를 지르다니 믿을 수가 없어.

Sadness 글쎄. 그건 Bella가 무대에서 그녀의 대사를 잊어버렸기 때문이잖아.

Anger Jenny는 Bella가 저지른 실수를 지적했잖아. 어떻게 모든 사람 앞에서 그렇게 할 수가 있니?

Joy 하지만 난 Jenny가 Bella에게 상처를 주려고 했던 건 아니었다고 확신해.

해설 why 뒤에는 앞 문장의 she looks down today가 생략되었으므로 Bella가 기분이 안 좋아 보이는 이유를 찾아야 한다. Jenny yelled at Bella after the school play. / Jenny pointed out the mistake that Bella made. / How could she do that in front of everyone?에서 이유를 알 수 있다.

01 ④ **02** ⑤ **03** ②
04 (1) What's the matter? (2) That's too bad. **05** ⑤
06 ① **07** ⑤ **08** (C) − (A) − (B) − (D) **09** ③. ④
10 ⑤ **11** went / has been
12 The Green Friends are looking for volunteers who [whom / that] they will clean up the park with.
13 ②. ④ **14** ③ **15** they are good friends
16 ⓐ since ⓑ because of **17** ④ **18** ④ **19** ③
20 ④ **21** ② **22** ③
23 (1) I think you should open up to each other more.
(2) I advise you to open up to each other more.
24 (1) say a word (2) ate alone during lunch
(3) go and tell (4) feelings
25 (1) has cooked for his family
(2) has watched a baseball game on TV
(3) has played badminton with her brother

01

해설 mistake는 make, repeat, admit, point out 등의 동사와 함께 쓰이며. have와는 쓸 수 없다.
① make a mistake: 실수하다
② repeat a mistake: 실수를 반복하다
③ admit a mistake: 실수를 인정하다
⑤ point out a mistake: 실수를 지적하다

02

해설 ⓐ '나쁜 일이 일어나는 것을 예방하다'는 avoid(피하다)에 대한 설명이다.
ⓑ '누군가가 어떤 것을 왜 하는지'는 reason(이유)에 대한 설명이다.
ⓒ '당신이 아는 친구나 사람 없이'는 alone(혼자)에 대한 설명이다.

03

해설 심한 감기에 걸렸다는 상대방에게 뜨거운 차를 좀 마시라고 조언해 줄 때는 You'd better ~ / I advise you to ~ / I suggest that you ~ / I think you should ~로 한다. ②는 '나는 뜨거운 차를 좀 마시고 싶어.'라는 뜻으로 소망을 말하는 표현이다.

04

해석
• 그거 안됐다. • 그거 놀랍다!
• 너는 어때? • 무슨 일이니?
A 너 피곤해 보여. Philip. 무슨 일이니?
B 우산 없이 빗속을 걸어서 집에 왔어.
A 그거 안됐다.
해설 (A) 피곤한 원인을 묻는 말인 What's the matter?가 알맞다.
(B) 상대방의 좋지 않은 일에 대해 유감을 나타내는 말인 That's too bad.가 알맞다.

05

해석
A Kevin, 너 너무 초조해 보여. 무슨 일이니?
B 내가 엄마의 새 안경을 떨어뜨려서 깨뜨렸어.
A 아. 끔찍하다. 그래서 엄마도 그걸 아시니?
B 아직 모르셔. 그것에 대해 엄마한테 말할 수가 없어. 네가 어떻게 해야 하지? (→ 내가 어떻게 해야 하지?)
A 엄마가 그것을 아시기 전에 그냥 먼저 말씀 드려.
해설 ⑤ '내가 어떻게 해야 하지?'의 뜻으로 상대방에게 고민을 해결할 방법을 물을 때는 What should I do?라고 말한다.

[06~07]

A 안녕하세요. Solomon. 저는 Peter라고 해요. 저는 문제가 있어요.
B 안녕하세요, Peter. 무슨 일이죠?
A 저는 제가 좋아하는 여학생 가까이 가면 얼굴이 빨개져요.
B 제 생각엔 심호흡을 하고 진지한 것에 대해 생각해야 할 것 같아요.
A 그거 좋은 생각이네요. 한번 해 볼게요.

06

해설 What's wrong?은 무슨 문제가 있는지 묻는 말이므로 What's the matter?로 바꿔 쓸 수 있다.

07

해설 My face turns red when I'm near the girl I like.가 Peter가 가진 문제이다.

08

해석
(C) 수학을 더 잘하는 방법을 모르겠어. 나에게 조언 좀 해 줄 수 있니?
(A) 시험에 대비해서 어떻게 공부하니?
(B) 나는 그냥 많은 문제를 풀어 봐.
(D) 음, 전부 풀어 보지는 마. 내 생각엔 네가 틀린 문제들에 집중해야 할 것 같아.
해설 조언을 부탁하는 (C)에 대해 어떻게 공부하는지 묻는 (A)가 이어지고, (A)에 대한 대답이 (B)이다. 마지막으로 문제를 전부 풀지 말고 틀린 문제에 집중하라고 조언을 해 주는 (D)가 이어진다.

09

해석
A 상자 안의 그것은 무엇이니?
B 그것은 내 친구가 나에게 준 인형이야.
해설 선행사가 사물(doll)이고 관계대명사가 절 안에서 목적어 역할을 하므로 목적격 관계대명사 which나 that이 알맞다.

10

해석
Daniel은 2시간 전에 여동생을 돌보기 시작했다. 그는 지금도 여동생을 돌본다.

→ Daniel은 2시간 동안 여동생을 돌보고 있다.

해설 '2시간 동안 계속 돌보고 있다'라는 뜻으로 현재까지의 동작의 계속을 나타내므로 현재완료 형태가 알맞으며, '2시간 동안'이라는 시간의 길이를 나타낼 때는 for를 쓴다.

11

해석
· John은 지난달에 알래스카를 여행했다.
· John은 전에 알래스카를 여행한 적이 있다.

해설 첫 번째 문장의 last month는 특정한 과거 시점을 나타내는 부사구이므로 과거 형태인 went가 알맞다. 두 번째 문장은 '전에 ~해 본 적이 있다'는 경험을 나타내므로 현재완료 형태인 has been이 알맞다.

12

해석
The Green Friends는 함께 공원을 청소할 자원봉사자들을 구하는 중이다.

해설 선행사 volunteers가 사람이므로 목적격 관계대명사 who〔whom / that〕가 생략된 문장이다. 선행사인 volunteers와 주어인 they 사이에 생략된 관계대명사를 넣는다.

13

해석
① 나무 옆에 있는 남자아이는 Tommy이다.
② 이 아이는 내가 항상 함께 노는 친구이다.
③ 오늘 아침에 도착한 소포가 책상 위에 있다.
④ 나는 Jessica에게 빌린 이야기책을 잃어버렸다.
⑤ 우리는 언덕에 있는 호텔에서 묵었다.

해설 목적격 관계대명사로 쓰인 ②, ④는 생략할 수 있다. ①, ③, ⑤는 주격 관계대명사이므로 생략할 수 없다.

14

해석
① Kitty는 어린 소녀였을 때부터 꽃을 좋아한다.
② 이것이 나의 이모가 나에게 사 준 우산이다.
③ 우리는 지난 주말에 바자회에서 물건을 모두 팔았다.
④ 날씨가 수요일 이후로 춥지 않다.
⑤ 유리는 내가 우리 학교에서 가장 좋아하는 여자아이다.

해설 ③ 특정한 과거 시점을 나타내는 부사구(last weekend)는 현재완료와 함께 쓸 수 없으므로 과거형인 sold로 고쳐야 한다.

15

해석
Anger 나는 더 이상 이 상황을 못 참아. Bella는 일단 가서 Jenny에게 자신의 감정을 말해야 해.
Fear 나는 Bella가 또다시 상처 받는 걸 원하지 않아. 그 애는 그냥 내버려 두어야 해.
Joy 그 애들은 좋은 친구야. 그 애들이 잘 해낼 거야.
→ Joy는 그 애들이 좋은 친구이기 때문에 Bella와 Jenny가 그들

의 문제를 잘 해결할 것이라고 생각한다.

해설 Joy의 말 They are good friends.가 Bella와 Jenny가 문제를 잘 해결할 것이라고 생각하는 이유이다.

[16~17]

나는 너에게 내가 가지고 있는 고민거리에 대해 말하고 싶어. 나는 내 형편없는 수학 점수가 걱정이야. 나는 작년부터 계속 이고민거리를 가지고 있었어. 나는 수학을 좀 더 잘하고 싶어. 하지만, 내가 수학을 공부하려고 하면, 정말 그것에 집중이 안 돼. 나는 무엇을 해야 할지 모르겠어. 나는 이 걱정 때문에 잠을 잘 잘 수가 없어. 내 걱정거리를 없애 줄 수 있니?

16

해설 ⓐ '~ 이후로'라는 뜻으로 '시작되는 시점'을 나타낼 때는 since를 쓴다.
ⓑ '~ 때문에'라는 뜻으로 뒤에 명사(구)가 올 때는 because of를 쓴다.

17

해설 But when I try to study math, I just can't focus on it.에서 수학 공부를 하려고 하면 집중이 안 된다고 했으므로 ④는 알맞지 않다.

[18~20]

Anger 정말 끔찍한 하루야! 학교 연극이 끝난 후 Jenny가 Bella에게 소리를 지르다니 믿을 수가 없어.
Sadness 글쎄, 그건 Bella가 무대에서 그녀의 대사를 잊어버렸기 때문이잖아.
Anger Jenny는 Bella가 저지른 실수를 지적했잖아. 어떻게 모든 사람 앞에서 그렇게 할 수가 있니?
Joy 하지만 난 Jenny가 Bella에게 상처를 주려고 했던 건 아니었다고 확신해. 그들은 초등학교 때부터 가장 친한 친구였잖아. 기억하지?
Anger 내 말이 바로 그거야. 진정한 친구라면 절대로 그런 식으로 Bella를 깎아내리지 않을 거야.
Fear 나는 그들이 더 이상 친구로 지내지 않을까 봐 걱정돼.
Joy 에이, Fear. 너무 극단적으로 생각하지 마. 곧 알게 되겠지.

18

해설 ⓓ '그들은 초등학교 때부터 가장 친한 친구였다.'는 과거부터 현재까지의 계속의 의미를 나타내므로 현재완료 형태인 have been이 알맞은 형태이다.

19

해석
① 표를 사려면 줄을 서서 기다려라.
② 종이 위에 수평선을 그려라.
③ Daisy는 점심 식사 후에 그녀의 대사를 외워야 한다.

④ 아이들이 줄지어서 계단을 내려왔다.

⑤ 방문객들은 그들의 목적지에 도착하기 위해 다른 지하철 노선을 이용할 수 있다.

해설 line은 '(연극, 영화의) 대사'라는 뜻으로 ③의 line과 같은 의미이다. ①, ④는 '줄'이라는 의미이고 ②는 '선', ⑤는 '노선'이라는 의미이다.

20

해석

Q Bella는 오늘 기분이 어땠을 거라고 생각하는가?

① 행복한　　　　　　　② 지루한

③ 희망적인　　　　　　④ 당황한

⑤ 겁먹은

해설 Bella가 저지른 실수를 Jenny가 모든 사람 앞에서 지적했으니 '당황했을' 것이다.

[21~22]

Joy 휴! 나는 그 애들이 다시 이야기하게 되어 무척 기뻐.

Anger 그래. Bella가 Jenny에게 가서 그 애에게 먼저 말을 걸었지.

Joy Jenny는 일부러 Bella를 피한 게 아니었어.

Sadness 맞아. Jenny는 사과하는 방법을 몰랐던 거야.

Fear 나는 Bella에게 이번과 같은 문제가 더 이상 없기를 바라.

Joy 나도 그래. 하지만 문제는 성장의 일부야. 이번과 마찬가지로 Bella는 문제들에 직면하게 될 거고, 그것들을 해결할 거고, 그리고 결국 더 현명해질 거야.

21

해설 Jenny가 일부러 Bella를 피한 것이 아니라는 것으로 보아 '미안하다'고 말하는 법을 몰랐다는 것을 알 수 있다.

22

해석

① Jenny는 왜 Bella를 피했는가?

② Bella는 Jenny와 어떻게 화해했는가?

③ Bella는 언제 Jenny에게 먼저 말을 걸었는가?

④ Fear는 무엇을 바라는가?

⑤ Joy에 따르면, Bella는 문제가 다시 생기면 어떻게 할 것인가?

해설 Bella가 언제 Jenny에게 가서 먼저 말을 걸었는지는 나와 있지 않으므로 ③의 질문에는 답할 수 없다.

① Jenny avoided Bella because she didn't know a way to say sorry.

② She went to Jenny and talked to her first.

④ Fear hopes that Bella doesn't have any more problems like this.

⑤ She will face them, solve them, and become wiser in the end.

23

해석

(1) 내 생각엔 너희들이 서로에게 좀 더 마음을 터놓아야 할 것 같아.

(2) 난 너희들에게 서로에게 좀 더 마음을 터놓으라고 조언해.

해설 고민을 해결하는 방법을 제안할 때는 (1) I think you should ~ (2) I advise you to ~를 이용한다.

24

해석

Anger 난 Jenny를 용서할 수 없어. 그 애는 Bella에게 한 마디도 말을 안 했어.

Fear Jenny는 심지어 Bella를 쳐다보지도 않았어. Jenny가 전에 이렇게 차가웠던 적이 없었어.

Sadness Bella는 오늘 점심시간에 혼자 밥을 먹었잖아. 가엾은 Bella!

Joy Jenny는 Bella의 가장 친한 친구야. 나는 우리가 모르는 어떤 이유가 있다고 확신해.

Anger 나는 더 이상 이 상황을 못 참아. Bella는 일단 가서 Jenny에게 자신의 감정을 말해야 해.

Jenny는 Bella에게 한마디도 말을 안 했고 심지어 쳐다보지도 않았다. Sadness는 Bella가 점심시간에 혼자 밥을 먹었기 때문에 '가엾은 Bella!'라고 말했다. Anger는 Bella가 가서 Jenny에게 자신의 감정을 말하기를 원한다.

해설 (1) Anger가 맨 처음에 한 말인 She didn't say a word to Bella.에서 알 수 있다.

(2) Sadness가 한 말인 Bella ate alone during lunch today. Poor Bella!에서 알 수 있다.

(3), (4) Anger가 마지막에 한 말인 Bella should just go and tell her about her feelings.에서 알 수 있다.

25

해석

(1) Jack은 3시간 동안 그의 가족을 위해 요리를 하고 있다.

(2) Sam은 2시간 동안 TV로 야구 경기를 보고 있다.

(3) 미소는 한 시간 동안 그녀의 오빠와 배드민턴을 치고 있다.

해설 (1) Jack은 3시간 전부터 지금까지 계속 가족을 위해 요리를 하고 있으므로 현재완료(has cooked)를 사용한다.

(2) Sam은 2시간 전부터 지금까지 계속 TV로 야구 경기를 보고 있으므로 현재완료(has watched)를 사용한다.

(3) 미소는 1시간 전부터 지금까지 계속 오빠와 배드민턴을 치고 있으므로 현재완료(has played)를 사용한다.

Lesson 06

Doors to the Wild

Words & Phrases — p. 34

01 정글을 탐험하다니 너는 모험심이 강하구나.

02 제가 한 시간만 더 있게 허락해 주세요.

03 비가 그친 후에, 하늘에 무지개가 나타났다.

04 그 마을에 다가가면 오른편으로 커다란 나무가 보일 것이다.

05 그 노인은 공격을 받았고 돈을 도둑맞았다.

06 이 시계는 시각 장애인들에게 유용하다.

07 부주의한 운전은 매우 위험하다.

08 Ryan은 한국 민속 문화에 호기심이 많다.

09 밤늦게 혼자 걷는 것은 위험하다.

10 그 죽은 꽃들을 모두 버려라.

11 아이들이 연못에 있는 오리들에게 먹이를 주고 있다.

12 그 사육사는 암컷 판다를 '라라'라고 불렀다.

13 로봇들이 우리를 위해 거대한 우주선을 만들 것이다.

14 골리앗은 거인이었다.

15 개 한 마리가 땅에 구덩이를 파고 있었다.

16 Mark Twain은 재미있는 모험 이야기들을 썼다.

17 우리는 서로 의사소통을 하기 위해 종종 몸짓 언어를 사용한다.

18 우리는 많은 죽은 물고기들이 강에서 떠다니는 것을 보았다.

19 군인들은 구조 센터로 보내졌다.

20 아이들은 장시간 여행에는 항상 가만히 있지 못한다.

21 David는 그의 일에 집중하고 있는 것처럼 보인다.

22 개들은 좋은 후각을 가지고 있다.

23 노숙자들은 음식과 보호소가 필요하다.

24 나는 Ted가 어디에서 그의 힘을 얻는지 모르겠다.

25 꼬리를 빠르게 흔들고 있는 여우를 봐.

26 얼음은 그 위를 걸을 수 있을 만큼 충분히 두꺼웠다.

27 Kate와 Jenny는 주말 내내 집에 있었다.

28 의사가 내게 내 혀를 내밀라고 말했다.

29 코끼리는 음식을 집어 올리기 위해 코를 사용한다.

30 믿을 수 없게도, 나윤이는 5개의 외국어를 말할 수 있다.

31 Nicole은 야생화를 연구한다.

---

01 (1) feed (2) allow (3) attack
02 (1) dangerous [unsafe] (2) alive   **03** ②
04 (1) care (2) look (3) take
05 (1) tale → tail (2) whole → hole
　　　(3) sees → seems
06 (1) wild (2) giant   **07** ①

01

해석

(1) 네가 개에게 먹이를 줄 차례다.

(2) 그 선생님은 시험 보는 동안 사전에서 단어를 찾는 것을 허락하지 않는다.

(3) 이 근해에는 어부들을 공격하는 상어들이 좀 있다.

해설 (1) '개에게 먹이를 주다'라는 의미가 자연스러우므로 빈칸에 feed가 들어가는 것이 알맞다.

(2) '단어를 찾는 것을 허락하지 않다'라는 의미가 자연스러우므로 빈칸에 allow가 들어가는 것이 알맞다.

(3) '어부를 공격하다'라는 의미가 자연스러우므로 빈칸에 attack이 들어가는 것이 알맞다.

02

해석

두꺼운 : 얇은

(1) 안전한 : 위험한[안전하지 않은]

(2) 죽은 : 살아 있는

해설 보기는 반의어 관계이다.

(1) safe의 반의어는 dangerous [unsafe]이다.

(2) dead의 반의어는 alive이다.

03

해석

① 병원　② 보호소　③ 백화점　④ 요양원　⑤ 경찰서

해설 '나쁜 날씨, 위험, 공격으로부터 보호를 하기 위해 만들어진 건물'은 '보호소(shelter)'이다.

04

해설 '~을 돌보다'는 care for, look after, take care of로 표현한다.

05

해석

(1) 말의 꼬리는 길다.

(2) 정원에 있는 구덩이를 봐.

(3) Hannah는 많은 사람들 앞에서 노래하는 것을 좋아하는 것처럼 보인다.

해설 (1) '말의 꼬리'라는 의미여야 하므로 tail이 알맞다. tale은 '이야기'라는 뜻이다.

(2) '구덩이'라는 의미여야 하므로 hole이 알맞다. whole은 '전체, 전부'라는 뜻이다.

(3) '~처럼 보이다'라는 의미여야 하므로 seems가 알맞다. sees는 '보다'라는 뜻이다.

06

해석

(1) • 아프리카에서 우리는 <u>야생</u>에 있는 많은 코끼리들과 사자들을 보았다.
　　• 어떤 <u>야생</u>의 버섯들은 독이 있다.
(2) • 아이들은 숲속에서 <u>거인</u>을 보았다.
　　• 그 케이크는 <u>거대한</u> 배처럼 보였다.

해설 (1) '야생'과 '야생의'라는 뜻으로 쓰이는 것은 wild이다.
(2) '거인'과 '거대한'의 뜻으로 쓰이는 것은 giant이다.

07

해석

① 길에서 눈을 떼지 마라.
② 서점은 제과점 바로 옆에 있다.
③ 인터넷은 일상생활의 일부가 되었다.
④ Mark는 자연의 사진을 찍는 것을 좋아한다.
⑤ Jessy는 Harry의 도움 덕분에 보고서를 끝낼 수 있었다.

해설 ① '~에서 눈을 떼지 않다'라는 표현은 keep one's eyes on으로 표현한다.

Functions Test　　　　　　　pp. 37~38

01 ③　　02 ④　　03 I'm curious about the flower.　　04 ②
05 as heavy as an elephant　　06 ④
07 I'm curious about the dog　　08 ②
09 as small as my hand　　10 ①　　11 ③　　12 ④

01

해석

A 이것 좀 봐. 이 새는 사람처럼 웃어.
B 오, 그 새가 궁금해.
A 나도 그래. 그것에 관해 더 많이 읽어 보자.
① 나는 그 새를 찾고 있어　　② 나는 그 새가 기대돼
③ 나는 그 새가 궁금해　　④ 나는 그 새가 걱정돼
⑤ 나는 그 새가 사람처럼 웃게 도와줄 수 있어

해설 A가 '그것에 관해 더 많이 읽어 보자.'라고 말하는 것으로 보아 새에 대해 호기심이 있다는 것을 알 수 있으므로 ③ I'm curious about the bird가 알맞다.

02

해석

Q 나무는 얼마나 오래되었는가?
① 그것은 오래되었다.　　② 그 집은 오래되었다.

③ 그것은 집보다 오래되었다.　　④ 그것은 집만큼 오래되었다.
⑤ 그것은 집만큼 오래되지 않았다.

해설 나무는 2004년에 심어졌고, 집은 2004년에 지어졌으므로 나무와 집의 나이가 같다. 두 개의 대상을 서로 비교하여 정도가 같음을 나타낼 때는 as ~ as ...의 표현을 사용한다.

03

해석

A 이 꽃은 사람보다 더 커.
B 그래. 나는 그 꽃이 궁금해.

해설 '~이 궁금하다'라는 뜻으로 어떤 대상에 대해 호기심이 있음을 표현할 때는 I'm curious about ~으로 말한다.

04

해석

봐! 저거 해마 아니야?
(A) 사실은 아니야. 그건 해룡이야.
(C) 아, 정말? 난 그 둘의 차이점이 궁금해.
(D) 꼬리를 주의해서 봐. 해룡은 꼬리가 곧지만, 해마는 그렇지 않아.
(B) 오, 나 이제 차이를 구별할 수 있겠네!

해설 주어진 질문에 대한 대답이 (A)이며, 혼동했던 해마와 해룡의 차이점에 대해 알고 싶다 (C)가 이어진 후, 차이를 설명하는 (D)가 이어지고, 마지막에 차이를 알겠다는 (B)가 온다.

[05~06]

안녕하세요, 저는 Toby입니다. 저는 흰긴수염고래에 대해서 발표를 하려고 해요. 그 고래는 세상에서 가장 큰 바다 동물이에요. 얼마나 크냐고요? 음, 길이가 30미터 정도 돼요. 그 말은 그 고래가 농구 경기장보다 길다는 뜻이에요. 또 다른 흥미로운 점은 그 고래의 혀가 <u>코끼리만큼 무겁다</u>는 거예요! 놀랍죠, 그렇지 않나요?

05

해설 '...만큼 ~한'의 의미로 두 개의 대상을 서로 비교하여 정도가 같음을 나타낼 때는 as ~ as ...로 표현하므로 as heavy as an elephant 순서로 배열한다.

06

해설 무게가 얼마인지는 나와 있지 않으므로 ④는 맞지 않는 설명이다.

07

해석

A 이것 좀 봐. 이 개는 음악에 맞춰 춤을 춰.
B 오, 그 개가 궁금해.
A 나도 그래.

해설 Me, too.는 '나도 그래.'라는 뜻으로 상대방의 말에 동의를 나타내는 말이므로 여기서는 I'm curious about the dog, too.로 바꿔 쓸 수 있다.

08

해석

A 정답 알아맞히기 게임을 해 보자. 그것은 채소야.

B 얼마나 크니?

A 그것은 레몬만큼 무거워(→커).

B 무슨 색이니?

A 그것은 첼로처럼 갈색이야.

B 그것은 생강이야.

A 틀렸어. 그것은 감자야.

해설 ② How big is it?이라고 크기를 물었는데 '레몬만큼 무겁다'라고 무게로 대답하는 것은 어색하다. big을 사용해서 It is as big as a lemon.으로 대답해야 한다.

09

해석

A 우리는 어제 새 강아지를 데리고 왔어. 그 강아지는 2주밖에 안 됐어.

B 오, Dylan. 걔 너무 조그맣다!

A 맞아. 그 애는 지금 내 손만큼 작지만, 몇 달 뒤에는 훨씬 더 커질 거야.

해설 그림을 보면 강아지가 손만큼 작으므로 small을 사용해서 as small as my hand로 표현한다.

10

해석

① 상어는 배만큼 빨리 헤엄칠 수 있다.

② 상어는 배만큼 빨리 헤엄칠 수 없다.

③ 배는 상어만큼 빨리 헤엄칠 수 없다.

④ 상어는 배보다 빨리 헤엄칠 수 있다.

⑤ 배는 상어보다 빨리 헤엄칠 수 있다.

해설 두 개의 대상을 서로 비교하여 '…만큼 ～한'의 뜻으로 정도가 같음을 나타내는 비교 표현은 as ~ as …이다. 상어를 배와 비교하고 있으므로 A shark가 주어가 되고 as fast as 뒤에 a boat를 쓴다.

[11~12]

A 안녕하세요, Watson 박사님. 박사님의 연구에 대해 말씀해 주시겠어요?

B 저는 수백만 년 전에 살았던 동물들을 연구해요.

A 오, 저는 그런 동물들이 궁금해요. 재미있는 동물들이 있었나요?

B 네, 많이 있었죠. 이 동물은 자이언트 뱀이에요. 그것은 남미에서 살았어요. 그것은 버스 길이 정도였고 다리가 두 개 있었어요.

A 그거 정말 놀랍군요!

11

해설 I'm curious about ~은 어떤 대상의 놀랍거나 특별한 점에 대해 궁금해하거나 호기심이 있다는 것을 나타내는 표현이다.

12

해석

① Watson 박사는 무엇을 연구하는가?

② 자이언트 뱀은 어디서 살았는가?

③ 자이언트 뱀은 얼마나 길었는가?

④ 자이언트 뱀은 얼마나 오래 살았는가?

⑤ 자이언트 뱀은 몇 개의 다리가 있었는가?

해설 얼마나 오래 살았는지는 알 수 없으므로 ④에는 답할 수 없다.

① He studies animals that lived millions of years ago.
② It lived in South America. ③ It was as long as a bus.
⑤ It had two legs.

p. 39

듣기·말하기 Script

Listen & Talk 1~2 **1-A** 1 ❶ choose ❷ How [What] about you ❸ I'm curious about ❹ weather change ❺ thinking about ❻ topic 2 ❼ huge ❽ bigger than ❾ smells ❿ insects ⓫ wonder why **1-B** ❶ don't think so ❷ between, and ❸ more ❹ raised ❺ wild ❻ later ❼ remembered ❽ touching **2-A** 1 ❶ puppy ❷ only ❸ as small as ❹ much bigger ❺ a few ❻ grow 2 ❼ over there ❽ as old as ❾ planted ❿ was born **2-B** ❶ presentation ❷ the biggest ❸ How big ❹ about ❺ longer than ❻ basketball court ❼ tongue ❽ as heavy as **Communication** ❶ millions of ❷ ago ❸ I'm curious about ❹ lived in ❺ as heavy as ❻ That's amazing

해석

Listen & Talk 1~2

1-A

1.

남 Judy, 너 과학 과제로 할 주제 골랐어?

여 아직. 너는 어때, Ryan?

남 나는 날씨 변화가 궁금하거든. 그래서 난 그것에 관한 과제를 하려고 생각 중이야.

여 주제가 흥미로운걸!

2.

여 이 커다란 꽃 사진을 봐.

남 와, 사람보다 더 크네.

여 그러게. 나는 이 꽃이 정말 궁금해. 또 여기에 나와 있는데 그 꽃은 냄새가 매우 고약하지만, 곤충들은 그 냄새를 좋아한대.

남 흠, 이유가 궁금하다.

1-B

여 너는 우리가 사자와 친구가 될 수 있다고 생각하니, Todd?

남 아니, Clare. 나는 그렇게 생각하지 않아.

여 음. 나는 두 남자와 사자 사이의 우정에 관한 동영상을 봤어.

남 정말? 나는 그 이야기가 궁금해. 나에게 더 많이 말해 줄래?

여 그 두 남자는 아기 사자를 길러서 야생으로 돌려보냈어. 그 남자들과 사자가 1년 후에 만났을 때, 사자는 그들을 기억했어.

남 와, 정말 감동적이다.

2-A

1.

남 이 사진 좀 봐, 미나야. 우리 어제 새 강아지를 데리고 왔어. 그 강아지는 2주밖에 안 됐어.

여 오, Dylan. 걔 너무 조그맣다!

남 맞아. 그 애는 지금 내 손만큼 작지만, 몇 달 뒤에는 훨씬 더 커질 거야.

여 와, 강아지들은 정말 빨리 크네.

2.

여 George. 저기에 있는 빨간 집이 우리 할아버지와 할머니 댁이야.

남 와. 집 옆에 있는 나무가 굉장히 크네.

여 사실, 저 나무의 나이는 나랑 같아서 수령이 13년 되었어.

남 그걸 어떻게 알아, Kelly?

여 할아버지께서 내가 태어난 해인 2004년에 그 나무를 심으셨거든.

2-B

남 안녕하세요, 저는 Toby입니다. 저는 흰긴수염고래에 대해서 발표를 하려고 해요. 그 고래는 세상에서 가장 큰 바다 동물이에요. 얼마나 크냐고요? 음, 길이가 30미터 정도 돼요. 그 말은 그 고래가 농구 경기장보다 길다는 뜻이에요. 또 다른 흥미로운 점은 그 고래의 혀가 코끼리만큼 무겁다는 거예요! 놀랍죠, 그렇지 않나요?

Communication

여 안녕하세요, Watson 박사님. 박사님의 연구에 대해 말씀해 주시겠어요?

남 저는 수백만 년 전에 살았던 동물들을 연구해요.

여 오, 저는 그런 동물들이 궁금해요. 재미있는 동물들이 있었나요?

남 네, 많이 있었죠. 이 동물은 자이언트 캥거루입니다. 호주에서 살았어요. 세 사람 무게 정도였고 잘 뛰지 못했어요.

여 그거 정말 놀랍군요!

Grammar Test · Basic

p. 41

01 (1) 주어 (2) 보어 (3) 목적어 (4) 주어

02 (1) as skinny as (2) as early as

(3) not as [so] sweet as

03 (1) It, to get angry at your little brother

(2) It, to learn how to cook French food

(3) It, to eat slow food

04 (1) to work in the rain

(2) to keep the school rules

(3) to take a walk in the morning

05 (1) as expensive as (2) not as [so] old as

01

해석

(1) 내 개와 노는 것은 재미있다.

(2) Helen의 계획은 마술 동아리에 가입하는 것이다.

(3) 나는 저 식당에서 스테이크를 먹기를 원한다.

(4) 네 감정을 표현하는 것은 중요하다.

해설 (1) '~하는 것은'의 뜻으로 주어 역할을 한다.

(2) '~하는 것이다'의 뜻으로 보어 역할을 한다.

(3) 동사 want의 목적어 역할을 하며 '~하기를'의 뜻이다.

(4) '~하는 것은'의 뜻으로 주어 역할을 하며, 주어 자리에 가주어 It을 쓰고 진주어인 to부정사는 뒤로 보낸 문장이다.

02

해설 두 개의 대상을 비교하여 (1), (2) '~만큼 …한[하게]'의 의미로 정도가 같음을 나타낼 때는 「as+형용사[부사]의 원급+as ~」로, (3) '~만큼 …하지 않은[않게]'의 의미를 나타낼 때는 「not as [so]+형용사[부사]의 원급+as ~」로 쓴다.

03

해석

(1) 네 남동생에게 화를 내는 것은 어리석었다.

(2) 프랑스 음식을 요리하는 법을 배우는 것은 흥미진진하다.

(3) 슬로푸드를 먹는 것이 건강에 좋다.

해설 '~하는 것은 …하다'라는 의미로 to부정사가 주어로 쓰인 경우에는 주어 자리에 가주어 It을 쓰고 주어를 뒤로 보내서 「It+be동사+형용사+to부정사」의 순서로 쓸 수 있다.

04

해석

(1) 빗속에서 일하는 것은 힘들다.

(2) 교칙을 지키는 것은 중요하다.

(3) 아침에 산책하는 것은 매우 즐겁다.

해설 「It(가주어) ~ to부정사(진주어)」의 구조에서 It은 진주어를 대신하는 가주어이므로 to부정사구를 가리킨다.

05

해석

(1) 치즈 케이크는 15달러이다. 당근 케이크도 15달러이다.

→ 치즈 케이크는 당근 케이크만큼 비싸다.

(2) 이 다리는 2001년에 건설되었다. 저 다리는 1990년에 건설되었다.

→ 이 다리는 저 다리만큼 오래되지 않았다.

해설 (1) 치즈 케이크와 당근 케이크의 가격이 같으므로 「as+형용사의 원급(expensive)+as ~」로 쓸 수 있다.

(2) 이 다리는 저 다리만큼 오래되지 않았으므로 「not as [so]+형용사의 원급(old)+as ~」로 쓸 수 있다.

Grammar Test **Advanced**

01 ③　**02** ①　**03** ③　**04** ④　**05** It, to keep

06 It is hard to become

07 as smart as a two-year-old child　**08** ①　**09** as

10 ①, ④　**11** ④　**12** It is unsafe to take pets

13 ②　**14** cold / good　**15** ②　**16** ⑤

01

해석

롤러블레이드를 타러 가는 것은 흥미진진하다.

해설 '~하러 가는 것은'의 뜻으로 It이 가주어이므로 빈칸에는 진주어 역할을 하는 to부정사 to go가 와야 한다.

02

해석

파란 연필은 빨간 연필만큼 값이 싸다.

해설 두 개의 사물을 비교하여 '~만큼 …한'이라는 의미는 「as+형용사의 원급+as」로 나타낸다. 빈칸에는 is의 보어 역할을 하는 형용사의 원급이 와야 하므로 cheap이 알맞다.

03

해설 '~하는 것은 …하다'라는 의미이므로 to부정사를 주어로 써서 To grow these plants is fun.으로 나타내거나 가주어 It을 써서 It is fun to grow these plants.로 나타낸다.

04

해석

① 고양이는 높이 뛴다.

② 고양이는 높이 뛰지 못한다.

③ 고양이는 캥거루만큼 높이 뛴다.

④ 고양이는 캥거루만큼 높이 뛰지 못한다.

⑤ 고양이는 캥거루보다 높이 뛴다.

해설 그림을 보면 고양이는 캥거루만큼 높이 뛰지 못하므로 '~만큼 …하지 않게'의 의미가 되도록 「not as (so)+부사의 원급+as ~」의 형태로 쓴 ④가 알맞다.

05

해석

여름에 네 애완동물의 음식을 시원하게 보관하는 것이 그의 건강에 도움이 된다.

해설 to부정사가 주어로 쓰인 경우, to부정사를 뒤로 보내고 주어 자리에 가주어 It을 써서 「It+be동사+형용사+to부정사」로 바꿔 쓸 수 있으므로 빈칸에는 가주어 It과 to부정사 to keep이 알맞다.

06

해설 '수의사가 되는 것'이 주어이므로 주어는 to become an animal doctor인데 괄호 안에 가주어로 사용할 수 있는 it이 있으므로 It is hard to become an animal doctor.로 완성한다.

07

해설 '~만큼 …한'이라는 의미의 원급 비교는 「as+형용사의 원급+as ~」로 나타내므로 as smart as 뒤에 비교 대상인 a two-year-old child를 써야 한다.

08

해석

Ann은 5시에 저녁을 먹는다. Dave도 5시에 저녁을 먹는다.

① Dave는 Ann만큼 일찍 저녁을 먹는다.

② Dave는 Ann만큼 일찍 저녁을 먹지 않는다.

③ Ann은 Dave만큼 일찍 저녁을 먹지 않는다.

④ Ann은 Dave보다 일찍 저녁을 먹는다.

⑤ Dave는 Ann보다 일찍 저녁을 먹는다.

해설 Ann과 Dave가 저녁을 먹는 시간은 똑같이 5시이므로 원급 비교를 나타내는 「as+부사의 원급+as ~」 형태인 ①이 알맞다.

09

해석

• 빵은 이 슈퍼마켓에서 쿠키만큼 비싸다.

• 내 컴퓨터는 네 것만큼 빠르지 않다.

해설 '~만큼 …한'은 「as+형용사의 원급+as ~」로, '~만큼 …하지 않은'은 「not as (so)+형용사의 원급+as ~」로 나타내므로 빈칸에 공통으로 들어갈 말은 as이다.

10

해석

탁구를 치는 것은 재미있다.

① 그것은 엄마의 새 치마이다.

② 동물원에서 동물들에게 먹이를 주는 것은 잘못된 것이다.

③ 요즈음 중국어를 배우는 것이 필요하다.

④ 여기서 공원까지는 2킬로미터이다.

⑤ 나의 할머니와 이야기를 나누는 것은 아주 재미있다.

해설 보기와 ②, ③, ⑤는 가주어이다. ①은 '그것'이라는 의미의 대명사이고, ④는 거리를 나타내는 비인칭 주어이다.

11

해석

Megan은 Jason보다 더 키가 크다.

① Jason은 Megan보다 더 키가 크다.

② Jason은 Megan만큼 키가 크다.

③ Megan은 Jason만큼 키가 크다.

④ Jason은 Megan만큼 키가 크지 않다.

⑤ Megan은 Jason만큼 키가 크지 않다.

해설 'Megan은 Jason보다 더 키가 크다.'라는 말은 'Jason은 Megan만큼 키가 크지 않다.'와 같은 의미이므로 Jason이 주어이고 「not as+형용사의 원급+as ~」가 쓰인 ④가 알맞다.

12

해석

애완동물을 동물원에 데려가는 것은 안전하지 않다.

'~하는 것은 …하다'의 뜻이어야 하므로 가주어 It을 써서 「It is＋형용사(unsafe)＋to부정사(to take pets)」의 순서로 완성한다.

13

해설

시험 보기 전날 잠을 잘 자는 것이 중요하다.

해설 '~하는 것은 …하다'라는 의미를 가주어 It을 이용하여 나타낼 때 「It＋be동사＋형용사＋to부정사」로 쓰므로 첫 번째 빈칸에는 가주어 It이, 두 번째 빈칸에는 진주어 to sleep이 들어간다.

14

해설

• 이 피자는 얼음처럼 차갑다. 나는 그것을 데워야 한다.

• 나는 점심으로 김밥이 샌드위치만큼 좋지 않다고 생각한다.

해설 원급 비교 구문은 as와 as 사이에 형용사나 부사의 원급이 들어가므로 첫 번째 빈칸에는 cold가 알맞다. 원급 비교 구문의 부정문은 not so [as]와 as 사이에 형용사나 부사의 원급이 들어가므로 두 번째 빈칸에는 good이 알맞다.

15

해설

(A) Sam은 Bob만큼 조용하게 말했다.

(B) 로마는 아테네만큼 오래되지 않았다.

(C) 이구아나 같은 애완동물을 기르는 것은 흥미롭다.

(D) 다른 사람들을 이해하는 것은 어렵다.

해설 (B) '~만큼 …하지 않은'이라는 의미는 「not as [so]＋형용사의 원급＋as ~」의 형태로 쓰므로 뒤의 so는 as가 되어야 한다.

(C) 동사가 주어로 쓰이면 to부정사나 동명사 형태로 써야 하므로 Keep은 To keep 또는 Keeping이 되어야 한다.

16

해설

① 이 영화는 저 영화만큼 폭력적이다.

② 인터넷을 검색하는 것은 항상 재미있다.

③ 한 시간은 1분보다 60배 길다.

④ 도서관에 너의 가방을 놔두는 것은 위험하다.

⑤ 돈을 잘 쓰는 것이 돈을 저축하는 것만큼 중요하다.

해설 ⑤ 비교하는 대상은 형태가 같아야 하므로 주어가 동명사 Spending이면 비교 대상도 동명사 saving으로, 주어가 to부정사 To spend이면 비교 대상도 to부정사 to save가 되어야 한다.

Reading

pp. 44~47

❶ took, pictures of ❷ hole ❸ as bright as
❹ approaching ❺ thick ❻ Thanks to ❼ It
❽ dangerous ❾ to stay ❿ wild ⓫ What's more
⓬ be attacked ⓭ shelter ⓮ asked for help ⓯ rescue
⓰ kept my eyes on ⓱ next to ⓲ lifeless ⓳ It, to see
⓴ throughout ㉑ appeared ㉒ probably ㉓ female
㉔ allowed ㉕ become part of ㉖ seemed to
㉗ Unbelievably ㉘ fed ㉙ cared for ㉚ as warmly as

해설

아기 코끼리의 발자국

날짜/시간: 7월 8일, 오후 2시 35분

기록: 오늘은 내가 아프리카에 온 첫날이었다. 나는 코끼리 사진을 많이 찍었다. 오늘 아침에 나는 작은 물웅덩이 옆에 있는 한 코끼리 무리를 발견했다. 나는 아기 코끼리 한 마리가 엄마 옆에서 물을 마시고 있는 것을 보았다. 그 코끼리의 눈이 별처럼 밝았다. 나는 그 코끼리에게 Stella란 이름을 붙여 주었다. 정오 즈음에 나는 사자 한 무리가 Stella에게 다가가는 것을 보았다. 코끼리들은 Stella 주위에 둘러서서 두꺼운 벽을 만들었다. 그 코끼리들 덕분에 Stella는 안전했다.

날짜/시간: 7월 12일, 오후 7시 20분

기록: 해 질 녘에 나는 이상한 소리를 들었다. 나는 그 소리를 따라 갔고 Stella가 자신의 엄마 옆에서 울고 있는 것을 발견했다. 엄마는 죽어서 누워 있었고, Stella는 혼자였다. 이러한 야생 지역에서 혼자 있는 것은 위험하다. 더욱이 곧 어두워질 것이었다. 코끼리들은 밤에 잘 볼 수 없다. 그래서 Stella는 쉽게 공격을 받을 수 있다. 나는 코끼리 보호소에 전화를 해서 도움을 요청했다. 나는 구조대가 올 때까지 Stella 곁에 머물기로 결정했다.

날짜/시간: 7월 12일, 오후 10시 40분

기록: 밤은 어둡고 조용했다. 나는 야간용 카메라를 이용해서 Stella를 계속 지켜보았다. Stella는 여전히 엄마 곁에 있었다. Stella는 코로 엄마의 죽은 몸을 어루만지고 있었다. Stella가 엄마 가까이에 머물고 있는 것을 보는 것은 슬픈 일이었다. 나는 Stella가 밤새도록 안전하게 있기를 바란다.

날짜/시간: 7월 13일, 오전 6시

기록: 새로운 코끼리 무리가 나타났고, Stella는 그 무리에 다가갔다. 처음에 나는 그 코끼리들이 Stella를 자신들의 무리로 받아들이지 않을 것이라고 생각했다. 그러나 내 생각이 틀렸다. 아마도 가장 나이가 많은 암컷인 듯한 코끼리 한 마리가 Stella가 그 무리의 일원이 되도록 허락했다. 다른 코끼리들도 Stella를 반기는 것처럼 보였다. 믿을 수 없게도, 암컷 코끼리 중의 한 마리가 Stella에게 젖을 먹였다. 그 코끼리는 Stella의 엄마만큼 따뜻하게 Stella를 보살폈다. 이것은 너무나 놀라운 순간이었다!

Reading Test *Basic*

pp. 44~47

01 (1) F (2) T (3) T
02 (1) elephants (2) by a small water hole
　　(3) drinking water
03 (1) sound (2) crying (3) attacked
04 (1) dad → mom [mother]
　　(2) eat → see
　　(3) visited → called
05 (1) T (2) F (3) F

06 (1) night camera (2) nose
07 (1) approached (2) would not (3) warmly
08 (1) youngest → oldest
    (2) avoid → welcome
    (3) rescued → fed

01

해석

(1) 글쓴이는 아기 사자에게 Stella라는 이름을 붙여 주었다.

(2) 정오 즈음에 사자 한 무리가 Stella에게 다가갔다.

(3) 코끼리들이 Stella를 보호하기 위해 두꺼운 벽을 만들었다.

해설 (1) I saw a baby elephant drinking water beside her mother. ~ I gave her a name, Stella.에서 글쓴이는 아기 코끼리에게 Stella라는 이름을 붙여 주었으므로 일치하지 않는 문장이다.

(2) Around noon, I saw a group of lions approaching Stella.에서 글쓴이는 정오 즈음에 사자 한 무리가 Stella에게 다가가는 것을 보았다고 했으므로 일치하는 문장이다.

(3) The elephants stood around Stella and made a thick wall. Thanks to them, Stella was safe.에서 코끼리들이 Stella 주위에 둘러서서 두꺼운 벽을 만든 덕택에 Stella가 안전했다고 했으므로 일치하는 문장이다.

02

해석

(1) 글쓴이는 무엇의 사진을 많이 찍었는가?

   → 그는 코끼리 사진을 많이 찍었다.

(2) 글쓴이는 어디에서 코끼리 무리를 발견했는가?

   → 그는 작은 물웅덩이 옆에서 그것을 발견했다.

(3) 아기 코끼리 한 마리는 엄마 옆에서 무엇을 하고 있었는가?

   → 그것은 물을 마시고 있었다.

해설 (1) I took lots of pictures of elephants.에 언급되어 있듯이 글쓴이는 코끼리 사진을 많이 찍었으므로 He took lots of pictures of elephants.라고 답하는 것이 알맞다.

(2) I found an elephant group by a small water hole.에 언급되어 있듯이 글쓴이는 작은 물웅덩이 옆에서 한 코끼리 무리를 발견했으므로 He found it by a small water hole.이라고 답하는 것이 알맞다.

(3) I saw a baby elephant drinking water beside her mother.에 언급되어 있듯이 아기 코끼리는 엄마 옆에서 물을 마시고 있었으므로 She was drinking water.라고 답하는 것이 알맞다.

03

해석

(1) 해 질 녘에 글쓴이는 이상한 소리를 따라갔다.

(2) Stella는 자신의 엄마 옆에서 울고 있었다.

(3) Stella는 밤에 야생 지역에서 혼자 있었기 때문에 쉽게 공격을 받을 수 있었다.

해설 (1) Around sunset, I heard a strange sound. I followed the sound ~로 보아 글쓴이는 이상한 소리를 따라갔으므로 괄호 안에서 sound가 알맞다.

(2) ~ found Stella crying next to her mom.으로 보아 Stella는 엄마 옆에서 울고 있었으므로 괄호 안에서 crying이 알맞다.

(3) It is dangerous to stay alone in such a wild area. ~ So Stella could easily be attacked.로 보아 Stella는 야생 지역에서 밤에 혼자 있기 때문에 쉽게 공격을 받을 수 있으므로 괄호 안에서 attacked가 알맞다.

04

해석

(1) Stella의 아빠(→ 엄마)는 죽어서 누워 있었고, Stella는 혼자였다.

(2) 코끼리들은 밤에 잘 먹을(→ 볼) 수 없다.

(3) 글쓴이는 코끼리 보호소에 방문해서(→ 전화해서) 도움을 요청했다.

해설 (1) ~ found Stella crying next to her mom. She was lying dead and Stella was alone.에서 Stella의 엄마가 죽어서 누워 있었다고 했으므로 dad를 mom[mother]으로 고쳐야 한다.

(2) Elephants can't see well at night.에서 코끼리는 밤에 잘 볼 수 없다고 했으므로 eat를 see로 고쳐야 한다.

(3) I called the elephant shelter and asked for help.에서 글쓴이는 코끼리 보호소에 전화를 했다고 했으므로 visited를 called로 고쳐야 한다.

05

해석

(1) 7월 12일 밤은 어둡고 조용했다.

(2) Stella가 죽은 엄마 옆에 머물고 있는 것을 보는 것은 좋았다.

(3) 글쓴이는 Stella의 엄마가 밤새도록 안전하게 있기를 바란다.

해설 (1) Date/Time: July 12th / 10:40 p.m. / Notes: The night was dark and quiet.에서 7월 12일 관찰 일지에 밤이 어둡고 조용하다고 했으므로 일치하는 문장이다.

(2) It was sad to see Stella staying close to her mom.에서 Stella가 엄마 가까이에 머물고 있는 것을 보는 것은 슬픈 일이라고 했으므로 일치하지 않는 문장이다.

(3) I hope Stella stays safe throughout the night.에서 글쓴이는 Stella가 밤새도록 안전하게 있기를 바란다고 했으므로 일치하지 않는 문장이다.

06

해석

(1) 글쓴이는 무엇을 이용해서 Stella를 계속 지켜보았는가?

   → 그는 야간용 카메라를 이용해서 그렇게 했다.

(2) Stella는 무엇으로 엄마의 죽은 몸을 어루만지고 있었는가?

   → 그녀는 코로 그렇게 하고 있었다.

해설 (1) I kept my eyes on Stella with my night camera. 에 언급되어 있듯이 글쓴이는 야간용 카메라를 이용해서 Stella를

계속 지켜보았으므로 He did that with his night camera.라고 답하는 것이 알맞다.

(2) She was touching her mom's lifeless body with her nose.에 언급되어 있듯이 Stella는 코로 엄마의 죽은 몸을 어루만 졌으므로 She was doing that with her nose.라고 답하는 것이 알맞다.

07

해석

(1) Stella는 새로운 코끼리 무리에 다가갔다.

(2) 처음에, 글쓴이는 새로운 코끼리 무리가 Stella를 자신들의 무리로 받아들이지 않을 것이라고 생각했다.

(3) 한 암컷 코끼리는 Stella의 엄마만큼 따뜻하게 Stella를 보살폈다.

해설 (1) A new elephant group appeared and Stella approached them.으로 보아 Stella는 코끼리 무리를 공격한 것이 아니라 다가갔으므로 괄호 안에서 approached가 알맞다.

(2) At first, I thought that they would not let Stella in their group.으로 보아 글쓴이는 처음에는 새로운 코끼리 무리가 Stella를 무리로 받아들이지 않을 것이라고 생각했으므로 괄호 안에서 would not이 알맞다.

(3) She cared for Stella as warmly as Stella's mom did.로 보아 암컷 코끼리가 Stella를 냉정하게가 아니라 따뜻하게 보살폈으므로 괄호 안에서 warmly가 알맞다.

08

해석

(1) 가장 나이가 적은(→ 가장 나이가 많은) 암컷 코끼리가 Stella가 그 무리의 일원이 되도록 허락했다.

(2) 다른 코끼리들은 Stella를 피하는(→ 반기는) 것처럼 보였다.

(3) 암컷 코끼리 중의 한 마리가 Stella를 구조했다(→ 젖을 먹였다).

해설 (1) An elephant, probably the oldest female allowed Stella to become part of the group.에서 Stella가 그 무리의 일원이 되도록 허락한 것은 가장 나이가 많은 암컷 코끼리이므로 youngest를 oldest로 고쳐야 한다.

(2) The other elephants also seemed to welcome Stella.에서 다른 코끼리들이 Stella를 환영하는 것처럼 보였으므로 avoid를 welcome으로 고쳐야 한다.

(3) Unbelievably, one of the female elephants fed Stella.에서 암컷 코끼리 중의 한 마리가 Stella에게 젖을 먹였으므로 rescued를 fed로 고쳐야 한다.

Reading Test **Advanced** pp. 48~49

01 as bright as **02** ③ **03** ④ **04** ② **05** ①
06 ⑤ **07** ④ **08** lifeless **09** ④ **10** ③
11 암컷 코끼리 중의 한 마리가 Stella의 엄마만큼 따뜻하게 Stella를 보살핀 것 **12** ⑤

[01~03]

날짜/시간: 7월 8일, 오후 2시 35분
기록: 오늘은 내가 아프리카에 온 첫날이었다. 나는 코끼리 사진을 많이 찍었다. 오늘 아침에 나는 작은 물웅덩이 옆에 있는 한 코끼리 무리를 발견했다. 나는 아기 코끼리 한 마리가 엄마 옆에서 물을 마시고 있는 것을 보았다. 그 코끼리의 눈이 별처럼 밝았다. 나는 그 코끼리에게 Stella란 이름을 붙여 주었다. 정오 즈음에 나는 사자 한 무리가 Stella에게 다가가는 것을 보았다. 코끼리들은 Stella 주위에 둘러서서 두꺼운 벽을 만들었다. 그 코끼리들 덕분에 Stella는 안전했다.

01

해설 '~만큼 …한'의 의미로 비교하는 두 대상의 정도가 같음을 나타내는 원급 비교는 「as+형용사의 원급(bright)+as ~」로 나타낸다.

02

해석

① 작은 ② 행복한 ③ 안전한 ④ 졸린 ⑤ 배고픈

해설 사자 한 무리가 Stella에게 다가갔는데 코끼리들이 Stella 주위에 둘러서서 두꺼운 벽을 만들었다고 했으므로 Stella는 '안전했을' 것이다.

03

해석

① 글쓴이는 이 일기를 어디에서 썼는가?

② 글쓴이는 언제 코끼리 무리를 발견했는가?

③ 글쓴이는 그 코끼리 무리에서 무엇을 보았는가?

④ 글쓴이는 왜 아기 코끼리에게 이름을 붙여 주었는가?

⑤ 글쓴이는 언제 사자 한 무리가 Stella에게 다가가는 것을 보았는가?

해설 글쓴이가 아기 코끼리의 이름을 지어 준 이유는 나와 있지 않으므로 ④에는 답할 수 없다.

① He wrote it in Africa.

② He found it on the morning of July 8th.

③ He saw a baby elephant drinking water beside her mother.

⑤ He saw it around noon.

[04~06]

날짜/시간: 7월 12일, 오후 7시 20분
기록: 해 질 녘에 나는 이상한 소리를 들었다. 나는 그 소리를 따라갔고 Stella가 자신의 엄마 옆에서 울고 있는 것을 발견했다. 엄마는 죽어서 누워 있었고, Stella는 혼자였다. 이러한 야생 지역에서 혼자 있는 것은 위험하다. 더욱이 곧 어두워질 것이었다. 코끼리들은 밤에 잘 볼 수 없다. 그래서 Stella는 쉽게 공격을 받을 수 있다. 나는 코끼리 보호소에 전화를 해서 도움을 요청했다. 나는 구조대가 올 때까지 Stella 곁에 머물기로 결정했다.

04

해설 ⓑ는 Stella's mom을 가리키고 나머지는 모두 Stella를 가리킨다.

05

해석

① 여기서 거기까지는 거리가 멀지 않다.

② 지구를 구하는 것이 중요하다.

③ TV를 너무 많이 보는 것은 해롭다.

④ 백화점에서 물건을 사는 것은 비싸다.

⑤ 도서관에서 그렇게 크게 떠드는 것은 매우 예의에 어긋난다.

해설 본문의 밑줄 친 It과 ②, ③, ④, ⑤는 가주어이고, ①은 거리를 나타내는 비인칭 주어이다.

06

해설 Stella의 엄마가 죽어서 Stella가 혼자 있고, 밤에는 잘 볼 수 없어서 공격을 쉽게 받을 수 있다고 했으므로 '위험한' 상황임을 알 수 있다.

[07~09]

날짜/시간: 7월 12일, 오후 10시 40분

기록: 밤은 어둡고 조용했다. 나는 야간용 카메라를 이용해서 Stella를 계속 지켜보았다. Stella는 여전히 엄마 곁에 있었다. Stella는 코로 엄마의 죽은 몸을 어루만지고 있었다. Stella가 엄마 가까이에 머물고 있는 것을 보는 것은 슬픈 일이었다. 나는 Stella가 밤새도록 안전하게 있기를 바란다.

07

해설 'Stella는 엄마 곁에 머물면서 코로 엄마의 죽은 몸을 어루만지고 있었는데 그것을 보는 것은 슬픈 일이었다'라는 흐름이 자연스러우므로 주어진 문장은 ⓓ에 들어가는 것이 알맞다.

08

해설 dead는 '죽은'이라는 의미이므로 lifeless(죽은, 생명이 없는)와 의미가 같다.

09

해설 Stella가 엄마의 코를 어루만지고 있었던 것이 아니라 자신의 코로 엄마의 죽은 몸을 어루만지고 있었던 것이므로 ④는 일치하지 않는다.

[10~12]

날짜/시간: 7월 13일, 오전 6시

기록: 새로운 코끼리 무리가 나타났고, Stella는 그 무리에 다가갔다. 처음에 나는 그 코끼리들이 Stella를 자신들의 무리로 받아들이지 않을 것이라고 생각했다. 그러나 내 생각이 틀렸다. 아마도 가장 나이가 많은 암컷인 듯한 코끼리 한 마리가 Stella가 그 무리의 일원이 되도록 허락했다. 다른 코끼리들도 Stella를 반기는 것처럼 보였다. 믿을 수 없게도, 암컷 코끼리 중의 한 마리가 Stella에게 젖을 먹였다. 그 코끼리는 Stella의 엄마만큼 따뜻하게 Stella를 보살폈다. 이것은 너무나 놀라운 순간이었다!

10

해설 become part of: ~의 일원이 되다/ care for: ~을 돌보다

11

해설 This는 앞 문장의 She cared for Stella as warmly as Stella's mom did.를 가리키며, 이때 She는 one of the female elephants이므로 '암컷 코끼리 중의 한 마리가 Stella의 엄마만큼 따뜻하게 Stella를 보살핀 것'을 의미한다.

12

해석

Q 글쓴이는 처음에 어떻게 생각했는가?

A 그는 새로운 코끼리 무리가 Stella를 자신들의 무리로 받아들이지 않을 것이라고 생각했다.

① Stella가 새로운 코끼리 무리를 환영할 것이라고

② 새로운 코끼리 무리가 Stella를 돌볼 것이라고

③ Stella가 새로운 코끼리 무리에게 다가가지 않을 것이라고

④ 가장 나이 많은 암컷 코끼리가 Stella에게 젖을 먹일 것이라고

⑤ 새로운 코끼리 무리가 Stella를 자신들의 무리로 받아들이지 않을 것이라고

해설 At first, I thought that ~으로 보아 글쓴이는 처음에는 새로운 코끼리 무리가 Stella를 자신들의 무리로 받아들이지 않을 것이라고 생각했음을 알 수 있다.

pp. 50~53

Review Test 1회

01 (1) Careless (2) useless **02** ② **03** ③ **04** as old as

05 ② **06** curious about **07** ① **08** ③ **09** ② **10** ①

11 It, to take **12** ③ **13** ③ **14** ②, ③ **15** ④ **16** by

17 ③ **18** ④ **19** 그 코끼리들 덕분에 **20** ④ **21** ③

22 one of the female elephants

23 (1) as tall as (2) as old as

24 (1) kept my eyes on Stella

(2) next to her mom

(3) was touching her mom's lifeless body with her nose

(4) stays safe throughout the night

25 (1) → The snail didn't run as (so) fast as the rabbit.

또는 The rabbit ran faster than the snail.

(4) → The zebra ran as fast as the tiger.

01

해설 명사에 '~이 없는'이라는 의미의 접미사 -less를 붙여 (1) '부주의한, 조심성 없는'은 careless, (2) '쓸모없는, 유용하지 않은'은 useless로 표현한다.

02

해석

① ~처럼 보이다

② 허락하다

③ 우유를 먹이다, 먹이를 주다

④ 공격하다, 습격하다

⑤ 다가가다, 다가오다

해설 '누군가가 어떤 것을 하게 허용하거나 가지게 허용하는 것, 또는 어떤 일이 일어나게 허용하는 것'은 allow(허락하다)이다.

03

해석

A 이것 좀 봐. 이 말은 시각 장애인들을 안내해.

B 오, 나는 그 말에 대해 알고 싶어.

① 나는 그 말에 대해 들어 본 적이 있어

② 나는 그 말이 걱정돼

③ 나는 그 말이 궁금해

④ 나는 그 말에 대한 책을 읽고 싶어

⑤ 나는 네가 그 말에 대해 나에게 말해 주기를 바라

해설 I'd be interested to know about ~은 '~에 대해 알고 싶다'라는 뜻으로 시각 장애인들을 안내하는 말에 대한 호기심을 나타내는 표현이므로 I'm curious about ~으로 바꿔 쓸 수 있다.

04

해석

A George, 저기에 있는 빨간 집이 우리 할아버지와 할머니 댁이야.

B 와, 집 옆에 있는 나무가 굉장히 크네.

A 사실, 저 나무는 13살이고 나도 13살이야.

해설 나와 나무의 나이가 13살로 같으므로, 두 개의 대상을 서로 비교했을 때 정도가 같음을 나타내는 as ~ as ...를 이용하여 바꿔 쓴다.

05

해석

(B) Judy, 너 과학 과제로 할 주제 골랐어?

(C) 아직. 너는 어때, Ryan?

(D) 나는 날씨 변화가 궁금하거든. 그래서 난 그것에 관한 과제를 하려고 생각 중이야.

(A) 주제가 흥미로운걸!

해설 과제의 주제를 정했는지 묻는 (B)에 대한 대답이 (C)이며, (C)의 How about you, Ryan?에 대한 대답이 (D)이다. (D)에 대해 주제가 흥미롭다고 말하는 (A)가 마지막에 온다.

[06~07]

A 너는 우리가 사자와 친구가 될 수 있다고 생각하니, Todd?

B 아니, Clare. 나는 그렇게 생각하지 않아.

A 음, 나는 두 남자와 사자 사이의 우정에 관한 동영상을 봤어.

B 정말? 나는 그 이야기가 궁금해. 나에게 더 많이 말해 줄래?

A 그 두 남자는 아기 사자를 길러서 야생으로 돌려보냈어. 그 남자들과 사자가 1년 후에 만났을 때, 사자는 그들을 기억했어.

B 와, 정말 감동적이다.

06

해설 '~이 궁금하다'라는 뜻으로 어떤 것에 대해 궁금함을 나타낼 때는 I'm curious about ~으로 표현한다.

07

해석

① 우리는 사자와 친구가 될 수 있는가?

② 사자는 사람들과 살고 싶어 하는가?

③ 우리는 어떻게 아기 사자를 기를 수 있는가?

④ 아기 사자는 어떻게 남자들을 기억했는가?

⑤ 우리는 언제 사자를 야생으로 돌려보내야 하는가?

해설 야생으로 돌려보낸 아기 사자가 자신을 길러 준 사람들을 기억했다는 내용이므로 '우리가 사자와 친구가 될 수 있는지'에 대한 대화임을 알 수 있다.

08

해석

A 정답 알아맞히기 게임을 해 보자. 그것은 채소야.

B 얼마나 크니?

A 그것은 레몬 정도의 크기야.

B 무슨 색이니?

A 그것은 첼로처럼 갈색이야.

B 그것은 생강이야.

A 틀렸어. 그것은 감자야.

해설 ③ 얼마나 오래되었는지를 묻는 질문은 없으므로 It's as old as a school.은 들어가지 않는다.

(1) '게임을 해 보자'는 Let's play a guessing game.이 알맞다.

(2) 크기를 물었으므로 It is as big as a lemon.이 알맞다.

(3) 색깔을 대답하고 있으므로 What color is it?이 알맞다.

(4) It's a potato.라고 답을 말해 주는 것으로 보아 You're wrong.이 알맞다.

09

해석

외국에서 온 친구들을 사귀는 것은 신난다.

해설 '~하는 것은 신난다'라는 뜻으로 It이 가주어이므로 진주어 역할을 하는 to부정사 형태가 와야 한다. 따라서 to have가 알맞다.

10

해석

Alan의 배낭은 무게가 5킬로그램이다. Eric의 배낭도 무게가 5킬로그램이다.

① Alan의 배낭은 Eric의 배낭만큼 무겁다.

② Alan의 배낭은 Eric의 배낭만큼 무겁지 않다.

③ Eric의 배낭은 Alan의 배낭만큼 무겁지 않다.

④ Alan의 배낭은 Eric의 배낭보다 무겁다.

⑤ Eric의 배낭은 Alan의 배낭보다 무겁다.

해설 Alan의 배낭과 Eric의 배낭이 5킬로그램으로 무게가 같으므로 원급 비교를 나타내는 「as+형용사의 원급+as ~」 형태인 ①이 알맞다.

11

해석

동물원 관람을 하는 것은 재미있다.

해설 to부정사(To take a zoo tour)가 주어로 쓰인 경우, to부정사를 뒤로 보내고 주어 자리에 가주어 It을 사용해서 「It+be동사+형용사+to부정사」로 바꿔 쓸 수 있으므로 빈칸에는 It과 to take가 알맞다.

12

해석

① 사과는 크지만 배는 크지 않다.

② 배는 크지만 사과는 크지 않다.

③ 사과는 배만큼 크다.

④ 사과는 배만큼 크지 않다.

⑤ 배는 사과보다 크다.

해설 그림을 보면 사과와 배의 크기가 같으므로 「as+형용사의 원급(big)+as ~」의 형태로 나타내야 한다. 따라서 as big as가 쓰인 ③이 알맞다.

13

해석

일주일에 한 번씩 식물에 물을 주는 것이 좋다.

(A) 그 우리에 들어가는 것은 위험하다.

(B) 내 개와 함께 달리는 것은 재미있다.

(C) 그것은 우주의 기원에 관한 것이다.

(D) 날씨가 추워지고 있다.

(E) 물 없이 사는 것은 불가능하다.

해설 보기와 (A), (B), (E)는 가주어이다. (C)는 대명사, (D)는 비인칭 주어이다.

14

해석

① 그것은 접시처럼 둥글다.

② 은은 금만큼 가치 있지 않다.

③ 영어에서 완벽한 점수를 받는 것은 쉽지 않다.

④ 많은 다양한 것들을 배우는 것은 중요하다.

⑤ 위층으로 걸어 올라가는 것은 아래층으로 걸어 내려가는 것만큼

쉽지 않다.

해설 ② '~만큼 …하지 않은'은 「not as〔so〕+형용사의 원급+as ~」의 형태로 쓰므로 so는 as가 되어야 한다.

③ '~하는 것은 쉽지 않다'의 뜻으로 It이 가주어이므로 get은 진주어 역할을 하는 to부정사 형태인 to get이 되어야 한다.

15

해석

오늘 나는 어떤 식물을 보았다. 그것은 pitcher plant라고 불린다. 그것은 밝은 녹색과 빨간색이다. 그것은 주전자처럼 생겼다. 크기에 대해 말하자면 그것은 약 15센티미터 길이다. 내 손 길이 정도이다. 그 식물이 벌레를 유인해서 그것들을 먹는다는 것은 흥미롭다.

해설 ④ '내 다리'가 아니라 '내 손'만큼 길다고 했으므로 일치하지 않는다.

[16~17]

날짜/시간: 7월 12일, 오후 7시 20분

기록: 해 질 녘에 나는 이상한 소리를 들었다. 나는 그 소리를 따라갔고 Stella가 자신의 엄마 옆에서 울고 있는 것을 발견했다. 엄마는 죽어서 누워 있었고, Stella는 혼자였다. 이러한 야생 지역에서 혼자 있는 것은 위험하다. 더욱이 곧 어두워질 것이었다. 코끼리들은 밤에 잘 볼 수 없다. 그래서 Stella는 쉽게 공격을 받을 수 있다. 나는 코끼리 보호소에 전화를 해서 도움을 요청했다.

16

해설 next to는 '~의 바로 옆에'라는 뜻이므로 by와 바꿔 쓸 수 있다.

17

해석

Q Stella의 엄마가 죽어서 누워 있는 것을 발견했을 때 글쓴이는 무엇을 했는가?

① 그는 도와 달라고 소리쳤다.

② 그는 Stella의 엄마를 묻었다.

③ 그는 코끼리 보호소에 전화를 했다.

④ 그는 코끼리 보호소로 달려갔다.

⑤ 그는 Stella를 다른 코끼리들에게 데려갔다.

해설 I called the elephant shelter and asked for help.로 보아 글쓴이는 코끼리 보호소에 전화를 해서 도움을 요청했다.

[18~20]

날짜/시간: 7월 8일, 오후 2시 35분

기록: 오늘은 내가 아프리카에 온 첫날이었다. 나는 코끼리 사진을 많이 찍었다. 오늘 아침에 나는 작은 물웅덩이 옆에 있는 한 코끼리 무리를 발견했다. 나는 아기 코끼리 한 마리가 엄마 옆에서 물을 마시고 있는 것을 보았다. 그 코끼리의 눈이 별처럼 밝았다. 나는 그 코끼리에게 Stella란 이름을 붙여 주었다. 정오

즈음에 나는 사자 한 무리가 Stella에게 다가가는 것을 보았다. 코끼리들은 Stella 주위에 둘러서서 두꺼운 벽을 만들었다. 그 코끼리들 덕분에 Stella는 안전했다.

18

해설 ⓓ '별처럼 밝은'이라는 의미의 원급 비교가 사용된 문장으로 「as＋형용사의 원급＋as ～」의 형태를 취해야 한다. 따라서 as brightly as가 아니라 as bright as로 고쳐야 한다.

ⓐ 넓은 장소 앞에는 in을 사용한다.

ⓑ 과거에 일어난 일이므로 과거시제 found가 알맞다.

ⓒ 지각동사 saw의 목적격 보어이므로 동사원형 drink나 현재 분사 drinking으로 써야 한다.

ⓔ approach는 전치사 없이 바로 목적어를 취하는 타동사이므로 to를 없애야 한다.

19

해설 thanks to는 '～ 덕분에'라는 뜻이고 them은 앞 문장의 The elephants를 가리킨다.

20

해석

① Amy: 글쓴이는 코끼리 사진을 많이 찍었다.

② Harper: 아기 코끼리 한 마리가 엄마 옆에서 물을 마시고 있었다.

③ Luke: 글쓴이는 그 아기 코끼리에게 Stella란 이름을 붙여 주었다.

④ Clara: 사자 한 무리가 Stella를 보호하려고 했다.

⑤ Brian: 코끼리들이 Stella 주위에 두꺼운 벽을 만들었다.

해설 ④ 사자 한 무리가 Stella를 보호하려고 한 것이 아니라 공격하려고 했기 때문에 코끼리들이 두꺼운 벽을 만들어서 Stella를 보호한 것이다.

[21~22]

날짜/시간: 7월 13일, 오전 6시

기록: 새로운 코끼리 무리가 나타났고, Stella는 그 무리에 다가 갔다. 처음에 나는 그 코끼리들이 Stella를 자신들의 무리로 받아들이지 않을 것이라고 생각했다. 그러나 내 생각이 틀렸다. <u>아마도 가장 나이가 많은 암컷인 듯한 코끼리 한 마리가 Stella가 그 무리의 일원이 되도록 허락했다.</u> 다른 코끼리들도 Stella를 반기는 것처럼 보였다. 믿을 수 없게도, 암컷 코끼리 중의 한 마리가 Stella에게 젖을 먹였다. 그 코끼리는 Stella의 엄마만큼 따뜻하게 Stella를 보살폈다. 이것은 너무나 놀라운 순간이었다!

21

해설 '글쓴이는 새로운 코끼리 무리가 Stella를 자신들의 무리로 받아들이지 않을 것이라고 생각했지만 → 그 생각이 틀렸으며 → 코끼리 무리가 Stella를 그 무리의 일원으로 받아들였다'라는 흐름이 자연스러우므로 주어진 문장은 ⓒ에 들어가는 것이 알맞다.

22

해설 앞 문장 Unbelievably, one of the female elephants

fed Stella.에서 밑줄 친 She가 가리키는 것을 알 수 있다.

23

해석

(1) **A** 그 나무는 높이가 얼마나 되니?

　　B 그것은 Jack만큼 커.

(2) **A** Pam의 고양이는 몇 살이니?

　　B 그것은 Harry의 개와 나이가 같아.

해설 (1) 나무와 Jack의 키가 같고 (2) 고양이와 개의 나이가 같으므로 '…만큼 ～한'의 의미로 두 대상의 정도가 같음을 나타내는 as ～ as …를 이용하여 답한다. 키에는 형용사 tall을, 나이에는 형용사 old를 이용한다.

24

해석

날짜/시간: 7월 12일, 오후 10시 40분

기록: 밤은 어둡고 조용했다. 나는 야간용 카메라를 이용해서 Stella를 계속 지켜보았다. Stella는 여전히 엄마 곁에 있었다. Stella는 코로 엄마의 죽은 몸을 어루만지고 있었다. Stella가 엄마 가까이에 머물고 있는 것을 보는 것은 슬픈 일이었다. 나는 Stella가 밤새도록 안전하게 있기를 바란다.

A 당신은 야간용 카메라를 이용해서 무엇을 했나요?

B 저는 그것을 이용해서 <u>Stella를 계속 지켜보았어요.</u>

A 밤 동안에 Stella는 어디에 있었나요?

B <u>엄마 곁에 있었어요.</u>

A Stella는 무엇을 하고 있었나요?

B 그녀는 <u>코로 엄마의 죽은 몸을 어루만지고 있었어요.</u>

A 당신은 무엇을 바라나요?

B 저는 Stella가 밤새도록 안전하게 있기를 바랍니다.

해설 (1) I kept my eyes on Stella with my night camera. 에서 답을 알 수 있다.

(2) Stella was still next to her mom.에서 답을 알 수 있다.

(3) She was touching her mom's lifeless body with her nose.에서 답을 알 수 있다.

(4) I hope Stella stays safe throughout the night.에서 답을 알 수 있다.

25

해석

어느 날 숲속의 여섯 마리 동물이 달리기 경주를 했다.

(1) 달팽이는 토끼만큼 빨리 달렸다.

(2) 토끼는 다람쥐만큼 빨리 달렸다.

(3) 호랑이는 토끼보다 빨리 달렸다.

(4) 얼룩말은 호랑이보다 빨리 달렸다.

(5) 치타는 얼룩말보다 빨리 달렸다.

해설 (1) 보기에서 달팽이는 토끼보다 빨리 달리지 못하므로 원급 비교 표현을 써서 The snail didn't run as (so) fast as the rabbit. 또는 비교급 비교 표현을 써서 The rabbit ran faster than the snail.로 고쳐야 한다.

(4) 보기에서 얼룩말과 호랑이는 같은 위치에 있으므로 원급 비교 표현을 써서 The zebra ran as fast as the tiger.로 고쳐야 한다.

Review Test 2회
pp. 54~57

01 (1) humorous (2) adventurous　**02** ④　**03** Me, too.
04 ③　**05** ②　**06** as well as dogs　**07** ⑤　**08** ③
09 ②　**10** as (so) big as　**11** ④　**12** It is good to read
13 ①　**14** ⑤　**15** ②　**16** ⑤　**17** ⑤　**18** ④
19 코끼리들이 Stella를 자신들의 무리로 받아들였기 때문이다.
20 ①, ③　**21** ⑤　**22** ⑤
23 (1) I'm curious about (2) as big as a pigeon
　　 (3) amazing
24 (1) flower → name (2) tigers → lions (3) tree → wall
25 (1) It, to brush your dog's teeth regularly
　　 (2) It, to give your dog chocolate

01

해설 (1) 명사 health에 접미사 -y를 붙여 형용사 healthy가 되었으므로 '명사 : 형용사'의 관계이다. 명사 humor는 접미사 -ous를 붙여 형용사를 만든다. 따라서 빈칸에는 humorous가 알맞다.
(2) 명사 fantasy에 접미사 -tic을 붙여 형용사 fantastic이 되었으므로 '명사 : 형용사'의 관계이다. 명사 adventure는 접미사 -ous를 붙여 형용사를 만든다. 따라서 빈칸에는 adventurous가 알맞다.

02

해석
ⓐ Peter는 그 유기견들을 동물 보호소에 데리고 갔다.
ⓑ 나는 정원에 구덩이를 팔 것이다.
ⓒ Diana는 겨울이면 두꺼운 모직 외투를 입는다.
ⓓ 그 부주의한 운전자는 불이 빨간색으로 바뀌는 것을 보지 못했다.
① 두꺼운　② 보호소　③ 부주의한　④ 야생의　⑤ 구덩이
해설 ⓐ 동물 '보호소'로 데리고 갔다는 말이 자연스러우므로 shelter가 알맞다.
ⓑ 정원에 '구덩이'를 팔 것이라는 말이 자연스러우므로 hole이 알맞다.
ⓒ '두꺼운' 모직 외투를 입는다는 말이 자연스러우므로 thick이 알맞다.
ⓓ '부주의한' 운전자라는 말이 자연스러우므로 careless가 알맞다.

03

해석
A 이것 좀 봐. 이 돼지는 축구를 해.

B 오, 그 돼지가 궁금해.
A 나도 그 돼지가 궁금해. 그것에 관해 더 많이 읽어 보자.
해설 '나도 그래.'라는 뜻으로 상대방의 말에 동의를 나타내는 말인 Me, too.로 바꿔 쓸 수 있다.

04

해석
① 바나나는 노랗지만 테니스공은 노랗지 않다.
② 테니스공은 노랗지만 바나나는 노랗지 않다.
③ 바나나는 테니스공만큼 노랗다.
④ 바나나는 테니스공만큼 노랗지 않다.
⑤ 테니스공은 바나나만큼 노랗지 않다.
해설 두 개의 대상을 비교하여 'A는 B만큼 ~하다'라는 뜻으로 정도가 같음을 나타내는 비교 표현은 A is as ~ as B.이므로 ③이 알맞다.

05

해석
이것 봐. 나는 벌에 관한 사실을 담은 이 흥미로운 블로그를 찾았어.
(A) 오, 흥미로운 것이 있니?
(C) 응. 벌은 춤을 추면서 서로 의사소통을 해.
(D) 정말? 그들은 그것을 어떻게 해? 나는 그 방법이 궁금해.
(B) 나도. 이 비디오를 보고 알아보자.
해설 벌에 관한 흥미로운 블로그를 찾았다는 주어진 말에 대해 흥미로운 사실이 있는지 묻는 (A)가 이어지고, 그에 대해 벌은 춤을 추면서 서로 의사소통을 한다고 말하는 (C)가 이어지며, 그 방법이 궁금하다고 말하는 (D) 뒤에, 비디오를 보고 알아보자는 (B)가 마지막에 온다.

[06~07]

안녕하세요, 저는 Jane이에요. 전 개미에 관해 발표를 하려고 해요. 개미에게는 특별한 능력이 있어요. 첫 번째로, 개미는 후각이 뛰어나요. 개만큼 냄새를 잘 맡을 수 있어요. 개미는 또한 놀라운 힘을 가지고 있어요. 자기 무게의 50배를 실어 나를 수 있어요. 놀랍지 않나요?

06

해설 '개만큼 냄새를 잘 맡는다'는 의미가 되어야 한다. 두 개의 대상을 서로 비교했을 때 정도가 같음을 나타내는 표현은 as ~ as ...이다. as와 as 사이에 well을 넣고 맨 뒤에는 비교 대상인 dogs를 쓴다.

07

해설 ⑤ They can carry 50 times their body weight.는 '자기 무게의 50배를 실어 나를 수 있다.'라는 뜻이다.

08

해석
A 이 커다란 꽃 사진을 봐.

B 와, 사람보다 더 크네.

A 그러게. 나는 이 사람(→ 꽃)이 정말 궁금해. 또 여기에 나와 있는데 그 꽃은 냄새가 매우 고약하지만, 곤충들은 그 냄새를 좋아한대.

B 흠, 이유가 궁금하다.

해설 사람보다 크고 냄새가 고약하지만 벌레들은 그 냄새를 좋아한다는 '꽃'에 관한 대화이므로 ③은 I'm really curious about this flower.가 되어야 한다.

09
해석
정글에서는 긴팔을 입는 것이 더 안전하다.

해설 '~하는 것은 …하다'라는 의미는 「It(가주어)+be동사+형용사+to부정사(진주어)」로 나타내므로 첫 번째 빈칸에는 가주어 It이, 두 번째 빈칸에는 진주어 to wear가 알맞다.

10
해석
미국은 영국보다 크다.
→ 영국은 미국만큼 크지 않다.

해설 '미국이 영국보다 크다'는 것은 '영국이 미국만큼 크지 않다'는 뜻과 같으므로 「not as [so]+형용사의 원급+as ~」를 사용해서 바꿔 쓸 수 있다.

11
해석
① A 상자는 B 상자만큼 크다.
② A 상자는 B 상자만큼 값이 싸지 않다.
③ B 상자는 C 상자만큼 무겁지 않다.
④ C 상자는 A 상자만큼 비싸다.
⑤ C 상자는 B 상자만큼 크지 않다.

해설 ④ C 상자는 A 상자보다 값이 싸므로 C-box isn't as expensive as A-box.가 되어야 한다.

12
해석
Tom 책을 읽는 것은 좋아.
고양이 그거 놀라운데!

해설 '~하는 것은 …하다'의 뜻이어야 하므로 가주어 역할을 하는 it을 맨 앞에 써서 「It is+형용사(good)+to부정사(to read)」의 순서로 배열한다.

13
해석
(A) 그 극장은 교회만큼 크다.
(B) Pam은 Jessica만큼 힘이 세지 않다.
(C) 사막에서 물을 찾는 것은 어렵다.

해설 (A) 두 개의 사물을 비교하여 '~만큼 …한'이라는 의미를 나타낼 때는 「as+형용사의 원급+as ~」를 사용한다.
(B) 두 개의 사물을 비교하여 '~만큼 …하지 않은'이라는 의미를 나타낼 때는 「not so+형용사의 원급+as ~」를 사용한다.
(C) 가주어 It이 있으므로 진주어인 to부정사가 와야 한다.

14
해석
① please라고 말하는 것은 예의 바르다.
② 밤에 이 지역을 걷는 것은 위험하다.
③ 그 상자는 깃털만큼 가볍다.
④ 바이올린은 첼로만큼 소리가 낮지 않다.
⑤ 식당에서 식사를 하는 것은 집에서 식사를 하는 것만큼 싸지 않다.

해설 ⑤ 비교하는 대상은 형태가 같아야 하므로 동명사 주어 Eating과 마찬가지로 동명사 eating을 써야 한다.

15
해석
밤은 어둡고 조용했다. 나는 야간용 카메라를 이용해서 Stella를 계속 지켜보았다. Stella는 여전히 엄마 곁에 있었다. Stella는 코로 엄마의 죽은 몸을 어루만지고 있었다. Stella가 엄마 가까이에 머물고 있는 것을 보는 것은 슬픈 일이었다. 나는 Stella가 밤새도록 안전하게 있기를 바란다.
① 활기 넘치는 ② 침울한 ③ 위험한 ④ 평화로운 ⑤ 시끄러운

해설 Stella가 코로 엄마의 죽은 몸을 어루만지면서 옆에 있는 것을 보고 슬프다고 했으므로 침울한 분위기가 느껴진다.

[16~17]

날짜/시간: 7월 12일, 오후 7시 20분
기록: 해 질 녘에 나는 이상한 소리를 들었다. 나는 그 소리를 따라갔고 Stella가 자신의 엄마 옆에서 울고 있는 것을 발견했다. 엄마는 죽어서 누워 있었고, Stella는 혼자였다. 이러한 야생 지역에서 혼자 있는 것은 위험하다. 더욱이 곧 어두워질 것이었다. 코끼리들은 밤에 잘 볼 수 없다. 그래서 Stella는 쉽게 공격을 받을 수 있다. 나는 코끼리 보호소에 전화를 해서 도움을 요청했다. 나는 구조대가 올 때까지 Stella 곁에 머물기로 결정했다.

16
해설 ⓔ rescue는 '구조'라는 뜻이다.

17
해석
① 글쓴이는 이상한 소리를 따라갔다.
② Stella는 자신의 엄마 옆에서 울고 있었다.
③ Stella는 밤에 쉽게 공격을 받을 수 있었다.
④ 글쓴이는 도움을 요청하기 위해 코끼리 보호소에 전화를 했다.
⑤ Stella는 구조대가 올 때까지 자신의 엄마 곁에 머물기로 결정했다.

해설 ⑤ Stella가 구조대가 올 때까지 자신의 엄마 곁에 머물기로 결정한 것이 아니라 글쓴이가 Stella 곁에 머물기로 결정한 것이다.

[18~20]

날짜/시간: 7월 13일, 오전 6시
기록: 새로운 코끼리 무리가 나타났고, Stella는 그 무리에 다가갔다. 처음에 나는 그 코끼리들이 Stella를 자신들의 무리로 받

아들이지 않을 것이라고 생각했다. 그러나 내 생각이 틀렸다. 아마도 가장 나이가 많은 암컷인 듯한 코끼리 한 마리가 Stella가 그 무리의 일원이 되도록 허락했다. 다른 코끼리들도 Stella를 반기는 것처럼 보였다. 믿을 수 없게도, 암컷 코끼리 중의 한 마리가 Stella에게 젖을 먹였다. 그 코끼리는 Stella의 엄마만큼 따뜻하게 Stella를 보살폈다. 이것은 너무나 놀라운 순간이었!

18
해설 ⓓ as warmly as는 「as+부사의 원급+as」의 원급 비교 표현이다.

19
해설 글쓴이는 코끼리들이 Stella를 자신들의 무리로 받아들이지 않을 것이라고 생각했는데 그 생각이 틀렸다고 했다. 그러므로 But I was wrong.이라고 쓴 이유는 예상과 달리 코끼리들이 Stella를 자신들의 무리로 받아들였기 때문임을 알 수 있다.

20
해설 ② 가장 나이가 많은 수컷 코끼리가 아니라 가장 나이가 많은 암컷 코끼리가 Stella를 무리의 일원이 되도록 허락했다.
④ Stella에게 젖을 먹인 것은 가장 나이가 많은 암컷 코끼리가 아니라 암컷 코끼리 중의 한 마리이다.
⑤ Stella의 엄마를 보살핀 것이 아니라 Stella를 보살폈다.

[21~22]

날짜: 2019년 6월 15일
오늘 나는 어떤 식물을 보았다. 그것은 pitcher plant라고 불린다. 그것은 밝은 녹색과 빨간색이다. 그것은 주전자처럼 생겼다. 크기에 대해 말하자면 그것은 약 15센티미터 길이다. 그것은 내 손 길이 정도이다. 그 식물이 벌레를 유인해서 그것들을 먹는다는 것은 흥미롭다.

21
해설 ⓐ, ⓑ, ⓒ, ⓓ는 pitcher plant를 가리키고, ⓔ는 진주어인 that절을 대신하는 가주어이다.

22
해석
① 그 식물은 무엇이라고 불리는가?
② 그 식물은 무슨 색인가?
③ 그 식물은 어떤 모양인가?
④ 그 식물은 어떤 크기인가?
⑤ 그 식물은 벌레를 어떻게 유인하는가?
해설 벌레를 어떻게 유인하는지는 나와 있지 않으므로 ⑤에는 답할 수 없다.
① It is called a pitcher plant.
② It is bright green and red.
③ It looks like a pitcher.
④ It is about 15 cm long. (It is as long as the writer's hand.)

23
해석
A 저는 수백만 년 전에 살았던 동물들을 연구해요.
B 오, 저는 그런 동물들이 궁금해요.
A 이것은 자이언트 잠자리에요. 그것은 영국에 살았어요. 그것은 비둘기 크기만 했고 쥐를 먹었어요.
B 그거 정말 놀랍군요!
해설 (1) '동물들이 궁금하다'라는 의미여야 하므로 I'm curious about이 알맞다.
(2) 자이언트 잠자리의 특징을 말하는 문장이므로 as big as a pigeon이 알맞다.
(3) 자이언트 잠자리의 특징을 듣고 놀람을 나타내야 하므로 amazing이 알맞다.

24
해석

오늘은 내가 아프리카에 온 첫날이었다. 나는 코끼리 사진을 많이 찍었다. 오늘 아침에 나는 작은 물웅덩이 옆에 있는 한 코끼리 무리를 발견했다. 나는 아기 코끼리 한 마리가 엄마 옆에서 물을 마시고 있는 것을 보았다. 그 코끼리의 눈이 별처럼 밝았다. 나는 그 코끼리에게 Stella란 이름을 붙여 주었다. 정오 즈음에 나는 사자 한 무리가 Stella에게 다가가는 것을 보았다. 코끼리들은 Stella 주위에 둘러서서 두꺼운 벽을 만들었다. 그 코끼리들 덕분에 Stella는 안전했다.

글쓴이는 작은 물웅덩이 옆에서 한 코끼리 무리를 발견했다. 그는 아기 코끼리 한 마리를 보았고 그 코끼리에게 Stella라는 꽃 (→ 이름)을 주었다. 정오 즈음에 호랑이(→ 사자) 몇 마리가 Stella를 공격하려고 했다. 그 코끼리 무리는 Stella를 보호하기 위해 두꺼운 나무(→ 벽)를 만들었다.

해설 (1) 코끼리에게 Stella란 꽃(flower)을 준 것이 아니라 이름(name)을 붙여 주었다. (2) Stella를 공격한 것은 호랑이들(tigers)이 아니라 사자들(lions)이다. (3) 코끼리들이 만든 것은 나무(tree)가 아니라 벽(wall)이다.

25
해석
A 내 개를 잘 돌보는 방법을 나에게 말해 줄래?
B (1) 네 개의 이를 정기적으로 닦아 주는 것이 좋아.
　(2) 네 개에게 초콜릿을 주는 것은 좋지 않아.
해설 '~하는 것은 …하다'라는 뜻은 가주어 It을 사용해서 「It+be동사+형용사+to부정사」로 나타내므로 앞의 빈칸에는 가주어 It을 쓰고, 뒤의 빈칸에는 주어진 문장을 to부정사로 바꿔 쓴다. 이를 닦아 주는 것은 개에게 좋은 것이므로 (1)번에 쓰고, 초콜릿을 주는 것은 개에게 좋지 않은 것이므로 (2)번에 쓴다.

Art around Us

01 이곳에는 70점 이상의 예술 작품이 전시되어 있다.

02 아침에 나는 제일 먼저 클래식 음악을 듣는다.

03 나는 로맨틱 코미디 영화를 가장 좋아한다.

04 내 경고에도 불구하고, Kara는 얼어붙은 강 위를 걸어갔다.

05 나는 그 사고의 세부 사항들을 모두 듣고 싶다.

06 이 표지판은 박물관으로 가는 방향을 가리키고 있다.

07 그 화랑은 주로 현대 조각품들을 전시한다.

08 나는 그의 사진 전시회 표가 두 장 있다.

09 갈매기는 회색빛이 도는 흰 깃털을 가지고 있다.

10 그 물고기는 매우 납작한 몸통을 지니고 있다.

11 그 남자는 한국에서 가장 유명한 풍경화 화가이다.

12 하녀는 매일 방을 청소하고 침대 시트를 바꾼다.

13 냄비에 초콜릿을 좀 녹여라.

14 그들의 학교는 현대식 건물 안에 있었다.

15 대부분의 사람들은 그 이야기를 신화로 생각했다.

16 그 소설은 마력을 가진 남자에 관한 것이다.

17 나는 재즈 음악보다 클래식 음악을 더 좋아한다.

18 그 왕자는 사냥 복장을 하고 있다.

19 그 공장은 일주일에 천 대의 자동차를 생산한다.

20 Joshua가 내 야구공을 빌릴 때, 그는 그것을 다음 날 돌려 주겠다고 약속했다.

21 왕비는 마차를 타고 가면서 사람들에게 손을 흔들었다.

22 그것은 진짜 벌레가 아니다. 그것은 플라스틱으로 만들어 졌다.

23 많은 사람들이 해변에서 쉬고 있었다.

24 일요일이기 때문에 너는 학교에 갈 필요가 없다.

25 Isaac은 계속 나에게 혀를 내밀었다.

26 나는 내 십 대를 어촌에서 살면서 보냈다.

27 그 이야기는 비극의 요소를 많이 갖고 있다.

28 이 책의 영화 버전이 한국에서 올해 개봉될 것이다.

29 그 작은 새가 그것의 날개를 퍼덕였다.

30 나는 네가 자라서 무엇이 될지 궁금하다.

01 (1) melt　(2) produce　(3) stick　**02** tragedy
03 ①　　**04** ⑤
05 (1) exhibition　(2) wonder　(3) flat　(4) modern
06 ②　　**07** (1) 우리 안에 있는 귀여운 새끼 원숭이를 봐.
(2) 내가 바로 너의 사무실로 갈게.

01
해석
(1) 눈은 보통 3월에 녹기 시작한다.
(2) 그 회사는 더 이상 즉석 필름을 생산하지 않는다.
(3) 사람들에게 네 혀를 내밀지 마라.
해설 (1) '눈이 녹는다'라는 의미가 자연스러우므로 빈칸에 melt가 알맞다.
(2) '즉석 필름을 생산하다'라는 의미가 자연스러우므로 빈칸에 produce가 알맞다.
(3) '혀를 내밀다'라는 의미가 자연스러우므로 빈칸에 stick이 알맞다.

02
해석
죽은 : 살아 있는 = 희극 : 비극
해설 dead와 alive는 반의어 관계이다. comedy의 반의어는 tragedy이다.

03
해석
① 소설　② 세부 사항　③ 깃털　④ 예술 작품　⑤ 풍경
해설 '상상의 사람들과 사건에 관해 길게 쓰인 이야기'는 novel(소설)을 설명하는 영영풀이이다.

04
해석
• 나는 내 이메일을 대충 훑어볼 시간밖에 없다.
• 외국에서는 뒷골목은 피하세요.
해설 glance at: ~을 힐끗 보다 / stay away from: ~을 가까이하지 않다

05
해설 (1) '전시회'에 해당하는 단어는 exhibition이다.
(2) '궁금해하다'에 해당하는 단어는 wonder이다.
(3) '납작한'에 해당하는 단어는 flat이다.
(4) '현대의'에 해당하는 단어는 modern이다.

06
해석
A 이것이 너의 이름이니?
B 아니, 그것은 내 별명이야. 내 진짜 이름은 Tom Wilson이야.
① 팝 음악의　　② 진짜의　　③ 십 대의

④ 현명한   ⑤ 클래식의

해설 '진짜 이름'이라는 뜻이 되어야 하므로 빈칸에 real이 알맞다.

07

해설 ⑴ take a look은 '보다'라는 의미이다.

⑵ right away는 '즉시, 바로'라는 의미이다.

pp. 63~64

Functions Test

01 ① **02** ⑤ **03** ③ **04** I prefer drawing pictures to taking photos. **05** What kind of performance do you want **06** ⑤ **07** Which do you prefer, meat or fish [fish or meat]? **08** ⑴ rock music ⑵ the nineties **09** ⑤ **10** ⑤ **11** prefer **12** ⑤

01

해석

A 너는 어떤 종류의 음식을 먹을 거니?

B 나는 이탈리아 음식을 먹을 거야.

① 종류 ② 나라 ③ 생각 ④ 의미 ⑤ 전통

해설 kind는 '종류'라는 뜻이므로 sort와 바꿔 쓸 수 있다.

02

해석

A 그것은 어떤 종류의 영화야?

B 그건 「The Space War」라는 판타지 영화야.

① 네가 가장 좋아하는 것은 어떤 영화니?

② 너는 판타지 영화 보는 것을 좋아해?

③ 너는 이 영화에 대해서 어떻게 생각해?

④ 너는 이 영화를 본 적이 있어?

⑤ 그것은 어떤 종류의 영화야?

해설 '그건 「The Space War」라는 판타지 영화야.'라고 답했으므로 그것이 어떤 종류의 영화인지 묻는 말인 ⑤가 알맞다.

03

해석

A 너는 문자 메시지를 보내는 것과 통화하는 것 중 어느 것이 더 좋니?

B _____ 너는 어때?

A 나도 그래.

① 나는 둘 중에서 통화하는 것이 더 좋아.

② 나는 문자 메시지를 보내는 것보다 통화하는 것이 더 좋아.

③ 나는 문자 메시지를 보내는 것이 가장 좋아.

④ 나는 통화하는 것보다 문자 메시지를 보내는 것이 더 좋아.

⑤ 나는 문자 메시지를 보내는 것이 통화하는 것보다 더 낫다고 생각해.

해설 Which do you prefer, A or B?는 A와 B 중에서 더 좋아하는 것을 묻는 질문이므로 둘 중에서 어느 것을 더 좋아하는지를

대답해야 한다. 따라서 '문자 메시지를 보내는 것이 가장 좋다'라고 말하는 ③은 빈칸에 알맞지 않다.

04

해석

A 너는 사진을 찍는 것과 그림을 그리는 것 중 어느 것이 더 좋니?

B 나는 사진을 찍는 것보다 그림을 그리는 것이 더 좋아.

해설 괄호 안의 정보에 따르면 drawing pictures(그림 그리기)를 taking photos(사진 찍기)보다 좋아하므로 prefer A to B에서 A 자리에 drawing pictures를, B 자리에 taking photos를 넣어서 대화를 완성한다.

[05~06]

Steve 안녕, Anna. 우리 내일 1시 30분에 예술 축제에서 만나기로 한 거 맞지?

Anna 맞아. 넌 어떤 종류의 공연을 먼저 보고 싶어?

Steve 난 힙합 댄스 공연을 먼저 보고 싶어.

Anna 괜찮은데. 그거 오후 2시에 체육관에서 하는 거 맞지?

Steve 응, 그리고 오후 4시에 하는 「로미오와 줄리엣」 연극 보는 거 어때?

Anna 오, 체육관 근처 대강당에서 하는 거? 좋아!

05

해설 '어떤 종류의 ~?'라는 뜻의 What kind of 뒤에 명사 performance를 쓰고, 의문문이므로 「do+주어+동사」 순서인 do you want를 이어서 쓴다.

06

해석

① 오늘 예술 축제가 있다.

② Anna와 Steve는 오후 2시에 만날 것이다.

③ Steve는 연극을 먼저 보고 싶어 한다.

④ 힙합 댄스 공연은 대강당에서 오후 2시에 있다.

⑤ Steve와 Anna는 「로미오와 줄리엣」 연극을 볼 것이다.

해설 오후 4시에 하는 「로미오와 줄리엣」 연극을 보자는 Steve의 말에 Anna가 좋다고 대답했으므로 ⑤가 일치한다.

① 예술 축제는 내일 있다. ② Anna와 Steve는 1시 30분에 만날 것이다. ③ Steve는 힙합 댄스 공연을 먼저 보고 싶어 한다. ④ 힙합 댄스 공연은 체육관에서 오후 2시에 있다.

07

해석

A 너는 고기와 생선 [생선과 고기] 중 어느 것이 더 좋니?

B 나는 생선보다 고기가 더 좋아. 너는 어때?

A 나는 고기보다 생선이 더 좋아.

해설 B의 대답으로 보아 고기와 생선 중 어느 것을 더 좋아하는지 묻는 말이 되어야 하므로 Which do you prefer, ~ or ...?를 이용하여 완성한다.

08

해석

A Brian, 너희 밴드는 '십 대 음악 축제'에서 연주할 거야?

B 응, 우리는 거의 매일 연습하고 있어.

A 너희는 올해 어떤 종류의 음악을 연주하려고 해?

B 록 음악이야. 우리는 90년대 곡들을 연주할 거야.

→ Q Brian의 밴드는 '십 대 음악 축제'에서 어떤 종류의 음악을 연주할 것인가?

A 그들은 90년대의 록 음악을 연주할 것이다.

해설 What kind of music are you going to play this year?라고 묻는 말에 Rock music. We'll play songs from the nineties.라고 대답했으므로 90년대(the nineties)의 록 음악(rock music)을 연주할 것이다.

09

해석

① A 그것은 어떤 종류의 행사야?

B 그건 '코스프레'라는 영웅 영화 행사야.

② A 너는 뭐 읽고 있니, Sally?

B 「The Maze Runner」를 읽고 있어.

③ A 너는 왜 소설보다 영화가 더 좋니?

B 장면들이 매우 아름답거든.

④ A 네가 가장 좋아하는 음악가는 누구니?

B 내가 가장 좋아하는 음악가는 TJ야.

⑤ A 너는 록 음악과 힙합 음악 중 어느 것이 더 좋니?

B 나는 뮤직 비디오를 보는 것이 더 좋아.

해설 ⑤ 록 음악과 힙합 음악 중 선택을 해야 하는데 뮤직 비디오를 보는 것이 더 좋다고 대답했으므로 대화가 어색하다.

10

해석

나 좀 도와줄래? 나는 선을 깔끔하게 그리는 방법을 모르겠어.

(C) 너는 어떤 종류의 붓을 사용하고 있었니?

(A) 이 둥근 붓이야.

(D) 선을 그릴 때는 납작한 붓이 더 좋아. 이것을 써 봐.

(B) 알았어, 고마워.

해설 선을 깔끔하게 그리는 방법을 모른다는 말에 어떤 종류의 붓을 사용하는지 묻는 (C)가 이어지고, 그에 대한 대답인 (A)가 온 다음, 선을 그릴 때는 둥근 붓보다 납작한 붓이 더 좋다며 납작한 붓을 권하는 (D)가 오고, 마지막으로 그에 대해 알겠다고 대답하는 (B)가 이어지는 것이 알맞다.

[11~12]

A 너 Jane의 새 노래인 「여자 친구」 들어 봤니?

B 응, 그거 정말 멋져. 기타 부분이 굉장해.

A 앨범에 그 노래의 댄스 버전도 있어.

B 그거 들어 봤는데, 난 댄스 버전보다 기타 버전이 더 좋아. 그게 그녀의 목소리와 더 잘 어울려.

11

해설 밑줄 친 부분이 '댄스 버전보다 기타 버전이 더 좋다'라는 뜻이며 비교 대상 앞에 to를 썼으므로 빈칸에는 prefer가 알맞다.

12

해석

위 대화로 보아 B는 왜 댄스 버전보다 기타 버전을 더 좋아하는가?

① B는 「여자 친구」를 들은 적이 있기 때문이다.

②「여자 친구」는 Jane의 새 노래이기 때문이다.

③ 기타 부분이 굉장하기 때문이다.

④ 앨범에 기타 버전이 있기 때문이다.

⑤ 기타 버전이 Jane의 목소리와 더 잘 어울리기 때문이다.

해설 '댄스 버전보다 기타 버전이 더 좋다'고 말하고 이어서 이유를 덧붙였다. 그 이유는 기타 버전이 가수의 목소리와 더 잘 어울리기 때문이므로 ⑤가 알맞다.

p. 65

듣기·말하기 *Script*

Listen & Talk 1~2 **1-A** 1 ❶ practicing ❷ What kind of music ❸ the nineties 2 ❹ how to ❺ What kind of brush ❻ flat ❼ Try **1-B** ❶ What kind of performance ❷ gym ❸ how [what] about watching ❹ play **2-A** 1 ❶ novel ❷ prefer, to ❸ scenes ❹ real 2 ❺ There is ❻ version ❼ to the dance version ❽ matches **2-B** ❶ art book ❷ looks like ❸ Which ❹ How [What] about you ❺ modern **Communication** ❶ festival ❷ find out ❸ which ❹ I prefer rock to hip-hop ❺ musician

해석

Listen & Talk 1~2

1-A

1.

여 Brian, 너희 밴드는 '십 대 음악 축제'에서 연주할 거야?

남 응, 우리는 거의 매일 연습하고 있어.

여 너희는 올해 어떤 종류의 음악을 연주하려고 해?

남 록 음악이야. 우리는 90년대 곡들을 연주할 거야.

2.

여 나 좀 도와줄래? 나는 선을 깔끔하게 그리는 방법을 모르겠어.

남 너는 어떤 종류의 붓을 사용하고 있었니?

여 이 둥근 붓이야.

남 선을 그릴 때는 납작한 붓이 더 좋아. 이것을 써 봐.

여 알았어, 고마워.

1-B

여 (벨이 울린다) 여보세요, Steve.

남 안녕, Anna. 우리 내일 1시 30분에 예술 축제에서 만나기로 한 거 맞지?

여 맞아. 넌 어떤 종류의 공연을 먼저 보고 싶어?

남 난 힙합 댄스 공연을 먼저 보고 싶어.

여 괜찮은데. 그거 오후 2시에 체육관에서 하는 거 맞지?

남 응, 그리고 오후 4시에 하는 「로미오와 줄리엣」 연극 보는 거 어때?

여 오, 체육관 근처 대강당에서 하는 거? 좋아!

2-Ⓐ

1.

남 지나야, 너 뭐 읽고 있니?

여 「파이 이야기」라는 소설. 그것은 한 소년과 호랑이에 관한 이야기야.

남 훌륭한 책이지. 난 그것을 영화로도 봤어. 나는 소설보다 영화가 더 좋아.

여 왜 영화가 더 좋니?

남 장면들이 매우 아름답거든. 그리고 호랑이가 정말 진짜처럼 보여.

2.

여 너 Jane의 새 노래인 「여자 친구」 들어 봤니?

남 응, 그거 정말 멋져. 기타 부분이 굉장해.

여 앨범에 그 노래의 댄스 버전도 있어.

남 그거 들어 봤는데, 난 댄스 버전보다 기타 버전이 더 좋아. 그게 그녀의 목소리와 더 잘 어울려.

2-Ⓑ

여 나는 미술책에서 흥미로운 그림을 봤어. 이것 봐.

남 와, 그것은 다빈치의 「모나리자」처럼 보여.

여 사실, 그건 페르난도 보테로가 그린 「모나리자」야. 넌 어느 것이 더 마음에 드니?

남 나는 보테로의 그림보다 다빈치의 그림이 더 좋아. 다빈치의 「모나리자」는 흥미로운 미소가 있어. 너는 어때?

여 음, 난 다빈치의 그림보다 보테로의 그림이 더 좋아. 그의 「모나리자」는 귀엽고 현대적으로 보여.

Communication

남 안녕하세요, 우리는 학교 축제를 계획하고 있어요. 그래서 학생들이 어떤 종류의 공연을 가장 좋아하는지 알고 싶습니다. 몇 가지 질문을 해도 될까요?

여 물론이죠.

남 어떤 종류의 공연을 가장 좋아하나요?

여 저는 음악 공연을 가장 좋아해요.

남 알겠습니다. 그러면, 록 음악과 힙합 음악 중 어느 것을 더 좋아하나요?

여 힙합보다 록을 더 좋아해요.

남 가장 좋아하는 음악가는 누구인가요?

여 제가 가장 좋아하는 음악가는 TJ입니다.

남 좋습니다. 답변해 주셔서 감사합니다.

Grammar Test **Basic**

01 (1) stay (2) go (3) work (4) stop

02 (1) why she calls (2) Who took this picture
(3) how much this building is
(4) when people started

03 (1) bought → buy (2) to call → call
(3) talking → talk

04 (1) who this is (2) what Nick does
(3) How old do you think I am

05 (1) made me laugh
(2) doesn't let me turn on

01

해석

(1) 나는 내 개가 개집에 머물러 있게 했다.

(2) 오늘 밤에 영화 보러 가게 해 주세요.

(3) 그 사장은 그들이 매일 늦게까지 일하게 한다.

(4) 아빠는 내 남동생이 모바일 게임을 그만하게 했다.

해설 (1) 사역동사 have가 쓰였으므로 목적격 보어로 동사원형 stay가 알맞다.

(2) 사역동사 let이 쓰였으므로 목적격 보어로 동사원형 go가 알맞다.

(3) 사역동사 make가 쓰였으므로 목적격 보어로 동사원형 work가 알맞다.

(4) 사역동사 make가 쓰였으므로 목적격 보어로 동사원형 stop이 알맞다.

02

해석

(1) 나는 그녀가 Jake를 왜 Kitty라고 부르는지 궁금하다.

(2) 누가 이 사진을 찍었는지가 미스터리이다.

(3) 우리에게 중요한 것은 이 건물이 얼마인지이다.

(4) 너는 사람들이 언제 스마트폰을 사용하기 시작했는지 아니?

해설 (1) 의문문이 wonder의 목적어로 쓰였으므로 「의문사(why)＋주어(she)＋동사(calls)」의 순서로 쓴다.

(2) 의문문이 문장의 주어로 쓰였으므로 「의문사 주어(Who)＋동사(took)＋동사의 목적어(this picture)」의 순서로 쓴다.

(3) 의문문이 is의 보어로 쓰였으므로 「의문사구(how much)＋주어(this building)＋동사(is)」의 순서로 쓴다.

(4) 의문문이 know의 목적어로 쓰였으므로 「의문사(when)＋주어(people)＋동사(started)」의 순서로 쓴다.

03

해석

(1) 그녀는 그녀의 손자에게 사과를 좀 사오게 했다.

(2) 내 여자 친구는 내가 매일 밤 그녀에게 전화하게 한다.

(3) 그들은 우리가 식사하는 동안 말을 하지 못하게 한다.

해설 (1) 사역동사 have가 쓰였으므로 목적격 보어로 쓰인

bought를 동사원형 buy로 고친다.

(2) 사역동사 make가 쓰였으므로 목적격 보어로 쓰인 to call을 동사원형 call로 고친다.

(3) 사역동사 let이 쓰였으므로 목적격 보어로 쓰인 talking을 동사원형 talk로 고친다.

04

해석

(1) 사진 속의 이 사람이 누구인지 말해 줄래?

(2) Nick의 직업이 무엇인지 나는 궁금하다.

(3) 내가 몇 살이라고 생각하니?

해설 (1) 의문문이 tell의 목적어가 되어야 하므로 간접의문문 형태로 써야 한다. 따라서 「의문사+주어+동사」 어순인 who this is가 알맞다.

(2) 의문문이 전치사 about의 목적어가 되어야 하므로 간접의문문 형태로 써야 한다. 따라서 「의문사+주어+동사」 어순인 what Nick does가 알맞다. 직접의문문이 현재시제이므로 does를 쓴다.

(3) 생각을 나타내는 동사 think가 쓰였으므로 의문사구 how old를 맨 앞에 쓰고, do you think 뒤에 「주어+동사」인 I am을 쓴다.

05

해설 (1) '나를 웃게 만들었다'이므로, 사역동사 make를 과거형 made로 바꿔 쓰고, 목적어 me를 쓰고, 목적격 보어로는 동사원형 laugh를 쓴다.

(2) '내가 밤에 불을 켜지 못하게 한다'이므로 사역동사 let을 부정형 doesn't let으로 쓰고, 목적어 me를 쓰고, 목적격 보어로는 동사원형 turn on을 쓴다.

Grammar Test — Advanced
pp. 68~69

01 ① **02** ② **03** ③ **04** ① **05** ⑤
06 what time it is now **07** the students keep quiet
08 what is in this box **09** ④
10 help Sean to paint the wall
11 ② **12** ① **13** why Mom left early
14 ① **15** ③ **16** ②

01

해석

그녀는 내가 일주일 동안 그녀의 집에 머무르도록 허락했다.

해설 사역동사 let의 목적격 보어 자리이므로 동사원형 stay가 알맞다.

02

해석

나는 그녀가 어디에 사는지 알고 싶다.

해설 동사 know의 목적어로 쓰인 간접의문문이므로 「의문사(where)+주어(she)+동사(lives)」 순서가 되어야 한다.

03

해석

그 경찰관은 내가 쓰레기를 줍도록 했다〔허락했다/도왔다〕.

해설 동사 get은 목적격 보어로 to부정사를 취하고, 사역동사 have, let, make는 동사원형을 취하고, 준사역동사 help는 동사원형과 to부정사는 취할 수 있다. 따라서 got은 빈칸에 들어갈 수 없다.

04

해석

너는 그들이 다음에 무엇을 할 것이라고 추측하니〔생각하니 / 믿니 / 추정하니〕?

해설 간접의문문의 의문사가 문장 맨 앞에 있는 것으로 보아 빈칸에는 생각이나 추측을 나타내는 동사인 guess, think, believe, suppose 등이 들어갈 수 있고 know는 들어갈 수 없다.

05

해석

① Anna는 우리가 저녁 식사 준비를 하는 것을 도왔다.

② 내 강아지는 내가 행복하게 느끼게 만든다.

③ 나는 남편이 컴퓨터를 고치게 할 것이다.

④ 내가 다니는 학교는 학생들이 수업 시간에 그들의 스마트폰을 사용하지 못하게 한다.

⑤ 박 선생님은 우리에게 칠판 위의 문제들을 풀게 하셨다.

해설 ⑤ 사역동사 make가 있으므로 목적격 보어를 to부정사인 to solve가 아닌 동사원형인 solve로 써야 한다.

06

해석

나에게 말해 주세요. + 지금 몇 시인가요?

→ 지금 몇 시인지 나에게 말해 주세요.

해설 의문문이 동사 tell의 목적어가 되어야 하므로 간접의문문의 어순으로 쓴다. what time은 의문사구이므로 분리하지 않고 하나의 의문사처럼 써서 what time it is now 순서로 쓴다.

07

해석

강 선생님은 학생들이 조용히 하게 했다.

해설 '~하도록 했다'라는 의미의 사역동사 have가 쓰인 문장이므로 「had(사역동사)+the students(목적어)+keep quiet(목적격 보어)」 순서로 완성한다.

08

해석

나는 이 상자 안에 무엇이 있는지 궁금하다.

해설 동사 wonder의 목적어로 간접의문문이 쓰인 문장이므로 「의문사+주어+동사」 어순으로 써야 한다. 여기서는 의문사 what이 주어이므로 what 바로 뒤에 동사 is를 쓴다.

09

해석

① 나는 John이 한국어를 배우는 것을 도왔다.

② 네가 왜 자동차를 빌렸는지 내게 말해 줄래?

③ 선생님은 우리에게 교과서를 큰 소리로 읽게 하신다.

④ 나는 너의 학교까지 가는 데 얼마나 걸리는지 궁금하다.

⑤ 장 선생님은 그의 아이들이 스마트폰을 갖는 것을 허락하지 않으신다.

해설 ④ 의문문이 wonder의 목적어이므로 간접의문문 형태로 써야 한다. how long은 의문사구이므로 분리하지 않고 써서 「의문사구(how long)+주어(it)+동사(takes)」 순서로 써야 한다.

10

해석

나는 Sean이 벽을 칠하는 것을 도울 계획이다.

해설 준사역동사 help는 목적격 보어로 to부정사와 동사원형을 모두 취할 수 있다. 주어진 말에 to가 있으므로 「help+목적어(Sean)+목적격 보어(to paint)+paint의 목적어(the wall)」 순서로 쓴다.

11

해설 Could you tell me?와 How did you solve it?의 두 문장을 연결하여 한 문장으로 만든 것이다. 간접의문문의 어순은 「의문사+주어+동사」 어순이므로 how you solved it을 Could you tell me 뒤에 연결한다.

12

해설 사역동사 have의 목적격 보어이므로 동사원형 buy가 알맞다.

13

해석

A 당신의 딸이 당신에게 뭐라고 말했나요?

B 그녀는 엄마가 왜 일찍 나갔는지 나에게 물었어요.

해설 직접의문문 Why did Mom leave early?을 간접의문문으로 바꾸면 「의문사+주어+동사」 어순이 되어 Why Mom left early가 된다.

14

해석

① 비가 잔디를 젖게 했다.

② 나에게 힘든 운동을 하게 하지 마.

③ 선생님은 Jack이 Mark에게 사과하게 하셨다.

④ 많은 부모들이 자녀들이 잠자리에 일찍 들게 한다.

⑤ 경찰관은 그에게 무기를 내려놓게 했다.

해설 ②, ③, ④, ⑤는 「사역동사+목적어+목적격 보어」의 형태로 쓰인 문장으로 밑줄 친 부분이 사역동사로 쓰였다. ①은 「동사+목적어+형용사」의 형태로 쓰인 문장으로 밑줄 친 부분이 사역동사가 아니다.

15

해석

너는 왜 그녀가 이탈리아 출신이라고 추측하니?

해설 추측을 나타내는 동사 guess가 쓰였으므로 의문사 why가 문장 맨 앞에 온다. 따라서 빈칸에 들어갈 말은 Why do you guess she is가 되므로 네 번째 오는 단어는 guess이다.

16

해석

(A) 누가 너의 마음을 바꾸게 했니?

(B) 나는 네가 지우에게 왜 문자 메시지를 보냈는지 궁금하다.

(C) 그의 어머니는 그가 자신의 차를 운전하지 못하게 한다.

(D) 너는 이것이 누구의 펜이라고 생각하니?

해설 (C) 사역동사 let의 목적격 보어 drives를 동사원형 drive로 고쳐야 한다.

(D) 간접의문문은 「의문사+주어+동사」 어순이며, 생각을 나타내는 동사 think가 있으므로 의문사구 Whose pen을 맨 앞에 쓰고 do you think 뒤에 「주어+동사」인 this is를 써야 한다.

Reading
pp. 70~73

❶ spend ❷ glance at ❸ miss ❹ it ❺ to notice ❻ right away ❼ landscape ❽ isn't it ❾ where Icarus is ❿ sticking ⓫ near ⓬ told, to stay ⓭ flew ⓮ melted ⓯ Despite ⓰ going on with ⓱ look peaceful ⓲ What, the artist is trying ⓳ in front of ⓴ Who, he is painting ㉑ Take a, look ㉒ seems to ㉓ in the center of ㉔ beside ㉕ make, wonder ㉖ Try to ㉗ Who, he is painting

해석

더 많이 볼수록 더 많이 알아요

세계 미술관(the World Art Museum)을 관람하러 와 주신 것을 환영합니다. 미술관에 갈 때 여러분은 각각의 그림을 보는 데 얼마나 많은 시간을 보내나요? 많은 방문객들은 이동하기 전에 그림 한 점을 몇 초간만 힐끗 봅니다. 하지만 그림의 중요한 세부 사항들을 즉시 알아채는 것은 어렵기 때문에 여러분들은 그것들을 놓칠 수 있습니다. 오늘 우리는 두 점의 그림을 자세히 살펴볼 것이고, 여러분이 흥미로운 세부 사항들을 볼 수 있도록 제가 도와드리겠습니다.

먼저 이 그림을 보세요. 바닷가 풍경이 매우 평화롭고 아름답죠, 그렇지 않나요? 이 그림의 제목은 「추락하는 이카로스가 있는 풍경」입니다. 그러면 이카로스가 어디에 있는지 보이나요? 배 근처에 물 밖으로 나와 있는 두 다리가 보이죠? 이것이 그리스의 유명한 신화에 나오는 이카로스입니다. 신화에서 이카로스의 아버지는 그를 위해 깃털과 밀랍으로 날개를 만들어 주었고 그에게 태양을 가까이 하지 말라고 말했습니다. 하지만 이카로스는 듣지 않았습니다. 그는 태양에 너무 가깝게 날았습니다. 그래서 밀랍이 녹았고 그는 물에 빠졌습니다. 이제, 그림 전체를 다시 보세요. 이카로스의 비극에도 불구하고 사람들은 일상의 활동을 계속 하고 있습니다. 그림이 여전히 평화로워 보이나요? 화가가 우리에게 무엇을 말하려 한다고 생각하나요?

이제, 다음 그림으로 넘어갑시다. 커다란 캔버스 앞에 있는 화가가 보이나요? 그는 Diego Velázquez이고, 그가 실제로 이 그림을 그렸습니다. 그가 누구를 그리고 있다고 생각하나요? 재빨리 봅시다.

어린 공주가 그림의 중앙에 있기 때문에 주인공처럼 보입니다. 하지만 그림의 제목은 「시녀들」입니다. 그렇다면 화가는 공주 옆에 있는 두 여인을 그리고 있나요? 자세히 보세요. 그림에 대해 좀 더 궁금해하게 될 겁니다. 화가가 어느 방향을 바라보고 있는지 보려고 노력해 보세요. 그림의 배경에 있는 거울 속 왕과 왕비가 보이나요? 이제 여러분은 그가 누구를 그리고 있다고 생각하나요?

Reading Test Basic

pp. 70~73

01 (1) T (2) F (3) F
02 (1) the important details of the painting
　　(2) look at two paintings
　　(3) see interesting details
03 (1) *Flying* → *Fall* (2) legs → wings
　　(3) fly to the sun → stay away from the sun
04 (1) peaceful and beautiful (2) the wax melted
　　(3) their everyday activities
05 (1) F (2) T (3) F
06 (1) *The Young Princess* → *The Maids of Honour*
　　(2) front → background
07 (1) in front of (2) mirror
08 (1) *The Maids of Honour*
　　(2) in the center of the painting
　　(3) beside the princess

01

해석

(1) 이 읽기 지문에서 투어의 이름은 세계 미술관 관람이다.
(2) 사람들은 보통 미술관에서 각각의 그림을 몇 분간 본다.
(3) 그림의 중요한 세부 사항들을 즉시 알아채는 것은 쉽다.

해설 (1) Welcome to the World Art Museum tour.에서 세계 미술관을 관람하러 와 주신 것을 환영한다고 했으므로 일치하는 문장이다.

(2) Many visitors glance at one painting for only a few seconds before they move on.에서 그림 한 점을 몇 초간만 힐끗 본다고 했으므로 일치하지 않는 문장이다.

(3) ~ since it is hard to notice them(= the important details) right away.에서 그림의 중요한 세부 사항을 즉시 알아채는 것은 어렵다고 했으므로 일치하지 않는 문장이다.

02

해석

(1) 그림 한 점을 몇 초간만 힐끗 보는 것의 문제점은 무엇인가?
　→ 우리가 그 그림의 중요한 세부 사항들을 놓칠 수도 있다.
(2) 우리는 이 읽기 지문에서 몇 점의 그림을 자세히 살펴볼 것인가?
　→ 우리는 두 점의 그림을 자세히 살펴볼 것이다.
(3) 글쓴이는 우리가 무엇을 하도록 도울 것인가?
　→ 글쓴이는 우리가 두 점의 그림의 흥미로운 세부 사항들을 볼

수 있도록 도울 것이다.

해설 (1) But you might miss the important details of paintings since it is hard to notice them right away.에 언급되어 있듯이 그림의 중요한 세부 사항들을 놓칠 수 있는 문제점이 있으므로 We might miss the important details of the painting.이라고 답하는 것이 알맞다.

(2) Today, we'll look at two paintings closely ~.에 언급되어 있듯이 두 점의 그림을 살펴보게 될 것이므로 We will look at two paintings closely.라고 답하는 것이 알맞다.

(3) Today, we'll look at two paintings closely and I'll help you see interesting details.에 언급되어 있듯이 글쓴이는 우리가 살펴볼 두 점의 그림의 흥미로운 세부 사항들을 볼 수 있도록 도울 것이므로 She will help us see interesting details of the two paintings.라고 답하는 것이 알맞다.

03

해석

(1) 글쓴이가 이 읽기 지문에서 처음 소개하는 그림의 제목은 「날아가는(→ 추락하는) 이카로스가 있는 풍경」이다.
(2) 신화에서, 이카로스의 다리(→ 날개)는 깃털과 밀랍으로 만들어졌다.
(3) 신화에서, 이카로스의 아버지는 이카로스에게 태양을 향해 날아가라고(→ 태양을 가까이 하지 말라고) 말했다.

해설 (1) The title of this painting is *Landscape with the Fall of Icarus*.에서 이 그림의 제목이 「추락하는 이카로스가 있는 풍경」이라고 했으므로 *Flying*을 *Fall*로 고쳐야 한다.

(2) In the myth, Icarus' father made wings for him with feathers and wax ~.에서 이카로스의 아버지가 이카로스에게 깃털과 밀랍으로 날개를 만들어 주었다고 했으므로 legs는 wings로 고쳐야 한다.

(3) In the myth, Icarus' father ~ told him to stay away from the sun.에서 이카로스의 아버지가 이카로스에게 태양을 가까이 하지 말라고 말했으므로 fly to the sun은 stay away from the sun으로 고쳐야 한다.

04

해석

(1) 여러분이 이 그림을 힐끗 보았을 때 바닷가 풍경은 어떤가?
　→ 매우 평화롭고 아름답다.
(2) 이카로스는 왜 물에 빠졌는가?
　→ 그가 태양에 너무 가깝게 날아가서 밀랍이 녹았기 때문이다.
(3) 이 그림에서 이카로스가 물에 빠졌을 때 사람들은 무엇을 하고 있었는가?
　→ 그들은 그저 그들의 일상의 활동을 하고 있었다.

해설 (1) The seaside landscape is so peaceful and beautiful, isn't it?에 언급되어 있듯이 평화롭고 아름답게 보이므로 It is so peaceful and beautiful.이라고 답하는 것이 알맞다.

(2) He flew too close to the sun. So, the wax melted and he fell into the water.에 언급되어 있듯이 이카로스가 태

양에 너무 가깝게 날아서 밀랍이 녹았기 때문에 물에 빠진 것이므로 Because he flew too close to the sun and the wax melted.라고 답하는 것이 알맞다.

(3) Despite the tragedy of Icarus, people are going on with their everyday activities.에 언급되어 있듯이 이카로스가 물에 빠졌는데도 사람들은 일상의 활동을 계속하고 있었으므로 They were just doing their everyday activities.라고 답하는 것이 알맞다.

05
해석
(1) 이 그림에서 우리는 거울 속에서 Diego Velázquez를 볼 수 있다.
(2) 이 그림의 중앙에 어린 공주가 있다.
(3) 두 시녀는 어린 공주의 뒤에 있다.

해설 (1) Do you see the artist in front of the large canvas? He is Diego Velázquez, and he actually painted this picture.에서 화가인 Diego Velázquez가 커다란 캔버스 앞에 있다고 했으므로 일치하지 않는 문장이다.
(2) ~ because she is in the center of the painting.에서 공주가 그림의 중앙에 있다고 했으므로 일치하는 문장이다.
(3) Then, is the artist drawing the two women beside the princess?에서 두 시녀는 공주 옆에 있다고 했으므로 일치하지 않는 문장이다.

06
해석
(1) 이 그림의 제목은 「어린 공주(→ 시녀들)」이다.
(2) 왕과 왕비는 이 그림의 앞쪽(→ 배경)에 있는 거울 속에 있다.

해설 (1) But the title of the painting is *The Maids of Honour*.에서 이 그림의 제목이 「시녀들」이라고 했으므로 *The Young Princess*를 *The Maids of Honour*로 고쳐야 한다.
(2) Can you see the king and the queen in the mirror in the background of the painting?에서 왕과 왕비를 그림의 배경에 있는 거울 속에서 볼 수 있다고 했으므로 front를 background로 고쳐야 한다.

07
해석
(1) 화가인 Diego Velázquez는 이 그림에서 커다란 캔버스 앞에 있다.
(2) 왕과 왕비는 그림의 배경에 있는 거울 속에 있다.

해설 (1) Do you see the artist in front of the large canvas? 로 보아 화가는 커다란 캔버스 앞에 있으므로 빈칸에 in front of가 알맞다.
(2) Can you see the king and the queen in the mirror in the background of the painting?으로 보아 왕과 왕비는 그림의 배경에 있는 거울 속에 있으므로 빈칸에 mirror가 알맞다.

08
해석
(1) 이 그림의 제목은 무엇인가?

→ 「시녀들」이다.
(2) 공주는 이 그림에서 왜 주인공처럼 보이는가?
 → 그녀가 그림의 중앙에 있기 때문이다.
(3) 두 시녀는 어디에 있는가?
 → 그들은 공주 옆에 있다.

해설 (1) But the title of the painting is *The Maids of Honour*.에 언급되어 있듯이 제목은 「시녀들」이므로 It is *The Maids of Honour*.라고 답하는 것이 알맞다.
(2) The young princess seems to be the main person because she is in the center of the painting.에 언급되어 있듯이 공주가 그림의 중앙에 있기 때문이므로 Because she is in the center of the painting.이라고 답하는 것이 알맞다.
(3) Then, is the artist drawing the two women beside the princess?에 언급되어 있듯이 두 시녀는 공주 옆에 있으므로 They are beside the princess.라고 답하는 것이 알맞다.

pp. 74~75

Reading Test Advanced

01 ④ **02** ② **03** miss, interesting details **04** isn't it
05 ① **06** ① **07** ④ **08** ④ **09** Who do you think
10 ④ **11** 자세히 보는 것 **12** ④

[01~03]

세계 미술관(the World Art Museum)을 관람하러 와 주신 것을 환영합니다. 미술관에 갈 때 여러분은 각각의 그림을 보는 데 얼마나 많은 시간을 보내나요? 많은 방문객들은 이동하기 전에 그림 한 점을 몇 초간만 힐끗 봅니다. 하지만 그림의 중요한 세부 사항들을 즉시 알아채는 것은 어렵기 때문에 여러분들은 그것들을 놓칠 수 있습니다. 오늘 우리는 두 점의 그림을 자세히 살펴볼 것이고, 여러분이 흥미로운 세부 사항들을 볼 수 있도록 제가 도와드리겠습니다.

01
해설 ⓓ '(그것들을 즉시) 알아채는 것이 어렵다'라는 뜻으로 to notice가 진주어이므로 가주어가 필요하다. 가주어는 that이 아니고 it으로 쓴다.

02
해설 '많은 방문객들이 그림 한 점을 몇 초간만 힐끗 보지만 그림의 중요한 세부 사항들을 놓칠 수 있다'는 흐름이 자연스러우므로 반대의 내용을 연결하는 접속사 But이 알맞다.

03
해석
만약 우리가 그림 한 점을 짧은 시간 동안만 본다면 그 그림의 중요한 세부 사항들을 놓칠 수 있다. 그래서 글쓴이는 우리가 두 점의 그림에서 흥미로운 세부 사항들을 보는 것을 도와줄 것이다.

But you might miss the important details of paintings ~.로 보아 첫 번째 빈칸에는 miss가 알맞고, Today, ~ and I'll help you see interesting details.로 보아 두 번째 빈칸에는 interesting details가 알맞다.

[04~07]

먼저 이 그림을 보세요. 바닷가 풍경이 매우 평화롭고 아름답죠, 그렇지 않나요? 이 그림의 제목은 「추락하는 이카로스가 있는 풍경」입니다. 그러면 이카로스가 어디에 있는지 보이나요? 배 근처에 물 밖으로 나와 있는 두 다리가 보이죠? 이것이 그리스의 유명한 신화에 나오는 이카로스입니다. 신화에서 이카로스의 아버지는 그를 위해 깃털과 밀랍으로 날개를 만들어 주었고 그에게 태양을 가까이 하지 말라고 말했습니다. 하지만 이카로스는 듣지 않았습니다. 그는 태양에 너무 가깝게 날았습니다. 그래서 밀랍이 녹았고 그는 물에 빠졌습니다. 이제, 그림 전체를 다시 보세요. <u>이카로스의 비극에도 불구하고</u> 사람들은 일상의 활동을 계속 하고 있습니다. 그림이 여전히 평화로워 보이나요? 화가가 우리에게 무엇을 말하려 한다고 생각하나요?

04

해설 be동사가 쓰인 긍정문이므로 부가의문은 be동사의 부정형인 isn't와 주어인 the seaside landscape을 대명사로 바꾼 it을 써서 isn't it으로 쓴다.

05

해설 Can you see?와 Where is Icarus?의 두 문장이 하나로 합쳐진 문장이다. Where is Icarus?가 동사 see의 목적어가 되므로 간접의문문 형태인 「의문사＋주어＋동사」 어순의 where Icarus is로 바꾸어 can you see 뒤에 연결한다.

06

해석
① 이카로스의 비극에도 불구하고
② 이카로스의 비극 덕분에
③ 이카로스의 비극 때문에
④ 이카로스의 비행에도 불구하고
⑤ 이카로스가 태양을 향해 날아갔음에도 불구하고

해설 사람들이 일상의 활동을 계속 하고 있다는 말 앞에 들어갈 말로 가장 알맞은 것은 '이카로스의 비극에도 불구하고'이다. despite는 '~에도 불구하고'라는 의미의 전치사이다.

07

해설 ④ Icarus' father ~ told him to stay away from the sun.으로 보아 이카로스의 아버지는 이카로스에게 태양을 향해 날아가라고 한 것이 아니라 태양을 가까이 하지 말라고 말했다.

[08~10]

이제, 다음 그림으로 넘어갑시다. 커다란 캔버스 앞에 있는 화가가 보이나요? 그는 Diego Velázquez이고, 그가 실제로 이 그림을 그렸습니다. 그가 누구를 그리고 있다고 생각하나요? 재빨리 봅시다. 어린 공주가 그림의 중앙에 있기 때문에 주인공처럼 보입니다. 하지만 그림의 제목은 「시녀들」입니다. 그렇다면 화가는 공주 옆에 있는 두 여인을 그리고 있나요?

08

해설 '비슷한 몇 개 중에서 가장 중요한'은 main(주요한)에 대한 설명이다.

09

해설 Do you think?와 Who is he painting?의 두 문장이 하나로 합쳐진 문장이다. 생각을 나타내는 동사 think가 있으므로 간접의문문의 의문사 Who가 문장 맨 앞으로 온다. 따라서 「의문사＋do you think＋주어＋동사」 어순의 Who do you think he is painting?이 되므로 빈칸에 들어갈 말은 Who do you think이다.

10

해석
이 그림에서 화가는 커다란 캔버스의 앞에 있고 두 여자는 공주 옆에 있다.

해설 Do you see the artist in front of the large canvas?에서 화가가 커다란 캔버스 앞에 있다고 했으므로 첫 번째 빈칸에는 '~의 앞에'라는 뜻의 in front of가 알맞다. Then, is the artist drawing the two women beside the princess?로 보아 두 여자는 공주 옆에 있다는 것을 알 수 있다. beside는 next to로 바꿔 쓸 수 있으므로 두 번째 빈칸에는 beside 또는 next to가 알맞다.

[11~12]

어린 공주가 그림의 중앙에 있기 때문에 주인공처럼 보입니다. 하지만 그림의 제목은 「시녀들」입니다. 그렇다면 화가는 공주 옆에 있는 두 여인을 그리고 있나요? 자세히 보세요. 그림에 대해 좀 더 궁금하게 될 겁니다. 화가가 어느 방향을 바라보고 있는지 보려고 노력해 보세요. 그림의 배경에 있는 거울 속 왕과 왕비가 보이나요? 이제 여러분은 그가 누구를 그리고 있다고 생각하나요?

11

해설 밑줄 친 It은 앞 문장의 Take a close look.을 가리키므로 '자세히 보는 것'을 의미한다.

12

해석
① 이 그림에서 누가 주인공처럼 보이는가?
② 이 그림에서 어린 공주는 어디에 있는가?
③ 이 그림의 제목은 무엇인가?
④ 우리는 왜 그림에 대해서 궁금해해야 하는가?

⑤ 이 그림에서 왕과 왕비는 어디에 있는가?

해설 우리가 그림에 대해 궁금해해야 하는 이유에 대한 언급은 없으므로 ④에 대해서는 답할 수 없다.

① 어린 공주가 주인공처럼 보인다.

② 어린 공주는 그림의 중앙에 있다.

③ 그림의 제목은 「시녀들」이다.

⑤ 왕과 왕비는 그림의 배경에 있는 거울 속에 있다.

Review Test 1회

pp. 76~79

01 ④　**02** ②　**03** ③　**04** ④　**05** ③

06 I prefer cats to dogs. [I like cats better than dogs.]

07 ④　**08** ③　**09** ④　**10** ②

11 made me feel scared　**12** ③　**13** ②

14 ⓐ looking ⓑ to notice　**15** ①　**16** ④　**17** ②

18 peaceful, beautiful, sticking out

19 makes me feel calm

20 ④　**21** ③

22 ⓑ. seems to be the main person

23 What kind of performance do you want

24 이카로스가 물에 빠진 것

25 (1) lets, watch TV after dinner

　　(2) lets, take a nap on weekends

　　(3) doesn't let, bring my friends home

　　(4) doesn't let, eat much fast food

01

해석

① 예술 : 예술가　　② 관광 : 관광객　　③ 소설 : 소설가

④ 무거운 : 가장 무거운　⑤ 과학 : 과학자

해설 ①, ②, ③, ⑤는 '명사 : 명사를 행하는 사람' 관계이고 ④는 '형용사의 원급 : 형용사의 최상급' 관계이다.

02

해석

ⓐ 우리는 버스 정류장 방향으로 걸어갔다.

ⓑ John은 언덕에서 사막의 풍경을 내려다보았다.

ⓒ 독수리의 날개와 비행기의 날개 중 어느 것이 더 강한가?

ⓓ 갈매기는 회색빛이 도는 흰 깃털을 가지고 있다.

① 날개　② 시녀, 하녀　③ 깃털　④ 방향　⑤ 풍경

해설 ⓐ에는 '방향'이라는 뜻의 direction, ⓑ에는 '풍경'이라는 뜻의 landscape, ⓒ에는 '날개'라는 뜻의 wing, ⓓ에는 '깃털'이라는 뜻의 feather가 들어간다. maid(시녀, 하녀)는 빈칸에 들어가지 않는다.

03

해석

① 네가 가장 좋아하는 음악가는 누구니?

② 도와주시겠어요?

③ 나는 스케이트 타는 것보다 스키 타는 것이 더 좋다. ≒ 나는 스키 타는 것보다 스케이트 타는 것이 더 좋다.

④ 너는 어떤 종류의 스포츠를 좋아하니?

⑤ 먼저 연극을 보는 게 어때?

해설 ③ I prefer skiing to skating.과 같은 의미는 I like skiing better than skating.이다.

04

해석

A 너는 음악을 듣는 것과 책을 읽는 것 중 어느 것이 더 좋니?

B 나는 책을 읽는 것보다 음악을 듣는 것이 더 좋아. 너는 어때?

A 나도 그래.

해설 B가 책을 읽는 것보다 음악을 듣는 것을 더 좋아한다고 대답한 것으로 보아 빈칸에는 둘 중 어느 것을 더 좋아하는지 묻는 표현이 들어가야 한다. 따라서 선택의문문에 쓰이는 의문사 Which를 쓰고, 선택의 대상 사이에는 or를 써서 Which do you prefer, listening to music or reading books?로 물어야 한다.

05

해석

A 저 좀 도와주시겠어요? 기타를 사고 싶은데요.

B 다양한 종류의 기타가 있습니다. 어떤 종류의 기타(→ 음악)를 연주하고 싶으세요?

A 전 팝송을 연주하고 싶어요.

B 그러면 클래식 기타를 사셔야 해요.

A 알겠어요. 클래식 기타로 살게요.

해설 I want to play pop songs.라고 연주하고 싶은 음악에 대해 대답했으므로 ③은 What kind of music do you want to play?처럼 어떤 종류의 음악을 연주하고 싶은지 묻는 질문이 되어야 한다.

06

해석

A 너는 고양이와 개 중 어느 것이 더 좋니?

B 나는 개보다 고양이가 더 좋아.

해설 Which do you prefer, A or B?에 대해서는 I prefer A to B. 또는 I like A better than B.처럼 대답한다. 그림에서 여자아이는 고양이를 더 좋아하므로 I prefer cats to dogs. 또는 I like cats better than dogs.로 대답해야 한다.

[07~08]

Brian 너 뭐 읽고 있니, Sally?

Sally 「The Maze Runner」를 읽고 있어. 그것은 미로에 빠진 소년들에 관한 거야.

Brian 그것은 멋있는 이야기지. 나는 그것을 영화로도 봤어. 나는 영화보다 소설이 더 좋아.

Sally 넌 왜 소설이 더 좋니?

Brian 소설에는 다양한 이야기가 있어. 하지만 영화는 그 이야기의 일부 중요한 부분을 보여 주지 못했어.

07

해설 주어진 문장은 '소설에는 다양한 이야기가 있어.'라는 뜻으로 소설을 좋아하는 이유를 말하고 있으므로 왜 소설이 더 좋은지 묻는 질문에 대한 대답의 자리인 ⓓ에 들어가는 것이 알맞다.

08

해설 Brian의 말 I've seen the movie of it, too.로 보아 ③이 일치한다.

① Sally가 읽고 있는 책이다.

② 미로에 빠진 소년들에 관한 이야기이다.

④ Sally가 어느 것을 좋아하는지는 알 수 없다.

⑤ Brian은 영화가 이야기의 중요한 부분을 보여 주지 못한다고 했다.

09

해석

Jake는 "엄마는 내가 만화책을 읽지 못하게 하셔."라고 말했다.

해설 ④ 사역동사 let의 목적격 보어이므로 동사원형인 read가 알맞은 형태이다.

10

해석

당신의 개를 언제, 어디에서 잃어버렸는지 말씀해 주시겠어요?

해설 동사 tell의 목적어로 쓰인 간접의문문이므로 「의문사＋주어＋동사」의 어순이 되어야 한다. 따라서 「when and where(의문사)＋you(주어)＋lost(동사)」가 빈칸에 알맞다. 과거에 잃어버린 것이므로 과거시제 lost가 쓰인다.

11

해석

그 영화는 나를 무섭게 만들었다.

해설 「사역동사(made)＋목적어(me)＋동사원형 목적격 보어(feel scared)」로 배열한다.

12

해설 Do you think?와 How did you do on the test?라는 두 문장을 연결하여 한 문장으로 만든 것이다. How did you do on the test?를 「의문사＋주어＋동사」 어순의 간접의문문으로 만들면 how you did on the test인데, 생각을 나타내는 동사 think가 있으므로 의문사 how가 문장 맨 앞에 있어야 한다. 따라서 How do you think you did on the test?가 알맞다.

13

해석

(1) 선생님은 아픈 학생이 집에 가도록 허락했다.

(2) 코치는 그들이 매일 운동하게 했다.

(3) 그 노부인은 자신의 하인이 혼자서 집을 청소하게 했다.

(4) 소방관들은 사람들이 건물을 떠나는 것을 도왔다.

(5) Sam은 네가 그의 디지털 카메라를 사용하는 것을 허락하지 않을 것이다.

해설 (1) 사역동사 let의 목적격 보어로 동사원형 go가 온 것은 맞다. 따라서 T라고 쓴 것은 바른 답이다.

(2) 사역동사 make의 목적격 보어로 to부정사 to go가 온 것은 틀리다. 따라서 F라고 쓴 것은 바른 답이다.

(3) 사역동사 have의 목적격 보어로 현재 분사 cleaning이 온 것은 틀리다. 그런데 T라고 썼으므로 틀린 답이다.

(4) 준사역동사 help의 목적격 보어로 to부정사 to leave가 온 것은 맞다. 그런데 F라고 썼으므로 틀린 답이다.

(5) 사역동사 let의 목적격 보어로 동사원형 use가 온 것은 맞다. 그런데 F라고 썼으므로 틀린 답이다.

→ 경수가 바르게 답한 것은 (1)과 (2) 두 개이다.

[14~16]

세계 미술관(the World Art Museum)을 관람하러 와 주신 것을 환영합니다. 미술관에 갈 때 여러분은 각각의 그림을 보는 데 얼마나 많은 시간을 보내나요? 많은 방문객들은 이동하기 전에 그림 한 점을 몇 초간만 힐끗 봅니다. 하지만 그림의 중요한 세부 사항들을 즉시 알아채는 것은 어렵기 때문에 여러분은 그것들을 놓칠 수 있습니다. 오늘 우리는 두 점의 그림을 자세히 살펴볼 것이고, 여러분이 흥미로운 세부 사항들을 볼 수 있도록 제가 도와드리겠습니다.

14

해설 ⓐ 「spend＋시간＋(in) -ing」는 '~하는 데 시간을 보내다'라는 뜻이다. 따라서 looking이 알맞다.

ⓑ '그것들을 즉시 알아채는 것은 어렵다'라는 뜻의 문장으로 it은 가주어이며, 진주어는 to부정사로 나타낸다. 따라서 to notice가 알맞다.

15

해설 그림을 몇 초간만 힐끗 볼 경우 그림의 세부 사항들을 놓치기 쉬우므로 두 점의 그림을 자세히 살펴보면서 흥미로운 세부 사항들을 볼 수 있도록 도와주겠다는 흐름이 자연스러우므로 빈칸에는 details(세부 사항들)가 들어가는 것이 알맞다.

16

해설 it is hard to notice them(= the important details) right away에서 그림의 세부 사항을 즉시 알아채는 것이 어렵다고 했으므로 ④는 일치하지 않는다.

[17~18]

먼저 이 그림을 보세요. 바닷가 풍경이 매우 평화롭고 아름답죠, 그렇지 않나요? 이 그림의 제목은 「추락하는 이카로스가 있는 풍경」입니다. 그러면 이카로스가 어디에 있는지 보이나요? 배 근처에 물 밖으로 나와 있는 두 다리가 보이죠? 이것이 그리스의 유명한 신화에 나오는 이카로스입니다.

17

해석

① 나는 내 옆에 있는 아이들에게 초콜릿을 주었다.

② 의사는 나에게 좀 쉬어야 한다고 말했다.

③ 전자레인지는 음식을 데우는 기계이다.

④ 들판을 달리고 있는 사람들이 보이니?

⑤ 이 책은 배우가 되기를 꿈꾸는 한 남자에 대한 것이다.

해설 본문의 밑줄 친 that은 two legs를 선행사로 하는 주격 관계대명사이다. ①, ③, ④, ⑤의 that은 주격 관계대명사이고 ②의 that은 목적어절을 이끄는 접속사이다.

18

해석

우리가 이 그림을 힐끗 볼 때는 풍경이 <u>평화롭고</u> <u>아름답게</u> 보인다. 하지만 우리가 자세히 보면 이카로스가 물에 빠져서 그의 다리가 물 <u>밖으로 나와</u> 있는 것을 볼 수 있다.

해설 The seaside landscape is so peaceful and beautiful, isn't it?에서 풍경이 평화롭고 아름다워 보인다고 했다. Do you see two legs that are sticking out of the water near the ship? This is Icarus in the famous myth in Greece.에서 이카로스의 두 다리가 배 근처의 물 밖으로 나와 있다고 했다.

[19~20]

오늘, 나는 '놀라운 예술' 전시회에 갔다. 전시회에서 나는 많은 흥미로운 예술 작품을 보았다. 그것들 중에서 나는 「Moon Tree」라는 작품이 마음에 들었다. 그것은 프랑스 작가인 David Myriam에 의해 만들어졌다. 흥미롭게도, 모래가 이 그림에 사용되었다. 나는 달 속의 나무가 나를 기분이 차분해지게 만들기 때문에 그것이 마음에 든다. 이제 나는 무엇이나 예술 작품을 만드는 데 사용될 수 있다는 것을 안다. 무엇이나 <u>가능하다</u>!

19

해설 사역동사 make가 사용된 문장이 되어야 하므로 「make+목적어+동사원형 목적격 보어」의 형태로 쓴다. 주어가 3인칭 단수이므로 동사를 3인칭 단수형 makes로 쓰고, 목적어는 me이며, '고요하게 느끼다'는 feel calm이므로 makes me feel calm을 넣어 완성한다.

20

해석

① 현명한   ② 가까운   ③ 충분한   ④ 가능한   ⑤ 편안한

해설 앞 문장에서 예술 작품을 만드는 데 무엇이나 사용될 수 있다고 했으므로 무엇이나 '가능하다'는 말로 바꿀 수 있다.

[21~22]

(B) 커다란 캔버스 앞에 있는 화가가 보이나요? 그는 Diego Velázquez이고, 그가 실제로 이 그림을 그렸습니다.

(A) 그가 누구를 그리고 있다고 생각하나요? 재빨리 봅시다. 어린 공주가 그림의 중앙에 있기 때문에 주인공처럼 보입니다.

(C) 하지만 그림의 제목은 「시녀들」입니다. 그렇다면 화가는 공주 옆에 있는 두 여인을 그리고 있나요?

21

해설 이 그림의 화가가 누구인지 설명하는 (B)가 맨 앞에 오고, 그 화가가 누구를 그리고 있는지에 대해 말하는 시작 부분인 (A)가 이어진 다음, 어린 공주가 주인공처럼 보이지만 제목은 「시녀들」이라고 말하는 흐름이 자연스러우므로 마지막에 (C)가 온다. 따라서 (B) − (A) − (C)의 순서이다.

22

해설 ⓑ 「seem+to부정사」 형태로 '~인 것처럼 보이다'의 뜻을 나타내므로 seems to be the main person으로 고친다.

23

해석

Anna와 Steve는 내일 예술 축제에 갈 것이다. 그들은 아직 어떤 공연을 먼저 볼지를 정하지 않았다. Steve는 Anna의 의견을 알고 싶다. Steve는 Anna에게 뭐라고 말할 것인가?

해설 '어떤 종류의 공연을 먼저 보고 싶니?'라는 질문이 되어야 하므로 kind와 want를 사용하면 What kind of performance do you want to watch first?로 완성해야 한다.

24

해석

신화에서 이카로스의 아버지는 그를 위해 깃털과 밀랍으로 날개를 만들어 주었고 그에게 태양을 가까이 하지 말라고 말했습니다. 하지만 이카로스는 듣지 않았습니다. 그는 태양에 너무 가깝게 날았습니다. 그래서 밀랍이 녹았고 그는 물에 빠졌습니다. 이제, 그림 전체를 다시 보세요. <u>이카로스의 비극</u>에도 불구하고 사람들은 일상의 활동을 계속 하고 있습니다. 그림이 여전히 평화로워 보이나요? 화가가 우리에게 무엇을 말하려 한다고 생각하나요?

해설 밑줄 친 부분은 '이카로스의 비극'이라는 뜻이고, 이카로스의 비극은 앞에 설명되어 있다. 즉, 이카로스가 아버지의 말을 듣지 않고 태양에 너무 가깝게 날아서 날개의 밀랍이 녹아 물에 빠진 것을 말한다.

25

해석

(1) 엄마는 내가 저녁 식사 후에 TV 보는 것을 허락하신다.

(2) 아빠는 내가 주말에 낮잠 자는 것을 허락하신다.

(3) 엄마는 내가 집에 친구들을 데리고 오는 것을 허락하지 않으신다.

(4) 아빠는 내가 패스트푸드를 많이 먹는 것을 허락하지 않으신다.

해설 Do는 허락을 나타내므로 lets, DON'T는 허락하지 않음을 나타내므로 doesn't let을 쓰고, 목적격 보어로는 동사원형이 오도록 완성한다.

01 ①   **02** ⑤   **03** ④   **04** ③   **05** ⑤   **06** ④
07 (1) ⓑ   (2) ⓒ   (3) ⓐ   **08** are planning a school festival   **09** to tell → tell   **10** when the dog ate his food   **11** ②   **12** ①, ④   **13** ⑤   **14** ②   **15** ④   **16** ⑤
17 (A) are (B) to stay   **18** ③
19 태양에 너무 가깝게 날아가서 날개의 밀랍이 녹았기 때문에
20 ③   **21** ②   **22** keep her promise / let the frog in
23 what kind of music Lucy likes best
24 (1) What kind of concert is it?
(2) I'm looking forward to it.
25 (1) the title of the painting is *the Maids of Honour*
(2) When you take a close look

01
해석
~을 향하다 → 방향
① 다르다 ② 전시하다 ③ 활동하다 ④ 창조하다 ⑤ 생산하다
해설 ②, ③, ④, ⑤는 동사 뒤에 -(t)ion을 붙여서 명사를 만드는 단어이지만, ① differ는 명사를 만들 때 -ence를 붙인다.

02
해석
① 예술가: 그림과 같이 아름답거나 흥미로운 것들을 만드는 사람
② 시녀: 호텔, 대저택 등에서 일하는 여자 종이나 일꾼
③ 신화: 특히 신과 영웅들이 나오는 전통적인 이야기
④ 왕자: 한 나라의 왕이나 여왕의 아들
⑤ 깃털: 새가 날기 위해 사용하는 두 개의 신체 부분 중 하나
해설 ⑤ 주어진 영영풀이는 wing(날개)에 대한 설명이다.

03
해석
당신은 당신의 친구와 함께 점심을 먹을 것이다. 근처에 샌드위치 식당과 햄버거 식당이 있다. 당신은 친구가 그 음식 중 어떤 종류를 더 좋아하는지 알고 싶다. 당신은 친구에게 뭐라고 말하겠는가?
① 너는 어떤 종류의 음식을 좋아하니?
② 너는 점심으로 무엇을 먹고 싶니?
③ 너는 샌드위치와 햄버거 중 어떤 것을 먹어 봤니?
④ 너는 샌드위치와 햄버거 중 어느 것을 더 좋아하니?
⑤ 너는 샌드위치나 햄버거를 먹는 것에 대해 어떻게 생각하니?
해설 둘 중 어느 것을 더 좋아하는지 묻는 질문은 Which do you prefer, A or B?로 말하므로 샌드위치와 햄버거 중 어떤 음식을 더 좋아하는지 묻는 질문은 ④이다.

04
해석
④ 지나야, 너 뭐 읽고 있니?
② 「파이 이야기」라는 소설. 그것은 한 소년과 호랑이에 관한 이야기야.

⑤ 훌륭한 책이지. 난 그것을 영화로도 봤어. 나는 소설보다 영화가 더 좋아.
① 왜 영화가 더 좋니?
③ 장면들이 매우 아름답거든. 그리고 호랑이가 정말 진짜처럼 보여.
해설 무엇을 읽고 있는지 묻는 ④가 맨 처음에 오고, 그 질문에 「파이 이야기」를 읽고 있다고 대답하는 ②가 온다. ②의 말을 듣고 책에 대한 감상과 소설보다 영화가 더 좋다고 말하는 ⑤가 온 다음, 영화가 왜 더 좋은지 묻는 ①이 이어지고, 그에 대답하는 ③이 마지막에 온다.

05
해설 ①, ②, ③, ④는 오렌지 주스와 포도 주스 중에서 더 좋아하는 것을 말하는 표현이고 ⑤는 '오렌지 주스는 내가 제일 좋아하는 음료이고 포도 주스는 두 번째로 좋아하는 음료이다.'라는 뜻이다.

06
해석
A 나 좀 도와줄래? 나는 선을 깔끔하게 그리는 방법을 모르겠어.
B 너는 어떤 종류의 붓을 사용하고 있었니?
A 이 둥근 붓이야.
B 선을 그릴 때는 납작한 붓이 더 좋아. 이것을 써 봐.
A 알았어. 고마워.
해설 주어진 문장은 '이것을 써 봐.'라는 뜻이므로 납작한 붓을 추천하는 말 뒤인 ④에 들어가는 것이 알맞다.

[07~08]
Sam 안녕하세요, 우리는 학교 축제를 계획하고 있어요. 그래서 학생들이 어떤 종류의 공연을 가장 좋아하는지 알고 싶습니다. 몇 가지 질문을 해도 될까요?
Judy 물론이죠.
Sam 어떤 종류의 공연을 가장 좋아하나요?
Judy 저는 음악 공연을 가장 좋아해요.
Sam 알겠습니다. 그러면, 록 음악과 힙합 음악 중 어느 것을 더 좋아하나요?
Judy 힙합보다 록을 더 좋아해요.
Sam 가장 좋아하는 음악가는 누구인가요?
Judy 제가 가장 좋아하는 음악가는 TJ입니다.
Sam 좋습니다. 답변해 주셔서 감사합니다.

07
해설 (1) Judy가 음악 공연을 가장 좋아한다고 답했으므로 어떤 종류의 공연을 가장 좋아하는지 묻는 ⓑ가 알맞다.
(2) Judy가 힙합보다 록을 더 좋아한다고 답했으므로 록과 힙합 중 어느 것을 더 좋아하는지 묻는 ⓒ가 알맞다.
(3) Judy가 가장 좋아하는 음악가는 TJ라고 답했으므로 가장 좋아하는 음악가가 누구인지 묻는 ⓐ가 알맞다.

08

해석

Q Sam의 팀은 왜 학생들이 어떤 종류의 공연을 가장 좋아하는지 알고 싶어 하는가?

A 그들은 학교 축제를 계획하고 있기 때문이다.

해설 Hi, we are planning a school festival, so we want to find out students' favorite types of performances.에서 학교 축제 준비를 위해 설문 조사를 하고 있다는 것을 알 수 있다.

09

해석

내 별명이 무슨 뜻인지 말해 줄게.

해설 사역동사 let은 목적격 보어로 동사원형이 온다. 따라서 to tell을 tell로 고친다.

10

해석

나는 그 개가 언제 그것의 음식을 먹었는지 궁금하다.

해설 When did the dog eat his food?를 간접의문문으로 바꾼 것이다. 간접의문문은 「의문사＋주어＋동사」 어순이므로 「when(의문사)＋the dog(주어)＋ate(동사)＋his food(목적어)」가 오며, eat은 필요 없다.

11

해설 ② tell은 간접의문문의 의문사를 문장 맨 앞에 쓰는 동사가 아니므로 Can you tell me where you bought the shirt?가 맞는 문장이다.

12

해석

· Julia는 그녀의 아이들이 일찍 잠자리에 들게 했다.

· Emily는 노부인이 무거운 가방을 옮기는 것을 도왔다.

해설 사역동사 make는 목적격 보어로 동사원형을, 준사역동사 help는 목적격 보어로 동사원형이나 to부정사를 취한다. 따라서 ①, ④ 모두 맞다.

13

해석

(A) 그 신발은 나를 커 보이게 한다.

(B) 나는 누가 이 파이를 만들었는지 알고 싶다.

(C) 우리는 그가 비밀을 지키게 해야 한다.

(D) 너는 사람들이 왜 유령을 믿는다고 생각하니?

(E) Jim은 아내가 아기를 돌보는 것을 돕지 않는다.

해설 (B) 간접의문문에서 의문사 who가 주어인데 he가 또 쓰인 것은 어색하다.

(C) 사역동사 have의 목적격 보어로 to keep이 온 것은 어색하다. 동사원형 keep으로 고쳐야 한다.

(E) 준사역동사 help의 목적격 보어로 현재 분사 taking이 온 것은 어색하다. 동사원형인 take나 to부정사인 to take로 고쳐야 한다.

[14~16]

세계 미술관(the World Art Museum)을 관람하러 와 주신 것을 환영합니다. 미술관에 갈 때 여러분은 각각의 그림을 보는 데 얼마나 많은 시간을 보내나요? 많은 방문객들은 이동하기 전에 그림 한 점을 몇 초간만 힐끗 봅니다. 하지만 그림의 중요한 세부 사항들을 즉시 알아채는 것은 어렵기 때문에 여러분들은 그것들을 놓칠 수 있습니다. 오늘 우리는 두 점의 그림을 자세히 살펴볼 것이고, 여러분이 흥미로운 세부 사항들을 볼 수 있도록 제가 도와드리겠습니다.

14

해설 (A) each 뒤에는 단수 명사가 오므로 painting이 알맞다.

(B) 셀 수 있는 명사 앞에는 a few를 쓴다.

(C) 준사역동사 help의 목적격 보어로는 동사원형이나 to부정사를 쓰므로 to see가 알맞다.

15

해석

① 그것에 대해 네가 물었으니까 내가 답해 줄게.

② 나는 돈이 없기 때문에 그것을 살 수 없다.

③ 네가 요리를 했으니까 오늘 밤은 내가 설거지를 할게.

④ 우리가 만난 이후로 여러 해가 지났다.

⑤ 나는 Tony로부터 오랫동안 소식을 못 들어서 걱정이 된다.

해설 본문에서 since는 '～하기 때문에'의 의미로 쓰였다. ①, ②, ③, ⑤는 '～하기 때문에'라는 의미이고, ④는 '～ 이후로'라는 의미이다.

16

해설 마지막 문장에서 두 점의 그림을 살펴보면서 세부 사항들을 볼 수 있도록 도와주겠다고 했으므로, 뒤에 이어질 내용은 '두 점의 그림에 나타난 중요한 세부 사항에 대한 설명'이다.

[17~20]

먼저 이 그림을 보세요. 바닷가 풍경이 매우 평화롭고 아름답죠, 그렇지 않나요? 이 그림의 제목은 「추락하는 이카로스가 있는 풍경」입니다. 그러면 이카로스가 어디에 있는지 보이나요? 배 근처에 물 밖으로 나와 있는 두 다리가 보이죠? 이것이 그리스의 유명한 신화에 나오는 이카로스입니다. 신화에서 이카로스의 아버지는 그를 위해 깃털과 밀랍으로 날개를 만들어 주었고 그에게 태양을 가까이 하지 말라고 말했습니다. 하지만 이카로스는 듣지 않았습니다. 그는 태양에 너무 가깝게 날았습니다. 그래서 밀랍이 녹았고 그는 물에 빠졌습니다. 이제, 그림 전체를 다시 보세요. 이카로스의 비극에도 불구하고 사람들은 일상의 활동을 계속 하고 있습니다. 그림이 여전히 평화로워 보이나요? 화가가 우리에게 무엇을 말하려 한다고 생각하나요?

17

해설 (A) 주격 관계대명사 that 앞의 선행사가 복수형 legs이므로 that 뒤의 동사는 선행사에 맞추어 복수형 are로 써야 한다.

(B) tell은 목적격 보어로 to부정사를 취하므로 to stay가 알맞은 형태이다.

18

해설 주어진 문장은 '하지만 이카로스는 듣지 않았습니다.'라는 뜻이므로 이 문장의 앞에는 아버지가 이카로스에게 태양을 가까이 하지 말라고 말했다는 내용이 있어야 한다. 따라서 ⓒ가 알맞은 위치이다.

19

해석

Q 이카로스는 왜 물에 빠졌는가?

해설 He flew too close to the sun. So, the wax melted and he fell into the water.로 보아 이카로스가 물에 빠진 이유는 태양에 너무 가깝게 날아서 날개의 밀랍이 녹았기 때문이다.

20

해설 Do you see two legs that are sticking out of the water near the ship? This is Icarus in the famous myth in Greece.로 보아 「추락하는 이카로스가 있는 풍경」에서 이카로스는 물에 빠져서 두 다리만 물 밖으로 나와 있는 상태이므로 ③은 일치하지 않는다.

[21~22]

Frog 공주님, 저를 들어가게 해 주세요.

King 그대는 누군가?

Frog 공주님은 제게 "네가 날 도와준다면, 나는 너를 궁전에 들어오게 하고 내 친구가 되게 해 주겠어."라고 약속하셨어요.

King 이쪽으로 오게. 나는 사람들을 시켜 자네에게 과자와 차를 가져다주게 하겠네.

Princess 안 돼요! 그를 들어오게 하지 마세요. 저는 그를 좋아하지 않아요.

King 걱정 말게, 개구리. 나는 공주가 그녀의 약속을 지키게 하겠네.

21

해설 ⓑ being은 enter와 마찬가지로 사역동사 let의 목적격 보어이므로 동사원형인 be로 쓰는 것이 알맞다.

22

해석

공주가 개구리와의 약속을 지키지 않아서 개구리가 궁전으로 찾아왔다. 왕은 개구리가 궁전으로 들어오게 했고 음식을 주었다. 그리고 왕은 공주가 그녀의 약속을 지키게 하겠다고 개구리에게 말했다.

해설 공주가 자신을 도와주면 궁전에 들어오게 하고 자기 친구가 되게 해 주겠다는 약속을 지키지 않았으므로 첫 번째 빈칸에는 '그녀의 약속을 지키다'라는 의미의 keep her promise가 알맞다. 왕

은 개구리가 궁전으로 들어올 수 있게 해 주었으므로 두 번째 빈칸에는 let the frog in이 알맞다.

23

해석

John은 Lucy가 어떤 종류의 음악을 가장 좋아하는지 궁금하다.

해설 What kind of music does Lucy like best?를 간접의문문으로 바꾸어서 동사 wonders의 목적어가 되도록 해야 한다. 간접의문문은 「의문사＋주어＋동사」의 어순이다. What kind of music은 의문사구여서 하나의 의문사처럼 쓰므로 what kind of music Lucy likes best가 알맞다.

24

해석

A 이번 주 토요일 콘서트에 같이 가고 싶니?

B 어떤 종류의 콘서트니?

A 그것은 록 콘서트야. 전 세계에서 온 록 밴드들이 모일 거야.

B 굉장하다. 좋아, 같이 가자.

A 좋아. 버스 정류장에서 오후 5시에 만나자.

B 알겠어. 기대된다. 그때 봐.

해설 (1) '어떤 종류의 ～?'는 What kind of ～?로 표현하므로 '그것은 어떤 종류의 콘서트니?'는 What kind of concert is it?이라고 말한다.

(2) '나는 그것이 기대된다.'라는 뜻으로 기대감을 나타내는 표현은 I'm looking forward to it.이라고 말한다.

25

해석

어린 공주가 그림의 중앙에 있기 때문에 주인공처럼 보입니다. 하지만 그림의 제목은 「시녀들」입니다. 그렇다면 화가는 공주 옆에 있는 두 여인을 그리고 있나요? 자세히 보세요. 그림에 대해 좀 더 궁금해하게 될 겁니다. 화가가 어느 방향을 바라보고 있는지 보려고 노력해 보세요. 그림의 배경에 있는 거울 속 왕과 왕비가 보이나요? 이제 여러분은 그가 누구를 그리고 있다고 생각하나요?

(1) Q 이 그림에서 어린 공주는 왜 주인공이 아닌 것 같은가?

　A 그림의 제목이 「시녀들」이기 때문이다.

(2) Q 이 글에 따르면 언제 그림에 대해 좀 더 궁금해하게 되는가?

　A 자세히 볼 때 그림에 대해 좀 더 궁금해하게 될 것이다.

해설 (1) The young princess seems to be the main person because she is in the center of the painting. But the title of the painting is *The Maids of Honour*.에서 어린 공주가 주인공처럼 보이지만 그림의 제목은 「시녀들」이라는 말로 보아, 어린 공주는 주인공이 아닐 것이다.

(2) It will make you wonder about the painting more.에서 It은 앞 문장의 Take a close look.을 가리키므로 자세히 볼 때 그림에 대해 더 궁금해하게 된다는 것을 알 수 있다.

Lesson 08

Changes Ahead

Words & Phrases

p. 86

01 우리는 우리 개를 Tong이라고 이름 짓는 데 동의했다.

02 그 광대는 머리 위에 있는 빈 깡통의 균형을 잡고 있다.

03 그 돌멩이는 수영장 바닥으로 가라앉고 있다.

04 Jim은 학생들에게 그들의 창의적인 능력을 이용하라고 말한다.

05 학생들은 세금에 관해 토론을 벌였다.

06 고객님이 새로 구입하신 컴퓨터는 다음 주 월요일에 배달될 겁니다.

07 우리는 원자력에 대한 의존을 줄이고 있다.

08 한 사업가가 사망하기 전에 그의 돈을 자선 단체에 모두 기부했다.

09 우리는 모임이 있어서 서울 시내로 가는 중이다.

10 이 약은 나에게 효과가 없는 것 같다.

11 우리는 연세가 많은 나의 이모와 함께 산다.

12 열기구를 타고 나는 것은 나에게 놀라운 경험이었다.

13 나는 가족의 저녁 식사로 닭을 튀길 것이다.

14 나의 부모님은 좋은 교육의 중요함을 알았다.

15 그 지역 병원에서는 자원봉사자들을 필요로 한다.

16 기계에 돈을 넣으면 표가 나올 것이다.

17 그 순간에 나는 그녀의 이름이 기억나지 않았다.

18 나는 근처에 있는 공원에서 매일 아침 줄넘기를 한다.

19 우리는 다른 사람들의 의견에 귀를 기울여야 한다.

20 그 과학자들은 그들의 연구 결과를 자신들의 웹 사이트에 올렸다.

21 나는 가끔 내 뒤에 어떤 존재가 있는 것을 느낀다.

22 나는 이 시계를 사고 싶지만 가격이 너무 높다.

23 Hal은 직장에 남아 있었지만, 다른 사람들은 집으로 갔다.

24 Sue는 항상 사물의 밝은 면을 본다.

25 나는 Becky에게 병원에 가서 진찰을 받으라고 제안했다.

26 Luke는 나에게 꽃을 사 줘서 나를 놀라게 했다.

27 그들은 현대 과학 기술을 학교에 도입했다.

28 먹는 것에 대한 생각이 나를 배고프게 했다.

29 Rachel은 화려하고 최신 유행의 헤어스타일을 하고 있다.

30 계획을 잘 세워서 우리의 시간을 현명하게 사용하자.

Words & Phrases Test

p. 87

01 (1) machine (2) experience (3) price

02 importance **03** ⑤ **04** ③

05 (1) agree (2) technology (3) trendy **06** ③

07 (1) 아빠는 부엌에서 저녁을 준비하느라 바쁘시다.

(2) 비록 우리가 다른 문화를 가지고 있다 할지라도, 우리는 모두 친구가 될 수 있다.

01

해석

(1) 내 세탁기가 고장 났다.

(2) 경기에서 진 것은 그들에게 좋은 경험이었다.

(3) 이 가방의 할인 후 가격은 얼마입니까?

해설 (1) '세탁기가 고장 났다'라는 의미가 자연스러우므로 빈칸에는 machine이 알맞다.

(2) '좋은 경험이었다'라는 의미가 자연스러우므로 빈칸에는 experience가 알맞다.

(3) '할인 후 가격'이라는 의미가 자연스러우므로 빈칸에는 price가 알맞다.

02

해석

의존적인 : 의존 = 중요한 : 중요(함)

해설 '형용사 : 명사'의 관계이므로 important의 명사형 importance가 알맞다.

03

해석

• 뜨거운 식용유나 동물성 기름을 사용하여 음식을 요리하다

• 어떤 상태나 조건에 머무르며 변하지 않다

해설 첫 번째 영영풀이는 fry(튀기다)를 설명하고, 두 번째 영영풀이는 remain(남아 있다)을 설명한다.

04

해석

A 네 이름은 이 명단에서 어디에 있니?

B 내 이름은 그 명단의 맨 아래에 있어.

① 순간 ② 생각 ③ 맨 아래(부분) ④ 균형 ⑤ 존재

해설 '명단의 맨 아래'라는 말이 자연스러우므로 빈칸에는 bottom(맨 아래)이 알맞다.

05

해설 (1) '동의하다'라는 뜻의 단어는 agree이다.

(2) '(과학) 기술'이라는 뜻의 단어는 technology이다.

(3) '최신 유행의'라는 뜻의 단어는 trendy이다.

06

해석

• 네 차 얼마 주고 샀니?

• 많은 사람들이 과학 기술에 너무 많이 의존하고 있다.

해설 '~에 대한 대금을 지불하다'는 pay for이므로 첫 번째 빈칸에는 for가 알맞고, '~에 의존하다'는 rely on이므로 두 번째 빈칸에는 on이 알맞다.

07

해설 (1) be busy -ing: ~하느라 바쁘다
(2) even though: 비록 ~할지라도

Functions **Test**

pp. 89~90

01 ⑤ **02** ④ **03** ⑤
04 What do you think about energy drinks?
05 (B) − (D) − (A) − (C) **06** ③
07 I think **08** opinion **09** ⑤ **10** ② **11** ③
12 try the smartphone use control app

01

해석

A 나는 집에서 영화를 보는 게 극장에서 영화를 보는 것보다 더 좋다고 생각해.

B 나도 그 말에 동의해. 더 편하게 영화를 볼 수 있으니까.

① 괜찮아. ② 좋은 생각이야. ③ 모르겠어.

④ 나는 그렇게 생각하지 않아. ⑤ 나도 그 말에 동의해.

해설 빈칸 뒤에서 더 편하게 영화를 볼 수 있다고 한 것으로 보아 빈칸에는 A의 말에 동의하는 표현인 I'm with you on that.이 들어가야 한다.

02

해석

A 너 '학교 옥상 정원'에 대해서 어떻게 생각해?

B 난 그것이 멋있다고 생각해. 우리에게 신선한 채소를 주고 우리 학교를 더 푸르게 만들어 줄 수 있으니까.

해설 What do you think about ~?은 '너는 ~에 대해서 어떻게 생각하니?'의 뜻으로 상대방의 의견을 물을 때 사용하는 표현이다.

03

해석

A 나는 전자책을 읽는 게 종이책을 읽는 것보다 더 좋다고 생각해.

B 나는 그 말에 동의하지 않아. 오랫동안 책을 읽을 수 없으니까.

①, ② 나는 그렇게 생각하지 않아.

③, ④ 나는 너에게 동의하지 않아.

⑤ 네 말이 맞아.

해설 I'm not with you on that.은 '나는 그 말에 동의하지 않아.'라는 뜻으로 상대방의 의견과 다름을 표현하는 말이다. ①, ②, ③, ④는 상대방의 의견과 다름을, ⑤는 상대방의 의견과 같음을 표현하는 말이다.

04

해석

A 너는 에너지 음료에 대해서 어떻게 생각해?

B 나는 그것들이 나쁘다고 생각해. 우리를 너무 오래 깨어 있게 하니까.

해설 '~에 대해서 어떻게 생각하니?'는 What do you think about ~?으로 표현하므로 밑줄 친 우리말은 What do you think about energy drinks?로 쓴다.

05

해석

실례합니다. 제가 이 기계로 주문하는 것 좀 도와주시겠어요?

(B) 물론이죠. 먼저, '핫도그' 버튼을 누르고 원하시는 핫도그와 음료를 선택하세요.

(D) 네. 주문한 것에 대해 지불은 어떻게 하죠?

(A) 아래쪽에 있는 '완료' 버튼을 누르고 그것들에 대해 지불하세요.

(C) 와, 아주 간단하네요. 이 기계는 계산대에서 주문하는 것보다 훨씬 빠르네요.

맞아요. 그건 줄이 길 때 정말 시간을 많이 절약해 줘요.

해설 기계로 주문하는 것을 도와달라는 요청의 말에 도와주겠다고 답하는 (B)가 이어지고, 주문하는 법을 가르쳐 주자 지불은 어떻게 하는지 묻는 (D)가 뒤에 이어진다. 지불하는 방법을 가르쳐 주는 (A)가 이어진 후 방법이 간단하다고 대답하는 (C)가 마지막에 온다.

06

해석

① A 너 '우유를 하나를 사면 하나를 기부'에 대해 어떻게 생각해?

　 B 난 그것이 멋있다고 생각해.

② A 나는 온라인으로 쇼핑하는 게 가게에서 쇼핑하는 것보다 더 좋다고 생각해.

　 B 나도 그 말에 동의해.

③ A 너는 새로 나온 이 온라인 만화에 대해서 어떻게 생각해?

　 B 나는 너에게 동의하지 않아.

④ A 너는 온라인 수업을 듣는 것과 오프라인 수업을 듣는 것 중 어떤 게 더 좋니?

　 B 내 생각엔 온라인 수업을 듣는 게 더 좋은 것 같아.

⑤ A 우리 모두 전보다 더 나아 보이는 것 같아.

　 B 나도 그렇게 생각해.

해설 ③ 새로 나온 온라인 만화에 대해서 어떻게 생각하냐는 질문에 동의하지 않는다고 말하는 것은 어색하다.

07

해석

A 너 '걷기 기부'에 대해서 어떻게 생각해?

B 난 그것이 멋있다고 생각해. 어려운 사람들을 돕고 우리를 건강하게 만들어 줄 수도 있으니까.

해설 상대방의 의견을 묻는 말인 What do you think about ~? 에 대해 대답할 때는 I think ~로 한다.

Owen 안녕, Julie! 너 Quiz & Rice 게임 들어 봤어?

Julie 응, 네가 정답을 맞히면 쌀을 기부하는 게임 아니야?

Owen 맞아, 그 게임에 대해서 어떻게 생각해?

Julie 난 그것이 창의적인 게임이라고 생각해. 재미도 있고 배고픈 사람들도 도울 수 있으니까. 너 벌써 해 봤어?

Owen 아니, 하지만 이번 주말에 해 볼 거야.

08

해설 상대방의 의견을 묻는 표현인 what do you think about ~?은 what is your opinion of ~?로 바꿔 쓸 수 있다.

09

해석

① Julie는 그것에 대해 들은 적이 있다.

② 그것은 정답을 맞히면 쌀을 기부하는 게임이다.

③ Julie는 그것이 창의적이라고 생각한다.

④ 그것은 배고픈 사람들을 도울 수 있다.

⑤ Owen은 그것을 이미 해 봤다.

해설 Julie가 Have you played it yet?(너 벌써 해 봤어?)이라고 묻는 말에 Owen은 No, but I'm going to try it out this weekend.(아니, 하지만 이번 주말에 해 볼 거야.)라고 말했으므로 ⑤는 대화의 내용과 일치하지 않는다.

10

해석

A 나는 호주에 계신 할머니께 특별한 메시지를 보내고 싶어. 너는 손으로 쓴 편지에 대해 어떻게 생각하니?

B 그것이 전자 우편보다 더 좋은 것 같아. 좀 더 개인적이잖아.

A 맞아, 나도 그렇다고 생각해! 나는 할머니께 편지를 써서 그것을 꾸밀까 생각해.

B 멋진 것 같아. 할머니가 분명히 네 편지를 좋아하실 거야.

해설 주어진 문장은 자신의 의견을 말하는 표현이므로 의견을 묻는 말인 What do you think about a handwritten letter? 질문 뒤에 답하는 ②에 들어가는 것이 알맞다.

[11~12]

Eva 내 남동생은 항상 스마트폰을 사용하고 있어. 어젯밤에, 그 애는 스마트폰을 가지고 노느라 밤을 새웠어.

Sam 오, 그 애는 그것을 조절할 수 있는 방법을 찾아야 해.

Eva 나도 그 말에 동의하지 않아(→ 동의해). 그 애가 어떻게 해야 할까?

Sam 그 애는 스마트폰 사용 통제 어플을 사용해야 해. 그것은 그 애가 스마트폰 사용을 계획하는 데 도움을 줄 수 있어.

Eva 오, 그거 좋은 생각이야. 조언해 줘서 고마워.

11

해설 Sam은 Eva의 남동생이 스마트폰 사용을 조절할 수 있는 방법을 찾아야 한다고 말하며 방법을 구체적으로 말하고 있고 흐름상 Eva는 Sam의 의견에 동의하고 있으므로 ⓒ는 I'm with you가 되어야 한다.

12

해석

Q Sam은 Eva의 남동생을 위해 무엇을 제안했는가?

A 그는 그녀의 남동생이 스마트폰 통제 어플을 사용해야 한다고 제안했다.

해설 He should try the smartphone use control app.으로 보아 Sam이 Eva의 남동생에게 제안한 것은 스마트폰 통제 어플을 사용하는 것이다.

듣기·말하기 *Script*   p. 91

Listen & Talk 1~2 1-Ⓐ 1 ❶ memory stick ❷ video clip ❸ What do you think about ❹ touching 2 ❺ sound effects ❻ interesting ❼ focus
1-Ⓑ ❶ Have you heard about ❷ donates ❸ what do you think about ❹ creative ❺ try, out
2-Ⓐ 1 ❶ finalists ❷ closer ❸ I'm with you on that ❹ performance 2 ❺ comments ❻ comfortable ❼ I'm not with you on that ❽ share
2-Ⓑ ❶ machine ❷ pay for ❸ much faster than ❹ counter ❺ saves
Communication ❶ debate ❷ topic ❸ trendy ❹ cheaper price ❺ throw away ❻ opinions

해석

Listen & Talk 1~2

1-Ⓐ

1.

여 보세요, 아빠. 이건 엄마 생신 선물이에요.

남 오, 엄마에게 메모리 스틱을 드리려고 하는구나.

여 네, 엄마를 위해 가족 동영상을 만들어서 이 카드에 저장했어요. 이 선물 어떻게 생각하세요?

남 아주 감동적인 것 같은데. 엄마가 아주 좋아할 거야.

2.

남 Jenny, 새로 나온 온라인 만화 「무서운 밤」에 대해서 어떻게 생각해?

여 나는 그거 별로였어. 내 생각에는 음향 효과가 너무 많았던 것 같아.

남 정말? 난 음향 효과가 이야기를 더 흥미롭게 만든다고 생각했는데.

여 나는 아니야. 난 너무 무서워서 집중할 수가 없었거든.

1- B

남 안녕, Julie! 너 Quiz & Rice 게임 들어 봤어?

여 응, 네가 정답을 맞히면 쌀을 기부하는 게임 아니야?

남 맞아. 그 게임에 대해서 어떻게 생각해?

여 난 그것이 창의적인 게임이라고 생각해. 재미도 있고 배고픈 사람들도 도울 수 있으니까. 너 벌써 해 봤어?

남 아니, 하지만 이번 주말에 해 볼 거야.

2- A

1.

남 Sally, 너 어제 '슈퍼 보이스' 탑 10 결승전 출전자들 봤어?

여 응. 그들 모두 전보다 훨씬 노래를 잘했어.

남 맞아, 그랬어. 이번 노래 대회는 그들이 그들의 꿈에 더 가까이 가는 데 도움을 준다고 생각해.

여 나도 그 말에 동의해. 그들의 다음 공연이 너무 기대가 돼.

2.

남 안녕, Lisa. 내 SNS 글에 댓글이 100개 넘게 달렸어.

여 오, 난 그렇게 많은 사람들과 내 글을 공유하면 불편할 거야.

남 정말? 난 많은 사람들이 내 글을 보는 게 좋다고 생각해.

여 나는 그 말에 동의하지 않아. 난 나랑 친한 친구들하고만 내 글을 공유하고 싶어.

2- B

여 실례합니다. 제가 이 기계로 주문하는 것 좀 도와주시겠어요?

남 물론이죠. 먼저, '핫도그' 버튼을 누르고 원하시는 핫도그와 음료를 선택하세요.

여 네. 주문한 것에 대해 지불은 어떻게 하죠?

남 아래쪽에 있는 '완료' 버튼을 누르시고 그것들에 대해 지불하세요.

여 와, 아주 간단하네요. 이 기계는 계산대에서 주문하는 것보다 훨씬 빠르네요.

남 맞아요. 그건 줄이 길 때 정말 시간을 많이 절약해 줘요.

Communication

여1 자, 우리는 3분 토론을 시작할 거예요. 오늘의 첫 번째 주제는 패스트 패션입니다. 여러분은 그것에 대해 어떻게 생각하나요? 자, James, 시작하세요.

남 저는 패스트 패션이 좋다고 생각해요. 더 싼 가격에 최신 유행의 옷을 입을 수 있으니까요.

여2 저는 그 말에 동의하지 않아요. 그것은 우리가 돈을 너무 많이 쓰게 하고 옷을 너무 자주 버리게 하니까요.

여1 두 사람은 첫 번째 주제에 대해서 의견이 다른 것 같네요. 자, 두 번째 주제로 넘어갑시다.

Grammar Test **Basic**

01 (1) exciting (2) locked (3) cheering (4) spoken
02 (1) so → too (2) too → so
(3) that couldn't → that we couldn't
03 (1) disappointing (2) frightened (3) flying
(4) baked
04 (1) enough to play (2) so sick that she can't
(3) too cold, to take
05 (1) too dark for me to see
(2) so deep that we couldn't swim

01

해석

(1) 그 흥미진진한 영화의 주인공은 누구니?

(2) Jason은 잠긴 문을 열었다.

(3) 국가대표 팀은 환호하는 군중들에게 손을 흔들고 있었다.

(4) 캐나다 전역에서 가장 널리 사용되는 언어는 영어이다.

해설 (1) '흥미진진한 영화'라는 뜻으로 능동의 의미이므로 현재 분사 exciting이 알맞다.

(2) '잠긴 문'이라는 뜻으로 수동의 의미이므로 과거 분사 locked가 알맞다.

(3) '환호하는 군중'이라는 뜻으로 진행의 의미이므로 현재 분사 cheering이 알맞다.

(4) '말해지는 언어'라는 뜻으로 수동의 의미이므로 과거 분사 spoken이 알맞다.

02

해석

(1) 그 남자아이는 너무 약해서 그 무거운 상자를 들어 올릴 수 없다.

(2) 그 하얀 드레스는 너무 작아서 내가 입을 수 없다.

(3) 우리는 너무 가난해서 새 차를 살 수 없었다.

해설 '너무 ~해서 …할 수 없다'는 「so+형용사[부사]+that+주어+can't …」 또는 「too+형용사[부사]+to부정사」 형태로 쓴다.

(1) weak 뒤에 to부정사가 있으므로 so를 too로 고친다.

(2) small 뒤에 that절이 있으므로 too를 so로 고친다.

(3) that절에 주어가 빠졌으므로 주어 we를 써 준다.

03

해설 (1) '실망스러운 소식'이라는 뜻으로 능동의 의미이므로 disappoint의 현재 분사 형태인 disappointing을 써야 한다.

(2) '겁에 질린 여자아이'라는 뜻으로 수동의 의미이므로 frighten의 과거 분사 형태인 frightened를 써야 한다.

(3) '날아가는 새'라는 뜻으로 진행의 의미이므로 fly의 현재 분사 형태인 flying을 써야 한다.

(4) '구운 감자'라는 뜻으로 완료의 의미이므로 bake의 과거 분사 형태인 baked를 써야 한다.

04

해석

(1) 매우 따뜻하다. 우리는 밖에서 놀 수 있다.

→ 밖에서 놀 수 있을 만큼 충분히 따뜻하다.

(2) 내 여동생은 너무 아파서 그녀의 방을 청소할 수 없다.

(3) 물이 너무 차가워서 그는 샤워를 할 수 없었다.

해설 (1) '~할 만큼 충분히 …하다'의 뜻이므로 「형용사[부사]+enough+to부정사」 형태로 써야 한다. 따라서 빈칸에는 enough to play가 알맞다.

(2) 「too+형용사[부사]+to부정사」는 「so+형용사[부사]+that+주어+can't …」로 바꿔 쓸 수 있으므로 빈칸에는 so sick that she can't가 알맞다.

(3) 「so+형용사[부사]+that+주어+can't …」는 「too+형용사[부사]+to부정사」로 바꿔 쓸 수 있으며 주절의 주어와 that절의 주어가 달라서 to부정사의 의미상 주어 for him을 썼으므로, 빈칸에는 too cold, to take가 알맞다.

05

해설 '너무 ~해서 …할 수 없다'는 「so+형용사[부사]+that+주어+can't …」 또는 「too+형용사[부사]+to부정사」 형태로 쓴다.

(1) 괄호 안에 too와 to가 있으므로 「too ~ to부정사」 형태를 이용하여 배열한다. to부정사 앞에 「for+목적격」으로 의미상 주어를 써 준다.

(2) 괄호 안에 so, that, couldn't가 있으므로 「so ~ that … can't …」 형태를 이용하여 배열한다.

Grammar Test **Advanced** pp. 94~95

01 ⑤　02 ①　03 ③　04 ②　05 ③　06 too large for two people to carry　07 falling leaf　08 so high that, can't reach　09 ①　10 so expensive that I can't buy　11 ⑤　12 ②　13 ③　14 I was so excited that I couldn't sleep well.　15 rolling　16 ②

01

해석

① 부수다 ② 주다 ③ 하다 ④ 잊다 ⑤ 떨어지다

해설 ⑤ fall의 과거 분사형은 fallen이다.

02

해석

이 언어는 너무 어려워서 우리는 그것을 쉽게 배울 수 없다.

해설 '너무 ~해서 …할 수 없다'는 「so+형용사[부사]+that+주어+can't …」이므로 '너무 어려운'은 so difficult로 쓴다.

03

해석

나의 할머니의 발치에 잠자고 있는 고양이가 있다.

해설 '잠자고 있는 고양이'라는 뜻이 되어야 하므로 진행의 의미를 나타내는 현재 분사 sleeping이 알맞다.

04

해설 '너무 ~해서 …할 수 없다'는 「so+형용사[부사]+that+주어+can't …」 또는 「too+형용사[부사]+to부정사」로 표현하므로 주어진 우리말은 I was so young that I couldn't understand it. 또는 I was too young to understand it.으로 나타낸다. 과거시제이므로 ④는 can't가 아니라 couldn't가 되어야 하므로 틀린 문장이다.

05

해석

(A) 어젯밤 이 마을에 몇 가지 놀라운 일이 일어났다.

(B) 그 여성은 흰색으로 칠해진 벤치에 앉아 있었다.

(C) 나는 어느 아프리카 부족에 관한 흥미로운 다큐멘터리를 보았다.

해설 (A) '놀라운'이라는 능동의 의미로 things를 수식하고 있으므로 현재 분사 surprising이 알맞다.

(B) '칠해진'이라는 완료의 의미로 bench를 수식하고 있으므로 과거 분사 painted가 알맞다.

(C) '흥미로운'이라는 능동의 의미로 documentary를 수식하고 있으므로 현재 분사 interesting이 알맞다.

06

해석

그 소파는 너무 커서 두 사람이 옮길 수 없다.

해설 「so+형용사[부사]+that+주어+can't …」는 「too+형용사[부사]+to부정사」로 바꿔 쓸 수 있다. 주절의 주어와 that절의 주어가 다르므로 to부정사 앞에 「for+목적격」인 for two people로 의미상 주어를 써 준다. that절에서 목적어로 쓰인 it은 「too ~ to부정사」 구문에서는 주어와 같으므로 쓰지 않는다.

07

해석

그는 창밖에서 떨어지는 나뭇잎을 보았다.

해설 남자가 나뭇잎이 떨어지고 있는 모습을 보고 있는 그림이므로 fall을 진행의 의미를 가지고 있는 현재 분사 falling으로 바꾸고 수식을 받는 명사 leaf를 뒤에 쓴다.

08

해석

그 선반은 너무 높아서 그녀가 책에 닿을 수 없다.

해설 키가 작은 여자아이가 선반이 높아서 책에 손이 닿지 않는 그림이므로 '너무 높아서 책에 닿을 수 없다'는 뜻이 되도록 「so ~ that … can't …」 구문을 이용하여 The shelf is so high that she can't reach the book.이 되도록 완성한다.

09

해석

① 나는 오늘 아침 잃어버린 내 시계를 찾았다.

② 그 코미디언의 죽음은 <u>충격적인</u> 소식이었다.

③ 이 <u>지루한</u> 책이 나를 잠들게 했다.

④ 우리는 <u>흔들리는</u> 건물에서 뛰어 나왔다.

⑤ 그들은 비행기에서 <u>우는</u> 아기 때문에 잠을 못 잤다.

해설 ① 분사의 수식을 받는 watch(시계)가 '분실된' 것이므로 lose의 과거 분사 lost가 알맞은 형태이다.

10

해석

그 디지털 카메라는 너무 비싸서 나는 그것을 살 수 없다.

해설 「so+형용사+that+주어+can't ...」 구문이므로 so 뒤에 형용사 expensive를 쓰고 that 뒤에 「주어+can't+동사」인 I can't buy를 쓴다.

11

해석

① 나는 그 교수에 의해 <u>쓰인</u> 에세이를 읽었다.

② 그녀는 <u>불타고 있는</u> 집에서 구조되었다.

③ 홀에는 파티에 <u>초대 받은</u> 많은 사람들이 있다.

④ 그 새로운 음식을 먹어 보는 것은 <u>놀라운</u> 경험이었다.

⑤ 너는 너의 이름이 <u>불리는</u> 것을 들었니?

해설 ①, ②, ③, ④는 명사를 수식하는 역할로 쓰인 분사이고, ⑤는 목적어 your name을 설명하는 목적격 보어로 쓰인 분사이다.

12

해설

바위가 너무 무거워서 움직이지 못하고 있는 그림이므로 '바위가 너무 무거워서 나는 그것을 움직일 수 없다.'는 뜻의 문장을 고른다. 따라서 ② The stone is so heavy that I can't move it.이 알맞다.

13

해석

• <u>흐르는</u> 물에 사과 한 개를 씻고 작은 조각들로 잘라라.

• <u>자른</u> 사과 조각들을 약한 불에 황설탕을 넣고 조려라.

해설 '흐르는 물'이라는 뜻이 되어야 하므로 첫 번째 빈칸에는 현재 분사 running이 알맞고, '잘린 사과 조각들'이라는 뜻이 되어야 하므로 두 번째 빈칸에는 과거 분사 cut이 알맞다.

14

해석

나는 너무 흥분돼서 잠을 잘 잘 수 없었다.

해설 「too+형용사+to부정사」는 「so+형용사+that+주어+can't+동사원형」의 형태로 바꿀 수 있다. 과거시제이므로 couldn't로 쓴다.

15

해설 '구르는'은 진행의 의미이므로 현재 분사 rolling으로 써야 한다.

16

해석

(A) 나는 끓는 물에 내 손가락을 데었다.

(B) 나는 너무 졸려서 수업 시간에 집중할 수 없었다.

(C) 수평선 위로 떠오르는 태양은 매우 아름다웠다.

(D) 지나는 스쿨버스를 타기엔 너무 늦게 일어났다.

(E) Sam은 기말 시험에서 만족스러운 성적을 받았다.

해설 (B) 주절의 시제가 felt로 과거이므로 that절의 시제도 과거인 couldn't로 고쳐야 한다.

(C) '떠오르는 태양'이라는 뜻이 되어야 하므로 rise는 현재 분사 rising으로 고쳐야 한다.

(E) '만족스러운 성적'이라는 뜻이 되어야 하므로 satisfied는 현재 분사 satisfying으로 고쳐야 한다.

Reading

pp. 96~99

❶ surprising ❷ without ❸ need ❹ kept saying ❺ technology-free ❻ On the way to ❼ got lost ❽ asking for directions ❾ Even though ❿ took, to get ⓫ so, that ⓬ fall asleep ⓭ looking around ⓮ fried rice ⓯ went up to ⓰ seemed to ⓱ took, to ⓲ amazing ⓳ take ⓴ moment ㉑ remaining ㉒ relied, on ㉓ various ㉔ sides ㉕ each other ㉖ spent ㉗ experience ㉘ dependent on ㉙ anything ㉚ that ㉛ balanced use ㉜ travel ㉝ more wisely

해석

나의 '첨단 과학 기술 없는' 여행 이야기

지난여름, 아빠가 깜짝 놀랄 만한 이벤트로 스마트폰 없는 가족 여행을 제안하셨다! 아빠는 "나는 우리 가족이 함께 앉아서 각자의 스마트폰만 보고 있는 걸 보는 게 참 싫구나."라고 말씀하셨다. 여동생과 내가 스마트폰이 필요하다고 설명했지만, 아빠는 스마트폰이 있으면 여행을 충분히 즐길 수 없을 거라고 계속해서 말씀하셨다. 그래서 우리는 새로운 도시인 스페인의 바르셀로나로 '첨단 과학 기술 없는' 여행을 시작했다.

우리의 첫째 날은 엉망이었다. 레이알 광장 주변에 있는 여행자 숙소로 가는 길에 우리는 바르셀로나 시내에서 길을 잃었다. 아빠는 지도를 보며 여행 안내 책자에서 배운 스페인어 몇 마디로 길을 묻느라 분주하셨다. 우리의 숙소가 광장 바로 옆에 있었음에도 불구하고, 우리가 그곳에 도착하는 데는 거의 두 시간이 걸렸다. 우리는 너무 피곤해서 저녁을 먹으러 나갈 수가 없었다. 나는 잠자리에 들었지만 내일 무슨 일이 일어날지 걱정이 되어서 잠들 수가 없었다.

가우디가 지은 구엘 공원을 둘러본 후, 우리는 점심으로 해산물 볶음밥을 먹기로 했다. 그러나 우리는 어떤 식당으로 가야 할지 몰랐다. 우리는 도움이 필요했고, 엄마가 한 노부인에게 가서 인기 있는 해산물 식당으로 가는 길을 물어보려 애쓰셨다. 운이 좋게도 그녀는 몇 마디 안 되는 엄마의 스페인어를 이해하는 듯했다. 그녀는 우리를 근처에 있는 작은 현지 식당으로 데려다주었다. 그 해산물 볶음밥은 놀랍도록 맛있었다. 나는 음식 사진을 찍어 그것을 내 블로그에 올리고 싶은 마음이 정말 간절했다. 그러나 스마트폰이 없었기 때문에 나는 그냥 그 순간을 즐기기로 했다.

(여행의) 남아 있는 날들 동안, 우리는 점점 더 현지 사람들에게 의존하게 되었다. 우리는 거리에서, 빵집에서, 공원에서 다양한 사람들을 만나 이야기할 수 있었다. 그들은 항상 웃으면서 너무나 친절히도 바르셀로나의 다양한 면을 우리에게 보여 주었다. 또한 우리 가족은 서로 많은 대화를 나누었다. 우리는 스페인식 기차에서, 버스에서, 그리고 식당에서 많은 시간을 함께 보냈다.

우리의 '첨단 과학 기술 없는' 여행은 새롭고 색다른 경험이었다. 여행 전에 나는 내 스마트폰에 너무 의존해서 그것 없이는 아무것도 할 수 없었다. 하지만 지금은 내가 스마트폰 없이도 그 순간을 즐길 수 있음을 알고 있다. 그 경험을 통해, 나는 스마트폰을 균형 있게 사용하는 것이 중요함을 배우게 되었다. 그러면, 다음번에 나는 스마트폰 없이 여행을 하게 될까? 아마도 그렇지는 않을 것이다. 하지만 나는 그것을 좀 더 현명하게 사용하기 위해 노력할 것이다.

Reading Test — Basic

pp. 96~99

01 (1) T (2) F (3) T
02 (1) sitting together and only looking at their
　　　smartphones
　　(2) smartphones (3) Barcelona, Spain
03 (1) in front of → next to (2) three → two
　　(3) tired → worried
04 (1) downtown (2) tour guidebook
　　(3) what would happen
05 (1) after (2) small (3) Spanish
06 (1) An elderly lady (2) amazing
　　(3) smartphone
07 (1) various food → a smile
　　(2) family → smartphone
　　(3) a tech-free life → a balanced use of the
　　　smartphone
08 (1) different sides of Barcelona
　　(2) dependent on his smartphone
　　(3) use it more wisely

01

해석

(1) 글쓴이의 아버지는 '첨단 과학 기술 없는' 여행을 제안했다.
(2) '첨단 과학 기술 없는' 여행은 스마트폰을 가지고 하는 가족 여행을 의미한다.
(3) 글쓴이의 아버지는 스마트폰이 없어도 여행을 즐길 수 있다고 말했다.

해설 (1), (2) Last summer, my father suggested a surprising event: a family trip without smartphones!에서 글쓴이의 아버지가 스마트폰 없는 가족 여행을 제안했다고 했으므로 (1)은 일치하는 문장이고 (2)는 일치하지 않는 문장이다.
(3) ~ he kept saying that we could not fully enjoy the trip with them.에서 아빠는 스마트폰이 있으면 여행을 충분히 즐길 수 없다고 했으므로 일치하는 문장이다.

02

해석

(1) 글쓴이의 아버지는 왜 '첨단 과학 기술 없는' 여행을 제안했는가?
　→ 그는 가족이 함께 앉아서 각자의 스마트폰만 보고 있는 것을 보는 것이 싫어서 그것을 제안했다.
(2) 글쓴이와 여동생은 아버지에게 무엇에 대해 설명했는가?
　→ 그들은 스마트폰의 필요성에 대해 설명했다.
(3) 가족은 어디로 여행을 갔는가?
　→ 그들은 스페인의 바르셀로나로 갔다.

해설 (1) He said, "I hate to see you sitting together and only looking at your smartphones."에 언급되어 있듯이 글쓴이의 아버지는 가족이 함께 앉아서 각자의 스마트폰만 보고 있는 것을 보는 게 싫다고 하며 스마트폰 없는 가족 여행을 제안한 것이므로 He suggested that because he hated to see the family sitting together and only looking at their smartphones.라고 답하는 것이 알맞다.
(2) My sister and I explained the need for smartphones, ~에 언급되어 있듯이 글쓴이의 여동생과 글쓴이는 스마트폰이 필요하다고 했으므로 They explained the need for smartphones.라고 답하는 것이 알맞다.
(3) So we started a technology-free trip to a new city, Barcelona, Spain.에 언급되어 있듯이 스페인의 바르셀로나로 여행을 갔으므로 They went to Barcelona, Spain.으로 답하는 것이 알맞다.

03

해석

(1) 가족의 숙소는 레이알 광장 앞에(→ 옆에) 있었다.
(2) 그들이 숙소에 도착하는 데 약 세(→ 두) 시간이 걸렸다.
(3) 글쓴이는 피곤해서(→ 걱정이 되어서) 잠들 수가 없었다.

해설 (1) our guesthouse was right next to the Plaza에서 숙소가 레이알 광장 옆에 있었다고 했으므로 in front of를 next to로 고쳐야 한다.
(2) it took us about two hours to get there에서 숙소에 도착하는 데 약 두 시간이 걸렸다고 했으므로 three를 two로 고쳐야 한다.
(3) I went to bed but couldn't fall asleep because I was worried about ~에서 걱정이 되어서 잠들 수가 없었다고 했으므로 tired를 worried로 고쳐야 한다.

04

해석

(1) 그들은 어디에서 길을 잃었는가?

→ 그들은 바르셀로나 시내에서 길을 잃었다.

(2) 아버지는 어디에서 스페인어 단어를 배웠는가?

→ 그는 여행 안내 책자에서 그것들을 배웠다.

(3) 글쓴이는 무엇에 대해 걱정이 되었는가?

→ 그는 다음 날 무슨 일이 일어날지 걱정이 되었다.

해설 (1) we got lost in downtown Barcelona에 언급되어 있듯이 바르셀로나의 시내에서 길을 잃었으므로 They got lost in downtown Barcelona.라고 답하는 것이 알맞다.

(2) Dad was ~ asking for directions with a few Spanish words he got from a tour guidebook.에 언급되어 있듯이 아빠는 여행 안내 책자에서 배운 스페인어로 길을 물었으므로 He got them from a tour guidebook.이라고 답하는 것이 알맞다.

(3) I was worried about what would happen the next day.에 언급되어 있듯이 글쓴이는 다음 날 무슨 일이 일어날지 걱정했으므로 He was worried about what would happen the next day.라고 답하는 것이 알맞다.

05

해석

(1) 그들은 가우디의 구엘 공원을 둘러본 후에 해산물 볶음밥을 먹었다.

(2) 그들은 점심을 먹기 위해 작은 현지 식당으로 갔다.

(3) 글쓴이의 엄마는 식당으로 가는 길을 묻기 위해 스페인어를 사용했다.

해설 (1) After looking around Gaudi's Park Guell, we decided to have seafood fried rice ~로 보아 구엘 공원을 둘러본 후에 해산물 볶음밥을 먹었으므로 괄호 안에서 after가 알맞다.

(2) She took us to a small local restaurant nearby.로 보아 노부인이 데려간 곳은 작은 현지 식당이므로 괄호 안에서 small이 알맞다.

(3) Mom went up to an elderly lady and tried to ask for directions to a popular seafood restaurant. Luckily, she seemed to understand Mom's few Spanish words.로 보아 엄마는 식당으로 가는 길을 스페인어로 물었으므로 괄호 안에서 Spanish가 알맞다.

06

해석

(1) 누가 그들을 인기 있는 해산물 식당으로 데리고 갔는가?

→ 한 노부인이 데리고 갔다.

(2) 현지 식당의 해산물 볶음밥은 어땠는가?

→ 그것은 놀랍도록 맛있었다.

(3) 글쓴이는 왜 음식 사진을 찍을 수 없었는가?

→ 그가 스마트폰을 가지고 있지 않았기 때문이다.

해설 (1) Mom went up to an elderly lady and tried to ask for directions to a popular seafood restaurant. ~ She took us to a small local restaurant nearby.에 언급되어 있듯이 한 노부인이 그들을 해산물 식당으로 데리고 갔으므로 An elderly lady did.라고 답하는 것이 알맞다.

(2) The seafood fried rice was amazing.에 언급되어 있듯이 해산물 볶음밥이 놀랍도록 맛있었으므로 It was amazing.이라고 답하는 것이 알맞다.

(3) I really wanted to take pictures of the food and post them on my blog. But without my phone, I just decided to enjoy the moment.에 언급되어 있듯이 스마트폰을 가지고 있지 않아서 음식 사진을 못 찍은 것이므로 Because he didn't have his smartphone.이라고 답하는 것이 알맞다.

07

해석

(1) 현지인들은 그 가족에게 다양한 음식(→ 미소)으로 친절하게 대했다.

(2) 글쓴이는 여행 전에 가족(→ 스마트폰) 없이는 아무것도 할 수 없었다.

(3) 글쓴이는 '첨단 과학 기술 없는' 생활(→ 스마트폰의 균형 잡힌 사용)의 중요함을 배웠다.

해설 (1) They were always kind enough to show us different sides of Barcelona with a smile.로 보아 미소를 가지고 대했으므로 various food를 a smile로 고쳐야 한다.

(2) Before the trip, I was so dependent on my smartphone that I couldn't do anything without it.으로 보아 스마트폰이 없이는 아무것도 할 수 없었으므로 family를 smartphone으로 고쳐야 한다.

(3) I have learned the importance of a balanced use of the smartphone.으로 보아 스마트폰의 균형 잡힌 사용의 중요함을 배웠으므로 a tech-free life를 a balanced use of the smartphone으로 고쳐야 한다.

08

해석

(1) 현지인들은 가족에게 무엇을 보여 주었는가?

→ 그들은 가족에게 바르셀로나의 다양한 측면을 보여 주었다.

(2) 여행 전에, 글쓴이와 스마트폰의 관계는 어땠었는가?

→ 그는 스마트폰에 매우 의존적이었다.

(3) 글쓴이는 이제 스마트폰을 어떻게 사용하려고 노력할 것인가?

→ 그는 그것을 더 현명하게 사용하려고 노력할 것이다.

해설 (1) They were always kind enough to show us different sides of Barcelona ~에 언급되어 있듯이 현지인들은 가족에게 바르셀로나의 다양한 측면을 보여 주었으므로 They showed the family different sides of Barcelona.라고 답하는 것이 알맞다.

(2) Before the trip, I was so dependent on my smartphone

에 언급되어 있듯이 글쓴이는 여행 전에 스마트폰에 매우 의존적이었으므로 He was very dependent on his smartphone.이라고 답하는 것이 알맞다.

(3) But I will try to use it more wisely.에 언급되어 있듯이 글쓴이는 스마트폰을 더 현명하게 사용하려고 노력할 것이므로 He will try to use it more wisely.라고 답하는 것이 알맞다.

Reading Test Advanced pp. 100~101

01 ④ **02** ⑤ **03** ⑤ **04** too, to go **05** ③ **06** ④
07 post, smartphone〔phone〕 **08** ④ **09** ②
10 so kind, different sides **11** ⑤
12 would not〔wouldn't〕 travel

[01~02]

지난여름, 아빠가 깜짝 놀랄 만한 이벤트로 스마트폰 없는 가족 여행을 제안하셨다! 아빠는 "나는 우리 가족이 함께 앉아서 각자의 스마트폰만 보고 있는 걸 보는 게 참 싫구나."라고 말씀하셨다. 여동생과 내가 스마트폰이 필요하다고 설명했지만, 아빠는 스마트폰이 있으면 여행을 충분히 즐길 수 없을 거라고 계속해서 말씀하셨다. 그래서 우리는 새로운 도시인 스페인의 바르셀로나로 '첨단 과학 기술 없는' 여행을 시작했다.

01

해설 ⓐ, ⓑ, ⓒ, ⓔ는 글쓴이의 아버지를 가리키고 ⓓ는 글쓴이를 가리킨다.

02

해설 마지막 문장(So we started a technology-free trip to a new city, Barcelona, Spain.)으로 보아 이 글 뒤에는 스마트폰 없이 스페인의 바르셀로나로 간 여행에 관한 내용이 이어질 것이다.

[03~05]

레이알 광장 주변에 있는 여행자 숙소로 가는 길에 우리는 바르셀로나 시내에서 길을 잃었다. 아빠는 지도를 보며 여행 안내 책자에서 배운 스페인어 몇 마디로 길을 묻느라 분주하셨다. 우리의 숙소가 광장 바로 옆에 있었음에도 불구하고, 우리가 그곳에 도착하는 데는 거의 두 시간이 걸렸다. 우리는 너무 피곤해서 저녁을 먹으러 나갈 수가 없었다. 나는 잠자리에 들었지만 내일 무슨 일이 일어날지 걱정이 되어서 잠들 수가 없었다.

03

해설 '숙소가 광장 바로 옆에 있었음에도 불구하고 도착하는 데 거의 두 시간이 걸렸다'라는 흐름이므로, '~에도 불구하고, 비록 ~일지라도'라는 의미의 접속사 Even though가 들어가는 것이 알맞다.

04

해설 '너무 ~해서 …할 수 없다'는 의미의 「so ~ that … can't …」는 「too ~ to부정사」로 바꿔 쓸 수 있으므로 빈칸에는 too와 to go가 알맞다.

05

해석
① 가족은 어디에서 길을 잃었는가?
② 그들이 길을 잃었을 때 아빠는 무엇을 하느라 바쁘셨는가?
③ 그들은 언제 숙소에 도착했는가?
④ 그들은 왜 저녁을 먹으러 나가지 않았는가?
⑤ 글쓴이는 무엇에 대해 걱정이 되었는가?

해설 숙소에 도착한 시간은 언급되지 않았으므로 ③에는 답할 수 없다.
① 바르셀로나 시내에서 길을 잃었다.
② 여행 안내 책자에서 배운 스페인어 몇 마디로 길을 묻느라 바쁘셨다.
④ 너무 피곤해서 저녁을 먹으러 나갈 수 없었다.
⑤ 내일 무슨 일이 일어날지 걱정이 되었다.

[06~08]

가우디가 지은 구엘 공원을 둘러본 후, 우리는 점심으로 해산물 볶음밥을 먹기로 했다. 그러나 우리는 어떤 식당으로 가야 할지 몰랐다. 우리는 도움이 필요했고, 엄마가 한 노부인에게 가서 인기 있는 해산물 식당으로 가는 길을 물어보려 애쓰셨다. 운이 좋게도 그녀는 몇 마디 안 되는 엄마의 스페인어를 이해하는 듯했다. 그녀는 우리를 근처에 있는 작은 현지 식당으로 데려다주었다. 그 해산물 볶음밥은 놀랍도록 맛있었다. 나는 음식 사진을 찍어 그것을 내 블로그에 올리고 싶은 마음이 정말 간절했다. 그러나 스마트폰이 없었기 때문에 나는 그냥 그 순간을 즐기기로 했다.

06

해설 ⓓ '놀라운'이라는 능동의 의미이므로 amaze의 현재 분사형 amazing이 올바른 형태이다.

07

해석
글쓴이는 그의 스마트폰〔전화기〕을 가지고 있지 않았기 때문에 음식 사진을 블로그에 올릴 수 없었다.

해설 I really wanted to take pictures of the food and post them on my blog. But without my phone, I just decided to enjoy the moment.로 보아 스마트폰〔전화기〕이 없어서 사진을 블로그에 올릴 수 없었다는 것을 알 수 있다.

08

해설 She took us to a small local restaurant nearby.로 보아 노부인은 가족을 식당으로 직접 데려다주었으므로 ④는 일치하지 않는다.

[09~10]

(여행의) 남아 있는 날들 동안, 우리는 점점 더 현지 사람들에게 의존하게 되었다. 우리는 거리에서, 빵집에서, 공원에서 다양한 사람들을 만나 이야기할 수 있었다. 그들은 항상 웃으면서 너무나 친절히도 바르셀로나의 다양한 면을 우리에게 보여 주었다.

09

해석

① 기억 ② 현지 사람들 ③ 기계 ④ 스마트폰 ⑤ 안내 책자

해설 이어지는 문장에서 여러 장소에서 다양한 사람들을 만났고 그들이 바르셀로나의 다양한 면을 친절하게 보여 주었다고 했으므로, '우리는 점점 더 현지 사람들에게 의존하게 되었다'는 내용이 되는 것이 알맞다.

10

해석

Q 현지 사람들은 가족에게 어떻게 대했는가?

A 그들은 항상 너무나 친절해서 가족에게 웃으면서 바르셀로나의 다양한 면을 보여 주었다.

해설 They were always kind enough to show us different sides of Barcelona with a smile.에서 알 수 있으며 「형용사+enough+to부정사」는 「so+형용사+that+주어+동사」로 바꿔 쓸 수 있다.

[11~12]

우리의 '첨단 과학 기술 없는' 여행은 새롭고 색다른 경험이었다. 여행 전에 나는 내 스마트폰에 너무 의존해서 그것 없이는 아무 것도 할 수 없었다. 하지만 지금은 내가 스마트폰 없이도 그 순간을 즐길 수 있음을 알고 있다. 그 경험을 통해, 나는 스마트폰을 균형 있게 사용하는 것이 중요함을 배우게 되었다. 그러면, 다음번에 나는 스마트폰 없이 여행을 하게 될까? 아마도 그렇지는 않을 것이다. 하지만 나는 그것을 좀 더 창의적으로(→ 현명하게) 사용하기 위해 노력할 것이다.

11

해설 여행에서 깨달은 경험을 통해 스마트폰을 균형 있게 사용하는 것이 중요함을 배웠다고 했으므로, 글쓴이는 스마트폰을 좀 더 '현명하게(wisely)' 사용하기 위해 노력할 것이다.

12

해설 Probably not.은 앞 문장의 질문에 대한 답이다. 질문이 '다음번에 나는 스마트폰 없이 여행을 하게 될까?'이므로 Probably not.은 스마트폰 없이 여행하지 않을 것이라는 의미가 되므로 빈칸에는 wouldn't travel을 써야 한다.

56 정답과 해설

Review Test 1회 pp. 102~105

01 ② **02** ① **03** ⑤ **04** ④ **05** ⑤ **06** ② **07** ①
08 (B) He did it to get attention. **09** shocked **10** ②
11 ⑤ **12** She is so shy that she can't speak in front of people. **13** ④ **14** surprising **15** ①
16 agreed → disagreed **17** ① **18** We were so tired that we could not [couldn't] go out for dinner.
19 여행 안내 책자에서 배웠다. **20** ④ **21** ② **22** ③
23 (1) I think they are bad. (2) I don't think so.
24 (1) We had seafood fried rice for lunch.
(2) An elderly lady took us to a restaurant nearby.
25 ⑤. You were so amazed that you couldn't believe it was true.

01

해석

① 의존적인 ② 사적인 ③ 존재하는 ④ 중요한 ⑤ 다른

해설 ①, ③, ④, ⑤는 접미사 -ence [ance]를 붙여서 명사형을 만들고 ②는 -acy를 붙여서 명사형을 만든다.

02

해석

ⓐ 어떤 것에 대해 같은 의견을 갖다

ⓑ 매우 유행을 따르고 현대적인

ⓒ 어떤 것에 대해 생각하거나 믿는 것

ⓓ 자선 단체 또는 다른 단체에 어떤 것을 주다

해설 ⓐ agree(동의하다) ⓑ trendy(최신 유행의) ⓒ opinion(의견) ⓓ donate(기부하다)에 해당하는 영영풀이이다.

03

해석

① 무슨 일이니? ② 나는 그 말에 동의하지 않아. ③ 도와드릴까요?
④ 무슨 뜻이니? = 미안하지만, 무슨 말인지 못 알아들었어.
⑤ 그 선물에 대해 어떻게 생각하니? ≠ 그 선물이 무엇이 좋니?

해설 ⑤ What do you think about ~?은 What would you like to say about ~?과 의미가 같다.

04

해석

A 나는 SNS가 사회에 나쁘다고 생각해.

B 나도 그 말에 동의해. 무엇이 진실이고 무엇이 거짓인지 알 수가 없으니까.

해설 무엇이 진실이고 무엇이 거짓인지 알 수가 없다는 것은 SNS의 단점이므로, 빈칸에는 SNS가 사회에 나쁘다고 생각한다는 A의 말에 동의하는 표현이 들어가야 한다. ④ I'm not with you on that.은 '나는 그 말에 동의하지 않아.'라는 뜻으로 상대방의 의견과 다름을 나타내는 표현이므로 빈칸에 들어갈 수 없다.

05

해석

A Jenny, 새로 나온 온라인 만화 「무서운 밤」에 대해서 어떻게 생각해?

B 나는 그거 별로였어. 내 생각에는 음향 효과가 너무 많았던 것 같아.

해설 B가 「무서운 밤」에 대한 의견을 말하고 있으므로 빈칸에는 의견을 묻는 표현이 들어가야 한다. 따라서 상대방의 의견을 묻는 ⑤ how do you feel about이 알맞다.

06

해석

Lisa, 내 SNS 글에 댓글이 100개 넘게 달렸어.

(B) 오, 난 그렇게 많은 사람들과 내 글을 공유하면 불편할 거야.

(A) 정말? 난 많은 사람들이 내 글을 보는 게 좋다고 생각해.

(C) 나는 그 말에 동의하지 않아. 난 나랑 친한 친구들하고만 내 글을 공유하고 싶어.

해설 댓글이 100개 넘게 달렸다는 말에 대한 응답으로는 그렇게 많은 사람들과 자신의 글을 공유하는 것이 불편하다는 내용인 (B)가 알맞다. 그 말에 대해 자신은 많은 사람이 자신의 글을 보는 게 좋다고 말하는 (A)가 이어지고, 이에 대해 반대하며 친한 친구들하고만 글을 공유하고 싶다고 말하는 (C)가 마지막에 오는 것이 자연스럽다.

[07~08]

Jack 엄마, Leon을 찾는 게시물 만드는 걸 방금 끝마쳤어요. 이거 어때요?

엄마 오, 맨 위에 큰 글씨로 LOST CAT이라고 쓴 제목이 보기 쉽구나.

Jack 네, 주목을 받으려고 그렇게 했어요. 제목 밑에 있는 이 사진들은 어때요?

엄마 흠… 오른쪽에 있는 사진은 Leon의 얼굴이 잘 보이지 않아.

Jack 네, 사진을 바꿀게요.

엄마 오, 우리가 Leon을 찾을 수 있으면 좋겠어.

07

해설 밑줄 친 it은 Leon을 찾는 게시물인 the posting을 가리킨다.

08

해석

(A) Leon은 언제 행방불명이 되었는가?

(B) Jack은 제목을 왜 큰 글씨로 썼는가?

(C) Leon을 찾으면 몇 번으로 전화해야 하는가?

해설 Jack이 말한 Yeah, I did it to get attention.에서 주목을 받기 위해 제목을 큰 글씨로 썼다는 것을 알 수 있으므로 질문 (B)를 고른 후 He did it to get attention.이라고 답할 수 있다.

09

해석

A 너의 집 근처에서 있었던 교통사고를 봤니?

B 응. 그리고 나는 충격을 받은 사람들이 차 주변에 있는 것도 봤어.

해설 '충격을 받은'은 감정을 느끼는 것이므로 과거 분사 형태로 써야 한다. 따라서 shock의 과거 분사형인 shocked가 알맞다.

10

해석

그 수프는 너무 뜨거워서 내가 마실 수가 없다.

해설 '너무 ~해서 …할 수 없다'는 「so ~ that ... can't ...」 또는 「too ~ to부정사」로 나타낸다. 빈칸 뒤에 to부정사가 있으므로 빈칸에는 「too+형용사」 형태인 too hot이 알맞다.

11

해석

(1) 이번 일요일에 떠나는 항공편이 있다.

(2) 흥분한 여자아이들이 그 아이돌 가수를 기다리고 있다.

(3) 우리는 우리 옆에서 담배를 피우고 있는 남자에게 짜증이 났다.

(4) 우리는 지루한 수업을 받고 싶지 않다.

(5) 저쪽에 주차된 검은색 트럭은 나의 것이다.

해설 (1) '떠나는 항공편'이라는 뜻으로 능동의 의미이므로 현재 분사 leaving이 flight를 수식해야 한다.

(2) '흥분한 여자아이들'이라는 뜻으로 감정을 느끼는 것이므로 과거 분사 excited가 girls를 수식해야 한다.

(3) '담배를 피우고 있는 남자'라는 뜻으로 진행의 의미이므로 현재 분사 smoking이 man을 수식해야 한다.

(4) '지루한 수업'이라는 뜻으로 감정을 느끼게 하는 분사이므로 현재 분사 boring이 class를 수식해야 한다.

(5) '주차된 트럭'이라는 뜻으로 완료의 의미이므로 과거 분사 parked가 truck을 수식해야 한다.

따라서 (1), (5) 두 개 문장의 답이 맞다.

12

해설 '너무 ~해서 …할 수 없다'는 「so+형용사[부사]+that+주어+can't ...」로 쓴다. '부끄러움이 많은'은 shy이므로 so 뒤에 shy가 오고, that 뒤에 주절의 주어와 같은 she를 쓰고 동사 can't speak를 이어서 쓴다. '사람들 앞에서'는 in front of people이다.

13

해석

① 쓰러진 나무가 도로를 막고 있다.

② 나는 망가진 의자를 창고로 옮겼다.

③ 그는 그 모든 음식을 먹을 만큼 배가 고프다.

④ 그 호텔은 별 다섯 개를 얻을 만큼 충분히 좋다.

⑤ 한국어는 너무 어려워서 그들은 그것을 짧은 시간에 배울 수 없다.

해설 ④ '그 호텔은 별 다섯 개를 얻을 만큼 충분히 좋다.'라는 의미이므로 주어진 문장은 「형용사+enough+to부정사」 구문을 이용하여 The hotel is great enough to get five stars.로 써야 한다.

지난여름, 아빠가 깜짝 놀랄 만한 이벤트를 제안하셨다! <u>그것은 스마트폰 없는 가족 여행이었다.</u> 아빠는 "나는 우리 가족이 함께 앉아서 각자의 스마트폰만 보고 있는 걸 보는 게 참 싫구나."라고 말씀하셨다. 여동생과 내가 스마트폰이 필요하다고 설명했지만, 아빠는 스마트폰이 있으면 여행을 충분히 즐길 수 없을 거라고 계속해서 말씀하셨다. 그래서 우리는 새로운 도시인 스페인의 바르셀로나로 '첨단 과학 기술 없는' 여행을 시작했다.

14

해설 '깜짝 놀랄 만한'이라는 의미로 감정을 일으키는 의미의 분사가 되어야 하므로 surprise의 현재 분사 surprising이 알맞은 형태이다.

15

해설 주어진 문장의 It은 아빠가 제안하신 surprising event이므로 ⓐ에 들어가는 것이 알맞다.

16

해석

지난여름, 글쓴이의 아버지는 '첨단 과학 기술 없는' 여행을 가족에게 제안했다. 글쓴이와 여동생은 아버지에게 <u>동의했다(→ 동의하지 않았다)</u>. 하지만 결국 그들은 스페인의 바르셀로나로 여행을 시작했다.

해설 글쓴이와 여동생은 아버지에게 동의하지 않고 스마트폰이 필요하다고 설명했으므로 agreed를 disagreed로 고쳐야 한다.

레이알 광장 주변에 있는 여행자 숙소로 가는 길에 우리는 바르셀로나 시내에서 길을 잃었다. 아빠는 지도를 보며 여행 안내 책자에서 배운 스페인어 몇 마디로 길을 묻느라 분주하셨다. 우리의 숙소가 광장 바로 옆에 있었음에도 불구하고, 우리가 그곳에 도착하는 데는 거의 두 시간이 걸렸다. <u>우리는 너무 피곤해서 저녁을 먹으러 나갈 수가 없었다.</u>

17

해설 ⓐ on the way to는 '~로 가는 길에'라는 의미이다.

18

해설 「too+형용사+to부정사」는 「so+형용사+that+주어+can't …」로 바꿔 쓸 수 있다. 과거시제이므로 couldn't를 쓴다.

19

해석

Q 아빠는 스페인어로 길을 물었다. 그는 그 단어들을 어디에서 배웠는가?

해설 Dad was ~ asking for directions with a few Spanish words he got from a tour guidebook.에서 아빠는 여행 안내 책자에서 배운 스페인어 단어로 길을 물었다는 것을 알 수 있다.

우리의 '첨단 과학 기술 없는' 여행은 새롭고 색다른 경험이었다. 여행 전에 <u>나는 내 스마트폰 없이는 아무것도 할 수 없었다.</u> 하지만 지금은 내가 스마트폰 없이도 그 순간을 즐길 수 있음을 알고 있다. 그 경험을 통해, 나는 스마트폰을 균형 있게 사용하는 것이 중요함을 배우게 되었다. 그러면, 다음번에 나는 스마트폰 없이 여행을 하게 될까? 아마도 그렇지는 않을 것이다. <u>하지만</u> 나는 그것을 좀 더 현명하게 사용하기 위해 노력할 것이다.

20

해석

① 내 스마트폰은 최신 유행하는 것이었다
② 내 스마트폰은 매우 현대적이었다
③ 나는 내 스마트폰을 사용하는 데 주의를 기울이지 않았다
④ 나는 내 스마트폰에 매우 의존적이었다
⑤ 나는 내 스마트폰 없이는 현명할 수 없었다

해설 스마트폰이 없으면 아무것도 할 수 없다는 것은 스마트폰에 매우 의존적이라는 뜻과 같다.

21

해설 ⓐ 여행 전에는 스마트폰 없이 아무것도 할 수 없었지만 지금은 스마트폰 없이도 그 순간을 즐길 수 있다는 흐름이므로 But이 알맞다.

ⓑ 다음번에 스마트폰 없이 여행하지는 않겠지만 좀 더 현명하게 사용하기 위해 노력할 것이라는 흐름이므로 But이 알맞다.

22

해설 ③ From the experience, I have learned the importance of a balanced use of the smartphone.과 일치한다.

① '첨단 과학 기술 없는' 여행은 새롭고 색다른 경험이었다.
② 여행 이후 스마트폰 없이도 그 순간을 즐길 수 있음을 알게 되었다.
④ 다음에는 아마도 스마트폰 없이 여행하지는 않을 것이다.
⑤ 스마트폰을 좀 더 현명하게 사용할 것이다.

23

해석

A 넌 그룹 채팅에 대해서 어떻게 생각하니?

B 나는 그룹 채팅이 나쁘다고 생각해. 그것은 우리가 모두 다 읽느라 시간을 너무 많이 쓰게 만드니까.

A 나는 그 말에 동의하지 않아. 많은 사람들과 우리 생각을 나눌 수 있으니까.

해설 (1) 이어지는 말에서 그룹 채팅의 단점을 말하고 있으므로 그룹 채팅에 대해 나쁘다고 생각한다는 I think they are bad.가 알맞다.

(2) 이어지는 말에서 그룹 채팅의 장점을 말하고 있으므로 B의 말에 동의하지 않는다는 것을 알 수 있다. 따라서 반대하는 표현인 I don't think so.가 알맞다.

24

해석

가우디가 지은 구엘 공원을 둘러본 후, 우리는 점심으로 해산물 볶음밥을 먹기로 했다. 그러나 우리는 어떤 식당으로 가야 할지 몰랐다. 우리는 도움이 필요했고, 엄마가 한 노부인에게 가서 인기 있는 해산물 식당으로 가는 길을 물어보려 애쓰셨다. 운이 좋게도 그녀는 몇 마디 안 되는 엄마의 스페인어를 이해하는 듯했다. 그녀는 우리를 근처에 있는 작은 현지 식당으로 데려다주었다.

↓

A 너희는 오늘 점심으로 무엇을 먹었니?
B <u>우리는 점심으로 해산물 볶음밥을 먹었어.</u>
A 식당에는 어떻게 갔니?
B <u>한 노부인이 근처의 식당으로 우리를 데려다 주셨어.</u>

해설 (1) we decided to have seafood fried rice for lunch (2) She took us to a small local restaurant nearby.에서 언급했다.

25

해석

잘 지내니? 너는 이 편지를 2019년에 읽게 될 거야. 네가 올해의 가장 좋았던 순간을 기억하도록 돕기 위해 나는 이 편지를 쓰고 있어. 5월의 학교 축제였어. 너와 너의 가장 친한 친구인 Dave는 한 달 동안 연습해서 노래 대회에서 1등 상을 받았지. 너는 진짜 가수가 된 것 같은 기분이었어. 너는 너무 놀라서 그것이 사실인지 믿을 수가 없었어. 네가 그날을 절대 잊지 않기를 바라.

해설
⑤ '놀란'은 감정을 느끼는 것이므로 과거 분사 amazed가 알맞다. 주절의 시제가 were로 과거이므로 that절의 시제도 과거인 couldn't가 되어야 한다.

Review **Test** ②회   pp. 106~109

01 (1) duty-free (2) sugar-free **02** ⑤ **03** ⑤
04 What do you think about [of] **05** ③ **06** ⑤
07 ④ **08** ④ **09** ④ **10** ④
11 (1) laughed → laughing (2) using → used
12 so, that, can't **13** ③ **14** ② **15** ⑤ **16** ④
17 해산물 볶음밥 사진들 **18** ①
19 (A) During (B) more and more (C) kind enough
20 ③ **21** I'm writing this letter to help you remember the greatest moment this year.
22 singing contest, first prize, amazed
23 가족들이 함께 앉아서 스마트폰만 바라보고 있는 것이 싫고

스마트폰을 가지고 있으면 여행을 충분히 즐길 수 없다고 생각했기 때문이다.
24 (1) What do you think about (2) I think so, too
(3) I'm sure
25 (2) cutting → cut / (3) beating → beaten
(4) cooking → cooked

01

해설 명사에 -free를 붙이면 '∼가 없는, ∼이 제외된, 무첨가의'라는 의미가 된다. (1) '면세의'는 '세금이 없는'이라는 뜻이므로 duty-free. (2) '무설탕의'는 sugar-free로 표현한다.

02

해석
ⓐ 나는 잠들기 위해 숫자를 셌다.
ⓑ 그의 소설은 주목을 받지 못했다.
ⓒ 이것을 현금으로 지불하실 건가요?
ⓓ 너는 항상 나에게 너무 많이 의존한다.

해설 ⓐ 잠들다: fall asleep ⓑ 주목을 받다: get attention
ⓒ ∼에 대한 대금을 지불하다: pay for ⓓ ∼에 의존하다: rely on

03

해석
A 안녕, Julie! 너 Quiz & Rice 게임 들어 봤어?
B 응, 네가 정답을 맞히면 쌀을 기부하는 게임 아니야?
A 맞아. 그 게임에 대해서 어떻게 생각해?
B 난 그것이 창의적인 게임이라고 생각해. 재미도 있고 배고픈 사람들도 도울 수 있으니까. 너 벌써 해 봤어?
A 응, 여러 번 해 봤어. 하지만 이번 주말에 해 볼 거야.

해설 ⑤ 이번 주말에 해 볼 거라는 말로 보아 A는 게임을 해 보지 않았다. 따라서 여러 번 해 봤다는 말은 흐름상 어색하다.

04

해석
A 너 '공유 도서관'에 대해서 어떻게 생각해?
B 난 그것이 멋지다고 생각해. 다양한 종류의 책을 무료로 읽을 수 있는 훌륭한 방법이 될 수 있으니까.

해설 B가 I think ~로 자신의 의견을 말하고 있으므로 의견을 묻는 질문인 What do you think about [of] ~?을 써야 한다.

05

해석
① A 우리 선물에 대해서 어떻게 생각해?
  B 정말 멋져! 모두들 고마워.
② A '걷기 기부'에 대한 너의 의견은 무엇이니?
  B 난 그것이 멋지다고 생각해. 어려운 사람들을 도울 수 있으니까.
③ A 나는 집에서 영화를 보는 게 극장에서 영화를 보는 것보다 더 좋다고 생각해.

B 나도 그 말에 동의해. 대형 화면을 즐길 수 없으니까.

④ **A** 스마트폰 사용 통제 어플은 네가 스마트폰 사용을 계획하는 데 도움을 줄 수 있어.

B 오, 그거 좋은 생각이다.

⑤ **A** 이 기계는 계산대에서 주문하는 것보다 훨씬 빨라.

B 맞아. 그건 정말 시간을 많이 절약해 줘.

해설 ③ 집에서 영화를 보면 대형 화면을 즐길 수 없다는 것은 A의 의견과 반대되는 의견이므로 I'm with you on that.이 아니라 I'm not with you on that.이라고 말해야 한다.

06

해석

당신은 머리 스타일을 바꿨다. 당신은 친구가 당신의 새로운 머리 스타일에 대해 어떻게 생각하는지 알고 싶다.

① 너는 어떤 종류의 머리 스타일을 좋아하니?

② 내가 머리 스타일 바꾼 거 아니?

③ 너 이 머리 스타일에 대해 들어 봤니?

④ 내 머리 스타일에 대해 무엇을 알고 싶니?

⑤ 내 새로운 머리 스타일에 대해 어떻게 생각하니?

해설 자신의 새로운 머리 스타일에 대해 친구의 의견을 물어보는 상황이므로 상대방의 의견을 묻는 표현인 What do you think about ~?을 이용한 ⑤가 알맞다.

[07~08]

선생님	자, 우리는 3분 토론을 시작할 거예요. 오늘의 첫 번째 주제는 패스트 패션입니다. 여러분은 그것에 대해 어떻게 생각하나요? 자, James, 시작하세요.
James	저는 패스트 패션이 좋다고 생각해요. 더 싼 가격에 최신 유행의 옷을 입을 수 있으니까요.
Judy	저는 그 말에 동의하지 않아요. 그것은 우리가 돈을 너무 많이 쓰게 하고 옷을 너무 자주 버리게 하니까요.
선생님	두 사람은 첫 번째 주제에 대해서 의견이 다른 것 같네요. 자, 두 번째 주제로 넘어갑시다.

07

해석

① 저도 그것을 좋아해요. ② 그래요, 우리는 할 수 있어요.

③ 저는 그것에 관심이 있어요. ④ 저는 그 말에 동의하지 않아요.

⑤ 우리가 그것을 입어야 한다고 생각해요.

해설 더 싼 가격에 최신 유행의 옷을 입을 수 있어서 패스트 패션이 좋다고 생각하는 James와 달리 Judy는 패스트 패션이 돈을 너무 많이 쓰게 하고 옷을 너무 자주 버리게 한다고 했으므로, 빈칸에는 상대방의 의견에 반대하는 표현인 ④가 알맞다.

08

해석

① 그들은 패스트 패션에 대해 토론하고 있다.

② James는 패스트 패션이 좋다고 생각한다.

③ 패스트 패션은 최신 유행을 따르고 가격이 싸다.

④ Judy는 패스트 패션 때문에 돈을 절약할 수 있다고 생각한다.

⑤ James와 Judy는 다른 의견을 가지고 있다.

해설 Judy는 패스트 패션 때문에 돈을 너무 많이 쓰고 옷을 너무 자주 버린다고 말했으므로 ④는 일치하지 않는다.

09

해석

낙엽이 앞뜰에 널려 있었다.

해설 '낙엽'은 떨어져 있는 잎을 말하므로 완료를 나타내는 과거 분사를 써서 fallen leaves가 되어야 한다.

10

해석

그 차는 너무 커서 내가 운전할 수 없다.

해설 「so+형용사(부사)+that+주어+can't ...」는 「too+형용사 (부사)+to부정사」로 바꿔 쓸 수 있는데 문장의 주어는 The car이고 that절의 주어는 I이므로 to부정사 앞에 「for+목적격」으로 의미상의 주어를 써 주어야 한다. 또한 문장의 주어(the car)와 to부정사의 목적어(it)가 같으므로 to부정사의 목적어는 쓰지 않는다. 따라서 ④ for me to drive가 빈칸에 알맞다.

11

해석

(1) 그 사진에서 웃고 있는 남자는 나의 삼촌이다.

(2) 나는 낮은 가격으로 중고차를 샀다.

해설 (1) '웃고 있는 남자'라는 뜻으로 진행의 의미이므로 laughed를 현재 분사 laughing으로 써야 한다.

(2) '중고차'는 '사용된 차'라는 완료의 의미이므로 using을 과거 분사 used로 써야 한다.

12

해석

오늘은 Jamie의 15살 생일이다. 그의 반 친구들이 그에게 깜짝 파티를 열어 주었다. 그는 매우 감동했다. 그는 아무 말도 할 수 없었다.

→ **A** Jamie, 생일 축하해!

B 오, 고마워. 나는 너무 감동해서 아무 말도 할 수가 없어.

해설 He was very moved. He couldn't say anything.을 '너무 ~해서 …할 수 없다'라는 뜻의 한 문장으로 쓰면 「so ~ that ... can't ...」를 이용할 수 있다.

13

해석

(A) 나는 하늘에서 밝게 빛나는 별을 보았다.

(B) 그는 킥복싱 시합에서 이길 만큼 충분히 강하다.

(C) 우리는 너무 졸려서 더 이상 공부할 수가 없다.

(D) 그들은 그의 시험 성적에 실망했다.

(E) 이 방은 너무 어두워서 내가 아무것도 읽을 수가 없다.

해설 (A) '빛나는 별'이라는 진행의 의미이므로 현재 분사 shining이 맞다.

(B) '~하기에 충분히 …한'은 「형용사+enough+to부정사」이므로 strong enough to win으로 써야 한다.

(C) '너무 ~해서 …할 수 없는'은 「too+형용사+to부정사」이므로 too sleepy to study는 맞다.

(D) '실망한'은 감정을 느끼는 것이므로 과거 분사 disappointed 로 써야 한다.

(E) '너무 ~해서 …할 수 없는'은 「so+형용사+that+주어+can't …」이므로 so dark that I can't read는 맞다.

(A), (C), (E)가 맞는 문장이므로 답은 3개이다.

[14~15]

우리의 첫째 날은 엉망이었다. 레이알 광장 주변에 있는 여행자 숙소로 가는 길에 우리는 바르셀로나 시내에서 길을 잃었다. 아빠는 지도를 보며 여행 안내 책자에서 배운 스페인어 몇 마디에도 불구하고, 우리가 그곳에 도착하는 데는 거의 두 시간이 걸렸다. 우리는 너무 피곤해서 저녁을 먹으러 나갈 수가 없었다. 나는 잠자리에 들었지만 내일 무슨 일이 일어날지 걱정이 되어서 잠들 수가 없었다.

14

해설 ⓑ be busy -ing는 '~하느라 바쁘다'라는 의미이다. was busy 뒤에 looking과 asking이 병렬로 연결되어 있는 형태이므로 asked는 asking이 되어야 한다.

15

해설 내일 여행 일정은 언급되어 있지 않으므로 ⑤는 알 수 없다.

① 레이알 광장 주변 ② 바르셀로나 시내

③ 약 두 시간 ④ 너무 피곤해서

[16~18]

가우디가 지은 구엘 공원을 둘러본 후, 우리는 점심으로 해산물 볶음밥을 먹기로 했다. 그러나 우리는 어떤 식당으로 가야 할지 몰랐다. 우리는 도움이 필요했고, 엄마가 한 노부인에게 가서 인기 있는 해산물 식당으로 가는 길을 물어보려 애쓰셨다. 운이 좋게도 그녀는 몇 마디 안 되는 엄마의 스페인어를 이해하는 듯했다. 그녀는 우리를 근처에 있는 작은 현지 식당으로 데려다주었다. 그 해산물 볶음밥은 놀랍도록 맛있었다. 나는 음식 사진을 찍어 그것을 내 블로그에 올리고 싶은 마음이 정말 간절했다. 그러나 스마트폰이 없었기 때문에 나는 그냥 그 순간을 즐기기로 했다.

16

해설 ⓐ, ⓑ, ⓒ, ⓔ는 to부정사에 쓰인 to이고 ⓓ는 '~로'라는 의미의 전치사이다.

17

해설 밑줄 친 them은 앞에 언급된 pictures of the food를 가리키며 the food는 해산물 볶음밥을 말하므로 '해산물 볶음밥 사진들'이다.

18

해석

① 그들은 점심 식사 후에 무엇을 하기로 결정했는가?

② 그들은 인기 있는 식당으로 가는 길을 알았는가?

③ 누가 그들을 근처 식당으로 데리고 갔는가?

④ 글쓴이는 음식 사진을 찍었는가?

⑤ 글쓴이는 왜 그냥 그 순간을 즐기기로 했는가?

해설 점심 식사 후에 무엇을 하기로 했는지는 언급되어 있지 않으므로 ①에는 답할 수 없다.

② No, they didn't.

③ An elderly lady did.

④ No, he didn't.

⑤ Because he didn't have his phone.

[19~20]

(여행의) 남아 있는 날들 동안, 우리는 점점 더 현지 사람들에게 의존하게 되었다. 우리는 거리에서, 빵집에서, 공원에서 다양한 사람들을 만나 이야기할 수 있었다. 그들은 항상 웃으면서 너무나 친절히도 바르셀로나의 다양한 면을 우리에게 보여 주었다. 또한 우리 가족은 서로 많은 대화를 나누었다. 우리는 스페인식 기차에서, 버스에서, 그리고 식당에서 많은 시간을 함께 보냈다.

19

해설 (A) '~ 동안에'의 뜻으로 명사구 앞에는 during을 쓴다. while은 같은 뜻이지만 절(주어+동사) 앞에 쓴다.

(B) '점점 더 많이'는 more and more로 표현한다.

(C) '~하기에 충분히 …한'은 「형용사+enough+to부정사」로 쓴다.

20

해설 ③ 현지 사람들이 가족에게 웃으면서 친절하게 대했다.

[21~22]

잘 지내니? 너는 이 편지를 2019년에 읽게 될 거야. 네가 올해의 가장 좋았던 순간을 기억하도록 돕기 위해 나는 이 편지를 쓰고 있어. 5월의 학교 축제였어. 너와 너의 가장 친한 친구인 Dave는 한 달 동안 연습해서 노래 대회에서 1등 상을 받았지. 너는 진짜 가수가 된 것 같은 기분이었어. 너는 너무 놀라서 그것이 사실인지 믿을 수가 없었어. 네가 그날을 절대 잊지 않기를 바라.

21

해설 이 글은 편지글로, 글을 쓴 목적은 I'm writing this letter to help ~에 나타나 있다. 즉, 올해의 가장 좋았던 순간을 기억하도록 돕기 위해 자신에게 쓴 편지이다.

22

해석

글쓴이와 Dave는 5월의 학교 축제의 노래 대회에 참가해서 1등 상을 받았다. 그들은 너무 놀라서 그것이 사실인지 믿을 수가 없었다.

해설 It was in May at the school festival. You and your friend, Dave, ~ won first prize in the singing contest. You were so amazed that you couldn't believe it was true.에서 빈칸에 들어갈 말을 알 수 있다.

23
해석
지난여름, 아빠가 깜짝 놀랄 만한 이벤트로 스마트폰 없는 가족 여행을 제안하셨다! 아빠는 "나는 우리 가족이 함께 앉아서 각자의 스마트폰만 보고 있는 걸 보는 게 참 싫구나."라고 말씀하셨다. 여동생과 내가 스마트폰이 필요하다고 설명했지만, 아빠는 스마트폰이 있으면 여행을 충분히 즐길 수 없을 거라고 계속해서 말씀하셨다. 그래서 우리는 새로운 도시인 스페인의 바르셀로나로 '첨단 과학 기술 없는' 여행을 시작했다.

해설 "I hate to see you sitting together and only looking at your smartphones."와 we could not fully enjoy the trip with them에 글쓴이의 아버지가 스마트폰 없는 여행을 제안한 이유가 드러나 있다.

24
해석
A 나는 호주에 계신 할머니께 특별한 메시지를 보내고 싶어. 너는 손으로 쓴 편지에 대해 어떻게 생각하니?
B 그것이 전자 우편보다 더 좋은 것 같아. 좀 더 개인적이잖아.
A 맞아, 나도 그렇다고 생각해! 나는 할머니께 편지를 써서 그것을 꾸밀까 생각해.
B 멋진 것 같아. 할머니가 분명히 네 편지를 좋아하실 거야.

해설 (1) '~에 대해 어떻게 생각하니?'는 What do you think about ~?으로 표현한다.
(2) '나도 그렇게 생각해.'는 I think so, too.로 표현한다.
(3) '나는 ~을 확신해.'는 I'm sure ~로 표현한다.

25
해석
(1) 사과 한 개를 흐르는 물에 씻어서 작은 조각으로 자르세요.
(2) 잘린 사과 조각들을 황설탕과 함께 약한 불에서 졸이세요.
(3) 계란 물을 만들기 위해 소금, 우유, 그리고 휘저은 계란을 더하세요.
(4) 식빵을 얇게 밀어서 펴고 그 위에 졸인 사과 소를 올리세요.
(5) 돌돌 말은 빵을 계란 물에 넣었다가 빠르게 꺼내세요. 그러고 나서 그것을 3분간 구우세요.
(6) 돌돌 말은 빵과 남아 있는 사과 소로 접시를 장식하세요.

해설 (2) '잘라진 사과 조각들'이라는 의미이므로 cutting을 과거 분사 cut으로 고쳐 쓴다.
(3) '휘저은 계란'이라는 의미이므로 beating을 과거 분사 beaten으로 고쳐 쓴다.
(4) '졸인 사과 소라는 의미이므로 cooking을 과거 분사 cooked로 고쳐 쓴다.

Special Lesson
The Stone

Words & Phrases
p. 112

01 많은 손님들이 늦게 도착해서 나쁜 변명을 했다.
02 Brenda는 아들 둘과 딸 둘을 낳았다.
03 아이들이 산타의 수염을 만지고 있다.
04 그 남자아이는 짐마차를 말에 매고 타고 갔다.
05 나의 형은 부산에서 취업을 하기로 결정했다.
06 나는 신부의 목소리에서 기쁨이 느껴졌다.
07 지진이 그 도시의 많은 부분을 파괴했다.
08 백설 공주는 일곱 난쟁이를 떠나서 왕자와 결혼했다.
09 Mason은 부모님에게 자신의 올해 계획을 설명했다.
10 농부 몇 명이 들판에서 씨를 뿌리고 있었다.
11 Carter는 곰을 우리에서 풀어 주고 있다.
12 그 노인은 손주들에게 한자를 가르쳐 주었다.
13 그 아기는 땅에 넘어져서 무릎을 다쳤다.
14 간호사는 나에게 약을 건네주면서 그것을 먹으라고 말했다.
15 아무도 미래에 무슨 일이 일어날지 말할 수 없다.
16 Barry는 내가 농담을 할 때마다 항상 웃는다.
17 Owen은 벽난로에 통나무를 하나 더 넣었다.
18 요정은 마술을 써서 집을 청소했다.
19 나는 그 문제에 대해 그들에게 아무 말도 하지 않았다.
20 그 도시에서는 범죄가 심각한 문제였다.
21 Doris가 밧줄을 잡아당기자 종이 울렸다.
22 Baker 씨는 잃어버린 고양이를 찾아 준 대가로 Bob에게 50달러의 보상금을 주었다.
23 Luke는 여전히 Meg가 전화하기를 기다리고 있다.
24 Ryan은 학교에서 항상 문제를 일으킨다.
25 많은 기사가 인터넷 게임이 우리에게 해롭다고 경고한다.
26 그가 나에게 사과하지 않는 한 나는 그와 말을 하지 않을 것이다.

Words & Phrases Test
p. 113

01 ③ **02** ⑤ **03** (h)and **04** ② **05** ④ **06** ②
07 (1) warn (2) unless (3) bear

01

해석

① 도착하다 : 도착   ② 결정하다 : 결정   ③ 마술(의) : 마술사
④ 설명하다 : 설명   ⑤ 파괴하다 : 파괴

해설 ①, ②, ④, ⑤는 '동사 : 명사' 관계이고 ③은 '명사[형용사] : 명사의 행위자' 관계이다.

02

해석

ⓐ 두꺼운 나무토막
ⓑ 말이 끄는, 바퀴가 두 개 달린 수송 수단
ⓒ 남자의 얼굴, 특히 턱에 나는 털
ⓓ 좋은 일이나 도움이 되는 일을 했기 때문에 받는 것
① 우마차, 수레   ② 통나무   ③ 보상, 보답   ④ 수염   ⑤ 땅

해설 ⓐ log, ⓑ cart, ⓒ beard, ⓓ reward에 대한 영영풀이다.
⑤ ground에 대한 영영풀이는 없다.

03

해석

• 지금 당장 손을 비누와 물로 씻어라.
• 소금과 후추를 저에게 건네주시겠습니까?

해설 '손'과 '건네다'라는 뜻을 가진 단어는 hand이다.

04

해석

① 남자가 동물을 풀어 주고 있다.
② 나에게 더 이상 자유 시간은 없다.
③ Liam은 작년에 교도소에서 석방되었다.
④ 왕은 노예들을 곧 풀어 줄 것이다.
⑤ Tony는 누군가에 의해 나무에 묶여 있는 개를 풀어 준다.

해설 ①, ③, ④, ⑤는 '풀어 주다'라는 뜻의 동사이고 ②는 '자유로운'이라는 뜻의 형용사이다.

05

해설 '~으로 바뀌다'는 change into, '~을 없애다'는 get rid of이다.

06

해석

① 당신이 가 버리면, 나는 외로울 것이다.
② 그것은 그녀가 더 많이 사는 것을 막을 것이다.
③ 해가 갈수록 나는 몇 년 전에 돌아가신 할머니가 그립다.
④ 우리는 날마다 얼마나 많은 음식을 내버리는가?
⑤ 요즈음, 사람들은 패스트푸드를 먹는 것에 대해 걱정한다.

해설 ② '~가 …하는 것을 막다'는 keep ~ from -ing로 표현한다.

07

해설 (1) '경고하다'에 해당하는 단어는 warn이다.
(2) '~하지 않는 한'에 해당하는 단어는 unless이다.
(3) '(아이를) 낳다'에 해당하는 단어는 bear이다.

Reading

❶ looked, sick ❷ dwarf ❸ freed ❹ reward ❺ that
❻ keep, from ❼ tried to explain ❽ went away
❾ beard ❿ change into ⓫ give birth ⓬ to ⓭ by
⓮ still ⓯ throw away ⓰ went by ⓱ look forward to
⓲ destroy ⓳ kept coming ⓴ On his way to ㉑ warn
㉒ get rid of ㉓ Whatever ㉔ as ㉕ bore
㉖ was proud of

해석

돌멩이

어느 날, Maibon이 한 노인을 보았을 때 그는 마차를 타고 길을 가고 있는 중이었다. 그 노인은 매우 아파 보였다. Maibon은 늙어 가는 것이 걱정되기 시작했다.

그날 오후, 그는 들판에서 Doli라는 난쟁이를 보았다. 그는 통나무 아래에 깔린 그의 다리를 빼내려고 하고 있었다. Maibon은 통나무를 잡아당겨서 난쟁이를 풀어 주었다.

"너는 보상을 받게 될 거야. 원하는 게 뭐니?"

"나는 네가 사람의 젊음을 유지해 주는 마법의 돌들을 가지고 있다고 들었어. 나는 그것을 원해."

"오, 너희 인간들은 잘못 알고 있어. 그 돌들은 너희들이 다시 젊어지게 해 주지 않아. 단지 더 늙지 않게 막아 줄 뿐이라고."

"그것대로 좋아!"

Doli는 그 돌에 관한 문제를 설명하려고 했지만, Maibon은 듣지 않았다. 그래서 Doli는 그에게 마법의 돌을 건네고는 가 버렸다.

며칠이 지나서, Maibon은 그의 수염이 전혀 자라지 않았음을 알았다. 그는 행복해졌지만, 그의 아내 Modrona는 화가 났다.

"달걀이 닭이 되지 않아요!" "아, 시기가 더딘 거예요. 그뿐이에요." 하지만 그녀는 탐탁해하지 않았다. "소가 새끼를 낳지 않아요!"

그때 Maibon은 그 돌에 대해 그녀에게 이야기를 했고 그녀는 매우 화를 내며 그에게 그것을 버리라고 말했다. 그는 원하지 않았지만, 아내의 말을 듣고 창밖으로 돌을 던졌다. 그러나 다음날 아침 그는 창가에 그 돌이 있는 것을 발견했다! Maibon은 동물들이 걱정되긴 했지만, 자신이 여전히 젊어서 기뻤다.

이제 Maibon의 아기에게 문제가 생겼다. 아기의 입에서 이가 보이지 않았다. 그의 아내는 그에게 그 돌을 버리라고 말했고 Maibon은 이번엔 그 돌을 땅속에 묻었다. 그런데 그 다음날 그 돌은 다시 돌아왔다! 시간이 흘렀고 어떤 것도 자라거나 변하지 않았다. Maibon은 걱정이 되기 시작했다. "기대할 것도, 내 일의 결과를 보여 줄 것도 아무것도 없어." Maibon은 그 돌을 없애려고 노력했지만 돌은 계속 되돌아왔다.

Maibon은 그 돌을 그의 집에서 멀리 떨어진 곳에 버리기로 결심했다. 그는 들판으로 가는 길에 난쟁이를 보았다. Maibon은 그에게 화를 냈다. "너는 왜 내게 그 돌에 대해 경고하지 않았어?" "나는 하려고 했지만, 너는 들으려 하지 않았어."

Doli는 Maibon이 진심으로 원하지 않는 한 그 돌을 없앨 수 없다

고 설명했다. "나는 그것을 더 이상 원하지 않아. 무슨 일이 일어나든 일어나게 놔둬!" Doli는 그에게 그 돌을 땅에 던지고 집으로 돌아가라고 말했다. Maibon은 Doli가 말한 대로 했다.

그가 집에 도착했을 때, Modrona는 그에게 달걀이 닭이 되고 소가 새끼를 낳았다는 좋은 소식을 말해 주었다. 그리고 Maibon은 아기의 입에 첫 이가 난 것을 보고 기뻐서 웃었다.

Maibon과 Modrona, 그리고 그들의 자녀들과 손주들은 오랫동안 살았다. Maibon은 그의 흰 머리와 긴 수염을 자랑스러워했다.

pp. 114~117

Reading Test *Basic*

01 (1) T (2) F (3) T (4) F **02** (1) ⓐ (2) ⓑ
03 (1) hair → beard (2) glad → angry
　　(3) the door → the window
04 (1) Oh, the season's slow, that's all. (2) still young
05 (1) teeth (2) kept (3) nothing
06 (1) ⓑ (2) ⓒ
07 (1) F (2) F (3) T
08 (1) couldn't get rid of the stone
　　(2) changed into chickens, bore her baby

01

해석

(1) Maibon이 길에서 본 노인은 매우 아파 보였다.

(2) 노인의 이름은 Doli였다.

(3) Maibon은 노인을 보았을 때 늙어 가는 것이 걱정되었다.

(4) 난쟁이는 통나무 아래에 깔린 그의 팔을 빼내려고 하고 있었다.

해설 (1) One day, Maibon was driving down the road ~ when he saw an old man. The old man looked very sick.에서 Maibon이 길에서 본 노인이 아파 보였다고 했으므로 일치하는 문장이다.

(2) Later that day, he saw a dwarf, Doli, in the field.로 보아 Doli는 노인의 이름이 아니라 난쟁이의 이름이므로 일치하지 않는 문장이다.

(3) Maibon began to worry about growing old.에서 Maibon은 늙어 가는 것을 걱정했으므로 일치하는 문장이다.

(4) He was trying to get his leg out from under a log.에서 난쟁이는 통나무 아래에서 다리를 빼내려고 했으므로 일치하지 않는 문장이다.

02

해석

(1) 난쟁이는 무엇을 가지고 있었는가?

　　ⓐ 사람이 나이 드는 것을 막아 주는 마법의 돌들.

　　ⓑ 사람을 다시 젊게 만들어 주는 마법의 돌들.

(2) 난쟁이는 Maibon에게 무엇을 설명하려고 했는가?

　　ⓐ 돌을 사용하는 방법.

　　ⓑ 돌이 가지고 있는 문제

해설 (1) Those stones don't make you young again. They only keep you from getting older.에 언급되어 있듯이 난쟁이가 가지고 있는 돌은 나이 드는 것을 막아 주는 마법의 돌이므로 ⓐ가 답이다.

(2) Doli tried to explain the problem with the stones에 언급되어 있듯이 난쟁이는 돌이 가진 문제를 설명하려고 했으므로 ⓑ가 답이다.

03

해석

(1) Maibon의 머리카락(→ 수염)은 그가 마법의 돌을 얻은 후에 전혀 자라지 않았다.

(2) Maibon이 아내에게 그 마법의 돌에 대해 말했을 때 그녀는 기뻤다(→ 화가 났다).

(3) Maibon은 문(→ 창문) 밖으로 마법의 돌을 던졌다.

해설 (1) After a few days, Maibon saw that his beard didn't grow at all.에서 Maibon의 수염이 자라지 않았다고 했으므로 hair를 beard로 고쳐야 한다.

(2) Maibon, then, told her about the stone, and she got very angry ~에서 Maibon의 말을 듣고 아내는 화를 냈다고 했으므로 glad를 angry로 고쳐야 한다.

(3) He didn't want to, but ~ threw the stone out the window.에서 돌을 창문 밖으로 던졌다고 했으므로 the door를 the window로 고쳐야 한다.

04

해석

(1) Modrona가 "달걀이 닭이 되지 않아요!"라고 말했을 때 Maibon은 뭐라고 말했는가?

　→ 그는 "아, 시기가 더딘 거예요. 그뿐이에요."라고 말했다.

(2) Maibon이 창가에 그 돌이 있는 것을 발견했을 때, 그는 왜 기뻤는가?

　→ 그가 여전히 젊었기 때문이다.

해설 (1) "The eggs don't change into chickens!" "Oh, the season's slow, that's all."에 언급되어 있다.

(2) However, the next morning, he found the stone sitting by the window! Maibon ~ was glad that he was still young.에 언급되어 있듯이 Maibon은 자신이 여전히 젊어서 기뻤던 것이므로 Because he was still young.이라고 답하는 것이 알맞다.

05

해석

(1) Maibon의 아기는 이에 문제가 생겼다.

(2) Maibon이 돌을 없애려고 했을 때, 돌은 계속해서 돌아왔다.

(3) Maibon은 기대할 것이 없다고 생각했다.

해설 (1) Now Maibon's baby was having trouble. No tooth was seen in his mouth.로 보아 Maibon의 아기에게 이가 나지 않는 문제가 생겼으므로 괄호 안에서 **teeth**가 알맞다.

(2) Maibon tried to destroy the stone, but it kept coming back.으로 보아 Maibon이 없앤 돌이 계속 돌아왔으므로 괄호 안에서 **kept**가 알맞다.

(3) Maibon의 말 "There's nothing to look forward to, nothing to show for my work."에서 기대할 것이 없다고 했으므로 괄호 안에서 **nothing**이 알맞다.

06

해석
ⓐ 그의 아내는 그에게 화를 냈다.
ⓑ 그는 땅속에 돌을 묻었다.
ⓒ 어떤 것도 자라거나 변하지 않았다.

(1) Maibon의 아내가 두 번째로 Maibon에게 돌을 버리라고 말했을 때 그는 어떻게 했는가?
→ ⓑ 그는 땅속에 돌을 묻었다.

(2) Maibon은 왜 걱정을 하기 시작했는가?
→ ⓒ 어떤 것도 자라거나 변하지 않았기 때문이다.

해설 (1) His wife told him to throw away the stone and this time, Maibon put the stone under the ground.에 언급되어 있듯이 Maibon은 돌을 땅속에 묻었으므로 He put the stone under the ground.라고 답하는 것이 알맞다.

(2) Time went by and nothing grew or changed. Maibon began to worry.에 언급되어 있듯이 어떤 것도 자라거나 변하지 않아서 걱정하기 시작했으므로 Nothing grew or changed.라고 답하는 것이 알맞다.

07

해석
(1) Maibon은 집에서 가까운 곳에 그 돌을 버리기로 결심했다.
(2) Maibon은 집으로 가는 길에 Doli를 보았다.
(3) Maibon이 돌을 버리고 그 돌이 돌아오지 않은 후에, 그는 늙어가는 것에 대해 자랑스러워하게 되었다.

해설 (1) Maibon decided to throw away the stone far from his house.에서 집에서 멀리 떨어진 곳에 버리기로 결심했다고 했으므로 일치하지 않는 문장이다.

(2) On his way to the field, he saw the dwarf.에서 들판에 가는 길에 보았다고 했으므로 일치하지 않는 문장이다.

(3) Maibon was proud of his white hair and long beard.에서 흰 머리와 긴 수염을 자랑스러워했다고 했으므로 일치하는 문장이다.

08

해석
(1) Maibon이 진심으로 원하지 않으면 무엇이 일어날 수 없었는가?
→ 그가 진심으로 원하지 않는 한 그는 그 돌을 없앨 수 없었다.

(2) Maibon이 집에 돌아왔을 때, Modrona는 그에게 어떤 좋은 소식을 말했는가?
→ 그녀는 그에게 달걀이 닭이 되고 소가 새끼를 낳았다는 소식을 말했다.

해설 (1) Doli explained that Maibon couldn't get rid of the stone unless he really wanted to.에 언급되어 있듯이 Maibon이 진심으로 원하지 않으면 그 돌을 없앨 수 없었으므로 He couldn't get rid of the stone unless he really wanted to.로 답하는 것이 알맞다.

(2) When he arrived home, Modrona told him the good news — the eggs changed into chickens and the cow bore her baby.에 언급되어 있듯이 달걀이 닭이 되고 소가 새끼를 낳았다는 소식을 말했으므로 She told him the news that the eggs changed into chickens and the cow bore her baby.로 답하는 것이 알맞다.

Reading Test Advanced
pp. 118~119

01 ② **02** ⑤ **03** (A) to get (B) to explain **04** ⑤
05 still **06** ② **07** ④ **08** destroy **09** ⑤
10 something → nothing **11** ②
12 돌을 땅에 던지고 집으로 돌아갔다

01

해석
어느 날, Maibon이 한 노인을 보았을 때 그는 마차를 타고 길을 가고 있는 중이었다. 그 노인은 매우 <u>아파</u> 보였다. Maibon은 늙어가는 것이 걱정되기 시작했다.

① 화가 난 ② 아픈 ③ 조심스러운 ④ 건강한 ⑤ 평화로운

해설 Maibon이 늙어 가는 것이 걱정된 이유가 빈칸에 들어가야 하므로 sick이 알맞다.

[02~04]

그날 오후, 그는 들판에서 Doli라는 난쟁이를 보았다. 그는 통나무 아래에 깔린 그의 다리를 빼내려고 하고 있었다. Maibon은 통나무를 잡아당겨서 난쟁이를 풀어 주었다.

"너는 보상을 받게 될 거야. 원하는 게 뭐니?"
"나는 네가 사람의 젊음을 유지해 주는 마법의 돌들을 가지고 있다고 들었어. 나는 그것을 원해."
"오, 너희 인간들은 잘못 알고 있어. 그 돌들은 너희들이 다시 젊어지게 해 주지 않아. 단지 더 늙지 않게 막아 줄 뿐이라고."
"그것대로 좋아!"
Doli는 그 돌에 관한 문제를 설명하려고 했지만, Maibon은 듣지 않았다. 그래서 Doli는 그에게 마법의 돌을 건네고는 가 버렸다.

02

해설 ⓔ handed는 '건네주었다'라는 뜻이다.

03

해설 try는 '~하기 위해 노력하다'라는 뜻일 때는 to부정사를, '시험삼아 ~해 보다'라는 뜻일 때는 동명사를 목적어로 취한다. (A)와 (B) 둘 다 '~하기 위해 노력하다'라는 뜻이므로 to get, to explain이 알맞다.

04

해석
① Maibon이 Doli를 봤을 때 Doli는 무엇을 하고 있었는가?
② Maibon은 Doli를 위해 무엇을 했는가?
③ Maibon은 Doli에게서 무엇을 원했는가?
④ Doli는 Maibon에게 무엇을 설명하려고 했는가?
⑤ Maibon은 왜 Doli의 말을 듣지 않았는가?

해설 Maibon이 왜 Doli의 말을 듣지 않았는지는 나와 있지 않으므로 ⑤에는 답할 수 없다.
① Doli는 통나무 아래에 깔린 그의 다리를 빼내려고 하고 있었다.
② Maibon은 통나무를 잡아당겨서 Doli를 풀어 주었다.
③ Maibon은 Doli에게서 마법의 돌을 원했다.
④ Doli는 마법의 돌에 관한 문제를 설명하려고 했다.

[05~07]

며칠이 지나서, Maibon은 그의 수염이 전혀 자라지 않았음을 알았다. 그는 행복해졌지만, 그의 아내 Modrona는 화가 났다. "달걀이 닭이 되지 않아요!" "아, 시기가 더딘 거예요. 그뿐이에요." 하지만 그녀는 탐탁해하지 않았다. "소가 새끼를 낳지 않아요!"
그때 Maibon은 그 돌에 대해 그녀에게 이야기를 했고 그녀는 매우 화를 내며 그에게 그것을 버리라고 말했다. 그는 원하지 않았지만, 아내의 말을 듣고 창밖으로 돌을 던졌다. 그러나 다음날 아침 그는 창가에 그 돌이 있는 것을 발견했다! Maibon은 동물들이 걱정되긴 했지만, 자신이 여전히 젊어서 기뻤다.

05

해설 '변화 없이, 여전히'라는 뜻을 가진 단어는 still이다.

06

해설 동사 tell의 목적격 보어이므로 to throw가 알맞다. 「tell+목적어+to부정사」는 '~에게 …하라고 말하다'라는 의미이다.

07

해설 주어진 문장은 '그러나 다음날 아침 그는 창가에 그 돌이 있는 것을 발견했다!'라는 의미이므로 창밖으로 돌을 던졌다는 내용의 문장 다음인 ⓓ에 들어가는 것이 알맞다.

[08~10]

이제 Maibon의 아기에게 문제가 생겼다. 아기의 입에서 이가 보이지 않았다. 그의 아내는 그에게 그 돌을 버리라고 말했고

Maibon은 이번엔 그 돌을 땅속에 묻었다. 그런데 그 다음날 그 돌은 다시 돌아왔다! 시간이 흘렀고 어떤 것도 자라거나 변하지 않았다. Maibon은 걱정이 되기 시작했다. "기대할 것도, 내 일의 결과를 보여 줄 것도 아무것도 없어." Maibon은 그 돌을 없애려고 노력했지만 돌은 계속 되돌아왔다.

08

해설 get rid of는 '제거하다, 없애다'라는 뜻이므로 같은 의미로 쓰인 단어는 destroy이다.

09

해석
① 너는 지금 너를 도와줄 친구가 필요하다.
② 나는 너에게 물어볼 질문이 많다.
③ 나는 그녀에게 줄 선물을 살 돈이 없었다.
④ 뭐 좀 먹으러 밖에 나가자.
⑤ Diana는 체중을 좀 줄이기 위해 다이어트중이다.

해설 밑줄 친 to look은 nothing을 수식하는 형용사적 용법의 to부정사이다. ①, ②, ③, ④는 형용사적 용법으로 쓰였고 ⑤는 '~하기 위해'라는 의미로 목적을 나타내는 부사적 용법으로 쓰였다.

10

해석
그 돌은 Maibon의 아기에게 문제를 일으켰다. 그리고 그 돌 때문에 무언가가 바뀌었다(→ 아무것도 바뀌지 않았다). Maibon이 그 돌을 버렸지만 그것은 계속 돌아왔다.

해설 Time went by and nothing grew or changed.에서 아무것도 자라거나 변하지 않았다고 했으므로 something을 nothing으로 고쳐야 한다.

[11~12]

Maibon은 그 돌을 그의 집에서 멀리 떨어진 곳에 버리기로 결심했다. 그는 들판으로 가는 길에 난쟁이를 보았다. Maibon은 그에게 화를 냈다. "너는 왜 내게 그 돌에 대해 경고하지 않았어?" "나는 하려고 했지만, 너는 들으려 하지 않았어."
Doli는 Maibon이 진심으로 원하지 않는 한 그 돌을 없앨 수 없다고 설명했다. "나는 그것을 더 이상 원하지 않아. 무슨 일이 일어나든 일어나게 놔둬!" Doli는 그에게 그 돌을 땅에 던지고 집으로 돌아가라고 말했다. Maibon은 Doli가 말한 대로 했다.

11

해설 ⓐ, ⓒ, ⓓ, ⓔ는 Maibon을 가리키고 ⓑ는 Doli를 가리킨다.

12

해설 Doli가 Maibon에게 말한 대로 한 것이므로 did는 앞 문장의 throw the stone onto the ground and go back home을 가리킨다.

01 ① **02** ② **03** ③ **04** ⑤ **05** tried to change
06 3개 **07** ② **08** ④ **09** ② **10** ③ **11** young
12 ⑤ **13** found the stone sitting by the window
14 ② **15** ⑤ **16** ③ **17** ② **18** ④
19 On his [the] way to **20** ⑤ **21** was proud of **22** ②
23 (1) Foreign languages are learned on YouTube (by them). (2) This cottage was built by my grandpa 50 years ago. (3) The World Cup match will be watched by a lot of people.
24 더 늙지 않게 막아 주는 것도 다시 젊어지게 해 주는 것만큼 좋다.
25 (1) his wife → Doli (2) something bad → something good

01

해석

① 그녀가 나에게 미안하다고 말하지 않으면 나는 Morin과 말을 하지 않을 것이다.
② 부산행 기차는 언제 도착하니?
③ 이 기계가 어떻게 작동되는지 설명해 줄 수 있니?
④ Cindy는 내가 찾고 있던 잡지를 나에게 건네주었다.
⑤ 의사는 내게 아무 이상이 없다고 말했다.

해설 ① '~하지 않으면'이라는 의미의 unless가 쓰여야 한다.

02

해석

앞으로 일어날지 모르거나 일어날 나쁜 일에 대해 누군가에게 말해 주다
① 풀어 주다 ② 경고하다 ③ 끌어당기다
④ (소리 내어) 웃다 ⑤ 파괴하다

해설 warn(경고하다)에 대한 영영풀이다.

03

해설 ③ go away는 '(떠나)가다'라는 뜻이다. '흐르다, 지나가다'는 go by로 쓴다.

04

해석

그 하얀색 드레스를 입으니 네가 바보처럼[사랑스러워 / 못생겨 / 예뻐] 보인다.

해설 감각동사 look 뒤에는 주격 보어로 형용사가 오는데 ⑤ beautifully는 부사이므로 빈칸에 들어갈 수 없다.

05

해설 '~하려고 노력하다'는 「try+to부정사」이므로 tried to change로 쓴다.

06

해석

(1) 냉장고에 약간의 음식이 있다.
(2) 하늘이 어두워지고 있다.
(3) 의사는 나에게 체중을 줄이라고 충고했다.
(4) 나는 깨어나서 내 자신이 바닥에 누워 있는 것을 알았다.
(5) 나는 네가 나를 마중 나오기를 원한다.

해설 (1) food는 셀 수 없는 명사이므로 '약간의'라는 의미로 a little을 쓴다.
(2) 변화를 나타내는 동사인 become 뒤에는 형용사가 오므로 dark가 맞다.
(3) advise는 목적격 보어로 to부정사를 취하므로 to lose가 맞다.
(4) find는 목적격 보어로 분사를 취하므로 lying이 맞다.
(5) pick up은 이어동사이므로 대명사 목적어인 me가 pick과 up 사이에 온 pick me up이 맞다.
(1), (3), (5)를 바르게 답했으므로 답은 3개이다.

07

해석

① 그 커플은 이탈리아에 가기를 원한다.
② Paul은 그의 고향을 떠나기로 결심했다.
③ 그 이웃사람은 계속 그의 집을 청소했다.
④ 그들은 그 파워 블로거의 블로그를 읽는 것을 즐긴다.
⑤ 우리는 지하철역 근처에 카페를 열 계획이다.

해설 want, decide, plan은 to부정사를 목적어로 취하고 keep과 enjoy는 동명사를 목적어로 취하는 동사이므로 ①, ③, ④, ⑤의 밑줄 친 부분은 어법상 알맞지 않다.

08

해석

그것에 관해 너에게 말할 것이 없다.

해설 to부정사가 형용사적 용법으로 쓰여 nothing을 수식해야 하므로 to tell이 알맞다.

[09~11]

어느 날, Maibon이 한 노인을 보았을 때 그는 마차를 타고 길을 가고 있는 중이었다. 그 노인은 매우 아파 보였다. Maibon은 늙어 가는 것이 걱정되기 시작했다.
그날 오후, 그는 들판에서 Doli라는 난쟁이를 보았다. 그는 통나무 아래에 깔린 그의 다리를 빼내려고 하고 있었다. Maibon은 통나무를 잡아당겨서 난쟁이를 풀어 주었다.
"너는 보상을 받게 될 거야. 원하는 게 뭐니?"
"나는 네가 사람의 젊음을 유지해 주는 마법의 돌들을 가지고 있다고 들었어. 나는 그것을 원해."

09

해설 ⓑ 전치사 about의 목적어이므로 동명사 growing으로 고쳐야 한다.

10

해석

① 능력 　② 조언 　③ 보상 　④ 재산 　⑤ 경고

해설 난쟁이는 Maibon이 자신을 도와주었기 때문에 '보상'을 주려고 원하는 것이 무엇인지 묻고 있으므로 빈칸에 reward가 알맞다.

11

해석

Maibon은 Doli의 마법의 돌이 자신을 <u>젊게</u> 유지해 줄 수 있다고 생각했다.

해설 I've heard that you have magic stones that can keep a man young.으로 보아 Maibon은 젊음을 유지하기 위해 그 마법의 돌을 원한 것이다.

[12~14]

며칠이 지나서, Maibon은 그의 수염이 전혀 자라지 않았음을 알았다. 그는 행복해졌지만, 그의 아내 Modrona는 화가 났다. "달걀이 닭이 되지 않아요!" "아, 시기가 더딘 거예요. 그뿐이에요." 하지만 그녀는 탐탁해하지 않았다. "소가 새끼를 낳지 않아요!"

그때 Maibon은 그 돌에 대해 그녀에게 이야기를 했고 그녀는 매우 화를 내며 그에게 그것을 버리라고 말했다. 그는 원하지 않았지만, 아내의 말을 듣고 창밖으로 돌을 던졌다. 그러나 다음날 아침 그는 창가에 그 돌이 있는 것을 발견했다! Maibon은 동물들이 걱정되긴 했지만, 자신이 여전히 젊어서 기뻤다.

12

해설 ⓐ ~으로 변하다: change into

ⓑ ~을 버리다: throw away

13

해설 「find+목적어+현재 분사」는 '~가 …한 것을 발견하다'라는 의미이므로 found the stone sitting으로 배열하고 '창문 옆에'라는 뜻의 by the window는 sitting 뒤에 배치한다.

14

해석

① Maibon의 수염은 전혀 자라지 않았다.

② Maibon(→ Modrona)은 "소가 새끼를 낳지 않아!"라고 말했다.

③ Maibon은 돌을 버리고 싶지 않았다.

④ Maibon은 동물들이 걱정되었다.

⑤ Maibon은 자신이 여전히 젊어서 기뻤다.

해설 달걀이 닭이 되지 않고 소가 새끼를 낳지 않는다며 화가 난 사람은 Maibon이 아니라 Modrona이므로 ②의 빈칸에는 Maibon이 들어갈 수 없다.

[15~17]

이제 Maibon의 아기에게 문제가 생겼다. 아기의 입에서 이가 보이지 않았다. 그의 아내는 그에게 그 돌을 버리라고 말했고 Maibon은 이번엔 그 돌을 땅속에 묻었다. <u>그런데</u> 그 다음날 그 돌은 다시 돌아왔다! 시간이 흘렀고 어떤 것도 자라거나 변하지 않았다. Maibon은 걱정이 되기 시작했다. "기대할 것도, 내 일의 결과를 보여 줄 것도 아무것도 없어." Maibon은 그 돌을 없애려고 노력했지만 돌은 계속 되돌아왔다.

15

해설 ⓔ 「keep+동명사」는 '계속 ~하다'라는 의미이다.

16

해설 돌을 땅속에 묻었는데 다음날 다시 돌아왔다는 흐름이므로 반대 내용을 연결하는 접속사 But이 알맞다.

17

해석

Maibon은 <u>아무것도 자라거나 변하지 않았기</u> 때문에 걱정이 되기 시작했다.

① 그의 아내가 화가 났다

② 아무것도 자라거나 변하지 않았다

③ 그는 난쟁이 Doli를 찾을 수 없었다

④ 그는 돌을 버리고 싶지 않았다

⑤ 그는 돌을 어디에 버려야 할지 몰랐다

해설 Time went by and nothing grew or changed. Maibon began to worry.로 보아 Maibon은 시간이 지나도 아무것도 자라거나 변하지 않아서 걱정이 되기 시작했다.

[18~20]

Maibon은 그 돌을 그의 집에서 멀리 떨어진 곳에 버리기로 결심했다. 그는 들판으로 가는 길에 난쟁이를 보았다. Maibon은 그에게 화를 냈다. "너는 왜 내게 그 돌에 대해 경고하지 않았어?" "나는 하려고 했지만, 너는 들으려 하지 않았어." Doli는 Maibon이 진심으로 원하지 않는 한 그 돌을 없앨 수 없다고 설명했다. "나는 그것을 더 이상 원하지 않아. 무슨 일이 일어나든 일어나게 놔둬!" Doli는 그에게 그 돌을 땅에 던지고 집으로 돌아가라고 말했다. Maibon은 Doli가 말한 대로 했다.

18

해설 ⓓ '무슨 일이 일어나도'라는 뜻이 되어야 하므로 However가 아니라 복합관계대명사 Whatever가 되어야 한다.

19

해설 '~로 가는 길에'는 on one's [the] way to로 표현한다.

20

해설 Doli told him to throw the stone onto the ground and go back home. Maibon did as Doli said.로 보아 Maibon은 돌을 땅에 던지고 집으로 돌아갔으므로 ⑤는 일치하지 않는다.

[21~22]

그가 집에 도착했을 때, Modrona는 그에게 달걀이 닭이 되고 소가 새끼를 낳았다는 좋은 소식을 말해 주었다. 그리고 Maibon은 아기의 입에 첫 이가 난 것을 보고 기뻐서 웃었다. Maibon과 Modrona, 그리고 그들의 자녀들과 손주들은 오랫동안 살았다. Maibon은 그의 흰 머리와 긴 수염을 자랑스러워했다.

21

해설 be ashamed of는 '~을 부끄러워하다'라는 의미이므로 반대 의미의 표현은 be proud of(~을 자랑스러워하다)이다.

22

해석
① 우울한   ② 즐거운   ③ 시끄러운   ④ 유머러스한
⑤ 긴장한

해설 달걀이 닭이 되고 소가 새끼를 낳고 아기에게 이가 난 것을 보고 기뻐했다고 했으므로 '즐거운' 분위기임을 알 수 있다.

23

해석
(1) 그들은 유튜브로 외국어를 공부한다.
(2) 나의 할아버지는 50년 전에 이 오두막을 지으셨다.
(3) 많은 사람들이 그 월드컵 경기를 시청할 것이다.

해설 (1) 현재시제의 수동태는 「be동사의 현재형+과거 분사+by+목적격」 형태이다. 능동태의 주어가 일반인이면 「by+목적격」을 생략할 수 있다.
(2) 과거시제의 수동태는 「be동사의 과거형+과거 분사+by+목적격」 형태이다.

(3) 미래시제의 수동태는 「will be+과거 분사+by+목적격」 형태이다.

24

해석
Maibon 나는 네가 사람의 젊음을 유지해 주는 마법의 돌들을 가지고 있다고 들었어. 나는 그것을 원해.
Doli 오, 너희 인간들은 잘못 알고 있어. 그 돌들은 너희들이 다시 젊어지게 해 주지 않아. 단지 더 늙지 않게 막아 줄 뿐이라고.
Maibon 그것대로 좋아!

해설 마법의 돌이 다시 젊어지게 만들어 주는 것이 아니라 단지 더 늙지 않게 막아 줄 뿐이라는 Doli의 말을 듣고 한 말이다. Just as good!은 '그것대로 좋아!'라는 뜻이므로 '더 늙지 않게 막아 주는 것도 다시 젊어지게 해 주는 것만큼 좋다.'는 의미이다.

25

해석

Doli는 Maibon이 진심으로 원하지 않는 한 그 돌을 없앨 수 없다고 설명했다. "나는 그것을 더 이상 원하지 않아. 무슨 일이 일어나든 일어나게 놔둬!" Doli는 그에게 그 돌을 땅에 던지고 집으로 돌아가라고 말했다. Maibon은 Doli가 말한 대로 했다. 그가 집에 도착했을 때, Modrona는 그에게 달걀이 닭이 되고 소가 새끼를 낳았다는 좋은 소식을 말해 주었다. 그리고 Maibon은 아기의 입에 첫 이가 난 것을 보고 기뻐서 웃었다.

Maibon은 그 돌을 더 이상 원하지 않았다. 그래서 그의 아내 (→ Doli)가 말한 대로 그것을 땅에 던지고 집으로 돌아갔다. 그런 다음 나쁜(→ 좋은) 일이 그의 동물들에게 일어났다. 그리고 그의 아기에게 첫 이가 났다. 그는 기뻤다.

해설 (1) 돌을 땅에 던지고 집으로 돌아가라고 말한 사람은 아내가 아니라 Doli이다.
(2) 돌을 버리고 집으로 돌아가자 Modrona가 좋은 소식을 전해 주었다고 했으므로 동물들에게 나쁜 일이 아니라 좋은 일이 일어난 것이다.

중간고사 1회   Lesson 05 ~ Lesson 06   pp. 126~129

01 ③   **02** ③, ④   **03** ②   **04** ⑤   **05** ②   **06** ③   **07** ②
08 breakfast, snack bar   **09** ④
10 that [which] you got as a birthday gift
11 is very hard to say   **12** ①   **13** ③   **14** ②
15 형편없는 수학 점수   **16** ④   **17** ②   **18** 내 말이 바로 그거야.
19 ⑤   **20** ②   **21** ⑤   **22** ③   **23** (A) on (B) in
24 ⓐ of ⓑ to   **25** Stella를 사자로부터 보호하기 위해서

01

해석

① 문제에 직면하다   ② 문제를 풀다
④ 문제를 해결하다   ⑤ 문제에 집중하다

해설 move는 problem과 함께 쓸 수 없는 동사이다.

02

해석

① 그래프에 선들을 그려라. ② 극장들에는 (사람들이 늘어선) 줄들이 있다. ③ 너의 대사를 외웠니? ④ 배우들은 가끔 그들의 대사를 잊어버린다. ⑤ 그의 얼굴은 주름으로 덮여 있었다.

해설 '연극이나 영화 등에서 배우가 하는 말들'은 '대사'이므로 ③, ④가 해당한다.

03

해석

A 이것 좀 봐. 이 사자는 채소만 먹어.
B 오, 그것에 관해 궁금해.
A 나도 그래. 그것에 관해 더 많이 읽어 보자.

해설 A가 '나도 그래.'라고 동의하며 '더 많이 읽어 보자'라고 말하는 것으로 보아 빈칸에는 '그게 궁금하다'라는 내용의 말인 ②가 알맞다.

04

해석

A 너 오늘따라 침울해 보여. 무슨 일이야?
B 머리를 잘랐는데 너무 짧아.

해설 What's the matter?는 '무슨 일이야?'라는 뜻으로 좋지 않은 감정을 느끼게 된 원인을 묻는 표현이다.

05

해석

① **A** 나는 심한 감기에 걸렸어.
   B 내 생각엔 네가 물을 많이 마셔야 할 것 같아.
② **A** 이 나무는 하늘만큼 높이 자라.
   B 정말? 하늘은 그것만큼 높지 않아.
③ **A** 너 걱정 있어 보여. 무슨 일이야?
   B 오늘 시험이 있어.
④ **A** 이 커다란 꽃 사진을 봐.
   B 와, 사람보다 더 크네.
⑤ **A** 열쇠를 잃어버려서 집에 들어갈 수 없었어.
   B 오, 그거 안됐다.

해설 ② '하늘만큼 높이 자란다'라는 말에 '하늘은 그것만큼 높지 않다'라고 대답하는 것은 어색하다.

06

해석

A 너는 우리가 사자와 친구가 될 수 있다고 생각하니, Todd?
B 아니, Clare. 나는 그렇게 생각하지 않아.
A 음, 나는 두 남자와 사자 사이의 우정에 관한 동영상을 봤어.
B 정말? 나는 그 이야기가 궁금해. 너에게 더 많이 말해 줄게.(→ 나에게 더 많이 말해 줄래?)
A 그 두 남자는 아기 사자를 길러서 야생으로 돌려보냈어. 그 남자들과 사자가 1년 후에 만났을 때, 사자는 그들을 기억했어.
B 와, 정말 감동적이다.

해설 ③ Let me tell you more.는 '너에게 더 많이 말해 줄게.'라는 뜻인데, 두 남자와 사자 사이의 우정에 관한 동영상을 본 사람은 B가 아니라 A이므로 B는 '더 많이 말해 달라'는 뜻의 Can you tell me more?라고 말하는 것이 자연스럽다.

[07~08]

A 너 피곤해 보여. 무슨 일이니?
B 오늘 아침에 아침을 못 먹었어. 너무 배가 고파.
A 오, 그거 안됐다. 점심시간까지 아직 두 시간 더 남았는데.
B 우리 학교에 매점이 있어야 해. 그러면 간단한 아침 식사나 간식을 먹을 수 있을 테니까.
A 나도 그렇게 생각해. 어떻게 하면 우리가 그 제안을 할 수 있을까?
B 우리는 그것을 건의 게시판에 올려 볼 수 있어.

07

해설 B가 피곤해 보이는 이유를 말하고 있으므로 빈칸에는 피곤해 보이는 이유를 묻는 말이 들어가야 한다. 따라서 '무슨 일이야?'라고 묻는 ①, ③, ④, ⑤가 들어갈 수 있다. ②는 '그게 뭐야?'라는 뜻이므로 빈칸에 알맞지 않다.

08

해석

몇몇 학생들이 아침을 먹지 않아서 오전에 배가 고프다. 우리는 학교에 매점이 있어야 한다.

해설 아침을 못 먹은 학생들의 배고픔을 해결할 수 있는 매점이 있어야 한다는 B의 말에 A가 동의했고 B는 그 제안을 건의 게시판에 올리자고 했다.

09
해설 '~해 오고 있다'의 뜻으로 과거에 시작된 동작이 현재까지 계속되고 있음을 나타낼 때는 현재완료 형태인 「have [has]+과거 분사」로 나타내며, 주어가 3인칭 단수(He)이므로 has grown이 알맞다.

10
해석
나에게 그 스마트폰을 보여 줘. 너는 그것을 생일 선물로 받았다.
→ 나에게 네가 생일 선물로 받은 스마트폰을 보여 줘.
해설 선행사가 사물(smartphone)이므로 목적격 관계대명사 which 또는 that을 사용하여 연결하며, which나 that이 목적어 역할을 하므로 관계대명사절에 it을 또 쓸 필요가 없다.

11
해석
'미안해'라고 말하는 것은 매우 어렵다.
해설 to부정사가 주어로 쓰였으므로 가주어 It을 써서 「It+be동사+형용사+to부정사」로 바꿔 쓸 수 있다.

12
해석
Tim은 키가 160센티미터이다. Lizzy도 키가 160센티미터이다.
① Lizzy는 Tim만큼 키가 크다. ② Lizzy는 Tim만큼 키가 크지 않다.
③ Tim은 Lizzy보다 키가 크다. ④ Lizzy는 Tim보다 키가 크다.
⑤ Lizzy가 가장 키가 크다.
해설 Tim과 Lizzy의 키가 같으므로 '~만큼 …한'이라는 의미로 비교하는 두 대상의 정도가 같음을 나타내는 「as+형용사의 원급+as ~」를 이용하여 쓴다.

13
해석
① 겨울은 내가 가장 좋아하는 계절이다. ② 내가 말을 걸었던 그 여자아이는 Jim의 여동생이다. ③ 벤치에 앉아 있던 남자아이를 본 적이 있니? ④ 그것은 내가 태어난 집이다. ⑤ 이것들은 내가 직접 만든 의자들이다.
해설 ①, ②, ④, ⑤는 목적격 관계대명사이므로 생략할 수 있지만 ③은 주격 관계대명사이므로 생략할 수 없다.

14
해석
Stella의 엄마는 죽어서 누워 있었고, Stella는 혼자였다. 이러한 야생 지역에서 혼자 있는 것은 위험하다. 더욱이 곧 어두워질 것이었다. 코끼리들은 밤에 잘 볼 수 없다. 그래서 Stella는 쉽게 공격을 받을 수 있다. 나는 코끼리 보호소에 전화를 해서 도움을 요청했다. 나는 구조대가 올 때까지 Stella 곁에 머물기로 결정했다.

해설 '혼자 있다 → 야생에서 혼자 있는 것은 위험하다 → 더욱이 곧 어두워진다 → 코끼리는 밤에 잘 볼 수 없어서 쉽게 공격을 받을 수 있다'라는 흐름이 자연스러우므로 주어진 문장은 ②에 들어가는 것이 알맞다.

[15~16]
나는 너에게 내가 가지고 있는 고민거리에 대해 말하고 싶어. 나는 내 형편없는 수학 점수가 걱정이야. 나는 작년부터 계속 이 고민거리를 가지고 있었어. 나는 수학을 좀 더 잘하고 싶어. 하지만, 내가 수학을 공부하려고 하면, 정말 그것에 집중이 안 돼. 나는 무엇을 해야 할지 모르겠어. 나는 이 걱정 때문에 잠을 잘 잘 수가 없어. 내 걱정거리를 없애 줄 수 있니?

15
해설 앞 문장에 I'm worried about my terrible math grades.라는 말이 있으므로 this problem이 가리키는 것은 my terrible math grades(형편없는 수학 점수)이다.

16
해석
① Alan은 그의 수학 점수를 걱정한다. ② Alan은 작년부터 그 고민거리를 가지고 있었다. ③ Alan은 수학을 좀 더 잘하고 싶다. ④ Alan은 무엇에 집중해야 할지 모른다. ⑤ Alan은 잠을 잘 자지 못하고 있다.
해설 ④ Alan은 '수학에 집중할 수 없다'고 했지 '무엇에 집중해야 할지 모른다'라는 말은 하지 않았다.

[17~19]
Anger 정말 끔찍한 하루야! 학교 연극이 끝난 후 Jenny가 Bella에게 소리를 지르다니 믿을 수가 없어.
Sadness 글쎄. 그건 Bella가 무대에서 그녀의 대사를 잊어버렸기 때문이잖아.
Anger Jenny는 Bella가 저지른 실수를 지적했잖아. 어떻게 모든 사람 앞에서 그렇게 할 수가 있니?
Joy 하지만 난 Jenny가 Bella에게 상처를 주려고 했던 건 아니었다고 확신해. 그들은 초등학교 때부터 가장 친한 친구였잖아. 기억하지?
Anger 내 말이 바로 그거야. 진정한 친구라면 절대로 그런 식으로 Bella를 깎아내리지 않을 거야.
Fear 나는 그들이 더 이상 친구로 지내지 않을까 봐 걱정돼.
Joy 에이, Fear. 너무 극단적으로 생각하지 마. 곧 알게 되겠지.

17
해석
그는 내가 TV에서 본 남자이다.
해설 보기와 ⓑ는 목적격 관계대명사이다. ⓐ, ⓒ는 지시대명사,

ⓓ, ⓔ는 목적어절을 이끄는 접속사이다.

18

해설 That's what I'm saying.은 상대방이 한 말에 맞장구를 치며 하는 말로 '내 말이 바로 그거야.'라는 뜻이다.

19

해설 Jenny가 Bella를 일부러 망신 주려고 한 것인지는 알 수 없으므로 ⑤가 일치하지 않는다.

[20~21]

날짜/시간: 7월 13일, 오전 6시

기록: 새로운 코끼리 무리가 나타났고, Stella는 그 무리에 다가갔다. 처음에 나는 그 코끼리들이 Stella를 자신들의 무리로 받아들이지 않을 것이라고 생각했다. 그러나 내 생각이 틀렸다. 아마도 가장 나이가 많은 암컷인 듯한 코끼리 한 마리가 Stella가 그 무리의 일원이 되도록 허락했다. 다른 코끼리들도 Stella를 반기는 것처럼 보였다. 믿을 수 없게도, 암컷 코끼리 중의 한 마리가 Stella에게 젖을 먹였다. 그 코끼리는 Stella의 엄마만큼 따뜻하게 Stella를 보살폈다. 이것은 너무나 놀라운 순간이었다!

20

해설 다음 문장인 But I was wrong.은 처음에 생각한 것이 틀렸다는 의미이므로 빈칸에는 At first가 알맞다.

21

해설 Unbelievably, as warmly as Stella's mom did, an amazing moment로 보아 글쓴이는 Stella에게 젖을 먹인 암컷 코끼리에게 감동했다는 것을 알 수 있다.

[22~23]

Joy 휴! 나는 그 애들이 다시 이야기하게 되어 무척 기뻐.

Anger 그래. Bella가 Jenny에게 가서 그 애에게 먼저 말을 걸었지.

Joy Jenny는 일부러 Bella를 피한 게 아니었어.

Sadness 맞아. Jenny는 사과하는 방법을 알았던(→ 몰랐던) 거야.

Fear 나는 Bella에게 이번과 같은 문제가 더 이상 없기를 바라.

Joy 나도 그래. 하지만 문제는 성장의 일부야. 이번과 마찬가지로 Bella는 문제들에 직면하게 될 거고, 그것들을 해결할 거고, 그리고 결국 더 현명해질 거야.

22

해설 Jenny가 일부러 Bella를 피한 게 아니라 사과하는 방법을 몰라서 못한 것이라고 해야 자연스러우므로 ⓒ의 knew는 didn't know가 되어야 한다.

23

해설 (A) 고의로, 일부러: on purpose

(B) 결국, 마침내: in the end

[24~25]

날짜/시간: 7월 8일, 오후 2시 35분

기록: 오늘은 내가 아프리카에 온 첫날이었다. 나는 코끼리 사진을 많이 찍었다. 오늘 아침에 나는 작은 물웅덩이 옆에 있는 한 코끼리 무리를 발견했다. 나는 아기 코끼리 한 마리가 엄마 옆에서 물을 마시고 있는 것을 보았다. 그 코끼리의 눈이 별처럼 밝았다. 나는 그 코끼리에게 Stella란 이름을 붙여 주었다. 정오 즈음에 나는 사자 한 무리가 Stella에게 다가가는 것을 보았다. 코끼리들은 Stella 주위에 둘러서서 두꺼운 벽을 만들었다. 그 코끼리들 덕분에 Stella는 안전했다.

24

해설 ⓐ take a picture of: ~의 사진을 찍다

ⓑ thanks to: ~ 덕분에, ~ 덕택에

25

해설 밑줄 친 문장 바로 앞에 답이 있다. 사자 무리가 Stella에게 다가왔기 때문에 Stella를 보호하기 위해서 두꺼운 벽을 만든 것이다.

중간고사 2회 Lesson 05 ~ Lesson 06 pp. 130~133

01 ⑤ **02** out **03** ② **04** ② **05** ③
06 He's as small as my hand now **07** ③ **08** ④
09 ⑤ **10** ③, ④ **11** ①
12 It is impossible to live without smartphones.
13 ⑤ **14** ④ **15** as long as **16** ③
17 무대에서 대사를 잊어버린 것
18 have been best friends since **19** Anger
20 Stella의 울음소리 **21** ③ **22** ⑤
23 has never been this cold **24** ③ **25** ⑤

01

해설 ① limitless(무한한), ② lifeless(생명이 없는), ③ careless(부주의한), ④ restless(가만히 못 있는)는 가능하지만 mystery에는 -less를 붙일 수 없다.

02

해석
• 두 그룹은 그들의 문제를 함께 해결했다.
• Hunter 선생님은 우리의 실수를 지적하는 데 빨랐다.
해설 해결하다: work out / 지적하다: point out

03

해석
A 너 피곤해 보여. 무슨 일이니?

B

① 버스를 놓쳐서 학교까지 뛰어와야 했어. ② 내 생각엔 내가 선생님께 도움을 요청해야 할 것 같아. ③ 쉬는 시간 동안 숙제를 해야 했어. ④ 우산 없이 빗속을 걸어서 집에 왔어. ⑤ 열쇠를 잃어버려서 집에 들어갈 수 없었어.

해설 A가 피곤해 보이는 원인을 물었으므로 ② '선생님에게 도움을 요청해야 할 것 같다'라는 말은 빈칸에 어울리지 않는다.

04

해석

A 최근에 체중이 늘었어. 내가 어떻게 해야 할까?

B 내 생각엔 네가 규칙적으로 운동해야 할 것 같아.

해설 B의 대답으로 보아 고민을 해결할 방법을 묻는 표현이 와야 하므로 What should I do?가 알맞다.

05

해석

A 이것 좀 봐. 이 말은 시각 장애인들을 안내해.

B 오, 그 말이 궁금해.

A 나도 그래. 그것에 관해 더 많이 읽어 보자.

해설 어떤 대상의 놀랍거나 특별한 점에 대해 호기심이 있다는 것을 나타낼 때는 I'm curious about ~으로 말한다.

06

해석

A 이 사진 좀 봐, 미나야. 우리 어제 새 강아지를 데리고 왔어. 그 강아지는 2주밖에 안 됐어.

B 오, Dylan, 걔 너무 조그맣다!

A 맞아. 그 애는 지금 내 손만큼 작지만, 몇 달 뒤에는 훨씬 더 커질 거야.

B 와, 강아지들은 정말 빨리 크네.

해설 '~만큼 …한'의 의미로 비교하는 두 대상의 정도가 같을 때는 as ... as ~로 나타낸다. '내 손만큼 작은'의 뜻이 되어야 하므로 as small as my hand를 쓴다.

[07~08]

A 안녕하세요. (방송에) 연결되었습니다.

B 안녕하세요, Solomon. 저는 Jenny라고 해요. 저는 문제가 있어요.

A 안녕하세요, Jenny. 무슨 일이죠?

B 저는 정말 눈을 잘 마주치지 못해요.

A 제 생각엔 거울로 자신의 눈을 바라보는 연습을 해 봐야 할 것 같아요.

B 그거 좋은 생각이네요. 한번 해 볼게요.

07

해설 a problem은 Jenny가 가지고 있는 문제인데, 그 내용은 I'm really bad at making eye contact.에서 알 수 있으므로

'사람들과 눈을 잘 못 마주치는 것'이다.

08

해설 빈칸에는 상대방의 고민을 해결할 방법을 제안하는 표현이 들어가야 한다. I think you should ~는 '내 생각엔 네가 ~해야 할 것 같아'라는 뜻으로 You'd better ~ / I advise you to ~ / I suggest that you ~ 등으로 바꿔 쓸 수 있다. I hope you ~는 '네가 ~하기를 바라'라는 뜻으로 희망하는 일을 말하는 표현이므로 빈칸에 알맞지 않다.

09

해석

일본은 일본해라는 명칭을 사용한다. 일본은 1870년대에 그것을 사용하기 시작했다.

→ 일본은 1870년대부터 일본해라는 명칭을 사용해 왔다.

해설 '1870년대부터 사용해 오고 있다'라는 뜻으로 과거부터 현재까지 계속되고 있음을 나타내므로 「have [has]+과거 분사」 형태의 현재완료가 알맞으며 주어가 3인칭 단수이므로 has를 쓴다.

10

해석

이것이 비틀즈가 불렀던 노래이다.

해설 선행사가 사물(song)이므로 목적격 관계대명사는 which나 that이 알맞다.

11

해설 '~만큼 …하지 않은'은 「not as [so]+형용사의 원급+as ~」의 형태로 나타내므로 빈칸에 ① not so heavy as가 알맞다.

12

해석

스마트폰 없이 사는 것은 불가능하다.

해설 to부정사를 주어로 써서 To live without smartphones is impossible.이라고 할 수도 있지만, 한 단어를 추가하라고 했으므로 가주어 it을 써서 「It+be동사+형용사+to부정사 ~」로 나타낸 It is impossible to live without smartphones.가 알맞다.

13

해석

① 적을 용서하는 것은 쉽지 않다. ② Gemma는 내가 함께 즐겁게 노는 친구이다. ③ 누구나 너만큼 바쁘다. ④ 나는 세 시간 동안 여기 있었다. ⑤ 아이스크림을 파는 소녀는 어디에 있니?

해설 ⑤ 주격 관계대명사는 생략할 수 없다. 선행사인 the girl이 사람이므로 the girl 뒤에 who나 that을 넣어야 한다.

14

해석

날짜/시간: 7월 8일, 오후 2시 35분

기록: 오늘은 내가 아프리카에 온 첫날이었다. 나는 코끼리 사진을 많이 찍었다. 오늘 아침에 나는 작은 물웅덩이 옆에 있는 한 코끼리 무리를 발견했다. 나는 아기 코끼리 한 마리가 엄마 옆에서 물을 마

시고 있는 것을 보았다. 그 코끼리의 눈이 별처럼 밝았다. 나는 그 코끼리에게 Stella란 이름을 붙여 주었다. 정오 즈음에 나는 사자 한 무리가 Stella에게 다가가는 것을 보았다. 코끼리들은 Stella 주위에 둘러서서 두꺼운 벽을 만들었다. 그 코끼리들 덕분에 Stella는 안전했다.

해설 사자들이 아기 코끼리에게 다가가는 것을 보고 '걱정스러워'하다가 코끼리들이 아기 코끼리를 둘러싸서 보호하는 것을 보고 '안도'했을 것이다.

[15~16]

식물 관찰 일지
날짜: 2019년 6월 15일
네가 본 것에 대해 써라:
오늘 나는 어떤 식물을 보았다. 그것은 pitcher plant라고 불린다. 그것은 밝은 녹색과 빨간색이다. 그것은 주전자처럼 생겼다. 크기에 대해 말하자면 그것은 약 15센티미터 길이다. 내 손 길이 정도이다. 그 식물이 벌레를 유인해서 그것들을 먹는다는 것은 재미있다.

15

해설 두 개의 사물을 비교하여 '~만큼 …한'이라는 의미를 나타낼 때는 「as+형용사의 원급+as ~」로 표현하므로 long을 이용하면 as long as가 알맞다.

16

해설 pitcher plant라는 식물을 관찰한 일지이다.

[17~19]

Anger 정말 끔찍한 하루야! 학교 연극이 끝난 후 Jenny가 Bella에게 소리를 지르다니 믿을 수가 없어.

Sadness 글쎄. 그건 Bella가 무대에서 그녀의 대사를 잊어버렸기 때문이잖아.

Anger Jenny는 Bella가 저지른 실수를 지적했잖아. 어떻게 모든 사람 앞에서 그렇게 할 수가 있니?

Joy 하지만 난 Jenny가 Bella에게 상처를 주려고 했던 건 아니었다고 확신해. 그들은 초등학교 때부터 가장 친한 친구였잖아. 기억하지?

Anger 내 말이 바로 그거야. 진정한 친구라면 절대로 그런 식으로 Bella를 깎아내리지 않을 거야.

Fear 나는 그들이 더 이상 친구로 지내지 않을까 봐 걱정돼.

Joy 에이, Fear. 너무 극단적으로 생각하지 마. 곧 알게 되겠지.

17

해설 Sadness의 말 Well, that's because Bella forgot her lines on stage.에서 the mistake가 가리키는 것이 Bella가 '무대에서 대사를 잊어버린 것'임을 알 수 있다.

18

해설 과거에 시작된 상태가 현재까지 계속되는 것을 나타낼 때는 현재완료 형태를 쓰며, '가장 친한 친구'는 best friends이고, '~ 이후로'의 뜻으로 시작한 시점을 나타내는 말과 쓰일 때는 since를 사용하므로 have been best friends since가 알맞다.

19

해설 '진정한 친구라면 절대로 그런 식으로 Bella를 깎아내리지 않을 거야.'라고 말하는 것으로 보아 화난 감정이므로 'Anger'가 알맞다.

[20~22]

날짜/시간: 7월 12일, 오후 7시 20분
기록: 해질녘에 나는 이상한 소리를 들었다. 나는 그 소리를 따라갔고 Stella가 자신의 엄마 옆에서 울고 있는 것을 발견했다. 엄마는 죽어서 누워 있었고, Stella는 혼자였다. 이러한 야생 지역에서 혼자 있는 것은 위험하다. 더욱이 곧 어두워질 것이었다. 코끼리들은 밤에 잘 볼 수 없다. 그래서 Stella는 쉽게 공격을 받을 수 있다. 나는 코끼리 보호소에 전화를 해서 도움을 요청했다. 나는 구조대가 올 때까지 Stella 곁에 머물기로 결정했다.

20

해설 뒤에 이어지는 문장의 I followed the sound and found Stella crying으로 보아 a strange sound는 'Stella의 울음소리'이다.

21

해설 ⓒ '~하는 것은 …하다'라는 의미는 가주어 it을 써서 「It+be 동사+형용사+to부정사 ~」의 순서로 나타내므로 stay는 to stay가 되어야 한다.

22

해설 ⑤ 코끼리 보호소에 전화를 해서 구조 요청은 했지만 구조대가 왔다는 말은 없다.

[23~24]

Anger 난 Jenny를 용서할 수 없어. 그 애는 Bella에게 한 마디도 말을 안 했어.

Fear Jenny는 심지어 Bella를 쳐다보지도 않았어. Jenny가 전에 이렇게 차가웠던 적이 없었어.

Sadness Bella는 오늘 점심시간에 혼자 밥을 먹었잖아. 가엾은 Bella!

Joy Jenny는 Bella의 가장 친한 친구야. 나는 우리가 모르는 어떤 이유가 있다고 확신해.

Anger 나는 더 이상 이 상황을 못 참아. Bella는 일단 가서 Jenny에게 자신의 감정을 말해야 해.

Fear 나는 Bella가 또다시 상처 받는 걸 원하지 않아. 그 애는 그냥 내버려 두어야 해.

Joy 그 애들은 좋은 친구야. 그 애들이 잘 해낼 거야.

23

해설 '과거부터 (여태껏) 이렇게 차가웠던 적이 없었다'는 의미가 되어야 하므로 현재완료 형태로 써야 한다. 현재완료는 「has+과거 분사」의 형태로 쓰는데 부정어 never가 있으므로 has never been의 순서로 쓴다.

24

해설 주어진 문장은 'Bella가 Jenny에게 자신의 감정을 말해야 한다'는 내용이므로 이 말을 듣고 하는 말인 'Bella가 또다시 상처 받는 걸 원하지 않는다'는 말 앞인 ⓒ에 들어가는 것이 알맞다.

25

해석

날짜/시간: 7월 12일, 오후 10시 40분

기록: 밤은 어둡고 조용했다. 나는 야간용 카메라를 이용해서 Stella를 계속 지켜보았다. Stella는 여전히 엄마 곁에 있었다. Stella는 코로 엄마의 죽은 몸을 어루만지고 있었다. Stella가 엄마 가까이에 머물고 있는 것을 보는 것은 슬픈 일이었다. 나는 Stella가 밤새도록 위험하게(→ 안전하게) 있기를 바란다.

해설 ⑤ 밤새 Stella를 지켜보며 걱정하는데 '위험하게' 밤을 보내기를 바란다는 것은 흐름상 어색하다. dangerous를 safe로 고쳐야 한다.

중간고사 3회 Lesson 05 ~ Lesson 06 pp. 134~137

01 ② **02** ① **03** ③ **04** ④ **05** ⑤ **06** ④ **07** ①, ⑤
08 ③ **09** ③ **10** as good as
11 It's easy to play the piano, it's difficult to play (the piano) **12** (A) as hotter as → as hot as [hotter than] (B) not as large so → not as [so] large as
13 ③ **14** ② **15** Bella의 실수를 지적한 것
16 ④ **17** ② **18** ⓐ (f)ace ⓑ (s)olve **19** ② **20** ④
21 ④ **22** ④ **23** ⑤
24 ⓐ a new elephant group ⓑ one of the female elephants **25** ①

01

해설 보기는 명사 뒤에 접미사 -ous를 붙여 형용사를 만든 '명사 : 형용사'의 관계이다. humor, nerve, mystery, adventure는 모두 -ous를 붙여서 humorous, nervous, mysterious, adventurous의 형태가 되는데, fool은 -ish를 붙여서 foolish의 형태가 된다.

02

해석

• 파파라치(유명인을 쫓아다니는 사진사)가 그들의 결혼식 사진을 찍었다.

• 여러분의 도움 덕분에 제가 경주에서 이겼습니다.

해설 take a picture of: ~의 사진을 찍다 / thanks to: ~ 덕택에, ~ 덕분에

03

해석

A 너는 흰긴수염고래에 대해 들어 본 적 있니?

B 응, 있어. 난 그것이 아주 크다고 들었어.

A 그것은 세상에서 가장 큰 바다 동물이야.

B 얼마나 큰데?

A _____

① 그것은 약 30미터 길이야. ② 그것은 농구장보다 더 길어.
③ 그것은 아주 커. ④ 그것은 무게가 150톤까지 나가. ⑤ 그것의 심장은 미니쿠퍼(소형 차)만큼 커.

해설 How big is it?은 크기를 묻는 표현이므로 대답은 ①, ②, ④, ⑤처럼 구체적인 크기를 나타내는 말로 해야 한다.

04

해석

A 오, 나는 이가 아파.

B 네가 치과에 가야 할 것 같아.

해설 빈칸에는 상대방의 고민을 해결할 방법을 제안하는 표현이 들어가야 한다. I think you should ~ / You'd better ~ / I advise you to ~ / I suggest that you ~는 상대방의 고민을 해결할 방법을 제안하는 표현이지만 ④ I want you to ~는 상대방에게 원하는 것을 말하는 표현이다.

[05~06]

A 안녕하세요. (방송에) 연결되었습니다.

B 안녕하세요, Solomon. 저는 Amy라고 해요.

A 안녕하세요, Amy. 무슨 일이죠?

B 저는 여동생과 제 방을 함께 쓰는 게 싫어요. 그 애는 제게 먼저 물어보지도 않고 제 물건들을 쓰거든요. 제가 어떻게 해야 하죠?

A 흠⋯. 제 생각엔 동생에게 자신의 감정을 말해 봐야 할 것 같아요. 그리고 또 여동생과 함께 몇 가지 규칙을 만들어야 한다고 생각해요.

B 오, 한번 해 볼게요. 조언 감사합니다.

05

해설 밑줄 친 부분은 앞에 나온 조언(I think you should tell ~. And you should also make ~)을 따르겠다는 의미이다. ⑤ should 뒤에는 tell her my feelings and make some rules with her가 생략되었으므로 밑줄 친 부분 대신 쓸 수 있다.

06

해설 ④ '여동생과 규칙을 만들어야 한다'라고 조언은 했지만, 여동생이 규칙을 지키지 않는다는 언급은 없다.

07

해석

A 내 방은 항상 지저분해. 내가 어떻게 해야 할까?

B 내 생각엔 네가 물건들을 사용한 후에 그것들을 제자리에 가져다 놓아야 할 것 같아.

A 그거 좋은 생각이다. 한번 해 볼게. 고마워.

해설 What should I do?는 무엇을 해야 하는지 조언을 구하는 표현이므로 What do you suggest? / What would you advise me to do?로 바꿔 쓸 수 있다.

08

해석

A 너는 우리가 사자와 친구가 될 수 있다고 생각하니, Todd?

B 아니, Clare. 나는 그렇게 생각하지 않아.

A 음, 나는 두 남자와 사자 사이의 우정에 관한 동영상을 봤어.

B 정말? 나는 그 이야기가 궁금해. 나에게 더 많이 말해 줄래?

A 그 두 남자는 아기 사자를 길러서 야생으로 돌려보냈어. 그 남자들과 사자가 1년 후에 만났을 때, 사자는 그들을 기억했어.

B 와, 정말 감동적이다.

해설 주어진 문장에 'story'가 있고, 그 이야기가 '궁금하다'는 말이므로 어떤 이야기(a video clip about friendship between two men and a lion)가 나온 뒤에 들어가야 한다. 따라서 ③이 알맞다.

09

해석

현장 학습을 가는 것은 흥미진진하다.

해설 '~하는 것은 흥미진진하다'의 뜻으로 It이 가주어이므로 진주어 역할을 하는 to부정사 형태가 와야 한다. 따라서 to go가 알맞다.

10

해설 '~만큼 …한'은 「as+형용사의 원급+as ~」로 쓰므로 as good as가 알맞다.

11

해설 '~하는 것은 …하다'는 가주어 It을 사용해서 「It+be동사+형용사+to부정사」의 순서로 쓴다.

12

해석

(A) 작년만큼 덥다. / 작년보다 덥다.

(B) 내 방은 네 방만큼 크지 않다.

해설 (A) 「as+형용사의 원급+as ~」의 형태로 쓰이므로 비교급 hotter를 원급 hot으로 고치거나 「비교급+than」 형태를 이용해서 고칠 수도 있다.

(B) 「not as [so]+형용사의 원급+as ~」 형태로 쓰이므로 not as large so를 not as [so] large as로 고쳐야 한다.

13

해석

① 그들은 2012년부터 서로 알아 왔다. ② 개들은 토끼들만큼 빨리 달린다. ③ 과거에 대해서 말하는 것은 흥미롭다. ④ 그녀는 내가 들어 본 적이 없는 화가이다. ⑤ 그들은 큰 창문들이 있는 집에 산다.

해설 ③ 진주어인 to부정사를 대신하는 것은 가주어 It이므로 That을 It으로 고쳐야 한다.

14

해석

오늘은 내가 아프리카에 온 첫날이었다. 나는 코끼리 사진을 많이 찍었다. 오늘 아침에 나는 작은 물웅덩이 옆에 있는 한 코끼리 무리를 발견했다. 나는 아기 코끼리 한 마리가 엄마 옆에서 물을 마시고 있는 것을 보았다. 그 코끼리의 눈이 별처럼 밝았다. 나는 그 코끼리에게 Stella란 이름을 붙여 주었다. 정오 즈음에 나는 사자 한 무리가 Stella에게 다가가는 것을 보았다. 코끼리들은 Stella 주위에 둘러서서 두꺼운 벽을 만들었다. 코끼리들 덕분에 Stella는 안전했다.

① 시끄러운 ② 평화로운 ③ 활기찬 ④ 환상적인 ⑤ 지루한

해설 아프리카에 온 첫날 코끼리 무리를 발견하여 사진을 찍다가 엄마 코끼리와 아기 코끼리가 함께 있는 모습을 관찰하는 평화로운 모습이다.

[15~17]

Anger 정말 끔찍한 하루야! 학교 연극이 끝난 후 Jenny가 Bella에게 소리를 지르다니 믿을 수가 없어.

Sadness 글쎄, 그건 Bella가 무대에서 그녀의 대사를 잊어버렸기 때문이잖아.

Anger Jenny는 Bella가 저지른 실수를 지적했잖아. 어떻게 모든 사람 앞에서 그렇게 할 수가 있니?

Joy 하지만 난 Jenny가 Bella에게 상처를 주려고 했던 건 아니었다고 확신해. 그들은 초등학교 때부터 가장 친한 친구였잖아. 기억하지?

Anger 내 말이 바로 그거야. 진정한 친구라면 절대로 그런 식으로 Bella를 깎아내리지 않을 거야.

15

해설 앞 문장의 내용인 Jenny pointed out the mistake that Bella made.를 의미한다.

16

해설 '초등학교 때부터 가장 친한 친구였다'는 뜻으로 계속을 나타내는 현재완료 문장이다. 현재완료 문장에서 '~ 이후로'의 뜻으로, 시작한 시점을 나타내는 말과 쓰이는 것은 since이다.

17

해석

① Bella는 Jenny의 실수를 지적했다. ② Bella가 무대에서 대사를 잊어버렸다. ③ Jenny가 수업 후에 Bella에게 소리를 질렀다. ④ Bella와 Jenny가 서로 싸웠다. ⑤ Bella와 Jenny는 친구가 아니다.

해설 ① Jenny가 Bella의 실수를 지적했다.

③ 수업 후가 아니라 학교 연극이 끝난 후이다.

④ Jenny가 Bella에게 소리를 지른 것이지 서로 싸운 것은 아니다.

⑤ Bella와 Jenny는 초등학교 때부터 가장 친한 친구이다.

[18~19]

> **Joy** 휴! 나는 그 애들이 다시 이야기하게 되어 무척 기뻐.
>
> **Anger** 그래. Bella가 Jenny에게 가서 그 애에게 먼저 말을 걸었지.
>
> **Joy** Jenny는 일부러 Bella를 피한 게 아니었어.
>
> **Sadness** 맞아. Jenny는 사과하는 방법을 몰랐던 거야.
>
> **Fear** 나는 Bella에게 이번과 같은 문제가 더 이상 없기를 바라.
>
> **Joy** 나도 그래. 하지만 문제는 성장의 일부야. 이번과 마찬가지로 Bella는 문제들에 직면하게 될 거고, 그것들을 해결할 거고, 그리고 결국 더 현명해질 거야.

18

해설 '문제는 성장의 일부'라고 했으므로 Bella가 문제들에 직면 (face)해서 해결(solve)하게 될 것이라는 말이 알맞다.

19

해석 Jenny가 Bella를 피했던 이유는 미안하다고 말하는 방법을 몰라서였다.

해설 Joy의 Jenny didn't avoid Bella on purpose.와 Sadness의 Jenny didn't know a way to say sorry.로 보아 Jenny는 사과하는 방법을 몰라서 Bella를 피한 것이다.

[20~22]

> 날짜/시간: 7월 12일, 오후 7시 20분
>
> 기록: 해질녘에 나는 이상한 소리를 들었다. 나는 그 소리를 따라갔고 Stella가 자신의 엄마 옆에서 울고 있는 것을 발견했다. 엄마는 죽어서 누워 있었고, Stella는 혼자였다. 이러한 야생 지역에서 혼자 있는 것은 위험하다. 더욱이 곧 어두워질 것이었다. 코끼리들은 밤에 잘 볼 수 없다. 그래서 Stella는 쉽게 공격을 받을 수 있다. 나는 코끼리 보호소에 전화를 해서 도움을 요청했다. 나는 구조대가 올 때까지 Stella 곁에 머물기로 결정했다.

20

해설 What's more는 '더욱이, 게다가'라는 의미로 In addition, Furthermore 등으로 바꿔 쓸 수 있다.

21

해설 '도움이 필요한 사람들이나 동물들에게 음식과 보호를 제공하는 장소는 shelter(보호소)이다.

22

해설 아기 코끼리가 공격 받을까 봐 구조 요청을 하고 구조대가 올 때까지 곁에 머무는 것으로 보아 '정이 많은' 사람이다.

23

해석 밤은 어둡고 조용했다. 나는 야간용 카메라를 이용해서 Stella를 계속 지켜보았다. Stella는 여전히 엄마 곁에 있었다. Stella는 코로 엄마의 죽은 몸을 어루만지고 있었다. Stella가 엄마 가까이에 머물고 있는 것을 보는 것은 슬픈 일이었다. 나는 Stella가 밤새도록 안전하게 있기를 바란다.

① 그는 코끼리를 좋아한다. ② 그는 코끼리 사진 찍기를 즐긴다. ③ 그는 Stella의 엄마가 돌아오기를 기다리고 있다. ④ 그는 혼자 있는 것이 무섭다. ⑤ 그는 Stella가 밤새 안전하게 있기를 바란다.

해설 ⑤는 마지막 문장에 드러나 있고 나머지는 본문에 언급되어 있지 않다.

[24~25]

> 날짜/시간: 7월 13일, 오전 6시
>
> 기록: 새로운 코끼리 무리가 나타났고, Stella는 그 무리에 다가갔다. 처음에 나는 그 코끼리들이 Stella를 자신들의 무리로 받아들이지 않을 것이라고 생각했다. 그러나 내 생각이 틀렸다. 아마도 가장 나이가 많은 암컷인 듯한 코끼리 한 마리가 Stella가 그 무리의 일원이 되도록 허락했다. 다른 코끼리들도 Stella를 반기는 것처럼 보였다. 믿을 수 없게도, 암컷 코끼리 중의 한 마리가 Stella에게 젖을 먹였다. 그 코끼리는 Stella의 엄마만큼 따뜻하게 Stella를 보살폈다. 이것은 너무나 놀라운 순간이었다!

24

해설 ⓐ 앞 문장 A new elephant group appeared ~에서 가리키는 것을 찾는다. ⓑ 앞 문장 Unbelievably, one of the female elephants fed Stella.에서 가리키는 것을 찾는다.

25

해설 '일원이 되도록 ~했다'의 의미가 되어야 한다. 「allow+목적어+to부정사」는 '~가 …하는 것을 허락하다'의 의미이므로 빈칸에 allowed가 알맞다.

기말고사 1회 Lesson 07 ~ Special Lesson pp. 138~141

01 novelist **02** ⑤ **03** ②

04 going to the mountains to going to the beach

05 ② **06** (A) – (C) – (B) **07** ③ **08** ① **09** ③

10 ② **11** use / moving **12** ④ **13** ⑤ **14** ④

15 technology-free trip **16** ④ **17** ② **18** ②

19 ① **20** ⑤ **21** ④ **22** (Many) visitors **23** ⑤

24 (1) so tired that we couldn't go out (2) too tired to go out **25** ④

01

해석

A 너는 무엇에 관심 있니?

B 나는 소설 읽는 것에 관심이 있어. 그래서 나는 미래에 <u>소설가가</u> 되고 싶어.

해설 소설 읽는 것에 관심이 있다고 했으므로 빈칸에는 '소설가'라는 단어가 들어가야 한다. '소설가'는 novel에 행위자를 나타내는 접미사인 -ist를 붙여 novelist로 쓴다.

02

해석

· Sam은 벽시계를 재빨리 힐끗 보았다.

· 많은 사람들이 휴일은 매우 빨리 지나간다고 생각한다.

· 나쁜 날씨는 우리가 야구를 하지 못하게 했다.

해설 glance at: ~을 힐끗 보다 / go by: 흐르다, 지나가다 / keep ~ from -ing: ~가 …하지 못하게 하다

03

해석

A <u>너는 어떤 종류의 영화를 좋아하니?</u>

B 나는 액션 영화를 좋아해.

해설 B가 좋아하는 영화의 종류를 말하고 있으므로 '어떤 종류의 ~?'라는 뜻으로 구체적인 종류나 장르를 묻는 표현인 ② What kind of movie do you like?가 알맞다.

04

해석

A 너는 산에 가는 것과 해변에 가는 것 중 어느 것이 더 좋니?

B 나는 산에 가는 것보다 해변에 가는 것이 더 좋아. 너는 어때?

A 나는 해변에 가는 것보다 산에 가는 것이 더 좋아.

해설 'B보다 A가 더 좋다.'는 말은 I prefer A to B.로 표현하므로 밑줄 친 우리말은 I prefer going to the mountains to going to the beach.로 영작한다.

05

해석

A 나는 전자책을 읽는 게 종이책을 읽는 것보다 더 좋다고 생각해.

B <u>나도 그 말에 동의해.</u> 그것은 쉽게 가지고 다닐 수 있고 원하는 곳은 어디서나 공부할 수 있으니까.

해설 I'm with you on that.은 '나도 그 말에 동의해.'라는 뜻으로 상대방의 의견에 동의를 나타내는 표현이며 Same here. / I think so, too. / I agree with you. / You can say that again. 등으로 바꿔 쓸 수 있다. ② I disagree with you.는 상대방의 의견과 다름을 나타내는 표현이므로 바꿔 쓸 수 없다.

06

해석

너는 어떤 종류의 공연을 가장 좋아하니?

(A) 나는 댄스 공연을 가장 좋아해.

(C) 알았어. 그러면, 힙합 댄스와 디스코 댄스 중 어느 것을 더 좋아하니?

(B) 디스코 댄스보다 힙합 댄스를 더 좋아해.

해설 어떤 종류의 공연을 가장 좋아하는지 묻는 말에 댄스 공연을 가장 좋아한다고 말하는 (A)가 이어지고, 힙합 댄스와 디스코 댄스 중 어느 것을 더 좋아하는지 묻는 (C)에 대한 대답으로 힙합 댄스를 더 좋아한다고 말하는 (B)가 이어진다.

[07~08]

A 안녕, Julie! 너 Quiz & Rice 게임 들어 봤어?

B 응, 네가 정답을 맞히면 쌀을 기부하는 게임 아니야?

A 맞아, 그 게임에 대해서 왜 그렇게(→ 어떻게) 생각해?

B 난 그것이 창의적인 게임이라고 생각해. 재미도 있고 배고픈 사람들도 도울 수 있으니까. 너 벌써 해 봤어?

A 아니, 하지만 이번 주말에 해 볼 거야.

07

해설 ⓒ B가 Quiz & Rice 게임이 창의적인 게임이라고 생각한다고 자신의 의견을 말하고 있으므로 밑줄 친 ⓒ는 상대방의 의견을 묻는 표현이 되어야 한다. 그 게임에 대해 어떻게 생각하는지 상대방의 의견을 묻는 표현은 What do you think about the game?이다.

08

해석

Quiz & Rice 게임에서 우리가 정답을 맞히면 <u>쌀이 기부된다</u>.

① 쌀이 기부된다 ② 노인들이 도움을 받는다

③ 배고픈 사람들이 도움을 받는다

④ 우리가 창의적인 게임에 참가할 수 있다

⑤ 많은 종류의 음식이 요리된다

해설 B의 말 isn't it the one that donates rice when you get a right answer로 보아 Quiz & Rice 게임은 우리가 정답을 맞히면 쌀이 기부되는 게임이다.

09

해석

Jessy는 왜 요가 수업을 받니?

→ 나는 Jessy가 왜 요가 수업을 받는지 확실히 알지 못한다.

해설 의문문이 다른 문장의 일부가 된 간접의문문은 「의문사(why)＋주어(Jessy)＋동사(takes) ~」의 어순으로 쓴다.

10

해석

Smith 부인은 나에게 의자를 고치게 했다.

해설 '(누구에게 무엇을 하도록) 하다, 시키다'라는 의미의 사역동사인 have는 「사역동사(have)＋목적어(me)＋동사원형 목적격 보어(fix)」의 형태로 쓰인다.

11

해석

· Jack은 그녀가 그의 스마트폰을 사용하게 했다.

· 움직이고 있는 로봇을 보아라.

해설 let은 '~하도록 허용하다'라는 의미의 사역동사로, 목적격 보어로 동사원형이 오므로 첫 번째 빈칸에는 use가 알맞다. '움직이고 있는 로봇'이라는 뜻으로 진행의 의미이므로 두 번째 빈칸에는 현재분사 형태인 moving이 알맞다.

12

해석
그들은 너무 어려서 올림픽에 참가할 수 없다.
해설 「too+형용사+to부정사」는 '너무 ~해서 …할 수 없다'는 의미로 「so+형용사+that+주어+can't …」로 바꿔 쓸 수 있다.

13

해석
① Rich 씨는 Bob이 쓰레기를 줍게 했다. ② Neil은 일이 너무 많아서 잠을 잘 수 없다. ③ Sally는 너무 놀라서 아무 말도 하지 못했다. ④ Andy는 언제 영화가 시작하는지 나에게 말하지 않았다. ⑤ 미소는 깨진 병을 거의 밟을 뻔했다.
해설 ⑤ '깨진'이라는 완료의 의미이므로 breaking은 과거 분사 broken이 되어야 한다.

14

해석
① 그 고양이는 너무 작아서 계단을 올라갈 수가 없다. ② 해적들은 숨겨진 보물을 찾았다. ③ James는 너무 졸려서 숙제를 끝낼 수 없었다. ④ 너는 그가 어젯밤에 어디에서 잤다고 생각하니? ⑤ 농부는 밭에서 소 두 마리가 자신을 위해 일하게 한다.
해설 ④ 생각을 나타내는 동사 think가 있는 의문문에 쓰인 간접의문문은 간접의문문의 의문사가 문장의 맨 앞으로 와서 「의문사(Where)+do you think+주어(he)+동사(slept)」의 어순이 되어야 한다.

[15~16]

지난여름, 아빠가 깜짝 놀랄 만한 이벤트로 스마트폰 없는 가족 여행을 제안하셨다! 아빠는 "나는 우리 가족이 함께 앉아서 각자의 스마트폰만 보고 있는 걸 보는 게 참 싫구나."라고 말씀하셨다. 여동생과 내가 스마트폰이 필요하다고 설명했지만, 아빠는 스마트폰이 있으면 여행을 충분히 즐길 수 없을 거라고 계속해서 말씀하셨다. 그래서 우리는 새로운 도시인 스페인의 바르셀로나로 '첨단 과학 기술 없는' 여행을 시작했다.

15

해설 '스마트폰 없는 여행'은 결국 '첨단 과학 기술 없는 여행'을 말하므로 technology-free trip을 의미한다.

16

해석
Q 아빠는 왜 스마트폰 없는 가족 여행을 제안하는가?
해설 I hate to see you sitting together and only looking at your smartphones.에서 가족이 각자의 스마트폰만 보고 있는

게 싫어서 스마트폰 없는 가족 여행을 제안했다는 것을 알 수 있다.

17

해석
이 그림의 제목은 「추락하는 이카로스가 있는 풍경」입니다. 그러면 이카로스가 어디에 있는지 보이나요? 배 근처에 물 밖으로 나와 있는 두 다리가 보이죠? 이것이 그리스의 유명한 신화에 나오는 이카로스입니다. 신화에서 이카로스의 아버지는 그를 위해 깃털과 밀랍으로 날개를 만들어 주었고 그에게 태양을 가까이 하지 말라고 말했습니다. 하지만 이카로스는 듣지 않았습니다. 그는 태양에 너무 가깝게 날았습니다. 그래서 밀랍이 녹았고 그는 물에 빠졌습니다.
해설 '이카로스가 어디에 있는지를 묻고 → 배 근처에 물 밖으로 나온 두 다리가 보이는데 → 그것이 그리스의 유명한 신화에 나오는 이카로스이다'라는 흐름이므로 주어진 문장은 ②에 들어가는 것이 알맞다.

[18~19]

그가 누구를 그리고 있다고 생각하나요? 재빨리 봅시다. 어린 공주가 그림의 중앙에 있기 때문에 주인공처럼 보입니다. 하지만 그림의 제목은 「시녀들」입니다. 그렇다면 그는 공주 옆에 있는 두 여인을 그리고 있나요? 자세히 보세요. 그림에 대해 좀 더 궁금해하게 될 겁니다. 그가 어느 방향을 바라보고 있는지 보려고 노력해 보세요.

18

해설 어린 공주가 그림의 중앙에 있어서 주인공처럼 보이지만 그림의 제목은 「시녀들」이라고 했으므로 앞 내용과 반대되는 의미의 내용을 연결하는 But이 알맞다.

19

해설 he는 그림을 그리는 사람이므로 '화가(artist)'이다.

20

해석
오늘, 나는 '놀라운 예술' 전시회에 갔다. 전시회에서 나는 많은 흥미로운 예술 작품을 보았다. 그것들 중에서 나는 「Moon Tree」라는 작품이 마음에 들었다. 그것은 프랑스 작가인 David Myriam에 의해 만들어졌다. 흥미롭게도, 모래가 이 그림에 사용되었다. 나는 달 속의 나무가 나를 기분이 차분해지게 만들기 때문에 그것이 마음에 든다. 이제 나는 무엇이나 예술 작품을 만드는 데 사용될 수 있다는 것을 안다. 무엇이나 가능하다!
① 글쓴이는 '놀라운 예술' 전시회에 갔다. ② 「Moon Tree」라는 예술 작품이 글쓴이의 마음에 든 것이다. ③ 프랑스 작가인 David Myriam이 「Moon Tree」를 만들었다. ④ David Myriam은 그의 예술 작품을 만드는 데 모래를 사용했다. ⑤ 달 속의 나무가 David Myriam을 기분이 차분해지게 만든다.
해설 ⑤ 달 속의 나무가 기분이 차분해지게 만드는 것은 David Myriam이 아니라 글쓴이다.

[21~23]

세계 미술관(the World Art Museum)을 관람하러 와 주신 것을 환영합니다. 미술관에 갈 때 여러분은 각각의 그림을 보는 데 얼마나 많은 시간을 보내나요? 많은 방문객들은 이동하기 전에 그림 한 점을 몇 초간만 힐끗 봅니다. 하지만 그림의 중요한 세부 사항들을 즉시 알아채는 것은 어렵기 때문에 여러분들은 그것들을 놓칠 수 있습니다. 오늘 우리는 두 점의 그림을 자세히 살펴볼 것이고, 여러분이 흥미로운 세부 사항들을 볼 수 있도록 제가 도와드리겠습니다.

21

해설 ⓓ notice는 '~을 알아차리다'라는 뜻이다.

22

해설 앞부분에 나와 있는 '(많은) 방문객들((Many) visitors)'을 가리킨다.

23

해설 그림 한 점을 몇 초간만 힐끗 보면 중요한 세부 사항들을 알아채기 어려우므로 자세히 살펴보아야 한다는 내용의 글이다.

[24~25]

우리의 첫째 날은 엉망이었다. 레이알 광장 주변에 있는 여행자 숙소로 가는 길에 우리는 바르셀로나 시내에서 길을 잃었다. 아빠는 지도를 보며 여행 안내 책자에서 배운 스페인어 몇 마디로 길을 묻느라 분주하셨다. 우리의 숙소가 광장 바로 옆에 있었음에도 불구하고, 우리가 그곳에 도착하는 데는 거의 두 시간이 걸렸다. 우리는 너무 피곤해서 저녁을 먹으러 나갈 수가 없었다. 나는 잠자리에 들었지만 내일 무슨 일이 일어날지 걱정이 되어서 잠들 수가 없었다.

24

해설 '너무 ~해서 …할 수 없었다'는 (1) 「so+형용사+that+주어+couldn't+동사원형」 또는 (2) 「too+형용사+to부정사」로 나타낸다.

25

해석
① 가족의 첫째 날은 어땠는가? ② 가족은 어디서 길을 잃었는가? ③ 숙소는 어디에 위치해 있었는가? ④ 글쓴이의 아버지는 언제 스페인어를 공부했는가? ⑤ 글쓴이는 왜 잠들 수가 없었는가?
해설 아빠가 언제 스페인어를 공부했는지는 나와 있지 않으므로 ④에는 답할 수 없다.
① It was terrible. ② They got lost in downtown Barcelona. ③ It was right next to Plaza Reial. ⑤ Because he was worried about what would happen the next day.

01 ⑤   **02** ②   **03** ④   **04** ⑤   **05** what do you think about   **06** ③   **07** not with you on   **08** ②   **09** ②   **10** ①   **11** do you go → you go   **12** ①, ④   **13** ③   **14** ④   **15** very → so / amazing → amazed   **16** ④   **17** ①   **18** ①   **19** ③   **20** locals   **21** (A) to be (B) wonder (C) to see   **22** young princess   **23** ①   **24** ②   **25** ③

01

해설 ⑤는 '형용사 : 명사'의 관계이고 나머지는 모두 동사에 접미사 -(t)ion을 붙여 명사를 만든 '동사 : 명사'의 관계이다.

02

해석
① 강좌 목록을 봐라. ② 너는 위기 때 Michael을 의지하면 된다. ③ 아기는 침실에서 잠들었다. ④ 비록 Lily는 매우 어리지만 항상 엄마를 돕는다. ⑤ 너는 거리에 쓰레기를 버려서는 안 된다.
해설 ② '~에 의존하다'는 rely on으로 나타낸다.
① take a look: 보다 ③ fall asleep: 잠들다 ④ even though: 비록 ~할지라도 ⑤ throw away: 버리다

03

해석
A 너는 사진을 찍는 것과 그림을 그리는 것 중 어느 것이 더 좋니?
B 나는 사진을 찍는 것보다 그림을 그리는 것이 더 좋아.
① 나는 그림을 그리고 사진을 찍고 싶어. ② 나는 사진을 찍는 것만큼 그림을 그리는 것을 좋아해. ③ 나는 그림을 그리는 것은 좋아하지만 사진을 찍는 것은 좋아하지 않아. ④ 나는 사진을 찍는 것보다 그림을 그리는 것이 더 좋아. ⑤ 나는 그림을 그리는 것보다 사진을 찍는 것이 더 좋아.
해설 I like A better than B.는 'B보다 A가 더 좋다.'라는 뜻으로 둘 중에 더 좋아하는 것을 말하는 표현이므로 I prefer A to B.로 바꿔 쓸 수 있다.

04

해석
A 나는 온라인으로 쇼핑하는 게 가게에서 쇼핑하는 것보다 좋다고 생각해.
B 나도 그 말에 동의해. 가격을 비교해서 가장 싼 물건을 살 수 있으니까.
해설 빈칸 다음에 이어지는 말로 보아 상대방의 의견에 동의를 나타내는 표현이 와야 한다. Same here. / I agree with you. / I'm with you on that. / You can say that again.은 동의를 나타내는 표현이고, ⑤ I don't think so.는 반대를 나타내는 말이므로 빈칸에 알맞지 않다.

05

해석

A Jenny, 새로 나온 온라인 만화 「무서운 밤」에 대해서 어떻게 생각해?

B 나는 그거 별로였어. 내 생각에는 음향 효과가 너무 많았던 것 같아.

해설 '~에 대해 어떻게 생각해?'라는 뜻으로 상대방의 의견을 물을 때는 What do you think about ~?으로 한다.

06

해석

A 나 좀 도와줄래? 나는 선을 깔끔하게 그리는 방법을 모르겠어.

B 너는 어떤 종류의 물감(→ 붓)을 사용하고 있었니?

A 이 둥근 붓이야.

B 선을 그릴 때는 납작한 붓이 더 좋아. 이것을 써 봐.

A 알았어. 고마워.

해설 A가 둥근 붓을 사용한다고 대답했고, B가 선을 그릴 때는 납작한 붓이 더 좋다고 말하는 것으로 보아 ③은 물감이 아니라 붓의 종류를 묻는 말이어야 한다.

07

해석

당신의 친구 Jessy는 단체로 여행할 때 여행 경험을 공유할 수 있다고 생각한다. 그래서, 그녀는 단체로 여행하는 것이 혼자 여행하는 것보다 좋다고 말한다. 그러나 당신은 당신 자신의 여행 계획을 세울 수 없기 때문에 그렇게 생각하지 않는다. 이 상황에서 당신은 뭐라고 말할 수 있는가?

→ Jessy야, 나는 그 말에 동의하지 않아.

해설 Jessy의 의견에 대해 반대를 나타내는 말을 해야 하므로 I'm not with you on that.이라고 말하는 것이 알맞다.

08

해석

① **A** 지나야, 너 뭐 읽고 있니?

　 B 「파이 이야기」라는 소설.

② **A** 너는 록 음악과 힙합 음악 중 어느 것이 더 좋니?

　 B 나는 동의하지 않아.

③ **A** 넌 '공유 도서관'에 대해서 어떻게 생각해?

　 B 난 그것이 멋있다고 생각해.

④ **A** 너 Jane의 새 노래인 「여자 친구」 들어 봤니?

　 B 응, 그거 정말 멋져.

⑤ **A** 이 기계는 계산대에서 주문하는 것보다 훨씬 빨라.

　 B 나도 그 말에 동의해.

해설 ② 둘 중 어느 것을 더 좋아하는지 물었으므로 '록 음악보다 힙합 음악을 더 좋아한다'는 의미인 I prefer hip-hop to rock.으로 대답해야 한다.

09

해석

너는 Willy가 그의 방에서 무엇을 하고 있었다고 생각하니[믿니 / 상상하니 / 추측하니]?

해설 의문사가 문장 맨 앞에 온 간접의문문이므로 생각이나 추측을 나타내는 동사인 think, believe, imagine, guess가 쓰인 문장이 되어야 하며, know는 쓰일 수 없다.

10

해석

Sam의 부모님은 그가 자연을 찍는 사진작가가 되는 것을 허락했다.

해설 사역동사 let은 목적격 보어로 동사원형이 오므로 be가 알맞다.

11

해석

A 놀이 공원에 얼마나 자주 가는지 말해 줄 수 있니?

B 나는 그곳에 한 달에 한 번 정도 가.

해설 의문문이 다른 문장의 일부가 된 간접의문문이므로 「의문사(how often)+주어(you)+동사(go)」의 어순으로 써야 한다.

12

해설 '너무 ~해서 …할 수 없다'는 ① 「too+형용사+to부정사」 또는 ④ 「so+형용사+that+주어+can't+동사원형」으로 나타낸다.

13

해석

① 하늘에서 날고 있는 새를 보아라. ② 짖고 있는 개들을 무서워하지 마라. ③ 나는 TV를 보는 것이 시간 낭비라고 생각한다. ④ 나는 네가 상자에서 무엇인가를 꺼내는 것을 보았다. ⑤ Amanda는 타고 있는 양초를 바라보고 있다.

해설 ①, ②, ⑤는 명사를 수식하는 형용사 역할을 하는 현재 분사이고, ④는 지각동사 saw의 목적격 보어로 쓰인 현재 분사이다. ③은 주어 역할을 하는 동명사이다.

14

해석

(A) 이 잠긴 문을 열 수 있니?

(B) Henry는 마침내 그의 잃어버린 강아지를 찾았다.

(C) 코치는 우리가 더 열심히 연습하게 했다.

(D) 남자는 그 시계가 얼마인지 알기를 원한다.

(E) 나는 너무 졸려서 눈을 뜰 수 없었다.

해설 (A) '잠긴'이라는 완료의 의미이므로 locking은 과거 분사 locked가 되어야 한다. (C) 사역동사 make는 목적격 보어로 동사원형이 와야 하므로 to work는 work가 되어야 한다. (E) '너무 ~해서 …할 수 없었다'라는 과거의 의미는 「so+형용사+that+주어+couldn't+동사원형」으로 나타내므로 can't는 couldn't가 되어야 한다.

[15~16]

Ron에게,

잘 지내니? 너는 이 편지를 2019년에 읽게 될 거야. 네가 올해의 가장 좋았던 순간을 기억하도록 돕기 위해 나는 이 편지를 쓰고 있어. 5월의 학교 축제였어. 너와 너의 가장 친한 친구인 Dave는 한 달 동안 연습해서 노래 대회에서 1등 상을 받았지. 너는 진짜 가수가 된 것 같은 기분이었어. 너는 너무 놀라서 그것이 사실인지 믿을 수가 없었어. 네가 그날을 절대 잊지 않기를 바라. 사랑을 담아, Ron Smith가

15

해설 '너무 ~해서 …할 수 없다'라는 의미는 「so+형용사+that+주어+can't+동사원형」으로 나타내므로 very는 so가 되어야 하며, 사람이 감정을 느끼는 것을 나타낼 때는 현재 분사가 아니라 과거 분사를 쓰므로 amazing은 과거 분사 amazed가 되어야 한다.

16

해석
① 그는 자신에게 이 편지를 쓰고 있다. ② 그는 그의 친구 Dave와 함께 노래 대회를 위해 한 달 동안 연습했다. ③ 그는 노래 대회에서 1등 상을 받았다. ④ 그는 Dave가 그날을 잊지 않기를 바란다. ⑤ 그는 자신이 진짜 가수가 된 것 같은 기분이었다.

해설 윗글은 Ron이 자기 자신에게 쓰는 편지로 I hope you'll never forget that day.에서 you는 Ron 자신을 가리키므로 ④는 알맞지 않다.

17

해석
오늘, 나는 '놀라운 예술' 전시회에 갔다. 전시회에서 나는 많은 흥미로운 예술 작품을 보았다. 그것들 중에서 나는 「Moon Tree」라는 작품이 마음에 들었다. 그것은 프랑스 작가인 David Myriam에 의해 만들어졌다. 흥미롭게도, 모래가 이 그림에 사용되었다. 나는 달 속의 나무가 나를 기분이 차분해지게 만들기 때문에 그것이 마음에 든다. 이제 나는 무엇이나 예술 작품을 만드는 데 사용될 수 있다는 것을 안다. 무엇이나 가능하다!
① 놀라운 모래 예술 ② 놀라운 나무 전시회 ③ 유명한 예술 작품 ④ 신비한 달 ⑤ 내가 가장 좋아하는 작가

해설 예술 전시회에서 본 「Moon Tree」라는 모래로 만들어진 예술 작품에 관한 글이므로 ①이 알맞다.

[18~19]

이 그림의 제목은 「추락하는 이카로스가 있는 풍경」입니다. 그러면 이카로스가 어디에 있는지 보이나요? 배 근처에 물 밖으로 나와 있는 두 다리가 보이죠? 이것이 그리스의 유명한 신화에 나오는 이카로스입니다. 신화에서 이카로스의 아버지는 그를 위해 깃털과 밀랍으로 날개를 만들어 주었고 그에게 태양을 가까이 하지 말라고 말했습니다. 하지만 이카로스는 듣지 않았습니다. 그는 태양에 너무 가깝게 날았습니다. 그래서 밀랍이 녹았고 그는 물에 빠졌습니다.

18

해설 ⓐ landscape은 '풍경'이라는 뜻이다.

19

해석
① 날아갔다 ② 새 날개를 만들었다 ③ 물에 빠졌다
④ 밀랍을 더 샀다 ⑤ 아버지의 말을 주의 깊게 들었다

해설 태양에 너무 가깝게 날아서 밀랍이 녹았으니 물에 빠졌을 것이다.

20

해석
(여행의) 남아 있는 날들 동안, 우리는 점점 더 현지 사람들에게 의존하게 되었다. 우리는 거리에서, 빵집에서, 공원에서 다양한 사람들을 만나 이야기할 수 있었다. 그들은 항상 웃으면서 너무나 친절히도 바르셀로나의 다양한 면을 우리에게 보여 주었다. 또한 우리 가족은 서로 많은 대화를 나누었다. 우리는 스페인식 기차에서, 버스에서, 그리고 식당에서 많은 시간을 함께 보냈다.

해설 항상 웃으면서 친절하게 바르셀로나의 다양한 면을 보여 준 사람들은 '현지 사람들'이므로 빈칸에 locals가 알맞다.

[21~22]

그가 누구를 그리고 있다고 생각하나요? 재빨리 봅시다. 어린 공주가 그림의 중앙에 있기 때문에 주인공처럼 보입니다. 하지만 그림의 제목은 「시녀들」입니다. 그렇다면 화가는 공주 옆에 있는 두 여인을 그리고 있나요? 자세히 보세요. 그림에 대해 좀 더 궁금해하게 될 겁니다. 화가가 어느 방향을 바라보고 있는지 보려고 노력해 보세요. 그림의 배경에 있는 거울 속 왕과 왕비가 보이나요? 이제 여러분은 그가 누구를 그리고 있다고 생각하나요?

21

해설 (A) seem은 뒤에 to부정사가 와서 '~처럼 보이다'라는 뜻을 나타낸다.
(B) 「사역동사(make)+목적어+동사원형 목적격 보어(wonder)」의 형태로 쓰인다.
(C) try 뒤에 to부정사가 와서 '~하려고 노력하다'라는 뜻을 나타낸다.

22

해석
A 나는 화가가 <u>어린 공주</u>를 그리고 있다고 생각해.
B 왜?
A 그녀가 그림의 중앙에 있기 때문이야.

해설 The young princess seems to be the main person because she is in the center of the painting.에서 그림의

중앙에 있기 때문에 화가가 그리고 있다고 생각하는 사람은 '어린 공주'이다.

[23~25]

가우디가 지은 구엘 공원을 둘러본 후, 우리는 점심으로 해산물 볶음밥을 먹기로 했다. 그러나 우리는 어떤 식당으로 가야 할지 몰랐다. 우리는 도움이 필요했고, 엄마가 한 노부인에게 가서 인기 있는 해산물 식당으로 <u>가는 길을 물어보려</u> 애쓰셨다. 운이 좋게도 그녀는 몇 마디 안 되는 엄마의 스페인어를 이해하는 듯했다. 그녀는 우리를 근처에 있는 작은 현지 식당으로 데려다주었다. 그 해산물 볶음밥은 놀랍도록 맛있었다. 나는 음식 사진을 찍어 그것을 내 블로그에 올리고 싶은 마음이 정말 간절했다. 그러나 스마트폰이 없었기 때문에 나는 그냥 그 순간을 즐기기로 했다.

23

해설 ⓐ After we looked around ~를 분사구문으로 바꾸면 주절의 주어와 같은 주어 we를 생략하고 동사 looked를 현재 분사 looking으로 바꾼다. 따라서 looked는 looking이 되어야 한다.

24

해설 '인기 있는 해산물 식당으로 가는 길을 물어보다'라는 의미여야 하므로 directions(방향)가 알맞다.

25

해석

① Jack: 가족은 점심 식사 전에 가우디가 지은 구엘 공원을 둘러보았어.

② 소라: 가족은 점심으로 해산물 볶음밥을 먹기로 했어.

③ 민호: 글쓴이의 엄마가 가족을 근처에 있는 작은 현지 식당으로 데려갔어.

④ Alan: 작은 현지 식당의 해산물 볶음밥은 놀랍도록 맛있었어.

⑤ Harper: 글쓴이는 음식 사진을 그의 블로그에 올리고 싶어 했지만, 하지 못했어.

해설 ③ 가족을 근처에 있는 작은 현지 식당으로 데려다 준 사람은 글쓴이의 엄마가 아니라 노부인(an elderly lady)이다.

기말고사 3회 Lesson 07 ~ Special Lesson pp. 146~149

01 ④ **02** ② **03** ③ **04** What do you think **05** ⑤
06 (1) I'm with you (2) I'm not with you **07** ④
08 ⑤ **09** ① **10** (1) too hungry to focus on (2) so hungry that he can't focus on **11** ② **12** what time the musical starts **13** ③, ④ **14** ④ **15** ⓐ so ⓑ on
16 ⑤ **17** the important details of paintings
18 since **19** ③ **20** ② **21** can you see where Icarus is
22 ④ **23** reward **24** ③ **25** ⑤

01

해설 보기는 형용사 뒤에 -ence를 붙여 명사를 만든 '형용사 : 명사'의 관계이다. present, silent, important, intelligent는 모두 -ence/-ance를 붙여서 presence, silence, importance, intelligence의 형태가 되는데, fluent는 -cy를 붙여서 fluency의 형태가 된다.

02

해설 ⓐ '늙고 나이가 든'은 elderly(나이가 지긋한)에 대한 설명이다.

ⓑ '아기를 낳다'는 bear에 대한 설명이다.

ⓒ '새의 몸체를 덮고 있는 가볍고 부드러운 것 중 하나'는 feather(깃털)에 대한 설명이다.

ⓓ '여행객들을 위해 (목적지의) 방향이나 정보가 있는 책'은 guidebook ((여행) 안내서)에 대한 설명이다.

03

해석

A 나는 집에서 영화를 보는 게 극장에서 영화를 보는 것보다 더 좋다고 생각해.

B 나도 그 말에 동의해. <u>더 편하게 영화를 볼 수 있으니까.</u>

① 나는 액션 영화를 좋아해.

② 나는 오늘 밤 영화를 보고 싶어.

③ 더 편하게 영화를 볼 수 있어.

④ 대형 화면과 음향 효과를 즐길 수 없어.

⑤ 나는 집에서 영화를 보는 것보다 극장에서 보는 것이 더 좋아.

해설 I'm with you on that.이라고 상대방의 말에 대해 동의의 말을 했으므로 빈칸에는 집에서 영화를 보는 것이 더 좋은 이유를 설명하는 말인 ③이 알맞다.

04

해석

A 에너지 음료에 대한 네 의견은 무엇이니?

B 나는 그것들이 나쁘다고 생각해. 우리를 너무 오래 깨어 있게 하니까.

해설 What is your opinion of energy drinks?는 energy drinks에 대한 의견을 묻는 표현이므로 What do you think about energy drinks?로 바꿔 쓸 수 있다.

05

해석

(D) 너는 어떤 활동을 할 거니?

(C) 나는 행사에 참가할 거야.

(A) 그것은 어떤 종류의 행사야?

(B) 그건 '코스프레'라는 영웅 영화 행사야.

해설 어떤 활동을 할 것인지 묻는 (D)에 대해 행사에 참가할 것이라고 답하는 (C)가 이어지고, 어떤 종류의 행사인지 묻는 (A)에 대해 '코스프레'라는 영웅 영화 행사라고 답하는 (B)가 이어지는 것이 알맞다.

06

해석

Sally: 나는 온라인 수업을 듣는 게 오프라인 수업을 듣는 것보다 더 좋다고 생각해.

(1) Jack: 나도 그 말에 동의해. 아무 때나 강의를 볼 수 있으니까.

(2) Anna: 나는 그 말에 동의하지 않아. 교실 밖에서는 집중을 잘 못하니까.

해설 (1) '아무 때나 강의를 볼 수 있다'는 말이 이어지는 것으로 보아 동의를 나타내는 말이 되어야 하므로 I'm with you가 알맞다.

(2) '교실 밖에서는 집중을 잘 못한다'는 말이 이어지는 것으로 보아 반대를 나타내는 말이 되어야 하므로 I'm not with you가 알맞다.

[07~08]

A 안녕하세요, 우리는 학교 축제를 계획하고 있어요. 그래서 학생들이 어떤 종류의 공연을 가장 좋아하는지 알고 싶습니다. 몇 가지 질문을 해도 될까요?

B 물론이죠.

A 어떤 종류의 공연을 가장 좋아하나요?

B 저는 음악 공연을 가장 좋아해요.

A 알겠습니다. 그러면, 록 음악과 힙합 음악 중 어느 것을 더 좋아하나요?

B 힙합보다 록을 더 좋아해요.

A 가장 좋아하는 음악가는 누구인가요?

B 제가 가장 좋아하는 음악가는 TJ입니다.

A 좋습니다. 답변해 주셔서 감사합니다.

07

해설 (1) 설문 조사를 하기 위해 질문을 해도 되는지 묻는 ②가 알맞다.

(2) B가 '음악 공연을 가장 좋아한다'고 대답했으므로 어떤 종류의 공연을 가장 좋아하는지 구체적인 종류를 묻는 ⑤가 알맞다.

(3) B가 '힙합보다 록을 더 좋아한다'고 대답했으므로 둘 중에 어느 것을 더 좋아하는지 묻는 ③이 알맞다.

(4) '가장 좋아하는 음악가는 TJ'라고 대답하고 있으므로 가장 좋아하는 음악가가 누구인지 묻는 ①이 알맞다.

08

해석

① 음악 공연   ② 음악의 종류   ③ 중학교 생활
④ 유명한 음악가의 인터뷰   ⑤ 학교 축제를 계획하기 위한 인터뷰

해설 학교 축제를 계획하면서 학생들이 가장 좋아하는 공연에 대해 알아보는 인터뷰이므로 ⑤가 알맞다.

09

해석

많은 샴푸들이 너의 머리에서 좋은 냄새가 나게 한다.

해설 「사역동사(make)＋목적어(your hair)＋동사원형 목적격 보어(smell)」의 형태로 쓴다.

10

해설 '너무 ~해서 …할 수 없다'는 (1) 「too＋형용사(hungry)＋to부정사(to focus on)」 또는 (2) 「so＋형용사(hungry)＋that＋주어(he)＋can't＋동사원형(focus on)」으로 나타낸다.

11

해석

(A) Mike는 내가 그의 가방을 지켜보게 했다.

(B) 너는 이 유리 상자 안에서 반짝이는 보석을 볼 수 있다.

(C) 나는 집에서 만든 쿠키를 아주 좋아한다.

해설 (A) 사역동사 have는 목적격 보어로 동사원형이 오므로 watch가 알맞다.

(B) '반짝이는 보석'이라는 뜻으로 진행의 의미이므로 현재 분사 형태인 shining이 알맞다.

(C) '집에서 구워진 쿠키'라는 뜻으로 완료의 의미이므로 과거 분사 형태인 baked가 알맞다.

12

해석

나에게 말해 줘. + 뮤지컬은 몇 시에 시작하니?

→ 뮤지컬이 몇 시에 시작하는지 나에게 말해 줘.

해설 의문문인 What time does the musical start?가 다른 문장의 일부가 된 간접의문문이므로 「의문사(what time)＋주어(the musical)＋동사(starts)」의 어순으로 쓴다.

13

해석

① 제가 나가서 야구를 하게 해 주세요.   ② 경찰은 그녀의 도난 당한 결혼반지를 찾았다.   ③ 너는 Jim이 왜 그 파티를 준비했다고 생각하니?   ④ Peter는 너무 빨리 달려서 결승선에서 멈출 수 없었다.   ⑤ Eva는 그녀의 잠자고 있는 아기를 팔에 안았다.

해설 ③ 생각을 나타내는 동사 think가 쓰인 의문문에 간접의문문이 포함되면 간접의문문의 의문사는 문장의 맨 앞으로 와야 하므로 Why do you think ~? 어순이 되어야 한다.

④ '너무 ~해서 …할 수 없었다'라는 과거의 의미는 「so＋형용사＋that＋주어＋couldn't＋동사원형」으로 나타내므로 can't는 couldn't가 되어야 한다.

14

해석

(여행의) 남아 있는 날들 동안, 우리는 점점 더 현지 사람들에게 의존하게 되었다. 우리는 거리에서, 빵집에서, 공원에서 다양한 사람들을 만나 이야기할 수 있었다. 그들은 항상 웃으면서 너무나 친절히도 바르셀로나의 다양한 면을 우리에게 보여 주었다. 또한 우리 가족은 서로 많은 대화를 나누었다. (여동생과 나는 스마트폰이 필요하다고 생각했다.) 우리는 스페인식 기차에서, 버스에서, 그리고 식당에서 많은 시간을 함께 보냈다.

해설 현지 사람들을 만나 이야기를 나누고 가족은 서로 많은 대화를 나누었다는 내용이므로 '스마트폰이 필요하다고 생각했다'는 내용의 ④는 흐름상 어색하다.

우리의 '첨단 과학 기술 없는' 여행은 새롭고 색다른 경험이었다. 여행 전에 나는 내 스마트폰에 너무 의존해서 그것 없이는 아무것도 할 수 없었다. 하지만 지금은 내가 스마트폰 없이도 그 순간을 즐길 수 있음을 알고 있다. 그 경험을 통해, 나는 스마트폰을 균형 있게 사용하는 것이 중요함을 배우게 되었다. 그러면, 다음번에 나는 스마트폰 없이 여행을 하게 될까? 아마도 그렇지는 않을 것이다. 하지만 나는 그것을 좀 더 현명하게 사용하기 위해 노력할 것이다.

15

해설 ⓐ '너무 ~해서 …할 수 없다'는 「so+형용사[부사]+that+주어+can't+동사원형」으로 나타내며, ⓑ '~에 의존적인'이라는 의미는 dependent on으로 나타낸다.

16

해석
① 아마도 나는 스페인으로 여행하지 않을 것이다. ② 아마도 나는 여행의 중요함을 배울 것이다. ③ 아마도 나는 내 스마트폰에 의존하지 않을 것이다. ④ 아마도 나는 스마트폰 없이 여행할 것이다. ⑤ 아마도 나는 스마트폰 없이 여행하지 않을 것이다.
해설 바로 앞 질문인 would I travel without a smartphone? 에 대해 '아마도 그렇지는 않을 것이다.'라고 대답한 것이므로 '아마도 나는 스마트폰 없이 여행을 하지 않을 것이다.'라는 의미이다.

[17~19]

세계 미술관(the World Art Museum)을 관람하러 와 주신 것을 환영합니다. 미술관에 갈 때 여러분은 각각의 그림을 보는 데 얼마나 많은 시간을 보내나요? 많은 방문객들은 이동하기 전에 그림 한 점을 몇 초간만 힐끗 봅니다. 하지만 그림의 중요한 세부 사항들을 즉시 알아채는 것은 어렵기 때문에 여러분은 그것들을 놓칠 수 있습니다. 오늘 우리는 두 점의 그림을 자세히 살펴볼 것이고, 여러분이 흥미로운 세부 사항들을 볼 수 있도록 제가 도와드리겠습니다.

17

해설 앞부분의 내용 중 the important details of paintings (그림의 중요한 세부 사항들)를 가리킨다.

18

해석
• 물이 오염되었기 때문에 많은 물고기들이 죽어가고 있다.
• 나의 삼촌은 2015년 이후로 저 빨간색 스포츠카를 몰고 있다.
해설 '~ 때문에'라는 이유를 나타내는 접속사 역할과 '~ 이후로'의 뜻으로 전치사 역할을 하는 것은 since이다.

19

해석
Q 우리는 왜 그림의 중요한 세부 사항들을 놓칠 수 있는가?
① 방문객들이 너무 바쁘기 때문이다.
② 미술관에 방문객들이 너무 많기 때문이다.
③ 우리가 그림 한 점을 보는 데 몇 초간만 시간을 보내기 때문이다.
④ 우리가 그림의 중요한 세부 사항들을 이해하기 어렵기 때문이다.
⑤ 우리가 그림의 중요한 세부 사항들에 관심이 없기 때문이다.
해설 Many visitors glance at one painting for only a few seconds before they move on. But you might miss the important details ~.에서 많은 방문객들이 그림 한 점을 몇 초간만 힐끗 보기 때문에 그림의 중요한 세부 사항들을 놓칠 수 있다고 했다.

20

해석
오늘, 나는 '놀라운 예술' 전시회에 갔다. 전시회에서 나는 많은 흥미로운 예술 작품을 보았다. 그것들 중에서 나는 「Moon Tree」라는 작품이 마음에 들었다. 그것은 프랑스 작가인 David Myriam에 의해 만들어졌다. 흥미롭게도, 모래가 이 그림에 사용되었다. 나는 달 속의 나무가 나를 기분이 차분해지게 만들기 때문에 그것이 마음에 든다. 이제 나는 무엇이나 예술 작품을 만드는 데 사용될 수 있다는 것을 안다. 무엇이나 가능하다!
해설 주어진 문장의 「Moon Tree」에 대한 설명이 ② 뒤에 이어지고 있으므로 주어진 문장은 ②에 들어가는 것이 알맞다.

[21~22]

이 그림의 제목은 「추락하는 이카로스가 있는 풍경」입니다. 그러면 이카로스가 어디에 있는지 보이나요? 배 근처에 물 밖으로 나와 있는 두 다리가 보이죠? 이것이 그리스의 유명한 신화에 나오는 이카로스입니다. 신화에서 이카로스의 아버지는 그를 위해 깃털과 밀랍으로 날개를 만들어 주었고 그에게 태양을 가까이 하지 말라고 말했습니다. 하지만 이카로스는 듣지 않았습니다. 그는 태양에 너무 가깝게 날았습니다. 그래서 밀랍이 녹았고 그는 물에 빠졌습니다.

21

해석
의문문 Where is Icarus?가 동사 see의 목적어 역할을 하며 문장의 일부로 쓰인 간접의문문이므로 can you see 뒤에 간접의문문을 「의문사(where)+주어(Icarus)+동사(is)」의 어순이 되도록 쓴다.

22

해석
① 그림의 제목은 무엇인가? ② 이카로스의 아버지는 이카로스에게 뭐라고 말했는가? ③ 이카로스는 그의 아버지의 말을 들었는가? ④ 이카로스의 아버지는 왜 깃털과 밀랍으로 날개를 만들었는가? ⑤ 이카로스가 태양에 너무 가깝게 날았을 때 그에게 어떤 일

이 일어났는가?

해설 이카로스의 아버지가 왜 깃털과 밀랍으로 날개를 만들었는지는 나와 있지 않으므로 ④에는 답할 수 없다.

① It is *Landscape with the Fall of Icarus*. ② He told Icarus to stay away from the sun. ③ No, he didn't. ⑤ The wax melted and he fell into the water.

[23~25]

그날 오후, 그는 들판에서 Doli라는 난쟁이를 보았다. 그는 통나무 아래에 깔린 그의 다리를 빼내려고 하고 있었다. Maibon은 통나무를 잡아당겨서 난쟁이를 풀어 주었다.

"너는 보상을 받게 될 거야. 원하는 게 뭐니?"

"나는 네가 사람의 젊음을 유지해 주는 마법의 돌들을 가지고 있다고 들었어. 나는 그것을 원해."

"오, 너희 인간들은 잘못 알고 있어. 그 돌들은 너희들이 다시 젊어지게 해 주지 않아. 단지 더 늙지 않게 막아 줄 뿐이라고."

"그것대로 좋아!"

Doli는 그 돌에 관한 문제를 설명하려고 했지만, Maibon은 듣지 않았다. 그래서 Doli는 그에게 마법의 돌을 건네고는 가 버렸다.

23

해석
선행이나 도움이 되는 일을 해서 받는 것

해설 주어진 영영풀이에 해당하는 단어는 reward(보상)이다.

24

해설 ⓒ 뒤에 동사가 바로 오는 것으로 보아 목적격 관계대명사가 아니라 주격 관계대명사이다.

25

해석
① 유리: 그는 들판에서 난쟁이를 보았어.
② Sam: 그는 난쟁이가 통나무 아래에서 다리를 빼내는 것을 도왔어.
③ Helen: 그는 난쟁이가 마법의 돌들을 가지고 있다고 들었어.
④ Eric: 그는 사람의 젊음을 유지해 줄 수 있는 마법의 돌을 원했어.
⑤ Jim: 그는 그 돌들에 관한 문제를 설명하려고 했어.

해설 ⑤ 그 돌들에 관한 문제를 설명하려고 한 것은 Maibon이 아니라 난쟁이 Doli이다.

듣기 **실전 모의고사 1회** pp. 150~151

01 ②	02 ⑤	03 ①	04 ③	05 ③	06 ④	07 ⑤
08 ②	09 ⑤	10 ④	11 ⑤	12 ②	13 ④	14 ③
15 ③	16 ⑤	17 ⑤	18 ④	19 ①	20 ④	

01

Script

W Oh, there's my friend from elementary school.

M Which one is she? There are so many people on the street.

W The one wearing the T-shirt and brown skirt.

M What kind of T-shirt is she wearing?

W She is wearing a striped one.

M Oh, yeah. She has long, straight, black hair?

W That's right.

해석
여 오, 저기 내 초등학교 때 친구가 있어.

남 친구가 누군데? 거리에 사람이 너무 많아.

여 티셔츠에 갈색 스커트를 입은 애 말이야.

남 그 애는 어떤 종류의 티셔츠를 입고 있니?

여 그 애는 줄무늬 티셔츠를 입고 있어.

남 오, 그렇구나. 길고 검은 생머리한 애 말이지?

여 맞아.

해설 brown skirt, striped T-shirt, long, straight, black hair를 한 사람이 여자의 친구이므로 ②가 알맞다.

어휘 striped 줄무늬의 straight 직선의, 곧은

02

Script

W Alan, you look worried. What's the matter?

M I can't find my smartphone. And it is turned off.

W How about looking behind the cushion?

M I couldn't find it there.

W Let's see…. Did you leave it in the desk drawer?

M No. I've already looked in the desk drawer, on the desk, by the computer, and on the bed.

W Oh, Alan! There it is! It's under the bed.

해석
여 Alan, 너 걱정 있어 보여. 무슨 일이야?

남 내 스마트폰을 찾을 수가 없어. 그리고 그것이 꺼져 있어.

여 쿠션 뒤를 보는 게 어때?

남 거기서 찾을 수 없었어.

여 가만있어 봐…. 그러면 책상 서랍 안에 두었니?

남 아니야. 책상 서랍 안, 책상 위, 컴퓨터 옆, 그리고 침대 위도 이미 찾아봤어.

여 아, Alan! 저기 있어! 침대 아래에 있어.

해설 쿠션 뒤, 책상 서랍 안, 책상 위, 컴퓨터 옆, 침대 위를 모두 찾아도 없다고 했는데, 여자가 마지막에 침대 아래(under the bed)에서 스마트폰을 찾았다.

03

Script

W Draw a straight line. And draw two circles above the

line without touching it. The left circle with a number 3 in it is as large as the right one with a number 6 in it.

해석

여 직선을 그려라. 그리고 선과 닿지 않게 선 위에 두 개의 원을 그려라. 안에 숫자 3이 있는 왼쪽 원은 안에 숫자 6이 있는 오른쪽 원만큼 크다.

해설 직선 위에 크기가 같은 두 개의 원이 있으며, 왼쪽 원 안에는 숫자 3이, 오른쪽 원 안에는 숫자 6이 있어야 하므로 ①이 알맞다.

04

Script

W Oh, we're late. We should hurry.

M Let's take a taxi.

W What about our car?

M It broke down and needs repairing.

W Then I think we should take the subway. Traffic is heavy in the morning.

M Okay.

해석

여 오, 우리 늦었어. 서둘러야 해.

남 우리 택시 타자.

여 우리 차는 어떻게 하고?

남 고장 나서 수리해야 돼.

여 그러면, 내 생각엔 우리가 지하철을 타야 할 것 같은데. 아침에는 교통이 혼잡하잖아.

남 좋아.

해설 여자의 마지막 말 I think we should take the subway.에 대해 남자가 Okay.라고 대답했으므로 두 사람은 지하철을 탈 것이다.

어휘 break down 고장 나다 repair 수리하다

05

Script

M On this website, I found the backpack I wanted to buy.

W Which one is it?

M The grey one. It was forty dollars at the department store, but it's 10 dollars cheaper online!

W Really? Then I think you should buy it.

M Okay. I'll order it right now.

해석

남 이 웹 사이트에서 내가 사고 싶은 배낭을 찾았어.

여 그게 어떤 건데?

남 회색 배낭이야. 그게 백화점에서는 40달러였는데 온라인에서는 10달러가 더 싸!

여 정말? 그러면 내 생각엔 네가 그것을 사야 할 것 같은데.

남 알았어. 당장 주문해야겠다.

해설 백화점에서는 40달러인데, 온라인에서는 10달러가 싸다고 했

으므로 남자가 주문할 배낭의 가격은 30달러이다.

06

Script

W Steve, you look pale. What's the matter?

M I didn't sleep at all last night.

W Why not?

M Well, I'm under a lot of pressure. My boss assigned me three projects. Now the deadlines are near and I still haven't finished all of my projects.

W Is there anything I can do to help you?

M No, there isn't. But thanks for offering.

해석

여 Steve. 너 창백해 보여. 무슨 일이야?

남 어젯밤에 잠을 전혀 자지 못했어.

여 왜 못 잤는데?

남 음. 스트레스를 많이 받고 있어. 사장이 나에게 세 개의 프로젝트를 주었어. 이제 마감일이 가까워지고 있는데 나는 아직도 프로젝트를 전부 마치지 못했거든.

여 내가 널 돕기 위해 할 수 있는 일이 있니?

남 아니, 없어. 하지만 제안해 줘서 고마워.

해설 마감일이 가까워지고 있는데 사장이 자신에게 준 프로젝트를 마치지 못했으니 걱정스러울(worried) 것이다.

어휘 pale 창백한 under pressure 스트레스를 받는 assign (일·책임 등을) 맡기다, 배정하다 deadline 마감일

07

Script

W I'd like combo meal number 2, please.

M What kind of drink would you like?

W Coke.

M Would you like a large Coke for 50 cents more?

W No thanks.

M For here or to go?

W For here.

M All right. That's going to be 7 dollars and 50 cents.

W Here you go.

M Thank you.

해석

여 2번 콤보 세트 주세요.

남 음료는 어떤 걸로 드릴까요?

여 콜라요.

남 50센트 더 내시고 콜라를 큰 걸로 드시겠어요?

여 아니요.

남 여기서 드실 건가요, 가져가실 건가요?

여 여기서 먹을 거예요.

남 알겠습니다. 모두 7달러 50센트입니다.

여 여기 있어요.

남 고맙습니다.

해설 combo meal number 2, Coke, For here or to go? 등으로 보아 패스트푸드점에서 일어난 대화임을 알 수 있다.

08

Script

M I'd like to borrow a book. Do you have any good ones?

W What kind of books do you like?

M I like detective stories.

W Detective stories…. Well, this is a good one. It's called *Murder on the Orient Express*. Have you read it?

M No, I haven't. But I have seen the film.

W I think reading the book is more interesting than seeing the movie.

M Oh, really? Then I'd like to check it out, please.

W Okay. I'll do that for you.

해석

남 책을 빌리고 싶은데요. 좋은 것이 있나요?

여 어떤 종류의 책을 좋아하세요?

남 저는 탐정 소설을 좋아해요.

여 탐정 소설이라…. 음, 이것이 좋아요. 「오리엔트 특급 살인 사건」이라는 책인데요. 읽어 본 적 있어요?

남 아니요. 하지만 영화는 봤어요.

여 내 생각엔 책을 읽는 것이 영화를 보는 것보다 더 재미있어요.

남 아, 그래요? 그러면 그거 대출해 갈게요.

여 알겠습니다. 대출해 드릴게요.

해설 detective stories(탐정 소설), check out(대출하다) 등으로 보아 도서관에서 책을 빌리는 대화이므로 남자는 책을 빌리는 사람이고, 여자는 책을 빌려주는 도서관 사서이다.

① 작가 ② 사서 ③ 탐정 ④ 경찰관 ⑤ 감독

어휘 detective 탐정 murder 살인 express 특급 열차 check out (책을) 대출하다

09

Script

M Lisa, there's something I'd like to talk to you about.

W Uh-oh. What's the matter?

M Well…, it was just that two weeks ago that you promised to stop practicing the cello after 8 p.m. But you haven't.

W Gee, you're right. I can't tell you how sorry I am. I'll keep my promise.

해석

남 Lisa, 당신에게 할 말이 있어요.

여 어어. 무슨 일인가요?

남 저…, 당신이 오후 8시 이후에 첼로 연습을 하지 않겠다고 약속

한 것은 겨우 2주 전이었어요. 그런데 지키지 않았어요.

여 어머, 당신 말이 맞아요. 정말 미안해요. 약속 지킬게요.

해설 오후 8시 이후에는 첼로 연습을 하지 않겠다고 한 약속을 지키지 않았다는 남자의 말에서 찾아온 목적을 알 수 있다.

10

Script

M Tomorrow is Elsa's birthday.

W Let's buy her some clothes.

M But we don't know her favorite style and color. What do you think about getting some music CDs or magazines?

W I don't think she likes music. And I don't know what magazines she reads.

M Hmmm. Then what should we buy for her?

W I know! Let's get her some roses.

M That's a good idea.

Q What will the man and the woman buy for Elsa?

해석

남 내일이 Elsa의 생일이야.

여 그 애에게 옷을 사 주자.

남 하지만 그 애가 좋아하는 스타일이나 색깔을 모르잖아. 음악 CD나 잡지를 사 주는 게 어떨까?

여 그 애는 음악을 좋아하지 않는 것 같은데. 그리고 그 애가 무슨 잡지를 읽는지 몰라.

남 흠. 그러면 그 애에게 무엇을 사 줄까?

여 알았다! 장미를 사 주자.

남 좋은 생각이야.

질문 남자와 여자는 Elsa에게 무엇을 사 줄 것인가?

해설 clothes, music CDs, magazines가 언급되었지만 결국은 roses(장미)를 사 주기로 했다.

11

Script

W What do you think of wearing school uniforms?

M I think it's really good for us.

W Why do you think so?

M First of all, it saves us time. We don't have to decide what to wear every morning.

W I'm with you on that.

해석

여 너는 교복을 입는 것에 대해 어떻게 생각하니?

남 나는 교복을 입는 게 우리에게 정말로 좋다고 생각해.

여 왜 그렇게 생각하는데?

남 무엇보다 우리가 시간을 절약하게 해 줘. 우리는 아침마다 무엇을 입을지 정할 필요가 없으니까.

여 그 말에 동의해.

해설 I'm with you on that.은 '그 말에 동의해.'라는 의미로 상

대방의 의견과 같음을 나타내는 표현이다.

어휘 be good for ~에게 좋다 first of all 무엇보다도

12
Script

W Hi, Jerry. Do you have any plans for the summer holidays?

M I'm going to go to Guizhou Province in China.

W Why would you go there? I think it's not a very popular tourist site.

M I'm with you on that! It's not very popular, so it won't be too crowded.

W Good. But won't it be too hot in summer?

M No. It's very cool in summer.

해석

여 안녕, Jerry. 여름휴가로 어떤 계획이라도 있니?

남 나는 중국의 구이저우성에 가려고 해.

여 왜 그곳에 가려고 하니? 내 생각엔 그곳이 아주 인기 있는 여행지는 아닌 것 같은데.

남 그 말에 동의해! 별로 인기 있지 않아서 많이 붐비지 않을 거야.

여 좋네. 하지만 여름에 너무 덥지 않니?

남 아니. 여름에 아주 시원해.

해설 인기 있지 않아서 많이 붐비지 않는 것이 남자가 구이저우성을 여행지로 결정한 이유이다.

13
Script

M I'd like to join this sports club.

W Great. Let me ask you a few questions. What's your name?

M I'm Eric Brown.

W And how old and how tall are you?

M I'm 15 years old and 170 cm tall.

W Okay. How much do you weigh?

M I was 65 kg last year, but now I'm 62 kg because I exercised a lot.

W One more thing. What kinds of sports are you interested in?

M I like all team sports, and I also like swimming.

해석

남 저는 이 스포츠 클럽에 가입하고 싶어요.

여 좋아요. 몇 가지 질문을 할게요. 이름이 어떻게 되세요?

남 Eric Brown이에요.

여 그러면 나이와 키는요?

남 15살이고 170센티미터예요.

여 좋아요. 몸무게는요?

남 작년에 65킬로그램이었는데 운동을 많이 해서 지금은 62킬로그램이에요.

여 한 가지만 더요. 어떤 종류의 스포츠에 관심이 있나요?

남 팀 스포츠는 다 좋아하고, 수영도 좋아해요.

해설 작년에 65킬로그램이었지만 운동을 많이 해서 지금은 62킬로그램이라고 했으므로 ④ 몸무게는 62킬로그램이 되어야 한다.

14
Script

M You look different today, Jenny.

W I had my hair dyed blonde. What do you think of it?

M I think you look great as a blonde.

W Thank you, but now I'll need to buy new clothes to match my hair.

M Then let's go to the new shopping mall near the stadium. I need to buy some magazines, too.

W Sounds good.

해석

남 너 오늘 달라 보인다, Jenny.

여 머리를 금발로 염색했어. 어때?

남 금발로 바꾸니 아주 멋져 보여.

여 고마워, 그런데 이젠 머리에 어울리는 새 옷을 살 필요가 있어.

남 그러면 경기장 근처에 있는 새로 생긴 쇼핑몰에 가자. 나도 잡지를 좀 사야 해.

여 좋아.

해설 여자는 옷을, 남자는 잡지를 사야 해서 함께 쇼핑몰에 가기로 했다.

어휘 dye 염색하다 clothes 옷, 의류 match 어울리다

15
Script

W Robert, would you like to go to a concert tomorrow night?

M Sounds nice. What kind of concert is it?

W It's a traditional Korean musical performance show called "Samullori."

M That will be wonderful. What time shall we meet?

W Let's meet at 7:30 p.m. in front of the King Shopping Center!

M Okay. I finish working at 6:00 p.m., so that shouldn't be a problem. When does the show start?

W It starts at 8:00 p.m.

해석

여 Robert, 너 내일 밤에 음악회에 갈래?

남 좋아. 어떤 종류의 음악회야?

여 '사물놀이'라고 불리는 한국의 전통 음악 연주 공연이야.

남 멋지겠는걸. 우리 몇 시에 만날까?

여 King 쇼핑 센터 앞에서 오후 7시 30분에 만나자!

남 좋아. 내가 오후 6시에 일이 끝나니까, 문제없어. 공연이 언제 시작하니?

여 오후 8시에 시작해.

해설 남자의 말 I finish working at 6:00 p.m.에서 오후 6시에 퇴근한다는 것을 알 수 있으므로 ③이 잘못되었다.

어휘 traditional 전통적인

16

Script

W I'm going to the supermarket. Is there anything you want?

M Oh, let me come with you. There are many things to buy.

W Did you make a shopping list?

M No, but it's okay. I have everything in my head.

W Oh, I think you should make a shopping list before you go.

M Why is that?

W So that you don't buy anything you don't need and waste money.

M That's great advice.

해석

여 나 슈퍼마켓에 가는데, 원하는 것 있니?

남 아, 나도 같이 갈게. 살 게 많아.

여 너 쇼핑 목록을 적었니?

남 아니, 하지만 괜찮아. 내 머릿속에 다 있어.

여 오, 내 생각엔 네가 가기 전에 쇼핑 목록을 작성해야 할 것 같아.

남 왜 그래야 해?

여 그래야 불필요한 것을 안 사고, 돈을 낭비하지 않잖아.

남 그거 좋은 조언이네.

해설 여자는 남자에게 슈퍼마켓에 가기 전에 쇼핑할 목록을 작성하라고 조언하고 있다.

17

Script

W Aunt Clara bought us these pencil cases. The blue one is for me and the brown one is for you.

M Oh, yours is much better than mine!

W No, not at all — I think yours is as nice as mine.

M No, no, no, not really. Mine is not as nice as yours. I love yours.

W Oh, well…, here, you can have it.

M Oh, no, I couldn't.

W No really, I insist. We'll trade.

M Oh…, thank you.

해석

여 Clara 숙모가 우리에게 이 필통을 사 주셨어. 파란색 필통은 나의 것이고, 갈색 필통은 네 것이야.

남 오, 네 것이 내 것보다 훨씬 좋잖아!

여 아니야. 네 것도 내 것만큼 좋다고 생각해.

남 아니, 아니, 정말 아니야. 내 것은 네 것만큼 좋지 않아. 난 네 것이 마음에 들어.

여 오, 저…, 여기, 네가 이거 가져.

남 아니야, 그럴 수 없어.

여 아니, 진짜야. 서로 바꾸자.

남 오…, 고마워.

① 옷이 사람을 만든다.(옷이 날개다.) ② 피는 물보다 진하다.(혈육은 먼저 생각하고 챙기는 법이다.) ③ 한쪽 귀로 듣고 다른 쪽 귀로 흘려버린다.(소귀에 경 읽기.) ④ 돌 하나 가지고 새 두 마리를 잡는다.(일석이조) ⑤ 남의 집 잔디가 항상 더 푸르게 보인다.(남의 떡이 더 커 보인다.)

해설 여자는 자신의 것과 남자의 것이 똑같이 좋다고 말하는데도 남자가 계속 여자의 것이 더 좋다고 말하고 있으므로 남자에게는 '남의 집 잔디가 더 푸르게 보인다.(남의 떡이 더 커 보인다.)'는 속담이 어울린다.

어휘 much better 훨씬 더 좋은

18

Script

① M We should help the handicapped.

　W I agree with you.

② M What kind of performance do you like best?

　W I like dance performances best.

③ M What do you think of *bibimbap*?

　W I think it's delicious.

④ M Which do you prefer, playing soccer or playing basketball?

　W I'm planning to play soccer after school.

⑤ M I think it's all right to listen to music while studying.

　W I'm not with you on that.

해석

① 남 우리는 몸이 불편한 사람들을 도와야 해.

　여 네 말이 맞아.

② 남 너는 어떤 종류의 공연을 가장 좋아하니?

　여 나는 댄스 공연을 가장 좋아해.

③ 남 너는 비빔밥에 대해 어떻게 생각하니?

　여 나는 그게 맛있다고 생각해.

④ 남 너는 축구하는 것과 농구하는 것 중 어느 것을 더 좋아하니?

　여 나는 방과 후에 축구할 계획이야.

⑤ 남 나는 공부하는 동안 음악을 듣는 것이 괜찮다고 생각해.

　여 나는 그 말에 동의하지 않아.

해설 ④ 축구하는 것과 농구하는 것 중 어느 것을 더 좋아하는지 물었으므로 둘 중 하나를 택해서 I prefer playing soccer to playing basketball.처럼 대답해야 한다.

어휘 handicapped 장애가 있는

19

Script

M What did you do last Saturday?

W I went to the new Italian restaurant with Peter. We had cream spaghetti.

M Did you enjoy it?

W Yes, it was fantastic. You should have joined us.

M I don't like Italian food.

W Really? Then what kind of food do you like?

M I like Chinese food.

해석

남 너는 지난 토요일에 뭐 했니?

여 Peter랑 새로 생긴 이탈리아 식당에 갔어. 우리는 크림 스파게티를 먹었어.

남 그거 맛있었니?

여 응, 아주 맛있었어. 너도 우리랑 같이 갔어야 했는데.

남 나는 이탈리아 음식을 좋아하지 않아.

여 정말? 그러면 너는 어떤 종류의 음식을 좋아하니?

남 나는 중국 음식을 좋아해.

① 나는 중국 음식을 좋아해. ② 나는 이탈리아 음식을 먹고 싶어. ③ 나는 이번 일요일에 중국 음식을 먹을 거야. ④ 나는 한가한 시간에 보통 요리를 해. ⑤ 나는 일주일에 한 번 이탈리아 식당에 가.

해설 What kind of food do you like?는 어떤 종류의 음식을 좋아하는지 묻는 말이므로 좋아하는 음식의 종류로 대답해야 한다.

어휘 「should have+과거 분사」 ~했어야 했다.

20

Script

M Sora is curious about Jack's favorite kind of music. She asks him. He says it is rock music. Jack comes to her house after school. He plays rock music in the living room for her. Sora's mother doesn't like the loud music, so she tells Sora her feeling. In this situation, what should Sora say to Jack?

해석

남 소라는 Jack이 가장 좋아하는 음악의 종류가 궁금하다. 소라는 그에게 물어본다. 그는 록 음악을 좋아한다고 말한다. Jack은 방과 후에 소라의 집에 온다. 그는 소라를 위해 거실에서 록 음악을 연주한다. 소라의 엄마는 시끄러운 음악을 좋아하지 않기 때문에 소라에게 자신의 기분을 말한다. 이런 상황에서, 소라는 Jack에게 뭐라고 말을 해야 할까?

① 나는 힙합보다 록을 더 좋아해. ② 원하는 만큼 크게 음악을 들어. ③ 나는 너와 함께 록 콘서트에 가고 싶어. ④ 내 생각엔 네가 음악을 너무 크게 연주하지 않아야 할 것 같아. ⑤ 엄마가 우리와 함께 음악을 듣고 싶어 하셔.

해설 엄마가 시끄러운 음악을 싫어하시니 '음악을 크게 연주하지 말라'고 제안하는 말을 하는 것이 알맞다.

01 ①	02 ②	03 ①	04 ④	05 ④	06 ②	07 ③
08 ①	09 ②	10 ⑤	11 ①	12 ③	13 ⑤	14 ③
15 ③	16 ④	17 ②	18 ④	19 ②	20 ⑤	

01

Script

M What's the matter?

W I can't find my student card.

M Where do you usually leave it?

W In my schoolbag. But it isn't there now.

M I cannot see it under the chair or in the drawer, either. Oh, I found it!

W Really? Where was it, then?

M It was beside the telephone.

해석

남 무슨 일이야?

여 내 학생증을 찾을 수가 없어.

남 보통 그것을 어디에 두는데?

여 내 책가방 안에. 하지만 지금은 거기 없어.

남 의자 아래나 서랍 안에도 그게 보이지 않는데. 오, 찾았다!

여 정말? 그런데 어디에 있었니?

남 전화기 옆에 있었어.

해설 책가방 안, 의자 아래, 서랍 안에는 없었고 전화기 옆에서 여자의 학생증을 찾았다.

어휘 leave ~에 두다 either (부정문에서) 역시

02

Script

M It's sunny but cool today. Did you hear the weather forecast for tomorrow?

W Yes. I heard it will be cool again tomorrow.

M Then, I'll have to wear my jacket again. Do you think it will rain?

W No, I don't think so. The weatherman said it would be cloudy all day, but no rain is expected.

해석

남 오늘은 해가 나지만 서늘하네. 내일 일기 예보 들었어?

여 응. 내일 또 서늘할 거라고 들었어.

남 그러면 또 재킷을 입어야겠다. 비는 올 것 같니?

여 아니, 그렇게 생각하지 않아. 기상캐스터가 하루 종일 흐리지만 비는 오지 않을 거라고 말했어.

해설 오늘은 해가 나고, 내일은 하루 종일 흐리지만 비는 오지 않을 것이라고 했다.

어휘 weather forecast 일기 예보 all day 하루 종일

03

Script

M What a nice park!

W Yes, it really is.

M Look at the children throwing trash into the animal cages. I think they shouldn't do that.

W You're right.

M Oh, no, Emma. Look at the sign. You shouldn't feed the animals.

W Oh, I'm sorry. I didn't know that.

해석

남 멋진 공원이구나!

여 응, 정말 그래.

남 동물 우리 안으로 쓰레기를 던지는 아이들 좀 봐. 나는 그들이 그래서는 안 된다고 생각해.

여 네 말이 맞아.

남 오, 안 돼, Emma. 저 표지판을 봐. 동물들에게 먹이를 주면 안 돼.

여 오, 미안해. 몰랐어.

해설 You shouldn't feed the animals.에 어울리는 표지판은 ①번이다.

04

Script

W What would you like, sir?

M I'd like some soup, first.

W What kind of soup would you like?

M A bowl of potato soup, please. And a steak.

W How would you like your steak?

M Medium, please.

W Anything to drink?

M Iced tea, please.

해석

여 손님, 무엇을 드시겠습니까?

남 우선 수프를 먹을게요.

여 어떤 종류의 수프를 드시겠습니까?

남 감자 수프 한 그릇 주세요. 스테이크도요.

여 스테이크는 어떻게 익혀 드릴까요?

남 적당히 익혀 주세요.

여 마실 것은요?

남 아이스티로 주세요.

해설 남자는 potato soup, medium steak, iced tea를 주문했다.

어휘 would like ~하고 싶다, 원하다 bowl 사발, 그릇 medium (스테이크가) 중간 정도로 구워진

05

Script

M What do you think about your job?

W I like my job. I can meet all kinds of famous people.

M Oh, really?

W Yes. Last Friday, an actor came into our salon.

M Really?

W Of course. I cut and washed his hair with shampoo. He gave me his autograph.

해석

남 당신의 직업에 대해 어떻게 생각하나요?

여 저는 제 직업을 좋아해요. 모든 종류의 유명한 사람들을 만날 수 있으니까요.

남 오, 정말요?

여 네. 지난 금요일에는 한 배우가 저희 미용실에 왔어요.

남 정말요?

여 물론이죠. 저는 그의 머리를 자르고 샴푸로 머리를 감겨 주었어요. 그는 나에게 그의 사인을 해 주었어요.

해설 머리를 자르고 감겨 주었다는 것으로 보아 여자의 직업은 ④ 헤어 스타일리스트이다.

어휘 all kinds of 모든 종류의 autograph 사인

06

Script

M Minho has $50 to spend on a baseball cap. The first baseball cap he looked at was $30. The second one was $10 more than the first. The third one cost half as much as the second. Minho bought the third baseball cap.

해석

남 민호는 야구 모자를 사는 데 쓸 돈이 50달러 있다. 그가 본 첫 번째 야구 모자는 30달러였다. 두 번째 것은 첫 번째보다 10달러가 더 비쌌다. 세 번째 것은 두 번째의 절반의 비용이 든다. 민호는 세 번째 야구 모자를 샀다.

해설 첫 번째 야구 모자는 30달러이고, 두 번째 야구 모자는 첫 번째 것보다 10달러가 더 비싸므로 40달러, 세 번째 야구 모자는 두 번째 것의 절반 가격이므로 20달러이다. 민호는 세 번째 야구 모자를 샀으므로 20달러를 사용했다.

어휘 cost ~의 비용이 들다 half as much as ~의 절반인

07

Script

M Can I help you?

W Yes. I'm looking for a pet for my son.

M What kind of pet does he want?

W Well... what pet do you recommend for a teenager?

M How about raising a guinea pig? It's very popular for teenagers these days.

W Sounds good! I think my son might like it.

해석

남 도와드릴까요?

여 네. 저는 제 아들에게 줄 애완동물을 찾고 있어요.

남 그가 어떤 종류의 애완동물을 원하나요?

여 글쎄요… 십 대 아이에게 어떤 애완동물을 추천하시겠어요?

남 기니피그를 키워 보시는 게 어때요? 요즘 십 대들에게 매우 인기가 있어요.

여 좋아요! 아들이 좋아할 것 같아요.

애완동물을 살 수 있는 곳은 애완동물 가게이다.

어휘 recommend 추천하다 guinea pig 기니피그

08

Script

W You know what? They accepted my work.

M What do you mean?

W I mean the artwork I sent to the contest.

M Wow! Congratulations! I'm so proud of you.

W Thank you. I used tape to create the artwork.

M Really? Great. I'm curious about your work.

W Then, would you like to come to the exhibition?

M Sure! Why not?

해석

여 있잖아. 그들이 내 작품을 받아들였어.

남 그게 무슨 말이니?

여 내가 대회에 보낸 작품 말이야.

남 와! 축하해! 난 네가 정말 자랑스러워.

여 고마워. 나는 그 작품을 만드는 데 테이프를 사용했어.

남 정말? 대단하다. 나는 네 작품이 궁금해.

여 그럼, 전시회에 올래?

남 물론이지! 왜 안 가겠어?

해설 자신이 대회에 보낸 작품이 받아들여졌으므로 기분이 좋을 것이다.

어휘 be proud of ~을 자랑스러워하다 exhibition 전시회

09

Script

W Good afternoon, Mr. Clark.

M Good afternoon, Sally. What's the matter?

W I have a decayed tooth down here on the right side.

M Does it hurt?

W Yes. It really hurts.

M Open a little wider, please. Hmm. I think I'd better pull that out.

해석

여 안녕하세요. Clark 선생님.

남 안녕하세요. Sally. 뭐가 문제인가요?

여 오른쪽 아래 여기에 충치가 있어요.

남 아파요?

여 네. 너무 아파요.

남 입을 좀 더 크게 벌려 보세요. 흠. 아무래도 그걸 뽑아야겠어요.

해설 충치가 생겨서 이가 아프다고 말하는 여자는 환자이고 충치를 뽑아야겠다고 말하는 남자는 치과 의사이다.

어휘 decayed tooth 충치 hurt 아프다 pull out (이를) 뽑다

10

Script

W Hi, Mason. This is Jessica. I'm at Andy's Cafe near the Edmond Shopping Mall. I thought we were supposed to meet here at 3:00, but maybe I had the wrong time in mind. Otherwise, I'll wait here until you show up. If you get this message, give me a call as soon as possible. Bye.

해석

여 안녕, Mason. 나 Jessica야. 나는 Edmond 쇼핑몰 근처에 있는 Andy's 카페에 있어. 나는 우리가 여기서 3시에 만나기로 했다고 생각했는데, 혹시 내가 시간을 잘못 알았나 해서. 그렇지 않으면 네가 올 때까지 여기서 기다릴게. 네가 이 메시지를 받으면 가능한 한 빨리 전화해 줘. 안녕.

해설 3시에 만나기로 했다고 생각했는데 친구가 나타나지 않자 그 시간이 맞는지 확인하기 위해서 메시지를 남겼다.

어휘 be supposed to do ~하기로 되어 있다 otherwise 그렇지 않으면 until ~할 때까지 show up 나타나다 as soon as possible 가능한 한 빨리

11

Script

W I think playing sports is exciting and good for our health. How about you, David?

M I'm with you on that.

W What sports do you like?

M I like all kinds of sports. I jog every morning and go swimming twice a week. I can play soccer very well. But my favorite sport is shooting a ball into a basket on a court. Do you know what it is?

W Of course.

해석

여 나는 스포츠를 하는 게 신나고 우리 건강에 좋다고 생각해. David, 너는 어때?

남 나도 네 말에 동의해.

여 너는 어떤 스포츠를 좋아하니?

남 난 모든 종류의 스포츠를 좋아해. 아침마다 조깅을 하고 일주일에 두 번 수영하러 가. 나는 축구를 아주 잘해. 하지만 내가 가장 좋아하는 스포츠는 코트에서 바구니에 공을 던지는 거야. 그게 뭔지 아니?

여 물론이지.

해설 코트에서 바구니에 공을 던지는 스포츠는 '농구'이다.

어휘 be good for ~에 좋다 twice a week 일주일에 두 번

12

W What do you think about popular music today?

M I think it is terrible.

W Why do you think so?

M The words don't mean anything, and the songs all sound the same. Don't you think so?

W No. I'm not with you on that. The songs are exciting, and the singers are all very talented.

해석

여 너는 오늘날의 대중음악에 대해 어떻게 생각하니?

남 나는 형편없다고 생각해.

여 너는 왜 그렇게 생각하는데?

남 가사가 아무런 의미가 없고 모든 노래가 똑같이 들려. 그렇게 생각하지 않니?

여 아니. 난 그 말에 동의하지 않아. 노래가 신나고, 가수들이 모두 재능이 있어.

해설 남자는 가사가 아무런 의미가 없고 모든 노래가 똑같다며 부정적인 생각을 가지고 있고, 여자는 노래가 신나고 가수들이 재능이 있다며 긍정적인 생각을 가지고 있다.

어휘 same 같은 talented 재능 있는

13

M Wow, I can't believe this!

W What?

M Owen grew a lot during the last winter vacation.

W How tall was he last year?

M He was as tall as me, 160 centimeters.

W How much taller did he get?

M Ten centimeters in only two months. Now, he is taller than me.

해석

남 와, 나는 믿을 수가 없어!

여 뭘?

남 Owen이 지난 겨울 방학 동안에 키가 많이 자랐어.

여 그 애 키가 작년에 얼마였는데?

남 나랑 같은 160센티미터였어.

여 그 애가 얼마나 더 컸는데?

남 겨우 두 달 사이에 10센티미터가 더 컸어. 이제 그 애는 나보다 더 커.

해설 작년에 160센티미터였는데 지금은 10센티미터가 더 컸다고 했으므로 올해는 170센티미터임을 알 수 있다.

14

M First, I think you should take every chance to speak English. You can practice speaking English with your friends, teachers, or native speakers. Second, I think you should read English books or magazines. That makes you practice English words and expressions. Last, I think you should also watch English TV programs and listen to English songs. That can help you learn how to pronounce words correctly.

해석

남 먼저, 저는 여러분이 영어를 말할 수 있는 모든 기회를 잡아야 한다고 생각합니다. 여러분은 친구, 선생님 또는 원어민과 영어 말하기를 연습할 수 있습니다. 두 번째, 저는 여러분이 영어책이나 영어 잡지를 읽어야 한다고 생각합니다. 그것은 여러분이 영어 어휘나 표현을 연습하게 해 줍니다. 마지막으로, 저는 또한 여러분이 영어 TV 프로그램을 보거나 영어 노래를 들어야 한다고 생각합니다. 그것은 여러분이 어휘를 정확하게 발음하는 법을 배우도록 도와줄 수 있습니다.

해설 영어 TV 프로그램을 보거나 영어 노래를 들으면 어휘를 정확하게 발음하는 법을 배울 수 있다고 했지만 영어 발음을 연습하라는 말은 없으므로 ③은 언급되지 않았다.

어휘 chance 기회 pronounce 발음하다 correctly 정확하게

15

M Are you interested in drones?

W Yes. I'm curious about the process of making a drone.

M Then, why don't you join our DIY Drone Class? You can make your own drone in the class. It's a lot of fun.

W Really? Is it okay if I visit your drone class first?

M No problem. The class is every Friday.

W Then I'll visit this Friday.

M Great. It's in classroom 5B. It starts at 4:00 p.m.

W I'm looking forward to it.

해석

남 너 드론에 관심 있니?

여 물론이지. 나는 드론을 만드는 과정이 궁금해.

남 그럼 우리 DIY 드론 수업에 참여하는 게 어때? 너는 수업에서 너만의 드론을 만들 수 있어. 아주 재미있어.

여 정말? 그럼 먼저 네 드론 수업을 방문해 봐도 될까?

남 문제없어. 수업은 매주 금요일에 있어.

여 그러면 이번 금요일에 방문할게.

남 좋아. 5B 교실에서 있어. 오후 4시에 시작해.

여 수업이 기대돼.

① DIY 드론 수업에 와서 참여해라 ② 자신만의 드론을 만들 수 있다

③ 화요일과 목요일에 ④ 우리는 오후 4시에 만난다 ⑤ 5B 교실에서

어휘 look forward to ~을 기대하다, 고대하다

16

Script

M Come in. How may I help you?

W Well, my problem is that I'm neither slim nor pretty.

M Come on, look on the bright side. Your appearance is okay.

W But I want to be as slim and pretty as my friends.

M I think you should forget about useless comparisons with others. Be yourself.

W I see. I'll keep that in mind.

해석

남 들어와. 뭘 도와줄까?

여 저, 제 문제는 제가 날씬하지도 않고 예쁘지도 않다는 거예요.

남 자, 긍정적으로 생각해. 네 외모는 괜찮아.

여 하지만 저는 제 친구들처럼 날씬하고 예쁘기를 원해요.

남 다른 사람들과의 쓸데없는 비교는 잊는 게 좋다고 생각해. 자신감을 가져.

여 알겠어요. 그 말씀을 명심할게요.

해설 slim, pretty, 특히 appearance로 보아 여자가 자신의 외모에 대한 고민을 상담하고 있는 대화임을 알 수 있다.

어휘 neither A nor B A도 B도 아닌 appearance 외모 comparison 비교 keep ~ in mind ~을 명심하다

17

Script

M I'm so bored in my free time. What should I do?

W I think you should begin a new hobby.

M Great idea, but what hobby should I take up?

W Well, what do you like to do?

M Well, I like to play sports and I like outdoors activities.

W I've got it. You'd better take up badminton.

M Yes, that's it. I'll start right away.

W Right away?

M Sure. The sooner, the better.

해석

남 나는 여가 시간에 너무 지루해. 내가 어떻게 해야 할까?

여 내 생각엔 네가 새로운 취미를 시작해야 할 것 같아.

남 좋은 생각이야. 하지만 어떤 취미를 시작하지?

여 음, 너는 무엇을 하는 걸 좋아하니?

남 글쎄, 나는 운동하는 걸 좋아하고, 야외 활동을 좋아해.

여 알겠다. 너 배드민턴을 하는 게 좋겠다.

남 그래, 바로 그거야. 당장 시작해야겠다.

여 지금 당장?

남 물론이야. 빠르면 빠를수록 좋잖아.

해설 여자가 배드민턴을 하라고 제안하자 남자는 빠르면 빠를수록 좋다면서 지금 당장 시작하겠다고 하는 것으로 보아 '쇠뿔도 단김에 빼라.'는 속담이 어울린다.

어휘 The sooner, the better. 빠르면 빠를수록 좋다.

18

Script

① M I'm curious about animals in African countries.

W Me, too.

② M What kind of movie are you going to watch?

W A romance movie.

③ M It is not easy to stop playing computer games.

W I'm with you on that.

④ M Which do you prefer, studying at home or studying at the library?

W I prefer studying at the library to studying at home.

⑤ M What do you think of our P.E. uniform?

W I think it's stylish.

해석

① 남 나는 아프리카 국가들에 있는 동물들이 궁금해.

여 나도 그래.

② 남 너는 어떤 종류의 영화를 볼 거니?

여 로맨스 영화.

③ 남 컴퓨터 게임을 그만두는 것은 쉽지 않아.

여 나도 그 말에 동의해.

④ 남 너는 집에서 공부하는 것과 도서관에서 공부하는 것 중 어느 것이 더 좋니?

여 나는 집에서 공부하는 것보다 도서관에서 공부하는 것이 더 좋아.

⑤ 남 너는 우리 체육복에 대해 어떻게 생각하니?

여 그것이 멋지다고 생각해.

해설 그림에서 여자아이가 집에서 공부하는 모습에 ×, 도서관에서 공부하는 모습에 ○표가 있는 것으로 보아 ④번 대화가 알맞다.

어휘 P.E. uniform 체육복 stylish 유행에 맞는, 멋진

19

Script

W Mark, you do look great today. I like your blue sweater.

M Thanks.

W Where did you get it?

M Last weekend, I bought it at a flea market.

W Really? I think we can save a lot of money by buying secondhand clothes.

M I'm with you on that.

여 Mark, 너 오늘 정말 멋져 보여. 네 파란색 스웨터 마음에 든다.

남 고마워.

여 어디서 났니?

남 지난 주말에 벼룩시장에서 샀어.

여 정말? 나는 우리가 중고 의류를 사면 돈을 많이 절약할 수 있다고 생각해.

남 <u>나도 그 말에 동의해.</u>

① 놀라운데! ② 나도 그 말에 동의해. ③ 그 말을 들으니 기뻐.

④ 나도 중고 물건을 사는 것을 좋아해. ⑤ 나는 쇼핑몰에서 쇼핑하는 것보다 벼룩시장에서 쇼핑하는 것을 더 좋아해.

해설 중고 의류를 사면 돈을 많이 절약할 수 있다고 생각한다는 여자의 말에 대해 남자가 자신의 생각을 말해야 하므로 '나도 그 말에 동의해.'라는 뜻의 ②가 알맞다.

어휘 flea market 벼룩시장 secondhand 중고의

20

Script

W Hey, Nelson! What do you think of my new hairstyle?

M Well, I liked your old hairstyle better.

W Why do you say that?

M Your old hairstyle was much prettier.

W Really? Well, what do you think I should do?

M I think you'd better change your hairstyle back.

해석
여 안녕, Nelson! 내 새 헤어스타일에 대해 어떻게 생각해?

남 음. 나는 네 예전 헤어스타일이 더 마음에 들어.

여 왜 그렇게 말하는데?

남 예전 헤어스타일이 훨씬 더 예뻤어.

여 정말? 그러면, 내가 어떻게 해야 한다고 생각하니?

남 <u>나는 네가 헤어스타일을 예전처럼 바꾸는 게 좋다고 생각해.</u>

① 나는 그것이 훌륭하다고 생각해. ② 나는 네가 헤어 디자이너가 되기를 원해. ③ 너는 그 미용실에 가면 안 돼. ④ 네 머리카락은 내 머리카락만큼 짧아. ⑤ 나는 네가 헤어스타일을 예전처럼 바꾸는 게 좋다고 생각해.

해설 남자가 여자의 새 헤어스타일이 마음에 들지 않는다고 말하자 여자는 어떻게 하면 좋을지 조언을 구하고 있으므로 I think you'd better ~를 써서 고민을 해결할 방법을 제안하는 말인 ⑤가 알맞다.

어휘 hairstyle 헤어스타일 much prettier 훨씬 예쁜

비상 중학영어 필수 Play List

기본서	▶	All that	중학 영어 학습에 필요한 모든 것 **올댓 중학 영어**	중등 1~3학년
영역별	▶	TAPA	영어 고민을 한 방에 타파! 영역별·수준별 학습 시리즈, **TAPA!**	중등 1~3학년
독해	▶	READER'S BANK	초등부터 고등까지 새롭게 개정된 10단계 맞춤 영어 전문 독해서, **리더스뱅크**	(예비) 중등~고등 2학년
독해	▶	중등 수능독해	기출문제를 통해 독해 원리를 익히며 단계별로 단련하는 수능 학습서, **중등 수능독해**	중등 1~3학년
문법·구문	▶	마법같은 블록구문	마법같이 영어 독해력을 강화하는 구문 학습서, **마법같은 블록구문**	중등 3~고등 2학년
문법	▶	Grammar in	3단계 반복 학습으로 완성하는 중학 영문법, **그래머 인**	중등 1~3학년
문법	▶	악마의 문법책을 찢어라	알맹이 4법칙을 통해 문장을 쉽게 이해하는 **악마의 문법책을 찢어라**	중등 1~고등 2학년
듣기	▶	중학영어 듣기모의고사 22회	영어듣기능력평가 완벽 대비 듣기 실전서, **중학영어 듣기모의고사**	중등 1~3학년
어휘	▶	완자 VOCA	중학 필수 영단어 학습서, **완자 보카**	중등 1~3학년

비상교육 평가문제집　내신 시험 대비는 평가문제집으로! 내신 만점을 위한 공부법을 선물합니다.

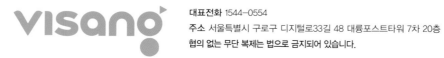

대표전화 1544-0554
주소 서울특별시 구로구 디지털로33길 48 대륭포스트타워 7차 20층
협의 없는 무단 복제는 법으로 금지되어 있습니다.